LES ROUGON-MACQUART

HISTOIRE NATURELLE ET SOCIALE
D'UNE FAMILLE SOUS LE SECOND EMPIRE

Émile Zola

La Fortune des Rougon

Préface
de Maurice Agulhon
Professeur honoraire
au Collège de France

Édition établie
et annotée
par Henri Mitterand
Professeur émérite
à la Sorbonne nouvelle

Gallimard

PRÉFACE

Comme chacun sait, La Fortune des Rougon *est le premier roman de la série des* Rougon-Macquart, *histoire naturelle et sociale d'une famille sous le Second Empire.*

« Naturelle et sociale », écrivait Zola simplement. En termes plus précis, mais alourdis de pédantisme, nous traduirions « histoire biologique et socio-politique ». On aura garde de ne pas oublier l'importance du « et » : cette famille est porteuse d'un « sang » héréditairement taré, et de plus elle évolue dans une certaine société historiquement datée. Zola est déterministe, et plutôt deux fois qu'une.

La façon dont sa prétention à la philosophie concilie ces deux déterminismes étrangers l'un à l'autre nous importe d'ailleurs assez peu ; peu nous importe même la façon dont Zola conçoit le mécanisme de chacun d'eux ; nous lisons aujourd'hui ces histoires pour elles-mêmes. La réussite romanesque a pris le pas sur l'ambition théorique. Nous pouvons admirer tel ou tel de ces romans et en ignorer d'autres, nous pouvons même lire l'ensemble des vingt et négliger la thèse qui est censée leur servir de fil conducteur, de même que nous lisons La Comédie humaine *sans connaître forcément la philosophie de Balzac*.

Cela dit, il faut bien rappeler d'abord que La Fortune des Rougon, *en tant que premier roman de la série, est celui de « l'exposition », comme on dit au théâtre, que la ou les premières scènes de l'acte I sont celles de l'exposition de l'intrigue*.

Voici donc les données du problème : côté « naturel », l'hystérie de l'ancêtre, Adélaïde Fouque, épouse d'un Rougon, puis concubine d'un Macquart ; coté « social », la ruée de luttes sociales et d'appétits de promotion et de jouissances qui, pour Zola comme pour tant de ses contemporains, a caractérisé le Second Empire. La fortune des Rougon, ce n'est pas seulement, au sens abstrait du mot fortune, la destinée des Rougon, c'est aussi, plus matériellement, leur conquête de l'argent (un poste rémunérateur de receveur particulier des finances), cet argent et cette destinée étant liés au coup d'État du 2 Décembre 1851. En effet, c'est même l'un des ressorts essentiels de l'intrigue, Rougon père et fils surent associer leur sort à celui du président fauteur du coup d'État et futur Empereur.

La Fortune des Rougon *c'est un peu « la fortune des Bonaparte en province ».*

Nous la lirons donc aujourd'hui d'abord comme un grand roman historique entrelacé avec un grand roman de mœurs provinciales.

*

Cette histoire sociale du Second Empire fut conçue par Zola en 1869, comme s'il considérait par avance la période impériale achevée. De fait elle n'allait pas tarder à l'être. Faut-il saluer ici un génie prémonitoire ? Après

*les élections de 1869 cependant, il ne fallait pas être
grand prophète pour annoncer la fin de l'Empire ;
l'ébranlement du régime qui n'avait plus de majorité
automatique au Corps législatif et qui avait dû rétablir
les libertés de réunion et de presse était patent. Restait à
donner les derniers coups d'épaule au fameux « édifice », et le parti républicain s'y employait. L'une des
armes de cette lutte fut l'histoire : rappeler aux anciens,
et apprendre aux plus jeunes, le péché originel de
Napoléon III, ce coup d'État du 2 Décembre qui fut un
parjure personnel et un scandale juridique accompagnés d'un déchaînement démesuré de vengeances politiques et sociales au profit du « parti de l'Ordre ».*

    À cet égard on peut inscrire La Fortune des Rougon
*dans le même courant d'histoire accusatrice que la plai-
doirie de Gambetta au procès de la souscription Bau-
din (pour honorer la mémoire de ce représentant, tué
sur les barricades, Gambetta interpellait les puissants :
vous avez fondé votre régime un 2 Décembre mais vous
n'en avez jamais célébré la date anniversaire, c'est donc
que vous en avez honte…). À vrai dire, c'est aujourd'hui
que la célébrité de Zola nous permet de la ranger à côté
de celle de Gambetta. En 1869 Zola était encore obs-
cur, et c'est Eugène Tenot, aujourd'hui oublié, que les
contemporains connaissaient. Républicain, journaliste
au* Siècle, *Tenot avait publié depuis 1865 deux ouvrages retentissants,* Paris au 2 Décembre 1851, La Province en décembre 1851, *ouvrages d'autant plus
redoutables pour l'Empire qu'ils avaient la solidité et
le ton de l'enquête historique au lieu des traits du pamphlet hugolien. Tenot avait des émules en province
qui précisaient encore les récits, tels Noël Blache pour
le département du Var, dont nous verrons bientôt
l'importance. Eugène Tenot, Noël Blache, ce sont les*

sources d'information historiques (nous dirions, plus précisément, « événementielles ») dont avait eu besoin Émile Zola, lequel — ne l'oublions pas — n'avait que onze ans en 1851.

La « fortune » des Rougon, avons-nous dit, c'est la fortune des Bonaparte à l'échelle locale. L'intrigue du roman a pour ressort et pour toile de fond à la fois le déroulement des journées de décembre 1851 dans une lointaine petite ville de Provence.

Laquelle ? C'est ici qu'il faut démêler les libertés que le romancier a prises avec l'histoire, ou du moins avec l'événement.

Il n'y a pas de Plassans en Provence, seulement un Flassans (Var) et un Flassan (Vaucluse) ; le nom est inventé mais la consonance est plausible et même assez typique.

Cela dit, Plassans est composite : bien des traits sont d'Aix-en-Provence, mais il y en a aussi beaucoup de Lorgues (Var) et même un peu... de Paris.

Comment ne pas reconnaître Aix, d'abord, Aix où vécut Zola enfant, dans cette petite ville qui a sous-préfet, receveur des finances et évêque ? (Curieusement absent, d'ailleurs, de La Fortune des Rougon, l'évêché sera au cœur du roman qui va suivre, La Conquête de Plassans). Comment surtout ne pas reconnaître Aix avec sa sociologie tripartite aussi rigoureusement marquée dans la séparation des quartiers que dans celle des classes : vieille noblesse — bourgeoisie des professions libérales et de la fonction publique — et peuple laborieux d'où émergent péniblement, pour accéder à l'oisiveté de la rente, les marchands d'huiles et les marchands d'amandes ? Comment ne pas reconnaître sur le « cours Sauvaire » les promenades ritualisées des deux rives du cours Mirabeau ? Comment ne pas *reconnaître encore les remparts croulants et les vieilles portes (mais nous retrouverons les remparts) ? Comment ne pas reconnaître enfin, aux deux débouchés sur la grand-route, la direction de Lyon et celle de Nice ? et dans les baignades des enfants dans les trous d'eau de « la Viorne » celles du petit Zola (et du petit Cézanne) dans l'Arc qui serpente toujours au bas de la longue avenue descendant de la cité ?*

Le malheur pour le romanesque est qu'Aix fut bien trop tranquille en décembre 1851, alors que le département voisin du Var était le siège d'une insurrection républicaine qui tint la campagne pendant près d'une semaine. C'est elle que Zola a empruntée pour la situer autour de Plassans. À cet égard, Plassans c'est Lorgues (Var). Il est tout à fait exact que l'insurrection s'est surtout déployée dans le sud du département, notamment dans les communes des Maures (la « forêt de la Seille »), qu'elle a trouvé ses principales forces dans les travailleurs des bois (les gens de La Garde-Freinet : « La Palud »), mais qu'elle a mobilisé aussi des villages entiers ; qu'en certains petits bourgs elle a entraîné jusqu'à des bourgeois (les messieurs en redingote ou en paletot du Luc devenu « Saint-Martin-de-Vaulx »). Il est exact qu'elle a marché d'abord sur « le chef-lieu » (Draguignan) puis qu'elle a maladroitement dérivé vers le nord sous la conduite de l'incapable Duteil (« l'homme au sabre »). C'est alors qu'elle a traversé la petite ville royaliste et conservatrice de Lorgues (« Plassans »), en une halte de nuit consacrée au repos et au ravitaillement ; puis qu'elle est allée se revigorer dans l'enthousiasme de la commune rouge de Salernes (« Orchères »), avant d'aller, désemparée, se faire rejoindre par la troupe et disperser à coups de fusils sur le plateau qui précède Aups (« Sainte-Roure »).

*Dans tout ceci, l'histoire militaire est un facile roman
à clefs, qu'on pourrait suivre jusqu'au détail. En voici
deux qui ne sont pas sans importance pour l'intrigue.
La fin du receveur Peirotte, prisonnier des insurgés, et
qui trouva la mort à « Sainte-Roure » d'une balle perdue parce qu'il avait mis trop tôt la tête à la fenêtre de
l'auberge-prison : c'est précisément ainsi que mourut,
dans la réalité, un bon bourgeois nommé Panescorse.
Quant à la blessure infligée par erreur au gendarme
Rengade, elle pourrait avoir pour point de départ un
autre coup, probablement involontaire, celui dont périt
à Cuers le brigadier Lambert, et pour lequel deux hommes, le meurtrier et un innocent, payèrent de leur vie.*

*Toutefois, il est temps de le dire, Lorgues n'a pas
davantage qu'Aix connu la subtile intrigue et le tragique guet-apens final montés par Félicité Rougon. Ici
Zola en a, comme on dit, rajouté. Le plus probable est
que, pour ce surcroît de tragique, il se soit inspiré de
la capitale, et que les cadavres de la place de l'Hôtel-de-
Ville à Plassans soient pour lui un rappel provincial de
la fusillade des Boulevards. Comme on sait, à Paris,
le 4 décembre, la partie était gagnée pour le pouvoir, les
barricades des faubourgs commençaient d'être reprises ;
alors, on ne sait pas trop pourquoi (mais les républicains de l'époque étaient plus disposés à croire à la
provocation ou à la sauvagerie froide qu'au malentendu
ou au hasard), la troupe ouvrit le feu et coucha au sol
les passants par dizaines. Ces morts des beaux quartiers suscitèrent même plus d'horreur que ceux des
faubourgs Saint-Antoine ou Saint-Denis. Pour que les
Rougon soient tout à fait des Bonaparte en réduction, il
fallait que le scénario de Plassans comporte un terme
aussi odieux.*

C'est en ce sens qu'on doit pouvoir conclure que Zola a additionné pour faire son *Plassans* les lieux et la société d'Aix, les événements historiques de Lorgues et du Var, et le sanglant point d'orgue de Paris.

*

C'est à la société qu'il s'est le plus attaché, on pourrait presque dire le plus acharné. Pauvres bourgeois d'Aix ! malheureux épiciers retirés ! infortunés marchands d'amandes ! habitués du salon jaune et « incroyables buses » du conseil municipal ! cette galerie de caricatures ne pourrait avoir d'équivalent dans la cruauté méprisante que sous le crayon de cet autre républicain provençal qui s'appelait Honoré Daumier. Tout est ignoble et grotesque ici, non seulement Pierre Rougon, qui l'est en quelque sorte par définition, étant fils d'une obscure brute rustique et d'une malade mentale, mais tous les suiveurs complices qui l'entourent. Une touche de singularité peut valoir un peu plus d'indulgence à certains de ces comparses, au marquis parce qu'il est noble, à Sicardot parce qu'il est soldat, à Roudier parce qu'il fut... parisien. Mais pour qui n'est que bourgeois et que d'Aix, pour un Granoux par exemple, quelle férocité ! À ce règlement de comptes on mesure la répulsion que la vie de province au milieu du siècle dernier a pu inspirer à la jeunesse intellectuellement émancipée, et ce témoignage involontaire n'est peut-être pas le moins frappant de ceux que Zola nous apporte.

Ces « buses » et ces ganaches appartiennent à toutes les nuances du camp conservateur, dont l'intrigue bonapartiste réalise finalement l'unité. L'admirable, dès lors, est que Zola ait résisté à la tentation d'idéaliser *leurs adversaires, et qu'il ait porté sur ceux de ses héros qui appartiennent au camp républicain un regard tout aussi critique, avec le seul adoucissement qu'inspirent la détresse et le malheur. Le journaliste républicain Aristide Rougon ? un sceptique et un arriviste, sans principes solides, et qui trahira au bon moment. L'agitateur des faubourgs Antoine Macquart ? un paresseux et un débauché pour qui le socialisme se réduit à l'envie de mordre dans le bien des riches. Et Silvère, le pur ? un enfant qui cumule les naïvetés de l'autodidacte avec les sublimations du refoulé. Le politicien, le bandit et la dupe — que disaient d'autre les réactionnaires pour désigner les républicains ?*

Il existe pourtant un héros positif, le « docteur Pascal », Pascal Rougon, le seul homme sympathique parmi les trois fils de Pierre et de Félicité. Alors que son frère aîné Eugène noue de Paris l'intrigue bonapartiste et que son autre frère Aristide s'occupe à Aix de propagande républicaine en attendant de trahir la République, lui Pascal, médecin, ne s'intéresse pas à la politique. Seules comptent pour lui la bonté (il soigne les pauvres pour rien) et la science (il analyse, herborise, minéralise…). On le retrouve pourtant dans la colonne insurrectionnelle, où il est allé par pitié, parce qu'il y aurait à soigner des blessés et des malades. Est-ce un trop violent paradoxe que celui de cet homme qui aurait ainsi été un insurgé sans même être républicain ? Eh bien ! non. Nous avons pu montrer que le docteur Pascal avait eu un modèle réel, le docteur Martel, de La Garde-Freinet, de qui on ne connaît aucun acte politique antérieur à décembre 1851, qui était seulement le médecin des sociétés de secours mutuels des ouvriers bouchonniers, et qui partit avec eux, dans la colonne insurrectionnelle, par solidarité ou pour les aider de son art jusqu'au bout. Nous ne savons pas grand-chose de plus de Martel. Du docteur Pascal en revanche nous savons qu'il pansait des plaies, qu'il ramassait — aux heures calmes — des cailloux et des plantes au bord du chemin, et qu'il étudiait au passage sur les physionomies de ses compagnons de bataille les signes cliniques de l'abrutissement ou de la névrose. Comment ne pas penser alors, sachant ce qui va suivre, que le docteur Pascal tient aussi et surtout de Zola ? Zola ami du peuple et de la République sans doute, mais qui prétendait mettre plus haut encore la Science et la Vérité ? Zola à qui des républicains reprocheront, dix ans plus tard, de noircir le peuple ouvrier de L'Assommoir *et qui répondra en substance que la meilleure façon de servir l'idéal républicain est d'étudier avec la rigueur du savant les maux pour chercher les remèdes ?*

Dès 1869-1870, nul doute que Zola soit acquis à la République, comme le docteur Pascal l'était en somme virtuellement, ne serait-ce que par répulsion contre le conservatisme borné des royalistes et des cléricaux et contre la brutalité cynique du bonapartisme. Pour celui-ci, qui va « du guet-apens du coup d'État à la trahison de Sedan », pour ce régime « des Bonaparte » dont il n'avait « osé espérer (la fin) si prochaine », Zola était aussi sévère qu'il est possible, mais il aurait pu sans doute ajouter — si haute était l'idée qu'il se faisait de la République — que les républicains concrets n'étaient pas toujours dignes d'elle en ce temps.

*

Restent, il est vrai, les deux héros-enfants de la révolte républicaine, le couple de Miette et de Silvère, vierges et martyrs.

Ils sont au cœur du roman, ces deux êtres, parce qu'ils jouent leur rôle dans la reconstitution politique et sociale de la lutte, et surtout parce qu'en leur personne le roman historique s'entrecroise avec le roman d'amour. Socialement ils sont tout aussi plausibles que les autres. Il est exact que le parti républicain a compris en grand nombre de jeunes ouvriers semblables à Silvère, pauvres mais non malheureux, gagnant aisément leur vie dans l'atelier d'un petit patron lui-même travailleur et fraternel, mais conquis par quelques bribes de lectures à l'expérience utopique d'une société de Justice parfaite et de Bonheur absolu à laquelle la République devait ouvrir la voie. Il est exact encore que la révolte républicaine une fois lancée a entraîné dans son sillage quelques prolétaires qui n'avaient pas de culture politique préalable mais qui saisissaient dans la révolte globale l'occasion d'échapper à une tyrannie proche et d'assouvir une vengeance : Miette, l'ouvrière-enfant surexploitée, méprisée de plus parce que son père, braconnier, est au bagne pour le meurtre d'un gendarme, représente dans la colonne l'incontestable apport de rebelles marginaux que le camp démocratique a reçu. De plus, c'est une femme. À qui serait tenté de croire que cette fois encore Zola aurait cultivé l'exception ou le paradoxe (une femme en lutte, au milieu du XIXe siècle, au fin fond d'une province méditerranéenne !) il nous a été donné de rappeler qu'il y eut aussi des réalités pour inspirer cette fiction-là ! Oui, la colonne des insurgés du Var a compris dans ses rangs quelques jeunes femmes, à la fois passionnées d'idéal et inséparables d'un mari ou compagnon. Oui, encore, il est arrivé qu'on les mette à l'honneur, comme Miette, en leur faisant porter le drapeau. Oui, enfin, il est arrivé même que, jouant du rouge de leur robe ou de leur manteau comme d'une draperie symbolique, elles se soient donné, ou se soient laissé donner le rôle théâtral — mais théâtral-réel, théâtral-militant — de « déesse de la Liberté ». La seule invention du romancier Zola, en fait de femme porte-drapeau, fut de la faire mourir.

Associés jusqu'à la fin en symboles symétriques, Miette et Silvère meurent, chacun à sa façon, elle, dans le feu de la bataille, de la balle d'un soldat, lui, dans la sinistre répression d'après la défaite, du pistolet d'un gendarme. Ainsi mourait-on en effet.

Mais cette mort, pour Zola, est deux fois tragique. Mort de rebelles innocents mais aussi mort d'amoureux dont l'amour n'aura pas eu le temps de s'accomplir.

Tel est l'épilogue de l'intrigue sentimentale, dont nous n'avons pas encore parlé, mais dont nous parlerons bien peu. L'idylle n'aura pas dans notre commentaire la place qu'elle tient dans le roman, parce qu'elle n'en a pas besoin. Si le secours de l'érudition est utile au lecteur d'aujourd'hui pour l'aider à comprendre l'ensemble et les détails d'une histoire ancienne et d'une société disparue, il n'a besoin de personne pour savourer la première des grandes « pages d'amour » dont Zola a semé ses œuvres.

Rendez-vous du soir sous les ombrages, idylle sur fond de révolution, rencontres chastes, ces trois caractères pourraient faire penser au couple de Marius et Cosette dans Les Misérables, *au succès alors tout récent. Mais avec quelle sensualité par surcroît ! À vrai dire, la seule référence que donne, clairement mais discrètement, Zola, en évoquant un « conte grec », est à l'amour de Daphnis et Chloé. Deux adolescents qui s'aiment d'amitié tendre, qui se désirent sans reconnaître leur désir, qui se caressent sans trouver le terme naturel de leurs enlacements, telle est l'histoire dont la bataille et la mort viennent brutalement supprimer l'épilogue. Les Daphnis et Chloé de Plassans meurent vierges.*

Mais, encore une fois, épargnons à l'amour la glose.

*

Romancier historique, romancier politique et social, romancier de l'amour, Zola ne serait pas lui-même enfin dans La Fortune des Rougon *s'il ne s'y montrait encore, ou plutôt déjà, l'animateur des symboles.*

Rien n'est plus banal que de reconnaître comme faculté propre à l'auteur des Rougon-Macquart *celle de faire vivre des objets comme des personnes, et de faire parfois de ses objets-vivants le principal personnage de ces romans, l'alambic de* L'Assommoir, *la locomotive de* La Bête humaine, *l'œuvre dans* L'Œuvre...*

Or cette faculté maîtresse existe ici, et La Fortune des Rougon, *où nous avons dû voir d'abord le roman de l'« exposition » des* Rougon-Macquart, *celui de la mise en place des généalogies et des rôles, est bien aussi le livre où le démiurge esquisse ses premières animations.*

D'abord avec l'aire Saint-Mittre, dont la description nous est d'emblée offerte. Cet ancien cimetière, qui devient peu à peu une sorte de parc vivant de végétation, de travail et d'amour, retrouve en épilogue, avec le meurtre de Silvère, son funèbre rôle d'antan ; il ouvre ainsi puis clôture l'ouvrage, il l'encadre, il lui suggère

*le sens d'une perpétuelle dialectique de Vie et de Mort.
Et, naturellement, son destin séculaire s'y apparie à
celui du petit Silvère, qui a senti s'y éveiller ses puissances de vie, avant d'y être frappé à mort.*

*Dirons-nous cependant que le rôle symbolique attri-
bué, trop ostensiblement peut-être, à ce morceau
d'espace n'est pas ce qui nous semble le plus caractéristique de la faculté d'animation de Zola ? En tout cas
ce n'en est pas le seul exemple. Mais pour en trouver un
autre, il nous faut revenir à l'intrigue politique, vue
cette fois de plus haut.*

*Deux camps, celui des bourgeois conservateurs, et
celui du peuple républicain. Le premier tient Plassans
et s'y enferme, le second fait lever de la campagne envi-
ronnante la colonne insurgée qui vient battre et pénétrer
la ville close. Remparts de Plassans... — remarque-t-on
assez l'insistance de Zola sur ces pauvres murailles ?
Zola bon témoin de son temps, d'ailleurs, une fois de
plus. Car il est très vrai que, vers 1830 ou 1840, bien
des villes françaises avaient encore une ceinture séculaire de remparts, d'origine militaire, avec des portes.
Et il est très vrai que le progrès majeur de l'urbanisme
du siècle dernier a été d'achever partout de les abattre
(sauf à les garder, et à les restaurer, exception archéo-
logique, à Avignon ou Carcassonne) ; la civilisation
passait alors par la substitution des boulevards aux
anciennes murailles, par la libre circulation au lieu
des anciens contrôles nocturnes. Et il est vrai encore
qu'à Plassans, ou plutôt — il faut ici rendre leur identité
aux malheureux édiles aixois — à Aix-en-Provence,
donc, on n'avait pas encore, en 1851, procédé à cette
libération élémentaire. Plassans se claquemurait le soir,
« comme une vieille fille ». Avec le coup d'État, ces
remparts toujours debout, et qui n'étaient encore*

qu'une preuve d'archaïsme et de ladrerie municipale, retrouvent contre les villageois rebelles un rôle défensif. Le conservatisme en acte du parti de l'ordre rejoint alors le conservatisme spontané et passif d'une bourgeoisie mesquine. Est-il abusif ainsi de penser que Zola nous invite à voir en ces murailles bien davantage qu'un singulier décor de pittoresque local : mais le symbole même de l'ordre conservateur, celui de la bourgeoisie apeurée, du passé sur la défensive — même si (en décembre 1851) le passé réussit à se gagner à force de cruelle fourberie dix-huit années d'avenir politique ?

Mais s'il en est ainsi, il faut que l'avenir aussi ait son symbole. N'en doutons pas, c'est la Colonne. Sortis (c'est la vérité historique) des villages et des bourgs, les républicains varois de décembre 1851 ont rassemblé leur force en une colonne d'allure militaire pour aller tenter de s'emparer des bases du pouvoir dans les chefs-lieux.

Il est très vrai que le mouvement républicain a pris, pour l'essentiel, la forme d'une troupe en marche sur les routes. C'est elle que Miette et Silvère entendent venir de loin, sur le pont de la Viorne, c'est elle que, du bord de la route, ils passent en revue ; c'est elle encore dont les bourgeois armés (immobiles) de Plassans guettent le déplacement dans la vallée, de village en village, d'étape en étape, de feux de bivouac en feux de bivouac.

Le parti républicain n'est un personnage que dans la mesure où il est visualisé dans cette expression militaire mobile.

Bien entendu, ces symboles se renforcent et s'éclairent l'un par l'autre. La désignation de la République par le dynamisme d'un peuple en marche est aussi *évidente (à l'esprit d'un Zola) que celle du parti de l'Ordre par la garde montée sur des murailles branlantes.*

Les remparts face à la colonne, les bourgeois face au peuple, l'Empire (ou du moins les suppôts provinciaux de l'Empire) face à la République, c'est tout un. Le roman politique a déjà la forme zolienne d'un grand duel d'images symboliques. Zola voyait juste, Zola voyait loin.

Nous ne pouvons ici nous empêcher de penser à un éminent politologue qui, voici bientôt quarante ans, voulut rajeunir la classique lecture bipartisane de l'histoire de France en remplaçant par des termes plus convenables les mots réputés usés ou sectaires de « Droite » et de « Gauche ». Et de proposer à la place de Droite, « parti de l'ordre établi », et à la place de Gauche, « parti du mouvement ». L'Ordre établi, le Mouvement — Zola n'aurait pas trouvé mieux si au lieu de biologie et de sociologie, il s'était piqué de « sciences-po* ».

MAURICE AGULHON.

---

* Pour la justification des rapprochements effectués ici entre le récit de Zola et l'histoire réelle de l'insurrection en Provence, on se reportera à notre ouvrage *La République au village* (Paris, Plon, 1970, rééd. Seuil, coll. « Univers historique », 1979).

La Fortune des Rougon

PRÉFACE

Je veux expliquer comment une famille, un petit groupe d'êtres, se comporte dans une société, en s'épanouissant pour donner naissance à dix, à vingt individus, qui paraissent, au premier coup d'œil, profondément dissemblables, mais que l'analyse montre intimement liés les uns aux autres. L'hérédité a ses lois, comme la pesanteur.

Je tâcherai de trouver et de suivre, en résolvant la double question des tempéraments et des milieux, le fil qui conduit mathématiquement d'un homme à un autre homme. Et quand je tiendrai tous les fils, quand j'aurai entre les mains tout un groupe social, je ferai voir ce groupe à l'œuvre, comme acteur d'une époque historique, je le créerai agissant dans la complexité de ses efforts, j'analyserai à la fois la somme de volonté de chacun de ses membres et la poussée générale de l'ensemble.

Les Rougon-Macquart, le groupe, la famille que je me propose d'étudier, a pour caractéristique le débordement des appétits, le large soulèvement de notre âge, qui se rue aux jouissances. Physiologiquement, ils sont la lente succession des accidents nerveux et sanguins qui se déclarent dans une race, à la suite d'une première lésion organique, et qui déterminent, selon les milieux, chez chacun des individus de cette race, les sentiments, les désirs, les passions, toutes les manifestations humaines, naturelles et instinctives, dont les produits prennent les noms convenus de vertus et de vices. Historiquement, ils partent du peuple, ils s'irradient dans toute la société contemporaine, ils montent à toutes les situations, par cette impulsion essentiellement moderne que reçoivent les basses classes en marche à travers le corps social, et ils racontent ainsi le second Empire, à l'aide de leurs drames individuels, du guet-apens du coup d'État à la trahison de Sedan.

Depuis trois années, je rassemblais les documents de ce grand ouvrage, et le présent volume était même écrit, lorsque la chute des Bonaparte, dont j'avais besoin comme artiste, et que toujours je trouvais fatalement au bout du drame, sans oser l'espérer si prochaine, est venue me donner le dénouement terrible et nécessaire de mon œuvre. Celle-ci est, dès aujourd'hui, complète ; elle s'agite dans un cercle fini ; elle devient le tableau d'un règne mort, d'une étrange époque de folie et de honte.

Cette œuvre, qui formera plusieurs épisodes, est donc, dans ma pensée, l'Histoire naturelle et sociale d'une famille sous le second Empire. Et le premier épisode : *la Fortune des Rougon*, doit s'appeler de son titre scientifique : *les Origines*.

ÉMILE ZOLA.

Paris, le 1ᵉʳ juillet 1871.

I

Lorsqu'on sort de Plassans par la porte de Rome, située au sud de la ville, on trouve, à droite de la route de Nice, après avoir dépassé les premières maisons du faubourg, un terrain vague désigné dans le pays sous le nom d'aire Saint-Mittre.

L'aire Saint-Mittre est un carré long, d'une certaine étendue, qui s'allonge au ras du trottoir de la route, dont une simple bande d'herbe usée la sépare. D'un côté, à droite, une ruelle, qui va se terminer en cul-de-sac, la borde d'une rangée de masures ; à gauche et au fond, elle est close par deux pans de muraille rongés de mousse, au-dessus desquels on aperçoit les branches hautes des mûriers du Jas-Meiffren, grande propriété qui a son entrée plus bas dans le faubourg. Ainsi fermée de trois côtés, l'aire est comme une place qui ne conduit nulle part et que les promeneurs seuls traversent.

Anciennement, il y avait là un cimetière placé sous la protection de Saint-Mittre, un saint provençal fort honoré dans la contrée. Les vieux de Plassans, en

1851, se souvenaient encore d'avoir vu debout les murs de ce cimetière, qui était resté fermé pendant des années. La terre, que l'on gorgeait de cadavres depuis plus d'un siècle, suait la mort, et l'on avait dû ouvrir un nouveau champ de sépultures, à l'autre bout de la ville. Abandonné, l'ancien cimetière s'était épuré à chaque printemps, en se couvrant d'une végétation noire et drue. Ce sol gras, dans lequel les fossoyeurs ne pouvaient plus donner un coup de bêche sans arracher quelque lambeau humain, eut une fertilité formidable. De la route, après les pluies de mai et les soleils de juin, on apercevait les pointes des herbes qui débordaient les murs ; en dedans, c'était une mer d'un vert sombre, profonde, piquée de fleurs larges, d'un éclat singulier. On sentait en dessous, dans l'ombre des tiges pressées, le terreau humide qui bouillait et suintait la sève.

Une des curiosités de ce champ était alors des poiriers aux bras tordus, aux nœuds monstrueux, dont pas une ménagère de Plassans n'aurait voulu cueillir les fruits énormes. Dans la ville, on parlait de ces fruits avec des grimaces de dégoût ; mais les gamins du faubourg n'avaient pas de ces délicatesses, et ils escaladaient la muraille, par bandes, le soir, au crépuscule, pour aller voler les poires, avant même qu'elles fussent mûres.

La vie ardente des herbes et des arbres eut bientôt dévoré toute la mort de l'ancien cimetière Saint-Mittre ; la pourriture humaine fut mangée avidement par les fleurs et les fruits, et il arriva qu'on ne sentit plus, en passant le long de ce cloaque, que les senteurs pénétrantes des giroflées sauvages. Ce fut l'affaire de quelques étés.

Vers ce temps, la ville songea à tirer parti de ce bien communal, qui dormait inutile. On abattit les murs longeant la route et l'impasse, on arracha les herbes et les poiriers. Puis on déménagea le cimetière. Le sol fut fouillé à plusieurs mètres, et l'on amoncela, dans un coin, les ossements que la terre voulut bien rendre. Pendant près d'un mois, les gamins, qui pleuraient les poiriers, jouèrent aux boules avec des crânes ; de mauvais plaisants pendirent, une nuit, des fémurs et des tibias à tous les cordons de sonnette de la ville. Ce scandale, dont Plassans garde encore le souvenir, ne cessa que le jour où l'on se décida à aller jeter le tas d'os au fond d'un trou creusé dans le nouveau cimetière. Mais, en province, les travaux se font avec une sage lenteur, et les habitants, durant une grande semaine, virent, de loin en loin, un seul tombereau transportant des débris humains, comme il aurait transporté des plâtras. Le pis était que ce tombereau devait traverser Plassans dans toute sa longueur, et que le mauvais pavé des rues lui faisait semer, à chaque cahot, des fragments d'os et des poignées de terre grasse. Pas la moindre cérémonie religieuse ; un charroi lent et brutal. Jamais ville ne fut plus écœurée.

Pendant plusieurs années, le terrain de l'ancien cimetière Saint-Mittre resta un objet d'épouvante. Ouvert à tous venants, sur le bord d'une grande route, il demeura désert, en proie de nouveau aux herbes folles. La ville, qui comptait sans doute le vendre, et y voir bâtir des maisons, ne dut pas trouver d'acquéreur ; peut-être le souvenir du tas d'os et de ce tombereau allant et venant par les rues, seul, avec le lourd entêtement d'un cauchemar, fit-il reculer les gens ; peut-être faut-il plutôt expliquer le fait par les paresses de la province, par cette répugnance qu'elle éprouve à détruire et à reconstruire. La vérité est que la ville garda le terrain, et qu'elle finit même par oublier son désir de le vendre. Elle ne l'entoura seulement pas d'une palissade ; entra qui voulut. Et, peu à peu, les années aidant, on s'habitua à ce coin vide ; on s'assit sur l'herbe des bords, on traversa le champ, on le peupla. Quand les pieds des promeneurs eurent usé le tapis d'herbe, et que la terre battue fut devenue grise et dure, l'ancien cimetière eut quelque ressemblance avec une place publique mal nivelée. Pour mieux effacer tout souvenir répugnant, les habitants furent, à leur insu, conduits lentement à changer l'appellation du terrain ; on se contenta de garder le nom du saint, dont on baptisa également le cul-de-sac qui se creuse dans un coin du champ ; il y eut l'aire Saint-Mittre et l'impasse Saint-Mittre.

Ces faits datent de loin. Depuis plus de trente ans, l'aire Saint-Mittre a une physionomie particulière. La ville, bien trop insouciante et endormie pour en tirer un bon parti, l'a louée, moyennant une faible somme, à des charrons du faubourg, qui en ont fait un chantier de bois. Elle est encore aujourd'hui encombrée de poutres énormes, de dix à quinze mètres de longueur, gisant çà et là, par tas, pareilles à des faisceaux de hautes colonnes renversées sur le sol. Ces tas de poutres, ces sortes de mâts posés parallèlement, et qui vont d'un bout du champ à l'autre, sont une continuelle joie pour les gamins. Des pièces de bois ayant glissé, le terrain se trouve, en certains endroits, complètement recouvert par une espèce de parquet, aux feuilles arrondies, sur lequel on n'arrive à marcher qu'avec des miracles d'équilibre. Tout le jour, des bandes d'enfants se livrent à cet exercice. On les voit sautant les gros madriers, suivant à la file les arêtes étroites, se traînant à califourchon, jeux variés qui se terminent généralement par des bousculades et des larmes ; ou bien ils s'assoient une douzaine, serrés les uns contre les autres, sur le bout mince d'une poutre élevée de quelques pieds au-dessus du sol, et ils se balancent pendant des heures. L'aire Saint-Mittre est ainsi devenue le lieu de récréation où tous les fonds de culotte des galopins du faubourg viennent s'user depuis plus d'un quart de siècle.

Ce qui a achevé de donner à ce coin perdu un caractère étrange, c'est l'élection de domicile que, par un usage traditionnel, y font les bohémiens de passage. Dès qu'une de ces maisons roulantes, qui contiennent une tribu entière, arrive à Plassans, elle va se remiser au fond de l'aire Saint-Mittre. Aussi la place n'est-elle jamais vide ; il y a toujours là quelque bande aux allures singulières, quelque troupe d'hommes fauves et de femmes horriblement séchées, parmi lesquels on voit se rouler à terre des groupes de beaux enfants. Ce monde vit sans honte, en plein air, devant tous, faisant bouillir leur marmite, mangeant des choses sans nom, étalant leurs nippes trouées, dormant, se battant, s'embrassant, puant la saleté et la misère[1].

Le champ mort et désert, où les frelons autrefois bourdonnaient seuls autour des fleurs grasses, dans le silence écrasant du soleil, est ainsi devenu un lieu retentissant, qu'emplissent de bruit les querelles des bohémiens et les cris aigus des jeunes vauriens du faubourg. Une scierie, qui débite dans un coin les poutres du chantier, grince, servant de basse sourde et continue aux voix aigres. Cette scierie est toute primitive : la pièce de bois est posée sur deux tréteaux élevés, et deux scieurs de long, l'un en haut, monté sur la poutre même, l'autre en bas, aveuglé par la sciure qui tombe, impriment à une large et forte lame de scie un continuel mouvement de va-et-vient. Pendant des heures, ces hommes se plient, pareils à des pantins articulés, avec une régularité et une sécheresse de machine. Le bois qu'ils débitent est rangé, le long de la muraille du fond, par tas hauts de deux ou trois mètres, et méthodiquement construits, planche à planche, en forme de cube parfait. Ces sortes de meules carrées, qui restent souvent là plusieurs saisons, rongées d'herbes au ras du sol, sont un des charmes de l'aire Saint-Mittre. Elles ménagent des sentiers mystérieux, étroits et discrets, qui conduisent à une allée plus large, laissée entre les tas et la muraille. C'est un désert, une bande de verdure d'où l'on ne voit que des morceaux de ciel. Dans cette allée, dont les murs sont tendus de mousse et dont le sol semble couvert d'un tapis de haute laine, règnent encore la végétation puissante et le silence frissonnant de l'ancien cimetière. On y sent courir ces souffles chauds et vagues des voluptés de la mort qui sortent des vieilles tombes chauffées par les grands soleils. Il n'y a pas, dans la campagne de Plassans, un endroit plus ému, plus vibrant de tiédeur, de solitude et d'amour. C'est là où il est exquis d'aimer. Lorsqu'on vida le cimetière, on dut entasser les ossements dans ce coin, car il n'est pas rare, encore aujourd'hui, en fouillant du pied l'herbe humide, d'y déterrer des fragments de crâne.

Personne, d'ailleurs, ne songe plus aux morts qui ont dormi sous cette herbe. Dans le jour, les enfants seuls vont derrière les tas de bois, lorsqu'ils jouent à cache-cache. L'allée verte reste vierge et ignorée. On ne voit que le chantier encombré de poutres et gris de poussière. Le matin et l'après-midi, quand le soleil est tiède, le terrain entier grouille, et au-dessus de toute cette turbulence, au-dessus des galopins jouant parmi les pièces de bois et des bohémiens attisant le feu sous leur marmite, la silhouette sèche du scieur de long monté sur sa poutre se détache en plein ciel, allant et venant avec un mouvement régulier de balancier, comme pour régler la vie ardente et nouvelle qui a poussé dans cet ancien champ d'éternel repos. Il n'y a que les vieux, assis sur les poutres et se chauffant au soleil couchant, qui parfois parlent encore entre eux des os qu'ils ont vu jadis charrier dans les rues de Plassans, par le tombereau légendaire.

Lorsque la nuit tombe, l'aire Saint-Mittre se vide, se creuse, pareille à un grand trou noir. Au fond, on n'aperçoit plus que la lueur mourante du feu des bohémiens. Par moments, des ombres disparaissent silencieusement dans la masse épaisse des ténèbres. L'hiver surtout, le lieu devient sinistre.

Un dimanche soir, vers sept heures, un jeune homme sortit doucement de l'impasse Saint-Mittre, et, rasant les murs, s'engagea parmi les poutres du chantier. On était dans les premiers jours de décembre 1851. Il faisait un froid sec. La lune, pleine en ce moment, avait ces clartés aiguës particulières aux lunes d'hiver. Le chantier, cette nuit-là, ne se creusait pas sinistrement comme par les nuits pluvieuses ; éclairé de larges nappes de lumière blanche, il s'étendait, dans le silence et l'immobilité du froid, avec une mélancolie douce.

Le jeune homme s'arrêta quelques secondes sur le bord du champ, regardant devant lui d'un air de défiance. Il tenait, cachée sous sa veste, la crosse d'un long fusil, dont le canon, baissé vers la terre, luisait au clair de lune. Serrant l'arme contre sa poitrine, il scruta attentivement du regard les carrés de ténèbres que les tas de planches jetaient au fond du terrain. Il y avait là comme un damier blanc et noir de lumière et d'ombre, aux cases nettement coupées. Au milieu de l'aire, sur un morceau du sol gris et nu, les tréteaux des scieurs de long se dessinaient, allongés, étroits, bizarres, pareils à une monstrueuse figure géométrique tracée à l'encre sur du papier. Le reste du chantier, le parquet de poutres, n'était qu'un vaste lit où la clarté dormait, à peine striée de minces raies noires par les lignes d'ombres qui coulaient le long des gros madriers. Sous cette lune d'hiver, dans le silence glacé, ce flot de mâts, couchés, immobiles, comme raidis de sommeil et de froid, rappelait les morts du vieux cimetière[1]. Le jeune homme ne jeta sur cet espace vide qu'un rapide coup d'œil ; pas un être, pas un souffle, aucun péril d'être vu ni entendu. Les taches sombres du fond l'inquiétaient davantage. Cependant, après un court examen, il se hasarda, il traversa rapidement le chantier.

Dès qu'il se sentit à couvert, il ralentit sa marche. Il était alors dans l'allée verte qui longe la muraille, derrière les planches. Là, il n'entendit même plus le bruit de ses pas ; l'herbe gelée craquait à peine sous ses pieds. Un sentiment de bien-être parut s'emparer de lui. Il devait aimer ce lieu, n'y craindre aucun danger, n'y rien venir chercher, que de doux et de bon. Il cessa de cacher son fusil. L'allée s'allongeait, pareille à une tranchée d'ombre ; de loin en loin, la

lune, glissant entre deux tas de planches, coupait
l'herbe d'une raie de lumière. Tout dormait, les ténèbres et les clartés, d'un sommeil profond, doux et
triste. Rien de comparable à la paix de ce sentier.
Le jeune homme le suivit dans toute sa longueur. Au
bout, à l'endroit où les murailles du Jas-Meiffren font
un angle, il s'arrêta, prêtant l'oreille, comme pour
écouter si quelque bruit ne venait pas de la propriété
voisine. Puis, n'entendant rien, il se baissa, écarta
une planche et cacha son fusil dans un tas de bois.

Il y avait là, dans l'angle, une vieille pierre tombale, oubliée lors du déménagement de l'ancien cimetière, et qui, posée sur champ et un peu de biais,
faisait une sorte de banc élevé. La pluie en avait
émietté les bords, la mousse la rongeait lentement.
On eût cependant pu lire encore, au clair de lune,
ce fragment d'épitaphe gravé sur la face qui entrait
en terre : *Cy-gist... Marie... morte...* Le temps avait
effacé le reste.

Quand il eut caché son fusil, le jeune homme, écoutant de nouveau, et n'entendant toujours rien, se
décida à monter sur la pierre. Le mur était bas ; il
posa les coudes sur le chaperon. Mais au-delà de la
rangée de mûriers qui longe la muraille, il ne vit
qu'une plaine de lumière ; les terres du Jas-Meiffren,
plates et sans arbres, s'étendaient sous la lune comme
une immense pièce de linge écru ; à une centaine de
mètres, l'habitation et les communs habités par le
méger[1] faisaient des taches d'un blanc plus éclatant.
Le jeune homme regardait de ce côté avec inquiétude, lorsqu'une horloge de la ville se mit à donner
sept heures, à coups graves et lents. Il compta les
coups, puis il descendit de la pierre, comme surpris
et soulagé.

Il s'assit sur le banc en homme qui consent à une longue attente. Il ne semblait même pas sentir le froid. Pendant près d'une demi-heure, il demeura immobile, les yeux fixés sur une masse d'ombre, songeur. Il s'était placé dans un coin noir ; mais, peu à peu, la lune qui montait le gagna, et sa tête se trouva en pleine clarté.

C'était un garçon à l'air vigoureux, dont la bouche fine et la peau encore délicate annonçaient la jeunesse. Il devait avoir dix-sept ans. Il était beau d'une beauté caractéristique.

Sa face, maigre et allongée, semblait creusée par le coup de pouce d'un sculpteur puissant ; le front montueux, les arcades sourcilières proéminentes, le nez en bec d'aigle, le menton fait d'un large méplat, les joues accusant les pommettes et coupées de plans fuyants, donnaient à la tête un relief d'une vigueur singulière. Avec l'âge, cette tête devait prendre un caractère osseux trop prononcé, une maigreur de chevalier errant. Mais, à cette heure de puberté, à peine couverte aux joues et au menton de poils follets, elle était corrigée dans sa rudesse par certaines mollesses charmantes, par certains coins de la physionomie restés vagues et enfantins. Les yeux, d'un noir tendre, encore noyés d'adolescence, mettaient aussi de la douceur dans ce masque énergique. Toutes les femmes n'auraient point aimé cet enfant, car il était loin d'être ce qu'on nomme un joli garçon ; mais l'ensemble de ses traits avait une vie si ardente et si sympathique, une telle beauté d'enthousiasme et de force, que les filles de sa province, ces filles brûlées du Midi, devaient rêver de lui, lorsqu'il venait à passer devant leur porte, par les chaudes soirées de juillet.

Il songeait toujours, assis sur la pierre tombale, ne sentant pas les clartés de la lune qui coulaient maintenant le long de sa poitrine et de ses jambes. Il était de taille moyenne, légèrement trapu. Au bout de ses bras trop développés, des mains d'ouvrier, que le travail avait déjà durcies, s'emmanchaient solidement ; ses pieds, chaussés de gros souliers lacés, paraissaient forts, carrés du bout. Par les attaches et les extrémités, par l'attitude alourdie des membres, il était peuple ; mais il y avait en lui, dans le redressement du cou et dans les lueurs pensantes des yeux, comme une révolte sourde contre l'abrutissement du métier manuel qui commençait à le courber vers la terre[1]. Ce devait être une nature intelligente noyée au fond de la pesanteur de sa race et de sa classe, un de ces esprits tendres et exquis logés en pleine chair, et qui souffrent de ne pouvoir sortir rayonnants de leur épaisse enveloppe. Aussi, dans sa force, paraissait-il timide et inquiet, ayant honte à son insu de se sentir incomplet et de ne savoir comment se compléter. Brave enfant, dont les ignorances étaient devenues des enthousiasmes, cœur d'homme servi par une raison de petit garçon, capable d'abandons comme une femme et de courage comme un héros. Ce soir-là, il était vêtu d'un pantalon et d'une veste de velours de coton verdâtre à petites côtes. Un chapeau de feutre mou, posé légèrement en arrière, lui jetait au front une raie d'ombre.

Lorsque la demie sonna à l'horloge voisine, il fut tiré en sursaut de sa rêverie. En se voyant blanc de lumière, il regarda devant lui avec inquiétude. D'un mouvement brusque, il rentra dans le noir, mais il ne put retrouver le fil de sa rêverie. Il sentit alors que ses pieds et ses mains se glaçaient, et l'impatience le reprit. Il monta de nouveau jeter un coup d'œil dans le Jas-Meiffren, toujours silencieux et vide. Puis, ne sachant plus comment tuer le temps, il redescendit, prit son fusil dans le tas de planches, où il l'avait caché, et s'amusa à en faire jouer la batterie. Cette arme était une longue et lourde carabine qui avait sans doute appartenu à quelque contrebandier ; à l'épaisseur de la crosse et à la culasse puissante du canon, on reconnaissait un ancien fusil à pierre qu'un armurier du pays avait transformé en fusil à piston. On voit de ces carabines-là accrochées dans les fermes, au-dessus des cheminées. Le jeune homme caressait son arme avec amour ; il rabattit le chien à plus de vingt reprises, introduisit son petit doigt dans le canon, examina attentivement la crosse. Peu à peu, il s'anima d'un jeune enthousiasme, auquel se mêlait quelque enfantillage. Il finit par mettre la carabine en joue, visant dans le vide, comme un conscrit qui fait l'exercice.

Huit heures ne devaient pas tarder à sonner. Il gardait son arme en joue depuis une grande minute, lorsqu'une voix, légère comme un souffle, basse et haletante, vint du Jas-Meiffren.

« Es-tu là, Silvère ? » demanda la voix.

Silvère laissa tomber son fusil, et, d'un bond, se trouva sur la pierre tombale.

« Oui, oui, répondit-il, en étouffant également sa voix… Attends, je vais t'aider. »

Il n'avait pas encore tendu les bras, qu'une tête de jeune fille apparut au-dessus de la muraille. L'enfant, avec une agilité singulière, s'était aidée du tronc d'un mûrier et avait grimpé comme une jeune chatte. À la certitude et à l'aisance de ses mouvements, on voyait que cet étrange chemin devait lui être familier. En un clin d'œil, elle se trouva assise sur le chaperon du mur. Alors Silvère la prit dans ses bras et la posa sur le banc. Mais elle se débattit.

« Laisse donc, disait-elle avec un rire de gamine qui joue, laisse donc... Je sais bien descendre toute seule. »

Puis, quand elle fut sur la pierre :

« Tu m'attends depuis longtemps ?... J'ai couru, je suis tout essoufflée. »

Silvère ne répondit pas. Il ne paraissait guère en train de rire, il regardait l'enfant d'un air chagrin. Il s'assit à côté d'elle, en disant :

« Je voulais te voir, Miette. Je t'aurais attendue toute la nuit... Je pars demain matin, au jour. »

Miette venait d'apercevoir le fusil couché sur l'herbe. Elle devint grave, elle murmura :

« Ah !... c'est décidé... voilà ton fusil... »

Il y eut un silence.

« Oui, répondit Silvère d'une voix plus mal assurée encore, c'est mon fusil... J'ai préféré le sortir ce soir de la maison ; demain matin, tante Dide aurait pu me le voir prendre, et cela l'aurait inquiétée... Je vais le cacher, je viendrai le chercher au moment de partir. »

Et, comme Miette semblait ne pouvoir détacher les yeux de cette arme qu'il avait si sottement laissée sur l'herbe, il se leva et la glissa de nouveau dans le tas de planches.

« Nous avons appris ce matin, dit-il en se rasseyant, que les insurgés de la Palud et de Saint-Martin-de-Vaulx étaient en marche, et qu'ils avaient passé la nuit dernière à Alboise. Il a été décidé que nous nous joindrions à eux. Cet après-midi, une partie des ouvriers de Plassans ont quitté la ville ; demain, ceux qui restent encore iront retrouver leurs frères[1]. »

Il prononça ce mot de frères avec une emphase juvénile. Puis, s'animant, d'une voix plus vibrante :

« La lutte devient inévitable, ajouta-t-il ; mais le droit est de notre côté, nous triompherons. »

Miette écoutait Silvère, regardant devant elle, fixement, sans voir. Quand il se tut :

« C'est bien », dit-elle simplement.

Et, au bout d'un silence :

« Tu m'avais avertie... cependant j'espérais encore... Enfin, c'est décidé. »

Ils ne purent trouver d'autres paroles. Le coin désert du chantier, la ruelle verte reprit son calme mélancolique ; il n'y eut plus que la lune vivante faisant tourner sur l'herbe l'ombre des tas de planches. Le groupe formé par les deux jeunes gens sur la pierre tombale était devenu immobile et muet, dans la clarté pâle. Silvère avait passé le bras autour de la taille de Miette, et celle-ci s'était laissée aller contre son épaule. Ils n'échangèrent pas de baisers, rien qu'une étreinte où l'amour avait l'innocence attendrie d'une tendresse fraternelle.

Miette était couverte d'une grande mante brune à capuchon, qui lui tombait jusqu'aux pieds et l'enveloppait tout entière. On ne voyait que sa tête et ses mains. Les femmes du peuple, les paysannes et les ouvrières portent encore, en Provence, ces larges mantes, que l'on nomme pelisses dans le pays, et dont la mode doit remonter fort loin. En arrivant, Miette avait rejeté le capuchon en arrière. Vivant en plein air, de sang brûlant, elle ne portait jamais de bonnet. Sa tête nue se détachait vigoureusement sur la muraille blanchie par la lune. C'était une enfant, mais

une enfant qui devenait femme[1]. Elle se trouvait à
cette heure indécise et adorable où la grande fille
naît dans la gamine. Il y a alors, chez toute adoles-
cente, une délicatesse de bouton naissant, une hésitation de formes d'un charme exquis ; les lignes
pleines et voluptueuses de la puberté s'indiquent dans
les innocentes maigreurs de l'enfance ; la femme se
dégage avec ses premiers embarras pudiques, gardant encore à demi son corps de petite fille, et mettant, à son insu, dans chacun de ses traits, l'aveu de
son sexe. Pour certaines filles, cette heure est mauvaise ; celles-là croissent brusquement, enlaidissent,
deviennent jaunes et frêles comme des plantes hâti-
ves. Pour Miette, pour toutes celles qui sont riches
de sang et qui vivent en plein air, c'est une heure de
grâce pénétrante qu'elles ne retrouvent jamais. Miette
avait treize ans. Bien qu'elle fût forte déjà, on ne lui
en eût pas donné davantage, tant sa physionomie riait
encore, par moments, d'un rire clair et naïf. D'ailleurs,
elle devait être nubile, la femme s'épanouissait rapidement en elle, grâce au climat et à la vie rude qu'elle
menait. Elle était presque aussi grande que Silvère,
grasse et toute frémissante de vie. Comme son ami,
elle n'avait pas la beauté de tout le monde. On ne
l'eût pas trouvée laide ; mais elle eût paru au moins
étrange à beaucoup de jolis jeunes gens. Elle avait
des cheveux superbes ; plantés rudes et droits sur le
front, ils se rejetaient puissamment en arrière, ainsi
qu'une vague jaillissante, puis coulaient le long de
son crâne et de sa nuque, pareils à une mer crépue,
pleine de bouillonnements et de caprices, d'un noir
d'encre. Ils étaient si épais qu'elle ne savait qu'en
faire. Ils la gênaient. Elle les tordait en plusieurs
brins, de la grosseur d'un poignet d'enfant, le plus

fortement qu'elle pouvait, pour qu'ils tinssent moins de place, puis elle les massait derrière sa tête. Elle n'avait guère le temps de songer à sa coiffure, et il arrivait toujours que ce chignon énorme, fait sans glace et à la hâte, prenait sous ses doigts une grâce puissante. À la voir coiffée de ce casque vivant, de ce tas de cheveux frisés qui débordaient sur ses tempes et sur son cou comme une peau de bête, on comprenait pourquoi elle allait tête nue, sans jamais se soucier des pluies ni des gelées. Sous la ligne sombre des cheveux, le front, très bas, avait la forme et la couleur dorée d'un mince croissant de lune. Les yeux gros, à fleur de tête ; le nez court, large aux narines et relevé du bout ; les lèvres, trop fortes et trop rouges, eussent paru autant de laideurs, si on les eût examinés à part. Mais, pris dans la rondeur charmante de la face, vus dans le jeu ardent de la vie, ces détails du visage formaient un ensemble d'une étrange et saisissante beauté. Quand Miette riait, renversant la tête en arrière et la penchant mollement sur son épaule droite, elle ressemblait à la Bacchante antique, avec sa gorge gonflée de gaieté sonore, ses joues arrondies comme celles d'un enfant, ses larges dents blanches, ses torsades de cheveux crépus que les éclats de sa joie agitaient sur sa nuque, ainsi qu'une couronne de pampres. Et, pour retrouver en elle la vierge, la petite fille de treize ans, il fallait voir combien il y avait d'innocence dans ses rires gras et souples de femme faite, il fallait surtout remarquer la délicatesse encore enfantine du menton et la pureté molle des tempes. Le visage de Miette, hâlé par le soleil, prenait, sous certains jours, des reflets d'ambre jaune. Un fin duvet noir mettait déjà au-dessus de sa lèvre supérieure une ombre légère. Le travail commençait à déformer ses petites mains courtes, qui auraient pu devenir, en restant paresseuses, d'adorables mains potelées de bourgeoise.

Miette et Silvère restèrent longtemps muets. Ils lisaient dans leurs pensées inquiètes. Et, à mesure qu'ils descendaient ensemble dans la crainte et l'inconnu du lendemain, ils se serraient d'une étreinte plus étroite. Ils s'entendaient jusqu'au cœur, ils sentaient l'inutilité et la cruauté de toute plainte faite à voix haute. La jeune fille ne put cependant se contenir davantage ; elle étouffait, elle dit en une phrase leur inquiétude à tous deux.

« Tu reviendras, n'est-ce pas ? » balbutia-t-elle en se pendant au cou de Silvère.

Silvère, sans répondre, la gorge serrée et craignant de pleurer comme elle, la baisa sur la joue, en frère qui ne trouve pas d'autre consolation. Ils se séparèrent, ils retombèrent dans leur silence[1].

Au bout d'un instant, Miette frissonna. Elle ne s'appuyait plus contre l'épaule de Silvère, elle sentait son corps se glacer. La veille, elle n'eût pas frissonné de la sorte, au fond de cette allée déserte, sur cette pierre tombale, où, depuis plusieurs saisons, ils vivaient si heureusement leurs tendresses, dans la paix des vieux morts.

« J'ai bien froid, dit-elle, en remettant le capuchon de sa pelisse.

— Veux-tu que nous marchions ? lui demanda le jeune homme. Il n'est pas neuf heures, nous pouvons faire un bout de promenade sur la route. »

Miette pensait qu'elle n'aurait peut-être pas de longtemps la joie d'un rendez-vous, d'une de ces causeries du soir, pour lesquelles elle vivait les journées.

« Oui, marchons, répondit-elle vivement, allons jusqu'au moulin... Je passerais la nuit, si tu voulais. »

Ils quittèrent le banc et se cachèrent dans l'ombre d'un tas de planches. Là, Miette écarta sa pelisse, qui était piquée à petits losanges et doublée d'une indienne rouge sang ; puis elle jeta un pan de ce chaud et large manteau sur les épaules de Silvère, l'enveloppant ainsi tout entier, le mettant avec elle, serré contre elle, dans le même vêtement. Ils passèrent mutuellement un bras autour de leur taille pour ne faire qu'un. Quand ils furent ainsi confondus en un seul être, quand ils se trouvèrent enfouis dans les plis de la pelisse au point de perdre toute forme humaine, ils se mirent à marcher à petits pas, se dirigeant vers la route, traversant sans crainte les espaces nus du chantier, blancs de lune. Miette avait enveloppé Silvère, et celui-ci s'était prêté à cette opération, d'une façon toute naturelle, comme si la pelisse leur eût, chaque soir, rendu le même service.

La route de Nice, aux deux côtés de laquelle se trouve bâti le faubourg, était bordée, en 1851, d'ormes séculaires, vieux géants, ruines grandioses et pleines encore de puissance, que la municipalité proprette de la ville a remplacés, depuis quelques années, par de petits platanes[1]. Lorsque Silvère et Miette se trouvèrent sous les arbres, dont la lune dessinait le long du trottoir les branches monstrueuses, ils rencontrèrent, à deux ou trois reprises, des masses noires qui se mouvaient silencieusement, au ras des maisons. C'étaient, comme eux, des couples d'amoureux, hermétiquement clos dans un pan d'étoffe, promenant au fond de l'ombre leur tendresse discrète.

Les amants des villes du Midi ont adopté ce genre de promenade. Les garçons et les filles du peuple,

ceux qui doivent se marier un jour, et qui ne sont
pas fâchés de s'embrasser un peu auparavant, igno-
rent où se réfugier pour échanger des baisers à l'aise,
sans trop s'exposer aux bavardages. Dans la ville, bien
que les parents leur laissent une entière liberté, s'ils
louaient une chambre, s'ils se rencontraient seul à
seule, ils seraient, le lendemain, le scandale du pays ;
d'autre part, ils n'ont pas le temps tous les soirs de
gagner les solitudes de la campagne. Alors ils ont
pris un moyen terme ; ils battent les faubourgs, les
terrains vagues, les allées des routes, tous les endroits
où il y a peu de passants et beaucoup de trous noirs.
Et, pour plus de prudence, comme tous les habitants
se connaissent, ils ont le soin de se rendre mécon-
naissables, en s'enfouissant dans une de ces grandes
mantes, qui abriteraient une famille entière. Les
parents tolèrent ces courses en pleines ténèbres ; la
morale rigide de la province ne paraît pas s'en alar-
mer ; il est admis que les amoureux ne s'arrêtent
jamais dans les coins ni ne s'assoient au fond des
terrains, et cela suffit pour calmer les pudeurs effa-
rouchées. On ne peut guère que s'embrasser en marchant. Parfois cependant une fille tourne mal : les
amants se sont assis.

Rien de plus charmant, en vérité, que ces promenades d'amour. L'imagination câline et inventive du
Midi est là tout entière. C'est une véritable mascarade,
fertile en petits bonheurs, et à la portée des misérables. L'amoureuse n'a qu'à ouvrir son vêtement, elle a
un asile tout prêt pour son amoureux ; elle le cache
sur son cœur, dans la tiédeur de ses habits, comme
les petites bourgeoises cachent leurs galants sous les
lits ou dans les armoires. Le fruit défendu prend ici
une saveur particulièrement douce ; il se mange en

plein air, au milieu des indifférents, le long des routes. Et ce qu'il y a d'exquis, ce qui donne une volupté pénétrante aux baisers échangés, ce doit être la certitude de pouvoir s'embrasser impunément devant le monde, de rester des soirées en public aux bras l'un de l'autre, sans courir le danger d'être reconnus et montrés au doigt. Un couple n'est plus qu'une masse brune, il ressemble à un autre couple. Pour le promeneur attardé, qui voit vaguement ces masses se mouvoir, c'est l'amour qui passe, rien de plus ; l'amour sans nom, l'amour qu'on devine et qu'on ignore. Les amants se savent bien cachés ; ils causent à voix basse, ils sont chez eux ; le plus souvent ils ne disent rien, ils marchent pendant des heures, au hasard, heureux de se sentir serrés ensemble dans le même bout d'indienne. Cela est très voluptueux et très virginal à la fois. Le climat est le grand coupable ; lui seul a dû d'abord inviter les amants à prendre les coins des faubourgs pour retraites. Par les belles nuits d'été, on ne peut faire le tour de Plassans sans découvrir, dans l'ombre de chaque pan de mur, un couple encapuchonné ; certains endroits, l'aire Saint-Mittre par exemple, sont peuplés de ces dominos sombres qui se frôlent lentement, sans bruit, au milieu des tiédeurs de la nuit sereine ; on dirait les invités d'un bal mystérieux que les étoiles donneraient aux amours des pauvres gens. Quand il fait trop chaud et que les jeunes filles n'ont plus leur pelisse, elles se contentent de retrousser leur première jupe. L'hiver, les plus amoureux se moquent des gelées. Tandis qu'ils descendaient la route de Nice, Silvère et Miette ne songeaient guère à se plaindre de la froide nuit de décembre.

Les jeunes gens traversèrent le faubourg endormi

sans échanger une parole. Ils retrouvaient, avec une muette joie, le charme tiède de leur étreinte. Leurs cœurs étaient tristes, la félicité qu'ils goûtaient à se serrer l'un contre l'autre avait l'émotion douloureuse d'un adieu, et il leur semblait qu'ils n'épuiseraient jamais la douceur et l'amertume de ce silence qui berçait lentement leur marche. Bientôt, les maisons devinrent plus rares, ils arrivèrent à l'extrémité du faubourg. Là, s'ouvre le portail du Jas-Meiffren, deux forts piliers reliés par une grille, qui laisse voir, entre ses barreaux, une longue allée de mûriers. En passant, Silvère et Miette jetèrent instinctivement un regard dans la propriété.

À partir du Jas-Meiffren, la grande route descend par une pente douce jusqu'au fond d'une vallée qui sert de lit à une petite rivière, la Viorne, ruisseau l'été et torrent l'hiver[1]. Les deux rangées d'ormes continuaient, à cette époque et faisaient de la route une magnifique avenue, coupant la côte, plantée de blé et de vignes maigres, d'un large ruban d'arbres gigantesques. Par cette nuit de décembre, sous la lune claire et froide, les champs fraîchement labourés s'étendaient aux deux abords du chemin, pareils à de vastes couches d'ouate grisâtre, qui auraient amorti tous les bruits de l'air. Au loin, la voix sourde de la Viorne mettait seule un frisson dans l'immense paix de la campagne.

Quand les jeunes gens eurent commencé à descendre l'avenue, la pensée de Miette retourna au Jas-Meiffren, qu'ils venaient de laisser derrière eux.

« J'ai eu grand-peine à m'échapper ce soir, dit-elle... Mon oncle ne se décidait pas à me congédier. Il s'était enfermé dans un cellier, et je crois qu'il y enterrait son argent, car il a paru très effrayé, ce matin, des événements qui se préparent. »

Silvère eut une étreinte plus douce.

« Va, répondit-il, sois courageuse. Il viendra un temps où nous nous verrons librement toute la journée... Il ne faut pas se chagriner.

— Oh ! reprit la jeune fille en secouant la tête, tu as de l'espérance, toi... Il y a des jours où je suis bien triste. Ce ne sont pas les gros travaux qui me désolent ; au contraire, je suis souvent heureuse des duretés de mon oncle et des besognes qu'il m'impose. Il a eu raison de faire de moi une paysanne ; j'aurais peut-être mal tourné ; car vois-tu, Silvère, il y a des moments où je me crois maudite... Alors je voudrais être morte... Je pense à celui que tu sais... »

En prononçant ces dernières paroles, la voix de l'enfant se brisa dans un sanglot. Silvère l'interrompit d'un ton presque rude.

« Tais-toi ! dit-il. Tu m'avais promis de moins songer à cela. Ce n'est pas ton crime. »

Puis il ajouta d'un accent plus doux :

« Nous nous aimons bien, n'est-ce pas ? Quand nous serons mariés, tu n'auras plus de mauvaises heures.

— Je sais, murmura Miette, tu es bon, tu me tends la main. Mais que veux-tu ? j'ai des craintes, je me sens des révoltes, parfois. Il me semble qu'on m'a fait tort, et alors j'ai des envies d'être méchante. Je t'ouvre mon cœur, à toi. Chaque fois qu'on me jette le nom de mon père au visage, j'éprouve une brûlure par tout le corps. Quand je passe et que les gamins crient : Eh ! La Chantegreil ! cela me met hors de moi ; je voudrais les tenir pour les battre. »

Et, après un silence farouche, elle reprit :

« Tu es un homme, toi, tu vas tirer des coups de fusil... Tu es bien heureux. »

Silvère l'avait laissée parler. Au bout de quelques pas, il dit d'une voix triste :

« Tu as tort, Miette ; ta colère est mauvaise. Il ne faut pas se révolter contre la justice. Moi je vais me battre pour notre droit à tous ; je n'ai aucune vengeance à satisfaire.

— N'importe, continua la jeune fille, je voudrais être un homme et tirer des coups de fusil. Il me semble que cela me ferait du bien. »

Et, comme Silvère gardait le silence, elle vit qu'elle l'avait mécontenté. Toute sa fièvre tomba. Elle balbutia d'une voix suppliante :

« Tu ne m'en veux pas ? C'est ton départ qui me chagrine et qui me jette à ces idées-là. Je sais bien que tu as raison, que je dois être humble... »

Elle se mit à pleurer. Silvère, ému, prit ses mains qu'il baisa.

« Voyons, dit-il tendrement, tu vas de la colère aux larmes comme une enfant. Il faut être raisonnable. Je ne te gronde pas... Je voudrais simplement te voir plus heureuse, et cela dépend beaucoup de toi. »

Le drame dont Miette venait d'évoquer si douloureusement le souvenir, laissa les amoureux tout attristés pendant quelques minutes. Ils continuèrent à marcher, la tête basse, troublés par leurs pensées. Au bout d'un instant : « Me crois-tu beaucoup plus heureux que toi ? demanda Silvère, revenant malgré lui à la conversation. Si ma grand-mère ne m'avait recueilli et élevé, que serais-je devenu ? À part l'oncle Antoine, qui est ouvrier comme moi et qui m'a appris à aimer la République, tous mes autres parents ont

l'air de craindre que je ne les salisse, quand je passe
à côté d'eux. »

Il s'animait en parlant ; il s'était arrêté, retenant
Miette au milieu de la route.

« Dieu m'est témoin, continua-t-il, que je n'envie et
que je ne déteste personne. Mais, si nous triomphons,
il faudra que je leur dise leur fait, à ces beaux messieurs. C'est l'oncle Antoine qui en sait long là-dessus.
Tu verras à notre retour. Nous vivrons tous libres et
heureux. »

Miette l'entraîna doucement. Ils se remirent à marcher.

« Tu l'aimes bien ta République, dit l'enfant en
essayant de plaisanter. M'aimes-tu autant qu'elle ? »

Elle riait, mais il y avait quelque amertume au fond
de son rire. Peut-être se disait-elle que Silvère la quittait bien facilement pour courir les campagnes. Le
jeune homme répondit d'un ton grave :

« Toi, tu es ma femme. Je t'ai donné tout mon
cœur. J'aime la République, vois-tu, parce que je
t'aime. Quand nous serons mariés, il nous faudra
beaucoup de bonheur, et c'est pour une part de ce
bonheur que je m'éloignerai demain matin... Tu ne
me conseilles pas de rester chez moi ?

— Oh ! non, s'écria vivement la jeune fille. Un
homme doit être fort. C'est beau, le courage !... Il faut
me pardonner d'être jalouse. Je voudrais bien être
aussi forte que toi. Tu m'aimerais encore davantage,
n'est-ce pas ? »

Elle garda un instant le silence, puis elle ajouta
avec une vivacité et une naïveté charmantes :

« Ah ! comme je t'embrasserai volontiers, quand tu
reviendras ! »

Ce cri d'un cœur aimant et courageux toucha profondément Silvère. Il prit Miette entre ses bras et lui mit plusieurs baisers sur les joues. L'enfant se défendit un peu en riant. Et elle avait des larmes d'émotion plein les yeux.

Autour des amoureux, la campagne continuait à dormir, dans l'immense paix du froid. Ils étaient arrivés au milieu de la côte. Là, à gauche, se trouvait un monticule assez élevé, au sommet duquel la lune blanchissait les ruines d'un moulin à vent ; la tour seule restait, tout écroulée d'un côté. C'était le but que les jeunes gens avaient assigné à leur promenade. Depuis le faubourg, ils allaient devant eux, sans donner un seul coup d'œil aux champs qu'ils traversaient. Quand il eut baisé Miette sur les joues, Silvère leva la tête. Il aperçut le moulin.

« Comme nous avons marché ! s'écria-t-il. Voici le moulin. Il doit être près de neuf heures et demie, il faut rentrer. »

Miette fit la moue.

« Marchons encore un peu, implora-t-elle, quelques pas seulement, jusqu'à la petite traverse… Vrai, rien que jusque-là. »

Silvère la reprit à la taille, en souriant. Ils se mirent de nouveau à descendre la côte. Ils ne craignaient plus les regards des curieux ; depuis les dernières maisons, ils n'avaient pas rencontré âme qui vive. Ils n'en restèrent pas moins enveloppés dans la grande pelisse. Cette pelisse, ce vêtement commun, était comme le nid naturel de leurs amours. Elle les avait cachés pendant tant de soirées heureuses ! S'ils s'étaient promenés côte à côte, ils se seraient crus tout petits et tout isolés dans la vaste campagne. Cela les rassurait, les grandissait, de ne former qu'un être.

Ils regardaient, à travers les plis de la pelisse, les champs qui s'étendaient aux deux bords de la route, sans éprouver cet écrasement que les larges horizons indifférents font peser sur les tendresses humaines. Il leur semblait qu'ils avaient emporté leur maison avec eux, jouissant de la campagne comme on en jouit par une fenêtre, aimant ces solitudes calmes, ces nappes de lumière dormante, ces bouts de nature, vagues sous le linceul de l'hiver et de la nuit, cette vallée entière qui, en les charmant, n'était cependant pas assez forte pour se mettre entre leurs deux cœurs serrés l'un contre l'autre.

D'ailleurs, ils avaient cessé toute conversation suivie ; ils ne parlaient plus des autres, ils ne parlaient même plus d'eux-mêmes ; ils étaient à la seule minute présente, échangeant un serrement de mains, poussant une exclamation à la vue d'un coin de paysage, prononçant de rares paroles, sans trop s'entendre, comme assoupis par la tiédeur de leurs corps. Silvère oubliait ses enthousiasmes républicains ; Miette ne songeait plus que son amoureux devait la quitter dans une heure, pour longtemps, pour toujours peut-être. Ainsi qu'aux jours ordinaires, lorsque aucun adieu ne troublait la paix de leurs rendez-vous, ils s'endormaient dans le ravissement de leurs tendresses.

Ils allaient toujours. Ils arrivèrent bientôt à la petite traverse dont Miette avait parlé, bout de ruelle qui s'enfonce dans la campagne, menant à un village bâti au bord de la Viorne. Mais ils ne s'arrêtèrent pas, ils continuèrent à descendre, en feignant de ne point voir ce sentier qu'ils s'étaient promis de ne point dépasser. Ce fut seulement quelques minutes plus loin que Silvère murmura :

« Il doit être bien tard, tu vas te fatiguer.

— Non, je te jure, je ne suis pas lasse, répondit la jeune fille. Je marcherais bien comme cela pendant des lieues. »

Puis elle ajouta d'une voix câline :

« Veux-tu ? nous allons descendre jusqu'aux prés Sainte-Claire… Là, ce sera fini pour tout de bon, nous rebrousserons chemin. »

Silvère, que la marche cadencée de l'enfant berçait, et qui sommeillait doucement, les yeux ouverts, ne fit aucune objection. Ils reprirent leur extase. Ils avançaient d'un pas ralenti, par crainte du moment où il leur faudrait remonter la côte ; tant qu'ils allaient devant eux, il leur semblait marcher à l'éternité de cette étreinte qui les liait l'un à l'autre ; le retour, c'était la séparation, l'adieu cruel.

Peu à peu la pente de la route devenait moins rapide. Le fond de la vallée est occupé par des prairies qui s'étendent jusqu'à la Viorne, coulant à l'autre bout, le long d'une suite de collines basses. Ces prairies, que des haies vives séparent du grand chemin, sont les prés Sainte-Claire.

« Bah ! s'écria Silvère à son tour, en apercevant les premières nappes d'herbe, nous irons bien jusqu'au pont. »

Miette eut un frais éclat de rire. Elle prit le jeune homme par le cou et l'embrassa bruyamment.

À l'endroit où commencent les haies, la longue avenue d'arbres se terminait alors par deux ormes, deux colosses plus gigantesques encore que les autres. Les terrains s'étendent au ras de la route, nus, pareils à une large bande de laine verte, jusqu'aux saules et aux bouleaux de la rivière. Des derniers ormes au pont, il y avait, d'ailleurs, à peine trois cents mètres.

Les amoureux mirent un bon quart d'heure pour franchir cette distance. Enfin, malgré toutes leurs lenteurs, ils se trouvèrent sur le pont. Ils s'arrêtèrent.

Devant eux, la route de Nice montait le versant opposé de la vallée ; mais ils ne pouvaient en voir qu'un bout assez court, car elle fait un coude brusque, à un demi-kilomètre du pont, et se perd entre des coteaux boisés. En se retournant, ils aperçurent l'autre bout de la route, celui qu'ils venaient de parcourir, et qui va en ligne droite de Plassans à la Viorne. Sous ce beau clair de lune d'hiver, on eût dit un long ruban d'argent que les rangées d'ormes bordaient de deux lisérés sombres. À droite et à gauche, les terres labourées de la côte faisaient de larges mers grises et vagues, coupées par ce ruban, par cette route blanche de gelée, d'un éclat métallique. Tout en haut, brillaient, au ras de l'horizon, pareilles à des étincelles vives, quelques fenêtres encore éclairées du faubourg. Miette et Silvère, pas à pas, s'étaient éloignés d'une grande lieue. Ils jetèrent un regard sur le chemin parcouru, frappés d'une muette admiration par cet immense amphithéâtre qui montait jusqu'au bord du ciel, et sur lequel des nappes de clartés bleuâtres coulaient comme sur les degrés d'une cascade géante. Ce décor étrange, cette apothéose colossale se dressait dans une immobilité et dans un silence de mort. Rien n'était d'une plus souveraine grandeur.

Puis les jeunes gens, qui venaient de s'appuyer contre un parapet du pont, regardèrent à leurs pieds. La Viorne, grossie par les pluies, passait au-dessous d'eux, avec des bruits sourds et continus. En amont et en aval, au milieu des ténèbres amassées dans les creux, ils distinguaient les lignes noires des arbres

poussés sur les rives ; çà et là, un rayon de lune glissait, mettant sur l'eau une traînée d'étain fondu qui
luisait et s'agitait, comme un reflet de jour sur les
écailles d'une bête vivante. Ces lueurs couraient avec
un charme mystérieux le long de la coulée grisâtre
du torrent, entre les fantômes vagues des feuillages.
On eût dit une vallée enchantée, une merveilleuse
retraite où vivait d'une vie étrange tout un peuple
d'ombres et de clartés.

Les amoureux connaissaient bien ce bout de
rivière ; par les chaudes nuits de juillet, ils étaient
souvent descendus là, pour trouver quelque fraîcheur ; ils avaient passé de longues heures, cachés
dans les bouquets de saules, sur la rive droite, à
l'endroit où les prés Sainte-Claire déroulent leur tapis
de gazon jusqu'au bord de l'eau. Ils se souvenaient
des moindres plis de la rive ; des pierres sur lesquelles il fallait sauter pour enjamber la Viorne, alors
mince comme un fil ; de certains trous d'herbe dans
lesquels ils avaient rêvé leurs rêves de tendresse.
Aussi Miette, du haut du pont, contemplait-elle d'un
regard d'envie la rive droite du torrent.

« S'il faisait plus chaud, soupira-t-elle, nous pourrions descendre nous reposer un peu, avant de
remonter la côte... »

Puis, après un silence, les yeux toujours fixés sur
les bords de la Viorne :

« Regarde donc, Silvère, reprit-elle, cette masse
noire, là-bas, avant l'écluse... Te rappelles-tu ?... C'est
la broussaille dans laquelle nous nous sommes assis,
à la Fête-Dieu dernière[1].

— Oui, c'est la broussaille », répondit Silvère à voix
basse.

C'était là qu'ils avaient osé se baiser sur les joues.
Ce souvenir que l'enfant venait d'évoquer leur causa
à tous deux une sensation délicieuse, émotion dans
laquelle se mêlaient les joies de la veille et les espoirs
du lendemain. Ils virent, comme à la lueur d'un éclair,
les bonnes soirées qu'ils avaient vécues ensemble,
surtout cette soirée de la Fête-Dieu, dont ils se rappelaient les moindres détails, le grand ciel tiède, le
frais des saules de la Viorne, les mots caressants
de leur causerie. Et, en même temps, tandis que les
choses du passé leur remontaient au cœur avec
une saveur douce, ils crurent pénétrer l'inconnu de
l'avenir, se voir au bras l'un de l'autre, ayant réalisé
leur rêve et se promenant dans la vie comme ils
venaient de le faire sur la grande route, chaudement
couverts d'une même pelisse. Alors le ravissement
les reprit, les yeux sur les yeux, se souriant, perdus
au milieu des muettes clartés.

Brusquement, Silvère leva la tête. Il se débarrassa
des plis de la pelisse, il prêta l'oreille. Miette, surprise,
l'imita, sans comprendre pourquoi il se séparait d'elle
d'un geste si prompt.

Depuis un instant, des bruits confus venaient de
derrière les coteaux, au milieu desquels se perd la
route de Nice. C'étaient comme les cahots éloignés
d'un convoi de charrettes. La Viorne, d'ailleurs, couvrait de son grondement ces bruits encore indistincts.
Mais peu à peu ils s'accentuèrent, ils devinrent pareils
aux piétinements d'une armée en marche. Puis on
distingua, dans ce roulement continu et croissant, des
brouhahas de foule, d'étranges souffles d'ouragan
cadencés et rythmiques ; on aurait dit les coups de
foudre d'un orage qui s'avançait rapidement, troublant déjà de son approche l'air endormi. Silvère

écoutait, ne pouvant saisir ces voix de tempête que les coteaux empêchaient d'arriver nettement jusqu'à lui. Et, tout à coup, une masse noire apparut au coude de la route ; *la Marseillaise*, chantée avec une furie vengeresse, éclata, formidable.

« Ce sont eux ! » s'écria Silvère dans un élan de joie et d'enthousiasme.

Il se mit à courir, montant la côte, entraînant Miette. Il y avait, à gauche de la route, un talus planté de chênes verts, sur lequel il grimpa avec la jeune fille, pour ne pas être emportés tous deux par le flot hurlant de la foule.

Quand ils furent sur le talus, dans l'ombre des broussailles, l'enfant, un peu pâle, regarda tristement ces hommes dont les chants lointains avaient suffi pour arracher Silvère de ses bras. Il lui sembla que la bande entière venait se mettre entre elle et lui. Ils étaient si heureux, quelques minutes auparavant, si étroitement unis, si seuls, si perdus dans le grand silence et les clartés discrètes de la lune ! Et maintenant Silvère, la tête tournée, ne paraissant même plus savoir qu'elle était là, n'avait de regards que pour ces inconnus qu'il appelait du nom de frères.

La bande descendait avec un élan superbe, irrésistible. Rien de plus terriblement grandiose que l'irruption de ces quelques milliers d'hommes dans la paix morte et glacée de l'horizon. La route, devenue torrent, roulait des flots vivants qui semblaient ne pas devoir s'épuiser ; toujours, au coude du chemin, se montraient de nouvelles masses noires, dont les chants enflaient de plus en plus la grande voix de cette tempête humaine. Quand les derniers bataillons apparurent, il y eut un éclat assourdissant. *La Marseillaise* emplit le ciel, comme soufflée par des bou-

ches géantes dans de monstrueuses trompettes qui
la jetaient, vibrante, avec des sécheresses de cuivre,
à tous les coins de la vallée. Et la campagne endormie s'éveilla en sursaut ; elle frissonna tout entière,
ainsi qu'un tambour que frappent les baguettes ; elle
retentit jusqu'aux entrailles, répétant par tous ses
échos les notes ardentes du chant national. Alors ce
ne fut plus seulement la bande qui chanta ; des bouts
de l'horizon, des rochers lointains, des pièces de terre
labourées, des prairies, des bouquets d'arbres, des
moindres broussailles, semblèrent sortir des voix
humaines ; le large amphithéâtre qui monte de la
rivière à Plassans, la cascade gigantesque sur laquelle
coulaient les bleuâtres clartés de la lune, était comme
couvert par un peuple invisible et innombrable
acclamant les insurgés ; et, au fond des creux de la
Viorne, le long des eaux rayées de mystérieux reflets
d'étain fondu, il n'y avait pas un trou de ténèbres où
des hommes cachés ne parussent reprendre chaque
refrain avec une colère plus haute. La campagne,
dans l'ébranlement de l'air et du sol, criait vengeance
et liberté. Tant que la petite armée descendit la côte,
le rugissement populaire roula ainsi par ondes sonores traversées de brusques éclats, secouant jusqu'aux
pierres du chemin.

Silvère, blanc d'émotion, écoutait et regardait toujours. Les insurgés qui marchaient en tête, traînant
derrière eux cette longue coulée grouillante et mugis-
sante, monstrueusement indistincte dans l'ombre,
approchaient du pont à pas rapides.

« Je croyais, murmura Miette, que vous ne deviez
pas traverser Plassans ?

— On aura modifié le plan de campagne, répondit
Silvère ; nous devions, en effet, nous porter sur le

chef-lieu par la route de Toulon, en prenant à gauche de Plassans et d'Orchères. Ils seront partis d'Alboise cet après-midi et auront passé aux Tulettes dans la soirée[1]. »

La tête de la colonne était arrivée devant les jeunes gens. Il régnait, dans la petite armée, plus d'ordre qu'on n'en aurait pu attendre d'une bande d'hommes indisciplinés. Les contingents de chaque ville, de chaque bourg, formaient des bataillons distincts qui marchaient à quelques pas les uns des autres. Ces bataillons paraissaient obéir à des chefs. D'ailleurs, l'élan qui les précipitait en ce moment sur la pente de la côte, en faisait une masse compacte, solide, d'une puissance invincible. Il pouvait y avoir là environ trois mille hommes unis et emportés d'un bloc par un vent de colère. On distinguait mal, dans l'ombre que les hauts talus jetaient le long de la route, les détails étranges de cette scène. Mais, à cinq ou six pas de la broussaille où s'étaient abrités Miette et Silvère, le talus de gauche s'abaissait pour laisser passer un petit chemin qui suivait la Viorne, et la lune, glissant par cette trouée, rayait la route d'une large bande lumineuse. Quand les premiers insurgés entrèrent dans ce rayon, ils se trouvèrent subitement éclairés d'une clarté dont les blancheurs aiguës découpaient avec une netteté singulière les moindres arêtes des visages et des costumes. À mesure que les contingents défilèrent, les jeunes gens les virent ainsi, en face d'eux, farouches, sans cesse renaissants, surgir brusquement des ténèbres.

Aux premiers hommes qui entrèrent dans la clarté, Miette, d'un mouvement instinctif, se serra contre Silvère, bien qu'elle se sentît en sûreté, à l'abri même des regards. Elle passa le bras au cou du jeune homme, appuya la tête contre son épaule. Le visage encadré par le capuchon de la pelisse, pâle, elle se tint debout, les yeux fixés sur ce carré de lumière que traversaient rapidement de si étranges faces, transfigurées par l'enthousiasme, la bouche ouverte et noire, toute pleine du cri vengeur de *la Marseillaise*.

Silvère, qu'elle sentait frémir à son côté, se pencha alors à son oreille et lui nomma les divers contingents, à mesure qu'ils se présentaient.

La colonne marchait sur un rang de huit hommes. En tête, venaient de grands gaillards, aux têtes carrées, qui paraissaient avoir une force herculéenne et une foi naïve de géants. La République devait trouver en eux des défenseurs aveugles et intrépides. Ils portaient sur l'épaule de grandes haches dont le tranchant, fraîchement aiguisé, luisait au clair de lune.

« Les bûcherons des forêts de la Seille, dit Silvère. On en a fait un corps de sapeurs... Sur un signe de leurs chefs, ces hommes iraient jusqu'à Paris, enfonçant les portes des villes à coups de cognée, comme ils abattent les vieux chênes-lièges de la montagne... »

Le jeune homme parlait orgueilleusement des gros poings de ses frères. Il continua, en voyant arriver, derrière les bûcherons, une bande d'ouvriers et d'hommes aux barbes rudes, brûlés par le soleil :

« Le contingent de la Palud. C'est le premier bourg qui s'est mis en insurrection. Les hommes en blouse sont des ouvriers qui travaillent les chênes-lièges ; les autres, les hommes aux vestes de velours, doivent être des chasseurs et des charbonniers vivant dans les gorges de la Seille... Les chasseurs ont connu ton père, Miette. Ils ont de bonnes armes qu'ils manient avec adresse. Ah ! si tous étaient armés de la sorte !

Les fusils manquent. Vois, les ouvriers n'ont que des bâtons. »

Miette regardait, écoutait, muette. Quand Silvère lui parla de son père, le sang lui monta violemment aux joues. Le visage brûlant, elle examina les chasseurs d'un air de colère et d'étrange sympathie. À partir de ce moment, elle parut peu à peu s'animer aux frissons de fièvre que les chants des insurgés lui apportaient.

La colonne, qui venait de recommencer *la Marseillaise*, descendait toujours, comme fouettée par les souffles âpres du mistral. Aux gens de la Palud avait succédé une autre troupe d'ouvriers, parmi lesquels on apercevait un assez grand nombre de bourgeois en paletot.

« Voici les hommes de Saint-Martin-de-Vaulx, reprit Silvère. Ce bourg s'est soulevé presque en même temps que la Palud… Les patrons se sont joints aux ouvriers. Il y a là des gens riches, Miette ; des riches qui pourraient vivre tranquilles chez eux et qui vont risquer leur vie pour la défense de la liberté. Il faut aimer ces riches… Les armes manquent toujours ; à peine quelques fusils de chasse… Tu vois, Miette, ces hommes qui ont au coude gauche un brassard d'étoffe rouge ? Ce sont les chefs. »

Mais Silvère s'attardait. Les contingents descendaient la côte, plus rapides que ses paroles. Il parlait encore des gens de Saint-Martin-de-Vaulx, que deux bataillons avaient déjà traversé la raie de clarté qui blanchissait la route.

« Tu as vu ? demanda-t-il ; les insurgés d'Alboise et des Tulettes viennent de passer. J'ai reconnu Burgat le forgeron… Ils se seront joints à la bande aujourd'hui même… Comme ils courent ! »

Miette se penchait maintenant, pour suivre plus longtemps du regard les petites troupes que lui désignait le jeune homme. Le frisson qui s'emparait d'elle lui montait dans la poitrine et la prenait à la gorge. À ce moment parut un bataillon plus nombreux et mieux discipliné que les autres. Les insurgés qui en faisaient partie, presque tous vêtus de blouses bleues, avaient la taille serrée d'une ceinture rouge ; on les eût dit pourvus d'un uniforme. Au milieu d'eux marchait un homme à cheval, ayant un sabre au côté. Le plus grand nombre de ces soldats improvisés avaient des fusils, des carabines ou d'anciens mousquets de la garde nationale.

« Je ne connais pas ceux-là, dit Silvère. L'homme à cheval doit être le chef dont on m'a parlé. Il a amené avec lui les contingents de Faverolles et des villages voisins. Il faudrait que toute la colonne fût équipée de la sorte. »

Il n'eut pas le temps de reprendre haleine.

« Ah ! voici les campagnes ! » cria-t-il.

Derrière les gens de Faverolles, s'avançaient de petits groupes composés chacun de dix à vingt hommes au plus. Tous portaient la veste courte des paysans du Midi. Ils brandissaient en chantant des fourches et des faux ; quelques-uns même n'avaient que de larges pelles de terrassier. Chaque hameau avait envoyé ses hommes valides.

Silvère, qui reconnaissait les groupes à leurs chefs, les énuméra d'une voix fiévreuse.

« Le contingent de Chavanoz ! dit-il. Il n'y a que huit hommes, mais ils sont solides ; l'oncle Antoine les connaît... Voici Nazères ! voici Poujols ! tous y sont, pas un n'a manqué à l'appel... Valqueyras !

Tiens, M. le curé est de la partie, on m'a parlé de lui ; c'est un bon républicain. »

Il se grisait. Maintenant que chaque bataillon ne comptait plus que quelques insurgés, il lui fallait les nommer à la hâte, et cette précipitation lui donnait un air fou.

« Ah ! Miette, continua-t-il, le beau défilé ! Rozan ! Vernoux ! Corbière ! et il y en a encore, tu vas voir... Ils n'ont que des faux, ceux-là, mais ils faucheront la troupe aussi rase que l'herbe de leurs prés... Saint-Eutrope ! Mazet ! les Gardes ! Marsanne ! tout le versant nord de la Seille !... Va, nous serons vainqueurs ! Le pays entier est avec nous. Regarde les bras de ces hommes, ils sont durs et noirs comme du fer... Ça ne finit pas. Voici Pruinas ! les Roches-Noires ! Ce sont des contrebandiers, ces derniers ; ils ont des carabines... Encore des faux et des fourches, les contingents des campagnes continuent. Castel-le-Vieux ! Sainte-Anne ! Graille ! Estourmel ! Murdaran[1] ! »

Et il acheva, d'une voix étranglée par l'émotion, le dénombrement de ces hommes, qu'un tourbillon semblait prendre et enlever à mesure qu'il les désignait. La taille grandie, le visage en feu, il montrait les contingents d'un geste nerveux. Miette suivait ce geste. Elle se sentait attirée vers le bas de la route, comme par les profondeurs d'un précipice. Pour ne pas glisser le long du talus, elle se retenait au cou du jeune homme. Une ivresse singulière montait de cette foule grisée de bruit, de courage et de foi. Ces êtres entrevus dans un rayon de lune, ces adolescents, ces hommes mûrs, ces vieillards brandissant des armes étranges, vêtus des costumes les plus divers, depuis le sarrau du manœuvre jusqu'à la redingote du bourgeois ; cette file interminable de têtes, dont l'heure et la circonstance faisaient des masques inoubliables d'énergie et de ravissement fanatiques, prenaient à la longue devant les yeux de la jeune fille une impétuosité vertigineuse de torrent. À certains moments, il lui semblait qu'ils ne marchaient plus, qu'ils étaient charriés par *la Marseillaise* elle-même, par ce chant rauque aux sonorités formidables. Elle ne pouvait distinguer les paroles, elle n'entendait qu'un grondement continu, allant de notes sourdes à des notes vibrantes, aiguës comme des pointes qu'on aurait, par saccades, enfoncées dans sa chair. Ce rugissement de la révolte, cet appel à la lutte et à la mort, avec ses secousses de colère, ses désirs brûlants de liberté, son étonnant mélange de massacres et d'élans sublimes, en la frappant au cœur, sans relâche, et plus profondément à chaque brutalité du rythme, lui causait une de ces angoisses voluptueuses de vierge martyre se redressant et souriant sous le fouet. Et toujours, roulée dans le flot sonore, la foule coulait. Le défilé, qui dura à peine quelques minutes, parut aux jeunes gens ne devoir jamais finir.

Certes, Miette était une enfant. Elle avait pâli à l'approche de la bande, elle avait pleuré ses tendresses envolées ; mais elle était une enfant de courage, une nature ardente que l'enthousiasme exaltait aisément. Aussi l'émotion qui l'avait peu à peu gagnée, la secouait-elle maintenant tout entière. Elle devenait un garçon. Volontiers elle eût pris une arme et suivi les insurgés. Ses dents blanches, à mesure que défilaient les fusils et les faux, se montraient plus longues et plus aiguës, entre ses lèvres rouges, pareilles aux crocs d'un jeune loup qui aurait des envies de mordre. Et lorsqu'elle entendit Silvère dénombrer d'une voix de plus en plus pressée les contingents des campagnes, il lui sembla que l'élan de la colonne s'accélérait encore, à chaque parole du jeune homme. Bientôt ce fut un emportement, une poussière d'hommes balayée par une tempête. Tout se mit à tourner devant elle. Elle ferma les yeux. De grosses larmes chaudes coulaient sur ses joues.

Silvère avait, lui aussi, des pleurs au bord des cils.

« Je ne vois pas les hommes qui ont quitté Plassans cet après-midi », murmura-t-il.

Il tâchait de distinguer le bout de la colonne, qui se trouvait encore dans l'ombre. Puis il cria avec une joie triomphante :

« Ah ! les voici !... Ils ont le drapeau, on leur a confié le drapeau ! »

Alors il voulut sauter du talus pour aller rejoindre ses compagnons ; mais, à ce moment, les insurgés s'arrêtèrent. Des ordres coururent le long de la colonne. *La Marseillaise* s'éteignit dans un dernier grondement, et l'on n'entendit plus que le murmure confus de la foule, encore toute vibrante. Silvère, qui écoutait, put comprendre les ordres que les contingents se transmettaient, et qui appelaient les gens de Plassans en tête de la bande. Comme chaque bataillon se rangeait au bord de la route, pour laisser passer le drapeau, le jeune homme, entraînant Miette, se mit à remonter le talus.

« Viens, lui dit-il, nous serons avant eux de l'autre côté du pont. »

Et quand ils furent en haut, dans les terres labourées, ils coururent jusqu'à un moulin dont l'écluse barre la rivière. Là, ils traversèrent la Viorne sur une planche que les meuniers y ont jetée. Puis ils coupèrent en biais les prés Sainte-Claire, toujours se

tenant par la main, toujours courant, sans échanger
une parole. La colonne faisait, sur le grand chemin,
une ligne sombre qu'ils suivirent le long des haies.
Il y avait des trous dans les aubépines. Silvère et
Miette sautèrent sur la route par un de ces trous.

Malgré le détour qu'ils venaient de faire, ils arrivèrent en même temps que les gens de Plassans. Silvère échangea quelques poignées de main ; on dut
penser qu'il avait appris la marche nouvelle des insurgés et qu'il était venu à leur rencontre. Miette, dont
le visage était caché à demi par le capuchon de la
pelisse, fut regardée curieusement.

« Eh ! c'est la Chantegreil, dit un homme du faubourg, la nièce de Rébufat, le méger du Jas-Meiffren[1].

— D'où sors-tu donc, coureuse ? » cria une autre
voix.

Silvère, gris d'enthousiasme, n'avait pas songé à la
singulière figure que ferait son amoureuse devant les
plaisanteries certaines des ouvriers. Miette, confuse,
le regardait comme pour implorer aide et secours.
Mais, avant même qu'il eût pu ouvrir les lèvres, une
nouvelle voix s'éleva du groupe, disant avec brutalité :

« Son père est au bagne, nous ne voulons pas avec
nous la fille d'un voleur et d'un assassin. »

Miette pâlit affreusement.

« Vous mentez, murmura-t-elle ; si mon père a tué,
il n'a pas volé. »

Et comme Silvère serrait les poings, plus pâle et
plus frémissant qu'elle :

« Laisse, reprit-elle, ceci me regarde... »

Puis se retournant vers le groupe, elle répéta avec
éclat :

« Vous mentez, vous mentez ! il n'a jamais pris un sou à personne. Vous le savez bien. Pourquoi l'insultez-vous, quand il ne peut être là ? »

Elle s'était redressée, superbe de colère. Sa nature ardente, à demi sauvage, paraissait accepter avec assez de calme l'accusation de meurtre ; mais l'accusation de vol l'exaspérait. On le savait, et c'est pourquoi la foule lui jetait souvent cette accusation à la face, par méchanceté bête.

L'homme qui venait d'appeler son père voleur n'avait, d'ailleurs, répété que ce qu'il entendait dire depuis des années. Devant l'attitude violente de l'enfant, les ouvriers ricanèrent. Silvère serrait toujours les poings. La chose allait mal tourner, lorsqu'un chasseur de la Seille, qui s'était assis sur un tas de pierres, au bord de la route, en attendant qu'on se remît en marche, vint au secours de la jeune fille.

« La petite a raison, dit-il. Chantegreil était un des nôtres. Je l'ai connu. Jamais on n'a bien vu clair dans son affaire. Moi, j'ai toujours cru à la vérité de ses déclarations devant les juges. Le gendarme qu'il a descendu, à la chasse, d'un coup de fusil, devait déjà le tenir lui-même au bout de sa carabine. On se défend, que voulez-vous ! Mais Chantegreil était un honnête homme, Chantegreil n'a pas volé. »

Comme il arrive en pareil cas, l'attestation de ce braconnier suffit pour que Miette trouvât des défenseurs. Plusieurs ouvriers voulurent avoir également connu Chantegreil.

« Oui, oui, c'est vrai, dirent-ils. Ce n'était pas un voleur. Il y a, à Plassans, des canailles qu'il faudrait envoyer au bagne à sa place... Chantegreil était notre frère... Allons, calme-toi, petite. »

Jamais Miette n'avait entendu dire du bien de son père. On le traitait ordinairement devant elle de gueux, de scélérat, et voilà qu'elle rencontrait de braves cœurs qui avaient pour lui des paroles de pardon et qui le déclaraient un honnête homme. Alors elle fondit en larmes, elle retrouva l'émotion que *la Marseillaise* avait fait monter à sa gorge, elle chercha comment elle pourrait remercier ces hommes doux aux malheureux. Un moment, il lui vint l'idée de leur serrer la main à tous, comme un garçon. Mais son cœur trouva mieux. À côté d'elle se tenait debout l'insurgé qui portait le drapeau. Elle toucha la hampe du drapeau, et, pour tout remerciement, elle dit d'une voix suppliante :

« Donnez-le-moi, je le porterai. »

Les ouvriers, simples d'esprit, comprirent le côté naïvement sublime de ce remerciement.

« C'est cela, crièrent-ils, la Chantegreil portera le drapeau. »

Un bûcheron fit remarquer qu'elle se fatiguerait vite, qu'elle ne pourrait aller loin.

« Oh ! je suis forte », dit-elle orgueilleusement en retroussant ses manches, et en montrant ses bras ronds, aussi gros déjà que ceux d'une femme faite.

Et comme on lui tendait le drapeau :

« Attendez », reprit-elle.

Elle retira vivement sa pelisse, qu'elle remit ensuite, après l'avoir tournée du côté de la doublure rouge. Alors elle apparut, dans la blanche clarté de la lune, drapée d'un large manteau de pourpre qui lui tombait jusqu'aux pieds. Le capuchon, arrêté sur le bord de son chignon, la coiffait d'une sorte de bonnet phrygien. Elle prit le drapeau, en serra la hampe contre sa poitrine, et se tint droite, dans les plis de cette bannière sanglante qui flottait derrière elle. Sa tête d'enfant exaltée, avec ses cheveux crépus, ses grands yeux humides, ses lèvres entrouvertes par un sourire, eut un élan d'énergique fierté, en se levant à demi vers le ciel. À ce moment, elle fut la vierge Liberté.

Les insurgés éclatèrent en applaudissements. Ces Méridionaux, à l'imagination vive, étaient saisis et enthousiasmés par la brusque apparition de cette grande fille toute rouge qui serrait si nerveusement leur drapeau sur son sein. Des cris partirent du groupe :

« Bravo, la Chantegreil ! Vive la Chantegreil ! Elle restera avec nous, elle nous portera bonheur ! »

On l'eût acclamée longtemps si l'ordre de se remettre en marche n'était arrivé. Et, pendant que la colonne s'ébranlait, Miette pressa la main de Silvère, qui venait de se placer à son côté, et lui murmura à l'oreille :

« Tu entends ! je resterai avec toi. Tu veux bien ? »

Silvère, sans répondre, lui rendit son étreinte. Il acceptait. Profondément ému, il était d'ailleurs incapable de ne pas se laisser aller au même enthousiasme que ses compagnons. Miette lui était apparue si belle, si grande, si sainte ! Pendant toute la montée de la côte, il la revit devant lui, rayonnante, dans une gloire empourprée. Maintenant, il la confondait avec son autre maîtresse adorée, la République. Il aurait voulu être arrivé, avoir son fusil sur l'épaule. Mais les insurgés montaient lentement. L'ordre était donné de faire le moins de bruit possible. La colonne s'avançait entre les deux rangées d'ormes, pareille à un serpent gigantesque dont chaque anneau aurait eu d'étranges frémissements. La nuit glacée de décembre avait repris son silence, et seule la Viorne paraissait gronder d'une voix plus haute.

Dès les premières maisons du faubourg, Silvère courut en avant pour aller chercher son fusil à l'aire Saint-Mittre, qu'il retrouva endormie sous la lune. Quand il rejoignit les insurgés, ils étaient arrivés devant la porte de Rome. Miette se pencha, et lui dit avec son sourire d'enfant :

« Il me semble que je suis à la procession de la Fête-Dieu, et que je porte la bannière de la Vierge. »

II

Plassans est une sous-préfecture d'environ dix mille âmes. Bâtie sur le plateau qui domine la Viorne, adossée au nord contre les collines des Garrigues, une des dernières ramifications des Alpes, la ville est comme située au fond d'un cul-de-sac. En 1851, elle ne communiquait avec les pays voisins que par deux routes, la route de Nice, qui descend à l'est, et la route de Lyon, qui monte à l'ouest, l'une continuant l'autre, sur deux lignes presque parallèles. Depuis cette époque, on a construit un chemin de fer dont la voie passe au sud de la ville, en bas du coteau qui va en pente raide des anciens remparts à la rivière. Aujourd'hui, quand on sort de la gare, placée sur la rive droite du petit torrent, on aperçoit, en levant la tête, les premières maisons de Plassans, dont les jardins forment terrasse. Il faut monter pendant un bon quart d'heure avant d'atteindre ces maisons[1].

Il y a une vingtaine d'années, grâce sans doute au manque de communications, aucune ville n'avait

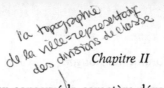
la topographie de la ville-représentatif des divisions de classe

mieux conservé le caractère dévot et aristocratique des anciennes cités provençales. Elle avait, et a d'ailleurs encore aujourd'hui, tout un quartier de grands hôtels bâtis sous Louis XIV et sous Louis XV, une douzaine d'églises, des maisons de jésuites et de capucins, un nombre considérable de couvents. La distinction des classes y est restée longtemps tranchée par la division des quartiers. Plassans en compte trois, qui forment chacun comme un bourg particulier et complet, ayant ses églises, ses promenades, ses mœurs, ses horizons.

Le quartier des nobles, qu'on nomme quartier Saint-Marc, du nom d'une des paroisses qui le desservent, un petit Versailles aux rues droites, rongées d'herbe, et dont les larges maisons carrées cachent de vastes jardins, s'étend au sud, sur le bord du plateau ; certains hôtels, construits au ras même de la pente, ont une double rangée de terrasses, d'où l'on découvre toute la vallée de la Viorne, admirable point de vue très vanté dans le pays. Le vieux quartier, l'ancienne ville, étage au nord-ouest ses ruelles étroites et tortueuses, bordées de masures branlantes ; là se trouvent la mairie, le tribunal civil, le marché, la gendarmerie ; cette partie de Plassans, la plus populeuse, est occupée par les ouvriers, les commerçants, tout le menu peuple actif et misérable. La ville neuve, enfin, forme une sorte de carré long, au nord-est ; la bourgeoisie, ceux qui ont amassé sou à sou une fortune, et ceux qui exercent une profession libérale, y habitent des maisons bien alignées, enduites d'un badigeon jaune clair. Ce quartier, qu'embellit la sous-préfecture, une laide bâtisse de plâtre ornée de rosaces, comptait à peine cinq ou six rues en 1851 ; il est de création récente, et, surtout depuis la

construction du chemin de fer, il tend seul à s'agrandir.

Ce qui, de nos jours, partage encore Plassans en
trois parties indépendantes et distinctes, c'est que
les quartiers sont nettement bornés par de grandes
voies. Le cours Sauvaire et la rue de Rome, qui en
est comme le prolongement étranglé, vont de l'ouest à
l'est, de la Grand-Porte à la porte de Rome, coupant
ainsi la ville en deux morceaux, séparant le quartier
des nobles des deux autres quartiers. Ceux-ci sont
eux-mêmes délimités par la rue de la Banne ; cette
rue, la plus belle du pays, prend naissance à l'extrémité du cours Sauvaire et monte vers le nord, en
laissant à gauche les masses noires du vieux quartier, à droite les maisons jaune clair de la ville neuve.
C'est là, vers le milieu de la rue, au fond d'une petite
place plantée d'arbres maigres, que se dresse la sous-
préfecture, monument dont les bourgeois de Plassans
sont très fiers.

Comme pour s'isoler davantage et se mieux enfermer chez elle, la ville est entourée d'une ceinture
d'anciens remparts qui ne servent aujourd'hui qu'à
la rendre plus noire et plus étroite. On démolirait à
coups de fusil ces fortifications ridicules, mangées
de lierre et couronnées de giroflées sauvages, tout au
plus égales en hauteur et en épaisseur aux murailles
d'un couvent. Elles sont percées de plusieurs ouvertures, dont les deux principales, la porte de Rome et
la Grand-Porte, s'ouvrent, la première, sur la route de
Nice, la seconde sur la route de Lyon, à l'autre bout
de la ville. Jusqu'en 1853, ces ouvertures sont restées
garnies d'énormes portes de bois à deux battants,
cintrées dans le haut, et que consolidaient des lames
de fer. À onze heures en été, à dix heures en hiver,

on fermait ces portes à double tour. La ville, après avoir ainsi poussé les verrous comme une fille peureuse, dormait tranquille. Un gardien, qui habitait une logette placée dans un des angles intérieurs de chaque portail, avait charge d'ouvrir aux personnes attardées. Mais il fallait parlementer longtemps. Le gardien n'introduisait les gens qu'après avoir éclairé de sa lanterne et examiné attentivement leur visage au travers d'un judas ; pour peu qu'on lui déplût, on couchait dehors. Tout l'esprit de la ville, fait de poltronnerie, d'égoïsme, de routine, de la haine du dehors et du désir religieux d'une vie cloîtrée, se trouvait dans ces tours de clef donnés aux portes chaque soir. Plassans, quand il s'était bien cadenassé, se disait : « Je suis chez moi », avec la satisfaction d'un bourgeois dévot, qui, sans crainte pour sa caisse, certain de n'être réveillé par aucun tapage, va réciter ses prières et se mettre voluptueusement au lit. Il n'y a pas de cité, je crois, qui se soit entêtée si tard à s'enfermer comme une nonne.

La population de Plassans se divise en trois groupes ; autant de quartiers, autant de petits mondes à part. Il faut mettre en dehors les fonctionnaires, le sous-préfet, le receveur particulier[1], le conservateur des hypothèques, le directeur des postes, tous gens étrangers à la contrée, peu aimés et très enviés, vivant à leur guise. Les vrais habitants, ceux qui ont poussé là, et qui sont fermement décidés à y mourir, respectent trop les usages reçus et les démarcations établies pour ne pas se parquer d'eux-mêmes dans une des sociétés de la ville.

Les nobles se cloîtrent hermétiquement. Depuis la chute de Charles X, ils sortent à peine, se hâtant de rentrer dans leurs grands hôtels silencieux, mar-

chant furtivement, comme en pays ennemi. Ils ne
vont chez personne, et ne se reçoivent même pas
entre eux. Leurs salons ont pour seuls habitués quelques prêtres. L'été, ils habitent les châteaux qu'ils
possèdent aux environs ; l'hiver, ils restent au coin
de leur feu. Ce sont des morts s'ennuyant dans la vie.
Aussi leur quartier a-t-il le calme lourd d'un cimetière. Les portes et les fenêtres sont soigneusement
barricadées ; on dirait une suite de couvents fermés
à tous les bruits du dehors. De loin en loin, on voit
passer un abbé dont la démarche discrète met un
silence de plus le long des maisons closes, et qui
disparaît comme une ombre dans l'entrebâillement
d'une porte.

La bourgeoisie, les commerçants retirés, les avocats, les notaires, tout le petit monde aisé et ambitieux qui peuple la ville neuve, tâche de donner
quelque vie à Plassans. Ceux-là vont aux soirées de
M. le sous-préfet et rêvent de rendre des fêtes
pareilles. Ils font volontiers de la popularité, appellent un ouvrier « mon brave », parlent des récoltes
aux paysans, lisent les journaux, se promènent le
dimanche avec leurs dames. Ce sont les esprits avancés de l'endroit, les seuls qui se permettent de rire
en parlant des remparts ; ils ont même plusieurs fois
réclamé de « l'édilité » la démolition de ces vieilles
murailles, « vestige d'un autre âge ». D'ailleurs, les
plus sceptiques d'entre eux reçoivent une violente
commotion de joie chaque fois qu'un marquis ou
un comte veut bien les honorer d'un léger salut. Le
rêve de tout bourgeois de la ville neuve est d'être
admis dans un salon du quartier Saint-Marc. Ils
savent bien que ce rêve est irréalisable, et c'est ce
qui leur fait crier très haut qu'ils sont libres pen-

seurs, des libres penseurs tout de paroles, fort amis de l'autorité, se jetant dans les bras du premier sauveur venu, au moindre grondement du peuple.

Le groupe qui travaille et végète dans le vieux quartier n'est pas aussi nettement déterminé. Le peuple, les ouvriers, y sont en majorité ; mais on y compte aussi les petits détaillants et même quelques gros négociants. À la vérité, Plassans est loin d'être un centre de commerce ; on y trafique juste assez pour se débarrasser des productions du pays, les huiles, les vins, les amandes. Quant à l'industrie, elle n'y est guère représentée que par trois ou quatre tanneries qui empestent une des rues du vieux quartier, des manufactures de chapeaux de feutre[1] et une fabrique de savon reléguée dans un coin du faubourg. Ce petit monde commercial et industriel, s'il fréquente, aux grands jours, les bourgeois de la ville neuve, vit surtout au milieu des travailleurs de l'ancienne ville. Commerçants, détaillants, ouvriers, ont des intérêts communs qui les unissent en une seule famille. Le dimanche seulement, les patrons se lavent les mains et font bande à part. D'ailleurs, la population ouvrière, qui compte pour un cinquième à peine, se perd au milieu des oisifs du pays.

Une seule fois par semaine, dans la belle saison, les trois quartiers de Plassans se rencontrent face à face. Toute la ville se rend au cours Sauvaire, le dimanche, après les vêpres ; les nobles eux-mêmes se hasardent. Mais, sur cette sorte de boulevard planté de deux allées de platanes, il s'établit trois courants bien distincts. Les bourgeois de la ville neuve ne font que passer ; ils sortent par la Grand-Porte et prennent, à droite, l'avenue du Mail, le long de laquelle ils vont et viennent, jusqu'à la tombée de la nuit. Pendant ce temps, la noblesse et le peuple se partagent le cours Sauvaire. Depuis plus d'un siècle, la noblesse a choisi l'allée placée au sud, qui est bordée d'une rangée de grands hôtels et que le soleil quitte la première ; le peuple a dû se contenter de l'autre allée, celle du nord, côté où se trouvent les cafés, les hôtels, les débits de tabac. Et, tout l'après-midi, peuple et noblesse se promènent, montant et descendant le cours, sans que jamais un ouvrier ou un noble ait la pensée de changer d'avenue. Six à huit mètres les séparent, et ils restent à mille lieues les uns des autres, suivant avec scrupule deux lignes parallèles, comme ne devant pas se rencontrer en ce bas monde. Même aux époques révolutionnaires, chacun a gardé son allée. Cette promenade réglementaire du dimanche et les tours de clef donnés le soir aux portes, sont des faits du même ordre, qui suffisent pour juger les dix mille âmes de la ville.

Ce fut dans ce milieu particulier que végéta jusqu'en 1848 une famille obscure et peu estimée, dont le chef, Pierre Rougon, joua plus tard un rôle important, grâce à certaines circonstances.

Pierre Rougon était un fils de paysan. La famille de sa mère, les Fouque[1], comme on les nommait, possédait, vers la fin du siècle dernier, un vaste terrain situé dans le faubourg, derrière l'ancien cimetière Saint-Mittre ; ce terrain a été plus tard réuni au Jas-Meiffren. Les Fouque étaient les plus riches maraîchers du pays ; ils fournissaient de légumes tout un quartier de Plassans. Le nom de cette famille s'éteignit quelques années avant la révolution. Une fille seule resta, Adélaïde, née en 1768, et qui se trouva orpheline à l'âge de dix-huit ans. Cette enfant, dont le père mourut fou, était une grande créature,

mince, pâle, aux regards effarés, d'une singularité
d'allures qu'on put prendre pour de la sauvagerie
tant qu'elle resta petite fille. Mais, en grandissant,
elle devint plus bizarre encore ; elle commit certaines actions que les plus fortes têtes du faubourg ne
purent raisonnablement expliquer, et, dès lors, le
bruit courut qu'elle avait le cerveau <u>fêlé</u> comme son *fêlé comme son père*
père. Elle se trouvait seule dans la vie, depuis six mois
à peine, maîtresse d'un bien qui faisait d'elle une
héritière recherchée, quand on apprit son mariage
avec un garçon jardinier, un nommé Rougon, paysan mal dégrossi, venu des Basses-Alpes. Ce Rougon,
après la mort du dernier des Fouque, qui l'avait loué
pour une saison, était resté au service de la fille du
défunt. De serviteur à gages, il passait brusquement
au titre envié de mari. Ce mariage fut un premier
étonnement pour l'opinion ; personne ne put comprendre pourquoi Adélaïde préférait ce pauvre diable,
épais, lourd, commun, sachant à peine parler français, à tels et tels jeunes gens, fils de cultivateurs
aisés, qu'on voyait rôder autour d'elle depuis longtemps. Et comme en province rien ne doit rester
inexpliqué, on voulut voir un mystère quelconque
au fond de cette affaire, on prétendit même que le
mariage était devenu d'une absolue nécessité entre les
jeunes gens. Mais les faits démentirent ces médisan-
ces. Adélaïde eut un fils au bout de douze grands
mois. Le faubourg se fâcha ; il ne pouvait admettre
qu'il se fût trompé, il entendait pénétrer le prétendu
secret ; aussi toutes les commères se mirent-elles à
espionner les Rougon. Elles ne tardèrent pas à avoir
une ample matière à bavardages. Rougon mourut
presque subitement, quinze mois après son mariage,
d'un coup de soleil qu'il reçut, un après-midi, en

sarclant un plant de carottes. Une année s'était à
peine écoulée que la jeune veuve donna lieu à un
scandale inouï ; on sut d'une façon certaine qu'elle
avait un amant ; elle ne paraissait pas s'en cacher ;
plusieurs personnes affirmaient l'avoir entendue
tutoyer publiquement le successeur du pauvre Rougon. Un an de veuvage au plus, et un amant ! Un
pareil oubli des convenances parut monstrueux, en
dehors de la saine raison. Ce qui rendit le scandale
plus éclatant, ce fut l'étrange choix d'Adélaïde. Alors
demeurait au fond de l'impasse Saint-Mittre, dans
une masure dont les derrières donnaient sur le terrain des Fouque, un homme mal famé, que l'on désignait d'habitude sous cette locution : « ce gueux de
Macquart ». Cet homme disparaissait pendant des
semaines entières ; puis on le voyait reparaître, un
beau soir, les bras vides, les mains dans les poches,
flânant ; il sifflait, il semblait revenir d'une petite
promenade. Et les femmes, assises sur le seuil de
leur porte, disaient en le voyant passer : « Tiens ! ce
gueux de Macquart ! il aura caché ses ballots et son
fusil dans quelque creux de la Viorne. » La vérité
était que Macquart n'avait pas de rentes, et qu'il
mangeait et buvait en heureux fainéant, pendant
ses courts séjours à la ville. Il buvait surtout avec
un entêtement farouche ; seul à une table, au fond
d'un cabaret, il s'oubliait chaque soir, les yeux fixés
stupidement sur son verre, sans jamais écouter ni
regarder autour de lui. Et, quand le marchand de vin
fermait sa porte, il se retirait d'un pas ferme, la tête
plus haute, comme redressé par l'ivresse. « Macquart
marche bien droit, il est ivre mort », disait-on en le
voyant rentrer. D'ordinaire, lorsqu'il n'avait pas bu,
il allait légèrement courbé, évitant les regards des

curieux, avec une sorte de timidité sauvage. Depuis la mort de son père, un ouvrier tanneur, qui lui avait laissé pour tout héritage la masure de l'impasse Saint-Mittre, on ne lui connaissait ni parents ni amis. La proximité des frontières et le voisinage des forêts de la Seille avaient fait de ce paresseux et singulier garçon un contrebandier doublé d'un braconnier, un de ces êtres à figure louche dont les passants disent : « Je ne voudrais pas rencontrer cette tête-là, à minuit, au coin d'un bois. » Grand, terriblement barbu, la face maigre, Macquart était la terreur des bonnes femmes du faubourg ; elles l'accusaient de manger des petits enfants tout crus. À peine âgé de trente ans, il paraissait en avoir cinquante. Sous les broussailles de sa barbe et les mèches de ses cheveux, qui lui couvraient le visage, pareilles aux touffes de poils d'un caniche, on ne distinguait que le luisant de ses yeux bruns, le regard furtif et triste d'un homme aux instincts vagabonds, que le vin et une vie de paria ont rendu mauvais. Bien qu'on ne pût préciser aucun de ses crimes, il ne se commettait pas un vol, pas un assassinat dans le pays, sans que le premier soupçon se portât sur lui. Et c'était cet ogre, ce brigand, ce gueux de Macquart qu'Adélaïde avait choisi ! En vingt mois, elle eut deux enfants, un garçon, puis une fille. De mariage entre eux, il n'en fut pas un instant question. Jamais le faubourg n'avait vu une pareille audace dans l'inconduite. La stupéfaction fut si grande, l'idée que Macquart avait pu trouver une maîtresse jeune et riche renversa à un tel point les croyances des commères, qu'elles furent presque douces pour Adélaïde.

« La pauvre ! elle est devenue complètement folle, disaient-elles ; si elle avait une famille, il y a long-

temps qu'elle serait enfermée. » Et, comme on ignora
toujours l'histoire de ces amours étranges, ce fut
encore cette canaille de Macquart qui fut accusé
d'avoir abusé du cerveau faible d'Adélaïde pour lui
voler son argent[1].

Le fils légitime, le petit Pierre Rougon, grandit
avec les bâtards de sa mère. Adélaïde garda auprès
d'elle ces derniers, Antoine et Ursule, les louveteaux,
comme on les nommait dans le quartier, sans
d'ailleurs les traiter ni plus ni moins tendrement que
son enfant du premier lit. Elle paraissait n'avoir pas
une conscience bien nette de la situation faite dans
la vie à ces deux pauvres créatures. Pour elle, ils
étaient ses enfants au même titre que son premier-
né ; elle sortait parfois tenant Pierre d'une main et
Antoine de l'autre, ne s'apercevant pas de la façon
déjà profondément différente dont on regardait les
chers petits.

Ce fut une singulière maison.

Pendant près d'une vingtaine d'années, chacun y
vécut à son caprice, les enfants comme la mère. Tout
y poussa librement. En devenant femme, Adélaïde
était restée la grande fille étrange qui passait à quinze
ans pour une sauvage ; non pas qu'elle fût folle, ainsi
que le prétendaient les gens du faubourg, mais il y
avait en elle un manque d'équilibre entre le sang et
les nerfs, une sorte de détraquement du cerveau et du
cœur, qui la faisait vivre en dehors de la vie ordinaire,
autrement que tout le monde. Elle était certainement
très naturelle, très logique avec elle-même ; seulement sa logique devenait de la pure démence aux
yeux des voisins. Elle semblait vouloir s'afficher,
chercher méchamment à ce que tout, chez elle, allât

de mal en pis, lorsqu'elle obéissait avec une grande naïveté aux seules poussées de son tempérament.

Dès ses premières couches, elle fut sujette à des crises nerveuses qui la jetaient dans des convulsions terribles. Ces crises revenaient périodiquement tous les deux ou trois mois. Les médecins qui furent consultés répondirent qu'il n'y avait rien à faire, que l'âge calmerait ces accès. On la mit seulement au régime des viandes saignantes et du vin de quinquina. Ces secousses répétées achevèrent de la détraquer. Elle vécut au jour le jour, comme une enfant, comme une bête caressante qui cède à ses instincts. Quand Macquart était en tournée, elle passait ses journées, oisive, songeuse, ne s'occupant de ses enfants que pour les embrasser et jouer avec eux. Puis, dès le retour de son amant, elle disparaissait.

Derrière la masure de Macquart, il y avait une petite cour qu'une muraille séparait du terrain des Fouque. Un matin, les voisins furent très surpris en voyant cette muraille percée d'une porte, qui la veille au soir n'était pas là. En une heure, le faubourg entier défila aux fenêtres voisines. Les amants avaient dû travailler toute la nuit pour creuser l'ouverture et pour poser la porte. Maintenant, ils pouvaient aller librement de l'un chez l'autre. Le scandale recommença ; on fut moins doux pour Adélaïde, qui décidément était la honte du faubourg ; cette porte, cet aveu tranquille et brutal de vie commune lui fut plus violemment reproché que ses deux enfants. « On sauve au moins les apparences », disaient les femmes les plus tolérantes. Adélaïde ignorait ce qu'on appelle « sauver les apparences » ; elle était très heureuse, très fière de sa porte ; elle avait aidé Macquart à arracher les pierres du mur, elle lui avait même gâché du plâtre pour que la besogne allât plus vite ; aussi vint-elle, le lendemain, avec une joie d'enfant, regarder son œuvre, en plein jour, ce qui parut le comble du dévergondage à trois commères, qui l'aperçurent, contemplant la maçonnerie encore fraîche. Dès lors, à chaque apparition de Macquart, on pensa, en ne voyant plus la jeune femme, qu'elle allait vivre avec lui dans la masure de l'impasse Saint-Mittre.

Le contrebandier venait très irrégulièrement, presque toujours à l'improviste. Jamais on ne sut au juste quelle était la vie des amants, pendant les deux ou trois jours qu'il passait à la ville, de loin en loin. Ils s'enfermaient, le petit logis paraissait inhabité. Le faubourg ayant décidé que Macquart avait séduit Adélaïde uniquement pour lui manger son argent, on s'étonna, à la longue, de voir cet homme vivre comme par le passé, sans cesse par monts et par vaux, aussi mal équipé qu'auparavant. Peut-être la jeune femme l'aimait-elle d'autant plus qu'elle le voyait à de plus longs intervalles ; peut-être avait-il résisté à ses supplications, éprouvant l'impérieux besoin d'une existence aventureuse. On inventa mille fables, sans pouvoir expliquer raisonnablement une liaison qui s'était nouée et se prolongeait en dehors de tous les faits ordinaires. Le logis de l'impasse Saint-Mittre resta hermétiquement clos et garda ses secrets. On devina seulement que Macquart devait battre Adélaïde, bien que jamais le bruit d'une querelle ne sortît de la maison. À plusieurs reprises, elle reparut, la face meurtrie, les cheveux arrachés. D'ailleurs, pas le moindre accablement de souffrance ni même de tristesse, pas le moindre souci de cacher ses meurtrissures. Elle souriait, elle semblait heureuse. Sans doute, elle se laissait assommer sans

souffler mot. Pendant plus de quinze ans, cette existence dura.

Lorsque Adélaïde rentrait chez elle, elle trouvait
la maison au pillage, sans s'émouvoir le moins du
monde. Elle manquait absolument du sens pratique
de la vie. La valeur exacte des choses, la nécessité
de l'ordre lui échappaient.

Elle laissa croître ses enfants comme ces pruniers
qui poussent le long des routes, au bon plaisir de la
pluie et du soleil. Ils portèrent leurs fruits naturels, en
sauvageons que la serpe n'a point greffés ni taillés.
Jamais la nature ne fut moins contrariée, jamais
petits êtres malfaisants ne grandirent plus franchement dans le sens de leurs instincts. En attendant,
ils se roulaient dans les plants de légumes, passant
leur vie en plein air, à jouer et à se battre comme
des vauriens. Ils volaient les provisions du logis, ils
dévastaient les quelques arbres fruitiers de l'enclos,
ils étaient les démons familiers, pillards et criards, de
cette étrange maison de la folie lucide. Quand leur
mère disparaissait pendant des journées entières,
leur vacarme devenait tel, ils trouvaient des inven-
tions si diaboliques pour molester les gens, que les
voisins devaient les menacer d'aller leur donner le
fouet. Adélaïde, d'ailleurs, ne les effrayait guère ;
lorsqu'elle était là, s'ils devenaient moins insupportables aux autres, c'est qu'ils la prenaient pour victime, manquant l'école régulièrement cinq ou six fois
par semaine, faisant tout au monde pour s'attirer
une correction qui leur eût permis de brailler à leur
aise. Mais jamais elle ne les frappait, ni même ne
s'emportait ; elle vivait très bien au milieu du bruit,
molle, placide, l'esprit perdu. À la longue même,
l'affreux tapage de ces garnements lui devint néces-

saire pour emplir le vide de son cerveau. Elle souriait doucement, quand elle entendait dire : « Ses
enfants la battront, et ce sera bien fait. » À toutes
choses, son allure indifférente semblait répondre :
« Qu'importe ! » Elle s'occupait de son bien encore
moins que de ses enfants. L'enclos des Fouque, pendant les longues années que dura cette singulière
existence, serait devenu un terrain vague, si la jeune
femme n'avait eu la bonne chance de confier la
culture de ses légumes à un habile maraîcher. Cet
homme, qui devait partager les bénéfices avec elle,
la volait impudemment, ce dont elle ne s'aperçut
jamais. D'ailleurs, cela eut un heureux côté : pour la
voler davantage, le maraîcher tira le plus grand parti
possible du terrain, qui doubla presque de valeur.

Soit qu'il fût averti par un instinct secret, soit
qu'il eût déjà conscience de la façon différente dont
l'accueillaient les gens du dehors, Pierre, l'enfant
légitime, domina dès le bas âge son frère et sa sœur.
Dans leurs querelles, bien qu'il fût beaucoup plus
faible qu'Antoine, il le battait en maître. Quant à
Ursule, pauvre petite créature chétive et pâle, elle
était frappée aussi rudement par l'un que par l'autre.
D'ailleurs, jusqu'à l'âge de quinze ou seize ans, les
trois enfants se rouèrent de coups fraternellement,
sans s'expliquer leur haine vague, sans comprendre
d'une manière nette combien ils étaient étrangers.
Ce fut seulement à cet âge qu'ils se trouvèrent face
à face, avec leur personnalité consciente et arrêtée.

À seize ans, Antoine était un grand galopin, dans
lequel les défauts de Macquart et d'Adélaïde se montraient déjà comme fondus. Macquart dominait
cependant, avec son amour du vagabondage, sa tendance à l'ivrognerie, ses emportements de brute.

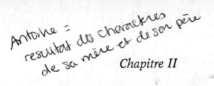

Antoine =
resultat des charactères
de sa mère et de son père

Mais, sous l'influence nerveuse d'Adélaïde, ces vices
qui, chez le père, avaient une sorte de franchise
sanguine, prenaient, chez le fils, une sournoiserie
pleine d'hypocrisie et de lâcheté. Antoine appartenait
à sa mère par un manque absolu de volonté digne,
par un égoïsme de femme voluptueuse qui lui faisait accepter n'importe quel lit d'infamie, pourvu qu'il
s'y vautrât à l'aise et qu'il y dormît chaudement. On
disait de lui : « Ah ! le brigand ! il n'a même pas,
comme Macquart, le courage de sa gueuserie ; s'il
assassine jamais, ce sera à coups d'épingle. » Au physique, Antoine n'avait que les lèvres charnues d'Adélaïde ; ses autres traits étaient ceux du contrebandier,
mais adoucis, rendus fuyants et mobiles.

Chez Ursule, au contraire, la ressemblance physique et morale de la jeune femme l'emportait ; c'était
toujours un mélange intime ; seulement la pauvre
petite, née la seconde, à l'heure où les tendresses
d'Adélaïde dominaient l'amour déjà plus calme de
Macquart, semblait avoir reçu avec son sexe
l'empreinte plus profonde du tempérament de sa
mère. D'ailleurs, il n'y avait plus ici une fusion des
deux natures, mais plutôt une juxtaposition, une sou-
dure singulièrement étroite. Ursule, fantasque, montrait par moments des sauvageries, des tristesses, des
emportements de paria ; puis, le plus souvent, elle
riait par éclats nerveux, elle rêvait avec mollesse, en
femme folle du cœur et de la tête. Ses yeux, où passaient les regards effarés d'Adélaïde, étaient d'une
limpidité de cristal, comme ceux des jeunes chats
qui doivent mourir d'étisie[1].

En face des deux bâtards, Pierre semblait un étranger, il différait d'eux profondément, pour quiconque
ne pénétrait pas les racines mêmes de son être.

Jamais enfant ne fut à pareil point la moyenne équilibrée des deux créatures qui l'avaient engendré. Il
était un juste milieu entre le paysan Rougon et la
fille nerveuse Adélaïde. Sa mère avait en lui dégrossi
son père. Ce sourd travail des tempéraments qui
détermine à la longue l'amélioration ou la déchéance
d'une race, paraissait obtenir chez Pierre un premier
résultat. Il n'était toujours qu'un paysan, mais un
paysan à la peau moins rude, au masque moins épais,
à l'intelligence plus large et plus souple. Même son
père et sa mère s'étaient chez lui corrigés l'un par
l'autre. Si la nature d'Adélaïde, que la rébellion des
nerfs affinait d'une façon exquise, avait combattu
et amoindri les lourdeurs sanguines de Rougon, la
masse pesante de celui-ci s'était opposée à ce que
l'enfant reçût le contrecoup des détraquements de
la jeune femme. Pierre ne connaissait ni les emportements ni les rêveries maladives des louveteaux de
Macquart. Fort mal élevé, tapageur comme tous les
enfants lâchés librement dans la vie, il possédait
néanmoins un fond de sagesse raisonnée qui devait
toujours l'empêcher de commettre une folie impro-
ductive. Ses vices, sa fainéantise, ses appétits de
jouissance, n'avaient pas l'élan instinctif des vices
d'Antoine ; il entendait les cultiver et les contenter
au grand jour, honorablement. Dans sa personne
grasse, de taille moyenne, dans sa face longue, blafarde, où les traits de son père avaient pris certaines
finesses du visage d'Adélaïde, on lisait déjà l'ambition sournoise et rusée, le besoin insatiable d'assouvissement, le cœur sec et l'envie haineuse d'un fils
de paysan, dont la fortune et les nervosités de sa
mère ont fait un bourgeois.

Lorsque, à dix-sept ans, Pierre apprit et put comprendre les désordres d'Adélaïde et la singulière situation d'Antoine et d'Ursule, il ne parut ni triste ni indigné, mais simplement très préoccupé du parti que ses intérêts lui conseillaient de prendre. Des trois enfants, lui seul avait suivi l'école avec une certaine assiduité. Un paysan qui commence à sentir la nécessité de l'instruction, devient le plus souvent un calculateur féroce. Ce fut à l'école que ses camarades, par leurs huées et la façon insultante dont ils traitaient son frère, lui donnèrent de premiers soupçons. Plus tard, il s'expliqua bien des regards, bien des paroles. Il vit enfin clairement la maison au pillage. Dès lors, Antoine et Ursule furent pour lui des parasites éhontés, des bouches qui dévoraient son bien. Quant à sa mère, il la regarda du même œil que le faubourg, comme une femme bonne à enfermer, qui finirait par manger son argent, s'il n'y mettait ordre. Ce qui acheva de le navrer, ce furent les vols du maraîcher. L'enfant tapageur se transforma, du jour au lendemain, en un garçon économe et égoïste, mûri hâtivement dans le sens de ses instincts par l'étrange vie de gaspillage qu'il ne pouvait voir maintenant autour de lui sans en avoir le cœur crevé. C'était à lui ces légumes sur la vente desquels le maraîcher prélevait les plus gros bénéfices ; c'était à lui ce vin bu, ce pain mangé par les bâtards de sa mère. Toute la maison, toute la fortune était à lui. Dans sa logique de paysan, lui seul, fils légitime, devait hériter. Et comme les biens périclitaient, comme tout le monde mordait avidement à sa fortune future, il chercha le moyen de jeter ces gens à la porte, mère, frère, sœur, domestiques, et d'hériter immédiatement.

La lutte fut cruelle. Le jeune homme comprit qu'il

devait avant tout frapper sa mère. Il exécuta pas à
pas, avec une patience tenace, un plan dont il avait
longtemps mûri chaque détail. Sa tactique fut de se
dresser devant Adélaïde comme un reproche vivant ;
non pas qu'il s'emportât ni qu'il lui adressât des
paroles amères sur son inconduite ; mais il avait
trouvé une certaine façon de la regarder, sans mot
dire, qui la terrifiait. Lorsqu'elle reparaissait, après un
court séjour au logis de Macquart, elle ne levait plus
les yeux sur son fils qu'en frissonnant ; elle sentait
ses regards, froids et aigus comme des lames d'acier,
qui la poignardaient, longuement, sans pitié. L'attitude sévère et silencieuse de Pierre, de cet enfant d'un
homme qu'elle avait si vite oublié, troublait étrangement son pauvre cerveau malade. Elle se disait
que Rougon ressuscitait pour la punir de ses désordres. Toutes les semaines, maintenant, elle était prise
d'une de ces attaques nerveuses qui la brisaient ; on
la laissait se débattre ; quand elle revenait à elle, elle
rattachait ses vêtements, elle se traînait, plus faible.
Souvent, elle sanglotait la nuit, se serrant la tête entre
les mains, acceptant les blessures de Pierre comme
les coups d'un dieu vengeur. D'autres fois, elle le
reniait ; elle ne reconnaissait pas le sang de ses
entrailles dans ce garçon épais, dont le calme glaçait
si douloureusement sa fièvre. Elle eût mieux aimé
mille fois être battue que d'être ainsi regardée en face.
Ces regards implacables qui la suivaient partout, finirent par la secouer d'une façon si insupportable,
qu'elle forma, à plusieurs reprises, le projet de ne plus
revoir son amant ; mais, dès que Macquart arrivait,
elle oubliait ses serments, elle courait à lui. Et la
lutte recommençait à son retour, plus muette, plus
terrible. Au bout de quelques mois, elle appartint à

son fils. Elle était devant lui comme une petite fille qui n'est pas certaine de sa sagesse et qui craint toujours d'avoir mérité le fouet. Pierre, en habile garçon, lui avait lié les pieds et les mains, s'en était fait une servante soumise, sans ouvrir les lèvres, sans entrer dans des explications difficiles et compromettantes.

Quand le jeune homme sentit sa mère en sa possession, qu'il put la traiter en esclave, il commença à exploiter dans son intérêt les faiblesses de son cerveau et la terreur folle qu'un seul de ses regards lui inspirait. Son premier soin, dès qu'il fut maître au logis, fut de congédier le maraîcher, et de le remplacer par une créature à lui. Il prit la haute direction de la maison, vendant, achetant, tenant la caisse. Il ne chercha, d'ailleurs, ni à régler la conduite d'Adélaïde, ni à corriger Antoine et Ursule de leur paresse. Peu lui importait, car il comptait se débarrasser de ces gens à la première occasion. Il se contenta de leur mesurer le pain et l'eau. Puis, ayant déjà toute la fortune dans les mains, il attendit un événement qui lui permît d'en disposer à son gré.

Les circonstances le servirent singulièrement. Il échappa à la conscription, à titre de fils aîné d'une femme veuve. Mais, deux ans plus tard, Antoine tomba au sort. Sa mauvaise chance le toucha peu ; il comptait que sa mère lui achèterait un homme. Adélaïde, en effet, voulut le sauver du service. Pierre, qui tenait l'argent, fit la sourde oreille. Le départ forcé de son frère était un heureux événement servant trop bien ses projets. Quand sa mère lui parla de cette affaire, il la regarda d'une telle façon qu'elle n'osa même pas achever. Son regard disait : « Vous voulez donc me ruiner pour votre bâtard ? » Elle aban-

donna Antoine, égoïstement, ayant avant tout besoin
de paix et de liberté. Pierre, qui n'était pas pour les
moyens violents, et qui se réjouissait de pouvoir
mettre son frère à la porte sans querelle, joua alors le
rôle d'un homme désespéré : l'année avait été mauvaise, l'argent manquait à la maison, il faudrait vendre un coin de terre, ce qui était le commencement
de la ruine. Puis il donna sa parole à Antoine qu'il le
rachèterait l'année suivante, bien décidé à n'en rien
faire. Antoine partit, dupé, à demi content.

Pierre se débarrassa d'Ursule d'une façon encore
plus inattendue. Un ouvrier chapelier du faubourg,
nommé Mouret[1], se prit d'une belle tendresse pour
la jeune fille, qu'il trouvait frêle et blanche comme
une demoiselle du quartier Saint-Marc. Il l'épousa.
Ce fut de sa part un mariage d'amour, un véritable
coup de tête, sans calcul aucun. Quant à Ursule, elle
accepta ce mariage pour fuir une maison où son
frère aîné lui rendait la vie intolérable. Sa mère,
enfoncée dans ses jouissances, mettant ses dernières énergies à se défendre elle-même, en était arrivée
à une indifférence complète ; elle fut même heureuse
de son départ, espérant que Pierre, n'ayant plus aucun
sujet de mécontentement, la laisserait vivre en paix,
à sa guise. Dès que les jeunes gens furent mariés,
Mouret comprit qu'il devait quitter Plassans, s'il ne
voulait entendre chaque jour des paroles désobli-
geantes sur sa femme et sur sa belle-mère. Il partit,
il emmena Ursule à Marseille, où il travailla de son
état. D'ailleurs, il n'avait pas demandé un sou de
dot. Comme Pierre, surpris de ce désintéressement,
s'était mis à balbutier, cherchant à lui donner des
explications, il lui avait fermé la bouche en disant
qu'il préférait gagner le pain de sa femme. Le digne

fils du paysan Rougon demeura inquiet ; cette façon d'agir lui sembla cacher quelque piège.

Restait Adélaïde. Pour rien au monde, Pierre ne voulait continuer à demeurer avec elle. Elle le compromettait. C'était par elle qu'il aurait désiré commencer. Mais il se trouvait pris entre deux alternatives fort embarrassantes : la garder, et alors recevoir les éclaboussures de sa honte, s'attacher au pied un boulet qui arrêterait l'élan de son ambition ; la chasser, et à coup sûr se faire montrer au doigt comme un mauvais fils, ce qui aurait dérangé ses calculs de bonhomie. Sentant qu'il allait avoir besoin de tout le monde, il souhaitait que son nom rentrât en grâce auprès de Plassans entier. Un seul moyen était à prendre, celui d'amener Adélaïde à s'en aller d'elle-même. Pierre ne négligeait rien pour obtenir ce résultat. Il se croyait parfaitement excusé de ses duretés par l'inconduite de sa mère. Il la punissait comme on punit un enfant. Les rôles étaient renversés. Sous cette férule toujours levée, la pauvre femme se courbait. Elle était à peine âgée de quarante-deux ans, et elle avait des balbutiements d'épouvante, des airs vagues et humbles de vieille femme tombée en enfance. Son fils continuait à la tuer de ses regards sévères, espérant qu'elle s'enfuirait, le jour où elle serait à bout de courage. La malheureuse souffrait horriblement de honte, de désirs contenus, de lâchetés acceptées, recevant passivement les coups et retournant quand même à Macquart, prête à mourir sur la place plutôt que de céder. Il y avait des nuits où elle se serait levée pour courir se jeter dans la Viorne, si sa chair faible de femme nerveuse n'avait eu une peur atroce de la mort. Plusieurs fois, elle rêva de fuir, d'aller retrouver son amant à la frontière.

Ce qui la retenait au logis, dans les silences méprisants et les secrètes brutalités de son fils, c'était de ne savoir où se réfugier. Pierre sentait que depuis longtemps elle l'aurait quitté, si elle avait eu un asile. Il attendait l'occasion de lui louer quelque part un petit logement, lorsqu'un accident, sur lequel il n'osait compter, brusqua la réalisation de ses désirs. On apprit, dans le faubourg, que Macquart venait d'être tué à la frontière par le coup de feu d'un douanier, au moment où il entrait en France toute une cargaison de montres de Genève. L'histoire était vraie. On ne ramena pas même le corps du contrebandier, qui fut enterré dans le cimetière d'un petit village des montagnes. La douleur d'Adélaïde fut stupide. Son fils, qui l'observa curieusement, ne lui vit pas verser une larme. Macquart l'avait faite sa légataire. Elle hérita de la masure de l'impasse Saint-Mittre et de la carabine du défunt, qu'un contrebandier, échappé aux balles des douaniers, lui rapporta loyalement. Dès le lendemain, elle se retira dans la petite maison ; elle pendit la carabine au-dessus de la cheminée, et vécut là, étrangère au monde, solitaire, muette.

Enfin, Pierre Rougon était seul maître au logis. L'enclos des Fouque lui appartenait en fait, sinon légalement. Jamais il n'avait compté s'y établir. C'était un champ trop étroit pour son ambition. Travailler à la terre, soigner des légumes, lui semblait grossier, indigne de ses facultés. Il avait hâte de n'être plus un paysan. Sa nature, affinée par le tempérament nerveux de sa mère, éprouvait des besoins irrésistibles de jouissances bourgeoises. Aussi, dans chacun de ses calculs, avait-il vu, comme dénouement, la vente de l'enclos des Fouque. Cette vente, en lui mettant dans les mains une somme assez ronde, devait lui permettre d'épouser la fille de quelque négociant qui le prendrait comme associé. En ce temps-là, les guerres de l'Empire éclaircissaient singulièrement les rangs des jeunes hommes à marier. Les parents se montraient moins difficiles dans le choix d'un gendre. Pierre se disait que l'argent arrangerait tout, et qu'on passerait aisément sur les commérages du faubourg ; il entendait se poser en victime, en brave cœur qui souffre des hontes de sa famille, qui les déplore, sans en être atteint et sans les excuser. Depuis plusieurs mois, il avait jeté ses vues sur la fille d'un marchand d'huile, Félicité Puech. La maison Puech et Lacamp, dont les magasins se trouvaient dans une des ruelles les plus noires du vieux quartier, était loin de prospérer. Elle avait un crédit douteux sur la place, on parlait vaguement de faillite. Ce fut justement à cause de ces mauvais bruits que Rougon dressa ses batteries de ce côté. Jamais un commerçant à son aise ne lui eût donné sa fille. Il comptait arriver lorsque le vieux Puech ne saurait plus par où passer, lui acheter Félicité et relever ensuite la maison par son intelligence et son énergie. C'était une façon habile de gravir un échelon, de s'élever d'un cran au-dessus de sa classe. Il voulait, avant tout, fuir cet affreux faubourg où l'on clabaudait sur sa famille, faire oublier les sales légendes, en effaçant jusqu'au nom de l'enclos des Fouque. Aussi les rues puantes du vieux quartier lui semblaient-elles un paradis. Là seulement il devait faire peau neuve.

Bientôt le moment qu'il guettait arriva. La maison Puech et Lacamp râlait. Le jeune homme négocia alors son mariage avec une adresse prudente. Il fut accueilli, sinon comme un sauveur, du moins comme un expédient nécessaire et acceptable. Le mariage arrêté, il s'occupa activement de la vente de l'enclos. Le propriétaire du Jas-Meiffren, désirant arrondir ses terres, lui avait déjà fait des offres à plusieurs reprises ; un mur mitoyen, bas et mince, séparait seul les deux propriétés. Pierre spécula sur les désirs de son voisin, homme fort riche, qui, pour contenter un caprice, alla jusqu'à donner cinquante mille francs de l'enclos. C'était le payer deux fois sa valeur. D'ailleurs, Pierre se faisait tirer l'oreille avec une sournoiserie de paysan, disant qu'il ne voulait pas vendre, que sa mère ne consentirait jamais à se défaire d'un bien où les Fouque, depuis près de deux siècles, avaient vécu de père en fils. Tout en paraissant hésiter, il préparait la vente. Des inquiétudes lui étaient venues. Selon sa logique brutale, l'enclos lui appartenait, il avait le droit d'en disposer à son gré. Cependant, au fond de cette assurance, s'agitait le vague pressentiment des complications du Code. Il se décida à consulter indirectement un huissier du faubourg.

Il en apprit de belles. D'après l'huissier, il avait les mains absolument liées. Sa mère seule pouvait aliéner l'enclos, ce dont il se doutait. Mais ce qu'il ignorait, ce qui fut pour lui un coup de massue, c'était qu'Ursule et Antoine, les bâtards, les louveteaux, eussent des droits sur cette propriété. Comment ! ces canailles allaient le dépouiller, le voler, lui, l'enfant légitime ! Les explications de l'huissier étaient claires et précises : Adélaïde avait, il est vrai, épousé Rougon sous le régime de la communauté ; mais toute la fortune consistant en biens-fonds, la jeune femme, selon la loi, était rentrée en possession de cette for-

tune, à la mort de son mari ; d'un autre côté, Macquart et Adélaïde avaient reconnu leurs enfants, qui
dès lors devaient hériter de leur mère. Comme unique
consolation, Pierre apprit que le Code rognait la part
des bâtards au profit des enfants légitimes. Cela ne
le consola nullement. Il voulait tout. Il n'aurait pas
partagé dix sous entre Ursule et Antoine. Cette échappée sur les complications du Code lui ouvrit de nouveaux horizons, qu'il sonda d'un air singulièrement
songeur. Il comprit vite qu'un homme habile doit
toujours mettre la loi de son côté. Et voici ce qu'il
trouva, sans consulter personne, pas même l'huissier, auquel il craignait de donner l'éveil. Il savait
pouvoir disposer de sa mère comme d'une chose.
Un matin, il la mena chez un notaire et lui fit signer
un acte de vente. Pourvu qu'on lui laissât son taudis
de l'impasse Saint-Mittre, Adélaïde aurait vendu Plassans. Pierre lui assurait, d'ailleurs, une rente annuelle
de six cents francs, et lui jurait ses grands dieux
qu'il veillerait sur son frère et sa sœur. Un tel serment
suffisait à la bonne femme. Elle récita au notaire la
leçon qu'il plut à son fils de lui souffler. Le lendemain,
le jeune homme lui fit mettre son nom au bas d'un
reçu, dans lequel elle reconnaissait avoir touché cinquante mille francs, comme prix de l'enclos. Ce fut
là son coup de génie, un acte de fripon. Il se contenta de dire à sa mère, étonnée d'avoir à signer un
pareil reçu, lorsqu'elle n'avait pas vu un centime
des cinquante mille francs, que c'était une simple
formalité ne tirant pas à conséquence. En glissant
le papier dans sa poche, il pensait : « Maintenant, les
louveteaux peuvent me demander des comptes. Je
leur dirai que la vieille a tout mangé. Ils n'oseront
jamais me faire un procès. » Huit jours après, le

mur mitoyen n'existait plus, la charrue avait retourné la terre des plants de légumes ; l'enclos des Fouque, selon le désir du jeune Rougon, allait devenir un souvenir légendaire. Quelques mois plus tard, le propriétaire du Jas-Meiffren fit même démolir l'ancien logis des maraîchers, qui tombait en ruine.

Quand Pierre eut les cinquante mille francs entre les mains, il épousa Félicité Puech, dans les délais strictement nécessaires. Félicité était une petite femme noire, comme on en voit en Provence. On eût dit une de ces cigales brunes, sèches, stridentes, aux vols brusques, qui se cognent la tête dans les amandiers. Maigre, la gorge plate, les épaules pointues, le visage en museau de fouine, singulièrement fouillé et accentué, elle n'avait pas d'âge ; on lui eût donné quinze ans ou trente ans, bien qu'elle en eût en réalité dix-neuf, quatre de moins que son mari. Il y avait une ruse de chatte au fond de ses yeux noirs, étroits, pareils à des trous de vrille. Son front bas et bombé ; son nez légèrement déprimé à la racine, et dont les narines s'évasaient ensuite, fines et frémissantes, comme pour mieux goûter les odeurs ; la mince ligne rouge de ses lèvres, la proéminence de son menton qui se rattachait aux joues par des creux étranges ; toute cette physionomie de naine futée était comme le masque vivant de l'intrigue, de l'ambition active et envieuse. Avec sa laideur, Félicité avait une grâce à elle, qui la rendait séduisante. On disait d'elle qu'elle était jolie ou laide à volonté. Cela devait dépendre de la façon dont elle nouait ses cheveux, qui étaient superbes ; mais cela dépendait plus encore du sourire triomphant qui illuminait son teint doré, lorsqu'elle croyait l'emporter sur quelqu'un. Née avec une sorte de mauvaise chance,

se jugeant mal partagée par la fortune, elle consentait le plus souvent à n'être qu'un laideron. D'ailleurs,
elle n'abandonnait pas la lutte, elle s'était promis de
faire un jour crever d'envie la ville entière par l'étalage d'un bonheur et d'un luxe insolents. Et si elle
avait pu jouer sa vie sur une scène plus vaste, où
son esprit délié se fût développé à l'aise, elle aurait
à coup sûr réalisé promptement son rêve. Elle était
d'une intelligence fort supérieure à celle des filles
de sa classe et de son instruction. Les méchantes
langues prétendaient que sa mère, morte quelques
années après sa naissance, avait, dans les premiers
temps de son mariage, été intimement liée avec le
marquis de Carnavant, un jeune noble du quartier
Saint-Marc. La vérité était que Félicité avait des
pieds et des mains de marquise, et qui semblaient
ne pas devoir appartenir à la race de travailleurs
dont elle descendait. ses origines nobles (son père)

Le vieux quartier s'étonna, un mois durant, de lui
voir épouser Pierre Rougon, ce paysan à peine
dégrossi, cet homme du faubourg dont la famille
n'était guère en odeur de sainteté. Elle laissa clabauder, accueillant par de singuliers sourires les félicitations contraintes de ses amies. Ses calculs étaient
faits, elle choisissait Rougon en fille qui prend un
mari comme on prend un complice. Son père, en
acceptant le jeune homme, ne voyait que l'apport des
cinquante mille francs qui allaient le sauver de la
faillite. Mais Félicité avait de meilleurs yeux. Elle
regardait au loin dans l'avenir, et elle se sentait le
besoin d'un homme bien portant, un peu rustre
même, derrière lequel elle pût se cacher, et dont elle
fît aller à son gré les bras et les jambes. Elle avait une
haine raisonnée pour les petits messieurs de province,

pour ce peuple efflanqué de clercs de notaire, de futurs avocats qui grelottent dans l'espérance d'une clientèle. Sans la moindre dot, désespérant d'épouser le fils d'un gros négociant, elle préférait mille fois un paysan, qu'elle comptait employer comme un instrument passif, à quelque maigre bachelier qui l'écraserait de sa supériorité de collégien et la traînerait misérablement toute la vie à la recherche de vanités creuses. Elle pensait que la femme doit faire l'homme. Elle se croyait de force à tailler un ministre dans un vacher. Ce qui l'avait séduite chez Rougon, c'était la carrure de la poitrine, le torse trapu et ne manquant pas d'une certaine élégance. Un garçon ainsi bâti devait porter avec aisance et gaillardise le monde d'intrigues qu'elle rêvait de lui mettre sur les épaules. Si elle appréciait la force et la santé de son mari, elle avait d'ailleurs su deviner qu'il était loin d'être un imbécile ; sous la chair épaisse, elle avait flairé les souplesses sournoises de l'esprit ; mais elle était loin de connaître son Rougon, elle le jugeait encore plus bête qu'il n'était. Quelques jours après son mariage, ayant fouillé par hasard dans le tiroir d'un secrétaire, elle trouva le reçu des cinquante mille francs signé par Adélaïde. Elle comprit et fut effrayée : sa nature, d'une honnêteté moyenne, répugnait à ces sortes de moyens. Mais, dans son effroi, il y eut de l'admiration. Rougon devint à ses yeux un homme très fort.

Le jeune ménage se mit bravement à la conquête de la fortune. La maison Puech et Lacamp se trouvait moins compromise que Pierre ne le pensait. Le chiffre des dettes était faible, l'argent seul manquait. En province, le commerce a des allures prudentes qui le sauvent des grands désastres. Les Puech et Lacamp étaient sages parmi les plus sages ; ils risquaient un millier d'écus en tremblant ; aussi leur maison, un véritable trou, n'avait-elle que très peu d'importance. Les cinquante mille francs que Pierre apporta suffirent pour payer les dettes et pour donner au commerce une plus large extension. Les commencements furent heureux. Pendant trois années consécutives, la récolte des oliviers donna abondamment. Félicité, par un coup d'audace qui effraya singulièrement Pierre et le vieux Puech, leur fit acheter une quantité considérable d'huile qu'ils amassèrent et gardèrent en magasin. Les deux années suivantes, selon les pressentiments de la jeune femme, la récolte manqua, il y eut une hausse considérable, ce qui leur permit de réaliser de gros bénéfices en écoulant leur provision.

Peu de temps après ce coup de filet, Puech et le sieur Lacamp se retirèrent de l'association, contents des quelques sous qu'ils venaient de gagner, mordus par l'ambition de mourir rentiers.

Le jeune ménage, resté seul maître de la maison, pensa qu'il avait enfin fixé la fortune.

« Tu as vaincu mon guignon », disait parfois Félicité à son mari.

Une des rares faiblesses de cette nature énergique était de se croire frappée de malchance. Jusque-là, prétendait-elle, rien ne leur avait réussi, à elle ni à son père, malgré leurs efforts. La superstition méridionale aidant, elle s'apprêtait à lutter contre la destinée, comme on lutte contre une personne en chair et en os qui chercherait à vous étrangler.

Les faits ne tardèrent pas à justifier étrangement ses appréhensions. Le guignon revint, implacable. Chaque année, un nouveau désastre ébranla la maison Rougon. Un banqueroutier lui emportait quelques milliers de francs ; les calculs probables sur l'abondance des récoltes devenaient faux par suite de circonstances incroyables ; les spéculations les plus sûres échouaient misérablement. Ce fut un combat sans trêve ni merci.

« Tu vois bien que je suis née sous une mauvaise étoile », disait amèrement Félicité.

Et elle s'acharnait cependant, furieuse, ne comprenant pas pourquoi elle, qui avait eu le flair si délicat pour une première spéculation, ne donnait plus à son mari que des conseils déplorables.

Pierre, abattu, moins tenace, aurait vingt fois liquidé sans l'attitude crispée et opiniâtre de sa femme. Elle voulait être riche. Elle comprenait que son ambition ne pouvait bâtir que sur la fortune. Quand ils auraient quelques centaines de mille francs, ils seraient les maîtres de la ville ; elle ferait nommer son mari à un poste important, elle gouvernerait. Ce n'était pas la conquête des honneurs qui l'inquiétait ; elle se sentait merveilleusement armée pour cette lutte. Mais elle restait sans force devant les premiers sacs d'écus à gagner. Si le maniement des hommes ne l'effrayait pas, elle éprouvait une sorte de rage impuissante en face de ces pièces de cent sous, inertes, blanches et froides, sur lesquelles son esprit d'intrigue n'avait pas de prise, et qui se refusaient stupidement à elle.

Pendant plus de trente ans la bataille dura. Lorsque Puech mourut, ce fut un nouveau coup de massue. Félicité, qui comptait hériter d'une quarantaine de mille francs, apprit que le vieil égoïste, pour mieux dorloter ses vieux jours, avait placé sa petite fortune à fonds perdu. Elle en fit une maladie. Elle s'aigrissait peu à peu, elle devenait plus sèche, plus stridente. À la voir tourbillonner, du matin au soir, autour des jarres d'huile, on eût dit qu'elle croyait activer la vente par ces vols continuels de mouche inquiète. Son mari, au contraire, s'appesantissait ; le guignon l'engraissait, le rendait plus épais et plus mou. Ces trente années de lutte ne les menèrent cependant pas à la ruine. À chaque inventaire annuel, ils joignaient à peu près les deux bouts ; s'ils éprouvaient des pertes pendant une saison, ils les réparaient à la saison suivante. C'était cette vie au jour le jour qui exaspérait Félicité. Elle eût préféré une belle et bonne faillite. Peut-être auraient-ils pu alors recommencer leur vie, au lieu de s'entêter dans l'infiniment petit, de se brûler le sang pour ne gagner que leur strict nécessaire. En un tiers de siècle, ils ne mirent pas cinquante mille francs de côté.

Il faut dire que, dès les premières années de leur mariage, il poussa chez eux une famille nombreuse qui devint à la longue une très lourde charge. Félicité, comme certaines petites femmes, eut une fécondité qu'on n'aurait jamais supposée, à voir la structure chétive de son corps. En cinq années, de 1811 à 1815, elle eut trois garçons, un tous les deux ans. Pendant les quatre années qui suivirent, elle accoucha encore de deux filles[1]. Rien ne fait mieux pousser les enfants que la vie placide et bestiale de la province. Les époux accueillirent fort mal les deux dernières venues ; les filles, quand les dots manquent, deviennent de terribles embarras. Rougon déclara à qui voulut l'entendre que c'était assez, que le diable serait bien fin s'il lui envoyait un sixième enfant. Félicité, effectivement, en demeura là. On ne sait pas à quel chiffre elle se serait arrêtée.

D'ailleurs, la jeune femme ne regarda pas cette marmaille comme une cause de ruine. Au contraire, elle reconstruisit sur la tête de ses fils l'édifice de sa fortune, qui s'écroulait entre ses mains. Ils n'avaient pas dix ans, qu'elle escomptait déjà en rêve leur avenir. Doutant de jamais réussir par elle-même, elle se mit à espérer en eux pour vaincre l'acharnement du sort. Ils satisferaient ses vanités déçues, ils lui donneraient cette position riche et enviée qu'elle poursuivait en vain. Dès lors, sans abandonner la lutte soutenue par la maison de commerce, elle eut une seconde tactique pour arriver à contenter ses instincts de domination. Il lui semblait impossible que, sur ses trois fils, il n'y eût pas un homme supérieur qui les enrichirait tous. Elle sentait cela, disait-elle. Aussi soigna-t-elle les marmots avec une ferveur où il y avait des sévérités de mère et des tendresses d'usurier. Elle se plut à les engraisser amoureusement comme un capital qui devait plus tard rapporter de gros intérêts.

« Laisse donc ! criait Pierre, tous les enfants sont des ingrats. Tu les gâtes, tu nous ruines. »

Quand Félicité parla d'envoyer les petits au collège, il se fâcha. Le latin était un luxe inutile, il suffirait de leur faire suivre les classes d'une petite pension voisine. Mais la jeune femme tint bon ; elle avait des instincts plus élevés qui lui faisaient mettre un grand orgueil à se parer d'enfants instruits ; d'ailleurs, elle sentait que ses fils ne pouvaient rester aussi illettrés que son mari, si elle voulait les voir un jour des hommes supérieurs. Elle les rêvait tous trois à Paris, dans de hautes positions qu'elle ne précisait pas. Lorsque Rougon eut cédé et que les trois gamins furent entrés en huitième[1], Félicité goûta les plus vives jouissances de vanité qu'elle eût encore ressenties. Elle les écoutait avec ravissement parler entre eux de leurs professeurs et de leurs études. Le jour où l'aîné fit devant elle décliner *rosa, la rose*, à un de ses cadets, elle crut entendre une musique délicieuse. Il faut le dire à sa louange, sa joie fut alors pure de tout calcul. Rougon lui-même se laissa prendre à ce contentement de l'homme illettré qui voit ses enfants devenir plus savants que lui. La camaraderie qui s'établit naturellement entre leurs fils et ceux des plus gros bonnets de la ville acheva de griser les époux. Les petits tutoyaient le fils du maire, celui du sous-préfet, même deux ou trois jeunes gentilshommes que le quartier Saint-Marc avait daigné mettre au collège de Plassans. Félicité ne croyait pouvoir trop payer un tel honneur. L'instruction des trois gamins greva terriblement le budget de la maison Rougon.

Tant que les enfants ne furent pas bacheliers, les époux, qui les maintenaient au collège, grâce à d'énormes sacrifices, vécurent dans l'espérance de leur succès. Et même, lorsqu'ils eurent obtenu leur diplôme, Félicité voulut achever son œuvre ; elle décida son mari à les envoyer tous trois à Paris. Deux firent leur droit[1], le troisième suivit les cours de l'École de médecine. Puis, quand ils furent hommes, quand ils eurent mis la maison Rougon à bout de ressources et qu'ils se virent obligés de revenir se fixer en province, le désenchantement commença pour les pauvres parents. La province sembla reprendre sa proie. Les trois jeunes gens s'endormirent, s'épaissirent. Toute l'aigreur de sa malchance remonta à la gorge de Félicité. Ses fils lui faisaient banqueroute. Ils l'avaient ruinée, ils ne lui servaient pas les intérêts du capital qu'ils représentaient. Ce dernier coup de la destinée lui fut d'autant plus sensible qu'il l'atteignait à la fois dans ses ambitions de femme et dans ses vanités de mère. Rougon lui répéta du matin au soir : « Je te l'avais bien dit ! » ce qui l'exaspéra encore davantage.

Un jour, comme elle reprochait amèrement à son aîné les sommes d'argent que lui avait coûtées son instruction, il lui dit avec non moins d'amertume :

« Je vous rembourserai plus tard, si je puis. Mais, puisque vous n'aviez pas de fortune, il fallait faire de nous des travailleurs. Nous sommes des déclassés, nous souffrons plus que vous. »

Félicité comprit la profondeur de ces paroles. Dès lors, elle cessa d'accuser ses enfants, elle tourna sa colère contre le sort, qui ne se lassait pas de la frapper. Elle recommença ses doléances, elle se mit à geindre de plus belle sur le manque de fortune qui la faisait échouer au port. Quand Rougon lui disait : « Tes fils sont des fainéants, ils nous grugeront jusqu'à la fin », elle répondait aigrement : « Plût à Dieu que j'eusse encore de l'argent à leur donner. S'ils végètent, les pauvres garçons, c'est qu'ils n'ont pas le sou. »

Au commencement de l'année 1848, à la veille de la révolution de février, les trois fils Rougon avaient à Plassans des positions fort précaires. Ils offraient alors des types curieux, profondément dissemblables, bien que parallèlement issus de la même souche. Ils valaient mieux en somme que leurs parents. La race des Rougon devait s'épurer par les femmes. Adélaïde avait fait de Pierre un esprit moyen, apte aux ambitions basses ; Félicité venait de donner à ses fils des intelligences plus hautes, capables de grands vices et de grandes vertus.

À cette époque, l'aîné, Eugène, avait près de quarante ans. C'était un garçon de taille moyenne, légèrement chauve, tournant déjà à l'obésité. Il avait le visage de son père, un visage long, aux traits larges ; sous la peau, on devinait la graisse qui amollissait les rondeurs et donnait à la face une blancheur jaunâtre de cire. Mais si l'on sentait encore le paysan dans la structure massive et carrée de la tête, la physionomie se transfigurait, s'éclairait en dedans, lorsque le regard s'éveillait, en soulevant les paupières appesanties. Chez le fils, la lourdeur du père était devenue de la gravité. Ce gros garçon avait d'ordinaire une attitude de sommeil puissant ; à certains gestes larges et fatigués, on eût dit un géant qui se détirait les membres en attendant l'action. Par un de ces prétendus caprices de la nature où la science commence à distinguer des lois, si la ressemblance physique de Pierre était complète chez Eugène, Félicité semblait avoir contribué à fournir la matière pensante. Eugène offrait le cas curieux de certaines qualités morales et intellectuelles de sa mère enfouies dans les chairs épaisses de son père. Il avait des ambitions hautes, des instincts autoritaires, un mépris singulier pour les petits moyens et les petites fortunes. Il était la preuve que Plassans ne se trompait peut-être pas en soupçonnant que Félicité avait dans les veines quelques gouttes de sang noble. Les appétits de jouissance qui se développaient furieusement chez les Rougon, et qui étaient comme la caractéristique de cette famille, prenaient en lui une de leurs faces les plus élevées ; il voulait jouir, mais par les voluptés de l'esprit, en satisfaisant ses besoins de domination. Un tel homme n'était pas fait pour réussir en province. Il y végéta quinze ans, les yeux tournés

vers Paris, guettant les occasions. Dès son retour
dans sa petite ville, pour ne pas manger le pain de
ses parents, il s'était fait inscrire au tableau des
avocats. Il plaida de temps à autre, gagnant maigre-
ment sa vie, sans paraître s'élever au-dessus d'une
honnête médiocrité. À Plassans, on lui trouvait la
voix pâteuse, les gestes lourds. Il était rare qu'il réussît
à gagner la cause d'un client ; il sortait le plus souvent de la question, il divaguait, selon l'expression
des fortes têtes de l'endroit. Un jour surtout, plaidant
une affaire de dommages et intérêts, il s'oublia, il
s'égara dans des considérations politiques, à ce point
que le président lui coupa la parole. Il s'assit immédiatement en souriant d'un singulier sourire. Son
client fut condamné à payer une somme considérable, ce qui ne parut pas lui faire regretter ses digres-
sions le moins du monde. Il semblait regarder ses
plaidoyers comme de simples exercices qui lui ser-
viraient plus tard. C'était là ce que ne comprenait
pas et ce qui désespérait Félicité ; elle aurait voulu
que son fils dictât des lois au tribunal civil de Plassans. Elle finit par se faire une opinion très défavo-
rable sur son aîné ; selon elle, ce ne pouvait être ce
garçon endormi qui serait la gloire de la famille.
Pierre, au contraire, avait en lui une confiance absolue, non qu'il eût des yeux plus pénétrants que sa
femme, mais parce qu'il s'en tenait à la surface, et
qu'il se flattait lui-même en croyant au génie d'un
fils qui était son vivant portrait. Un mois avant les
journées de février, Eugène devint inquiet ; un flair
particulier lui fit deviner la crise. Dès lors, le pavé
de Plassans lui brûla les pieds. On le vit rôder sur
les promenades comme une âme en peine. Puis il se

décida brusquement, il partit pour Paris. Il n'avait
pas cinq cents francs dans sa poche.

Aristide, le plus jeune des fils Rougon, était opposé
à Eugène, géométriquement pour ainsi dire. Il avait
le visage de sa mère et des avidités, un caractère sournois, apte aux intrigues vulgaires, où les instincts de
son père dominaient. La nature a souvent des besoins
de symétrie. Petit, la mine chafouine, pareille à une
pomme de canne curieusement taillée en tête de
Polichinelle, Aristide furetait, fouillait partout, peu
scrupuleux, pressé de jouir. Il aimait l'argent comme
son frère aîné aimait le pouvoir. Tandis qu'Eugène
rêvait de plier un peuple à sa volonté et s'enivrait de
sa toute-puissance future, lui se voyait dix fois mil-
lionnaire, logé dans une demeure princière, mangeant et buvant bien, savourant la vie par tous les
sens et tous les organes de son corps. Il voulait surtout une fortune rapide. Lorsqu'il bâtissait un château en Espagne, ce château s'élevait magiquement
dans son esprit ; il avait des tonneaux d'or du soir
au lendemain ; cela plaisait à ses paresses, d'autant
plus qu'il ne s'inquiétait jamais des moyens, et que
les plus prompts lui semblaient les meilleurs. La race
des Rougon, de ces paysans épais et avides, aux appétits de brute, avait mûri trop vite ; tous les besoins de
jouissance matérielle s'épanouissaient chez Aristide,
triplés par une éducation hâtive, plus insatiables et
dangereux depuis qu'ils devenaient raisonnés. Malgré ses délicates intuitions de femme, Félicité préférait ce garçon ; elle ne sentait pas combien Eugène
lui appartenait davantage ; elle excusait les sottises et les paresses de son fils cadet, sous prétexte
qu'il serait l'homme supérieur de la famille, et qu'un
homme supérieur a le droit de mener une vie

débraillée, jusqu'au jour où la puissance de ses facultés se révèle. Aristide mit rudement son indulgence à l'épreuve. À Paris, il mena une vie sale et oisive ; il fut un de ces étudiants qui prennent leurs inscriptions dans les brasseries du Quartier latin. D'ailleurs, il n'y resta que deux années ; son père, effrayé, voyant qu'il n'avait pas encore passé un seul examen, le retint à Plassans et parla de lui chercher une femme, espérant que les soucis du ménage en feraient un homme rangé. Aristide se laissa marier. À cette époque, il ne voyait pas clairement dans ses ambitions ; la vie de province ne lui déplaisait pas ; il se trouvait à l'engrais dans sa petite ville, mangeant, dormant, flânant. Félicité plaida sa cause avec tant de chaleur que Pierre consentit à nourrir et à loger le ménage, à la condition que le jeune homme s'occuperait activement de la maison de commerce. Dès lors commença pour ce dernier une belle existence de fainéantise ; il passa au cercle ses journées et la plus grande partie de ses nuits, s'échappant du bureau de son père comme un collégien, allant jouer les quelques louis que sa mère lui donnait en cachette. Il faut avoir vécu au fond d'un département, pour bien comprendre quelles furent les quatre années d'abrutissement que ce garçon passa de la sorte. Il y a ainsi, dans chaque petite ville, un groupe d'individus vivant aux crochets de leurs parents, feignant parfois de travailler, mais cultivant en réalité leur paresse avec une sorte de religion[1]. Aristide fut le type de ces flâneurs incorrigibles que l'on voit se traîner voluptueusement dans le vide de la province. Il joua à l'écarté pendant quatre ans. Tandis qu'il vivait au cercle, sa femme, une blonde molle et placide, aidait à la ruine de la maison Rougon par un goût prononcé pour les toilettes voyantes et par un appétit formidable, très curieux chez une créature aussi frêle. Angèle adorait les rubans bleu ciel et le filet de bœuf rôti. Elle était fille d'un capitaine retraité, qu'on nommait le commandant Sicardot, bonhomme qui lui avait donné pour dot dix mille francs, toutes ses économies. Aussi Pierre, en choisissant Angèle pour son fils, avait-il pensé conclure une affaire inespérée, tant il estimait Aristide à bas prix. Cette dot de dix mille francs, qui le décida, devint justement par la suite un pavé attaché à son cou. Son fils était déjà un rusé fripon ; il lui remit les dix mille francs, en s'associant avec lui, ne voulant pas garder un sou, affichant le plus grand dévouement.

« Nous n'avons besoin de rien, disait-il ; vous nous entretiendrez, ma femme et moi, et nous compterons plus tard. »

Pierre était gêné, il accepta, un peu inquiet du désintéressement d'Aristide. Celui-ci se disait que de longtemps peut-être son père n'aurait pas dix mille francs liquides à lui rendre, et que lui et sa femme vivraient largement à ses dépens, tant que l'association ne pourrait être rompue. C'était là quelques billets de banque admirablement placés. Quand le marchand d'huile comprit quel marché de dupe il avait fait, il ne lui était plus permis de se débarrasser d'Aristide ; la dot d'Angèle se trouvait engagée dans des spéculations qui tournaient mal. Il dut garder le ménage chez lui, exaspéré, frappé au cœur par le gros appétit de sa belle-fille et par les fainéantises de son fils. Vingt fois, s'il avait pu les désintéresser, il aurait mis à la porte cette vermine qui lui suçait le sang, selon son énergique expression. Félicité les soutenait sourdement ; le jeune homme, qui avait pénétré ses rêves d'ambition, lui exposait chaque soir d'admirables plans de fortune qu'il devait prochainement réaliser. Par un hasard assez rare, elle était au mieux avec sa bru ; il faut dire qu'Angèle n'avait pas une volonté, et qu'on pouvait disposer d'elle comme d'un meuble. Pierre s'emportait, quand sa femme lui parlait des succès futurs de leur fils cadet ; il l'accusait plutôt de devoir être un jour la ruine de leur maison. Pendant les quatre années que le ménage resta chez lui, il tempêta ainsi, usant en querelles sa rage impuissante, sans qu'Aristide ni Angèle sortissent le moins du monde de leur calme souriant. Ils s'étaient posés là, ils y restaient, comme des masses. Enfin, Pierre eut une heureuse chance ; il put rendre à son fils ses dix mille francs. Quand il voulut compter avec lui, Aristide chercha tant de chicanes, qu'il dut le laisser partir sans lui retenir un sou pour ses frais de nourriture et de logement. Le ménage alla s'établir à quelques pas, sur une petite place du vieux quartier, nommée la place Saint-Louis. Les dix mille francs furent vite mangés. Il fallut s'établir. Aristide, d'ailleurs, ne changea rien à sa vie, tant qu'il y eut de l'argent à la maison. Lorsqu'il en fut à son dernier billet de cent francs, il devint nerveux. On le vit rôder dans la ville d'un air louche ; il ne prit plus sa demi-tasse au cercle ; il regarda jouer, fiévreusement, sans toucher une carte. La misère le rendit pire encore qu'il n'était. Longtemps il tint le coup, il s'entêta à ne rien faire. Il eut un enfant, en 1840, le petit Maxime, que sa grand-mère Félicité fit heureusement entrer au collège, et dont elle paya secrètement la pension. C'était une bouche de moins chez Aristide ; mais la pauvre Angèle mourait de faim, le mari dut enfin chercher une place. Il réussit à

entrer à la sous-préfecture. Il y resta près de dix
années, et n'arriva qu'aux appointements de dix-
huit cents francs. Dès lors, haineux, amassant le
fiel, il vécut dans l'appétit continuel des jouissances
dont il était sevré. Sa position infime l'exaspérait ;
les misérables cent cinquante francs qu'on lui mettait dans la main, lui semblaient une ironie de la
fortune. Jamais pareille soif d'assouvir sa chair ne
brûla un homme. Félicité, à laquelle il contait ses
souffrances, ne fut pas fâchée de le voir affamé ; elle
pensa que la misère fouetterait ses paresses. L'oreille
au guet, en embuscade, il se mit à regarder autour
de lui, comme un voleur qui cherche un bon coup à
faire. Au commencement de l'année 1848, lorsque
son frère partit pour Paris, il eut un instant l'idée de
le suivre. Mais Eugène était garçon ; lui ne pouvait
traîner sa femme si loin, sans avoir en poche une
forte somme. Il attendit, flairant une catastrophe, prêt
à étrangler la première proie venue.

L'autre fils Rougon, Pascal, celui qui était né entre
Eugène et Aristide, ne paraissait pas appartenir à la
famille. C'était un de ces cas fréquents qui font mentir
les lois de l'hérédité. La nature donne souvent ainsi
naissance, au milieu d'une race, à un être dont elle
puise tous les éléments dans ses forces créatrices.
Rien au moral ni au physique ne rappelait les Rougon chez Pascal. Grand, le visage doux et sévère, il
avait une droiture d'esprit, un amour de l'étude, un
besoin de modestie, qui contrastaient singulièrement
avec les fièvres d'ambition et les menées peu scrupu-
leuses de sa famille. Après avoir fait à Paris d'excellentes études médicales, il s'était retiré à Plassans par
goût, malgré les offres de ses professeurs. Il aimait
la vie calme de la province ; il soutenait que cette

vie est préférable pour un savant au tapage parisien. Même à Plassans, il ne s'inquiéta nullement de grossir sa clientèle. Très sobre, ayant un beau mépris pour la fortune, il sut se contenter des quelques malades que le hasard seul lui envoya. Tout son luxe consista dans une petite maison claire de la ville neuve, où il s'enfermait religieusement, s'occupant avec amour d'histoire naturelle. Il se prit surtout d'une belle passion pour la physiologie. On sut dans la ville qu'il achetait souvent des cadavres au fossoyeur de l'hospice, ce qui le fit prendre en horreur par les dames délicates et certains bourgeois poltrons. On n'alla pas heureusement jusqu'à le traiter de sorcier ; mais sa clientèle se restreignit encore, on le regarda comme un original auquel les personnes de la bonne société ne devaient pas confier le bout de leur petit doigt, sous peine de se compromettre. On entendit la femme du maire dire un jour :

« J'aimerais mieux mourir que de me faire soigner par ce monsieur. Il sent le mort. »

Pascal, dès lors, fut jugé. Il parut heureux de cette peur sourde qu'il inspirait. Moins il avait de malades, plus il pouvait s'occuper de ses chères sciences. Comme il avait mis ses visites à un prix très modique, le peuple lui demeurait fidèle. Il gagnait juste de quoi vivre, et vivait satisfait, à mille lieues des gens du pays, dans la joie pure de ses recherches et de ses découvertes. De temps à autre, il envoyait un mémoire à l'Académie des sciences de Paris. Plassans ignorait absolument que cet original, ce monsieur qui sentait le mort, fût un homme très connu et très écouté du monde savant. Quand on le voyait, le dimanche, partir pour une excursion dans les collines des Garrigues, une boîte de botaniste pendue au cou et un marteau de géologue à la main, on haussait les épaules, on le comparait à tel autre docteur de la ville, si bien cravaté, si mielleux avec les dames, et dont les vêtements exhalaient toujours une délicieuse odeur de violette. Pascal n'était pas davantage compris par ses parents. Lorsque Félicité lui vit arranger sa vie d'une façon si étrange et si mesquine, elle fut stupéfaite et lui reprocha de tromper ses espérances. Elle qui tolérait les paresses d'Aristide, qu'elle croyait fécondes, ne put voir sans colère le train médiocre de Pascal, son amour de l'ombre, son dédain de la richesse, sa ferme résolution de rester à l'écart. Certes, ce ne serait pas cet enfant qui contenterait jamais ses vanités !

« Mais d'où sors-tu ? lui disait-elle parfois. Tu n'es pas à nous. Vois tes frères, ils cherchent, ils tâchent de tirer profit de l'instruction que nous leur avons donnée. Toi, tu ne fais que des sottises. Tu nous récompenses bien mal, nous qui nous sommes ruinés pour t'élever. Non, tu n'es pas à nous. »

Pascal, qui préférait rire chaque fois qu'il avait à se fâcher, répondait gaiement, avec une fine ironie :

« Allons, ne vous plaignez pas, je ne veux point vous faire entièrement banqueroute : je vous soignerai tous pour rien, quand vous serez malades. »

D'ailleurs, il voyait sa famille rarement, sans afficher la moindre répugnance, obéissant malgré lui à ses instincts particuliers. Avant qu'Aristide fût entré à la sous-préfecture, il vint plusieurs fois à son secours. Il était resté garçon. Il ne se douta seulement pas des graves événements qui se préparaient. Depuis deux ou trois ans, il s'occupait du grand problème de l'hérédité, comparant les races animales à la race humaine, et il s'absorbait dans les curieux résultats qu'il obtenait. Les observations qu'il avait faites sur lui et sur sa famille, avaient été comme le point de départ de ses études. Le peuple comprenait si bien, avec son intuition inconsciente, à quel point il différait des Rougon, qu'il le nommait M. Pascal, sans jamais ajouter son nom de famille.

Trois ans avant la révolution de 1848, Pierre et Félicité quittèrent leur maison de commerce. L'âge venait, ils avaient tous deux dépassé la cinquantaine, ils étaient las de lutter. Devant leur peu de chance, ils eurent peur de se mettre absolument sur la paille, s'ils s'entêtaient. Leurs fils, en trompant leurs espérances, leur avaient porté le coup de grâce. Maintenant qu'ils doutaient d'être jamais enrichis par eux, ils voulaient au moins se garder un morceau de pain pour leurs vieux jours. Ils se retiraient avec une quarantaine de mille francs, au plus. Cette somme leur constituait une rente de deux mille francs, juste de quoi vivre la vie mesquine de province. Heureusement, ils restaient seuls, ayant réussi à marier leurs filles, Marthe et Sidonie, dont l'une était fixée à Marseille et l'autre à Paris.

En liquidant, ils auraient bien voulu aller habiter la ville neuve, le quartier des commerçants retirés ; mais ils n'osèrent. Leurs rentes étaient trop modiques ; ils craignirent d'y faire mauvaise figure. Par une sorte de compromis, ils louèrent un logement rue de la Banne, la rue qui sépare le vieux quartier du quartier neuf. Leur demeure se trouvant dans la rangée de maisons qui bordent le vieux quartier, ils habitaient bien encore la ville de la canaille ; seulement ils voyaient de leurs fenêtres, à quelques pas, la ville des gens riches ; ils étaient sur le seuil de la terre promise.

Leur logement, situé au deuxième étage, se composait de trois grandes pièces ; ils en avaient fait une salle à manger, un salon et une chambre à coucher. Au premier, demeurait le propriétaire, un marchand de cannes et de parapluies, dont le magasin occupait le rez-de-chaussée. La maison, étroite et peu profonde, n'avait que deux étages. Quand Félicité emménagea, elle eut un affreux serrement de cœur. Demeurer chez les autres, en province, est un aveu de pauvreté. Chaque famille bien posée à Plassans a sa maison, les immeubles s'y vendant à très bas prix. Pierre tint serrés les cordons de sa bourse ; il ne voulut pas entendre parler d'embellissements ; l'ancien mobilier, fané, usé, éclopé, dut servir sans être seulement réparé. Félicité, qui sentait vivement, d'ailleurs, les raisons de cette ladrerie, s'ingénia pour donner un nouveau lustre à toutes ces ruines ; elle recloua elle-même certains meubles plus endommagés que les autres ; elle reprisa le velours éraillé des fauteuils.

La salle à manger, qui se trouvait sur le derrière, ainsi que la cuisine, resta presque vide ; une table et une douzaine de chaises se perdirent dans l'ombre de cette vaste pièce, dont la fenêtre s'ouvrait sur le mur gris d'une maison voisine. Comme jamais personne n'entrait dans la chambre à coucher, Félicité y avait caché les meubles hors de service ; outre le lit, une armoire, un secrétaire et une toilette, on y voyait deux berceaux mis l'un sur l'autre, un buffet dont les portes manquaient, et une bibliothèque entièrement vide, ruines respectables que la vieille femme n'avait pu se décider à jeter. Mais tous ses soins furent pour le salon. Elle réussit presque à en faire un lieu habitable. Il était garni d'un meuble de

velours jaunâtre, à fleurs satinées. Au milieu se trouvait un guéridon à tablette de marbre ; des consoles,
surmontées de glaces, s'appuyaient aux deux bouts
de la pièce. Il y avait même un tapis qui ne couvrait
que le milieu du parquet, et un lustre garni d'un étui
de mousseline blanche que les mouches avaient piqué
de chiures noires. Aux murs, étaient pendues six
lithographies représentant les grandes batailles de
Napoléon. Cet ameublement datait des premières
années de l'Empire. Pour tout embellissement, Félicité obtint qu'on tapissât la pièce d'un papier orange
à grands ramages. Le salon avait ainsi pris une
étrange couleur jaune[1] qui l'emplissait d'un jour faux
et aveuglant ; le meuble, le papier, les rideaux de
fenêtre étaient jaunes ; le tapis et jusqu'aux marbres
du guéridon et des consoles tiraient eux-mêmes sur le
jaune. Quand les rideaux étaient fermés, les teintes
devenaient cependant assez harmonieuses, le salon
paraissait presque propre. Mais Félicité avait rêvé
un autre luxe. Elle voyait avec un désespoir muet
cette misère mal dissimulée. D'habitude, elle se tenait
dans le salon, la plus belle pièce du logis. Une de ses
distractions les plus douces et les plus amères à la
fois, était de se mettre à l'une des fenêtres de cette
pièce, qui donnaient sur la rue de la Banne. Elle
apercevait de biais la place de la Sous-Préfecture.
C'était là son paradis rêvé. Cette petite place, nue,
proprette, aux maisons claires, lui semblait un
Éden. Elle eût donné dix ans de sa vie pour posséder une de ces habitations. La maison qui formait le
coin de gauche, et dans laquelle logeait le receveur
particulier, la tentait surtout furieusement. Elle la
contemplait avec des envies de femme grosse. Parfois,
lorsque les fenêtres de cet appartement étaient

ouvertes, elle apercevait des coins de meubles riches, des échappées de luxe qui lui tournaient le sang.

À cette époque, les Rougon traversaient une curieuse crise de vanité et d'appétits inassouvis. Leurs quelques bons sentiments s'aigrissaient. Ils se posaient en victimes du guignon, sans résignation aucune, plus âpres et plus décidés à ne pas mourir avant de s'être contentés. Au fond, ils n'abandonnaient aucune de leurs espérances, malgré leur âge avancé ; Félicité prétendait avoir le pressentiment qu'elle mourrait riche. Mais chaque jour de misère leur pesait davantage. Quand ils récapitulaient leurs efforts inutiles, quand ils se rappelaient leurs trente années de lutte, la défection de leurs enfants, et qu'ils voyaient leurs châteaux en Espagne aboutir à ce salon jaune dont il fallait tirer les rideaux pour en cacher la laideur, ils étaient pris de rages sourdes. Et alors, pour se consoler, ils bâtissaient des plans de fortune colossale, ils cherchaient des combinaisons ; Félicité rêvait qu'elle gagnait à une loterie le gros lot de cent mille francs ; Pierre s'imaginait qu'il allait inventer quelque spéculation merveilleuse. Ils vivaient dans une pensée unique : faire fortune, tout de suite, en quelques heures ; être riches, jouir, ne fût-ce que pendant une année. Tout leur être tendait à cela, brutalement, sans relâche. Et ils comptaient encore vaguement sur leurs fils, avec cet égoïsme particulier des parents qui ne peuvent s'habituer à la pensée d'avoir envoyé leurs enfants au collège sans aucun bénéfice personnel.

Félicité semblait ne pas avoir vieilli ; c'était toujours la même petite femme noire, ne pouvant rester en place, bourdonnante comme une cigale. Un passant qui l'eût vue de dos, sur un trottoir, l'eût prise

pour une fillette de quinze ans, à sa marche leste,
aux sécheresses de ses épaules et de sa taille. Son
visage lui-même n'avait guère changé, il s'était seulement creusé davantage, se rapprochant de plus en
plus du museau de la fouine ; on aurait dit la tête
d'une petite fille qui se serait parcheminée sans
changer de traits.

Quant à Pierre Rougon, il avait pris du ventre ; il
était devenu un très respectable bourgeois, auquel il
ne manquait que de grosses rentes pour paraître tout
à fait digne. Sa face empâtée et blafarde, sa lourdeur,
son air assoupi, semblaient suer l'argent. Il avait
entendu dire un jour à un paysan qui ne le connaissait pas : « C'est quelque richard, ce gros-là ; allez, il
n'est pas inquiet de son dîner ! » réflexion qui l'avait
frappé au cœur, car il regardait comme une atroce
moquerie d'être resté un pauvre diable, tout en prenant la graisse et la gravité satisfaite d'un million-
naire. Lorsqu'il se rasait, le dimanche, devant un
petit miroir de cinq sous pendu à l'espagnolette
d'une fenêtre, il se disait que, en habit et en cravate
blanche, il ferait, chez M. le Sous-Préfet, meilleure
figure que tel ou tel fonctionnaire de Plassans. Ce fils
de paysan, blêmi dans les soucis du commerce, gras
de vie sédentaire, cachant ses appétits haineux sous
la placidité naturelle de ses traits, avait en effet l'air
nul et solennel, la carrure imbécile qui pose un
homme dans un salon officiel. On prétendait que sa
femme le menait à la baguette, et l'on se trompait.
Il était d'un entêtement de brute ; devant une volonté
étrangère, nettement formulée, il se serait emporté
grossièrement jusqu'à battre les gens. Mais Félicité
était trop souple pour le contrecarrer ; la nature vive,
papillonnante de cette naine n'avait pas pour tacti-

que de se heurter de front aux obstacles ; quand elle voulait obtenir quelque chose de son mari ou le pousser dans la voie qu'elle croyait la meilleure, elle l'entourait de ses vols brusques de cigale, le piquait de tous les côtés, revenait cent fois à la charge, jusqu'à ce qu'il cédât, sans trop s'en apercevoir lui-même. Il la sentait, d'ailleurs, plus intelligente que lui et supportait assez patiemment ses conseils. Félicité, plus utile que la mouche du coche, faisait parfois toute la besogne en bourdonnant aux oreilles de Pierre. Chose rare, les époux ne se jetaient presque jamais leurs insuccès à la tête. La question de l'instruction des enfants déchaînait seule des tempêtes dans le ménage.

La révolution de 1848 trouva donc tous les Rougon sur le qui-vive, exaspérés par leur mauvaise chance et disposés à violer la fortune, s'ils la rencontraient jamais au détour d'un sentier. C'était une famille de bandits à l'affût, prêts à détrousser les événements. Eugène surveillait Paris ; Aristide rêvait d'égorger Plassans ; le père et la mère, les plus âpres peut-être, comptaient travailler pour leur compte et profiter en outre de la besogne de leurs fils ; Pascal seul, cet amant discret de la science, menait la belle vie indifférente d'un amoureux, dans sa petite maison claire de la ville neuve.

III

À Plassans, dans cette ville close où la division des classes se trouvait si nettement marquée en 1848, le contrecoup des événements politiques était très sourd. Aujourd'hui même, la voix du peuple s'y étouffe ; la bourgeoisie y met sa prudence, la noblesse son désespoir muet, le clergé sa fine sournoiserie. Que des rois se volent un trône ou que des républiques se fondent, la ville s'agite à peine. On dort à Plassans, quand on se bat à Paris. Mais la surface a beau paraître calme et indifférente, il y a, au fond, un travail caché très curieux à étudier. Si les coups de fusil sont rares dans les rues, les intrigues dévorent les salons de la ville neuve et du quartier Saint-Marc. Jusqu'en 1830, le peuple n'a pas compté. Encore aujourd'hui, on agit comme s'il n'était pas. Tout se passe entre le clergé, la noblesse et la bourgeoisie. Les prêtres, très nombreux, donnent le ton à la politique de l'endroit ; ce sont des mines souterraines, des coups dans l'ombre, une tactique savante et peureuse qui permet à peine de faire un pas en avant ou en arrière tous les dix ans. Ces luttes secrètes d'hommes qui veulent avant tout éviter le bruit, demandent une finesse particulière, une aptitude aux petites choses, une patience de gens privés de passions. Et c'est ainsi que les lenteurs provinciales, dont on se moque volontiers à Paris, sont pleines de traîtrises, d'égorgillements sournois, de défaites et de victoires cachées. Ces bonshommes, surtout quand leurs intérêts sont en jeu, tuent à domicile, à coups de chiquenaudes, comme nous tuons à coups de canon, en place publique.

L'histoire politique de Plassans[1], ainsi que celle de toutes les petites villes de la Provence, offre une curieuse particularité. Jusqu'en 1830, les habitants restèrent catholiques pratiquants et fervents royalistes ; le peuple lui-même ne jurait que par Dieu et que par ses rois légitimes. Puis un étrange revirement eut lieu ; la foi s'en alla, la population ouvrière et bourgeoise, désertant la cause de la légitimité, se donna peu à peu au grand mouvement démocratique de notre époque. Lorsque la révolution de 1848 éclata, la noblesse et le clergé se trouvèrent seuls à travailler au triomphe d'Henri V[1]. Longtemps ils avaient regardé l'avènement des Orléans comme un essai ridicule qui ramènerait tôt ou tard les Bourbons ; bien que leurs espérances fussent singulièrement ébranlées, ils n'en engagèrent pas moins la lutte, scandalisés par la défection de leurs anciens fidèles et s'efforçant de les ramener à eux. Le quartier Saint-Marc, aidé de toutes les paroisses, se mit à l'œuvre. Dans la bourgeoisie, dans le peuple surtout, l'enthousiasme fut grand, au lendemain des journées de février ; ces apprentis républicains avaient hâte de dépenser leur fièvre révolutionnaire. Mais pour les rentiers de la ville neuve, ce beau feu eut l'éclat et la durée d'un feu de paille. Les petits propriétaires, les commerçants retirés, ceux qui avaient dormi leurs grasses matinées ou arrondi leur fortune sous la monarchie, furent bientôt pris de panique ; la République, avec sa vie de secousses, les fit trembler pour leur caisse et pour leur chère existence d'égoïstes. Aussi, lorsque la réaction cléricale de 1849 se déclara, presque toute la bourgeoisie de Plassans passa-t-elle au parti conservateur. Elle y fut reçue à bras ouverts. Jamais la ville neuve n'avait eu des rapports si étroits avec le quartier Saint-Marc ; certains nobles allèrent jusqu'à toucher la main à des avoués et à d'anciens marchands d'huile. Cette familiarité inespérée enthousiasma le nouveau quartier, qui fit, dès lors, une guerre acharnée au gouvernement républi-

cain. Pour amener un pareil rapprochement, le clergé
dut dépenser des trésors d'habileté et de patience.
Au fond, la noblesse de Plassans se trouvait plongée,
comme une moribonde, dans une prostration invincible ; elle gardait sa foi, mais elle était prise du sommeil de la terre, elle préférait ne pas agir, laisser
faire le ciel ; volontiers, elle aurait protesté par son
silence seul, sentant vaguement peut-être que ses
dieux étaient morts et qu'elle n'avait plus qu'à aller
les rejoindre. Même à cette époque de bouleversement, lorsque la catastrophe de 1848 put lui faire
espérer un instant le retour des Bourbons, elle se
montra engourdie, indifférente, parlant de se jeter
dans la mêlée et ne quittant qu'à regret le coin de
son feu. Le clergé combattit sans relâche ce sentiment
d'impuissance et de résignation. Il y mit une sorte
de passion. Un prêtre, lorsqu'il désespère, n'en lutte
que plus âprement ; toute la politique de l'Église est
d'aller droit devant elle, quand même, remettant la
réussite de ses projets à plusieurs siècles, s'il est
nécessaire, mais ne perdant pas une heure, se poussant toujours en avant, d'un effort continu. Ce fut
donc le clergé qui, à Plassans, mena la réaction. La
noblesse devint son prête-nom, rien de plus ; il se
cacha derrière elle, il la gourmanda, la dirigea, parvint même à lui rendre une vie factice. Quand il
l'eut amenée à vaincre ses répugnances au point de
faire cause commune avec la bourgeoisie, il se crut
certain de la victoire. Le terrain était merveilleusement préparé ; cette ancienne ville royaliste, cette
population de bourgeois paisibles et de commerçants
poltrons devait fatalement se ranger tôt ou tard dans
le parti de l'ordre. Le clergé, avec sa tactique savante,
hâta la conversion. Après avoir gagné les propriétai

res de la ville neuve, il sut même convaincre les petits détaillants du vieux quartier. Dès lors, la réaction fut maîtresse de la ville. Toutes les opinions étaient représentées dans cette réaction ; jamais on ne vit un pareil mélange de libéraux tournés à l'aigre, de légitimistes, d'orléanistes, de bonapartistes, de cléricaux. Mais peu importait, à cette heure. Il s'agissait uniquement de tuer la République. Et la République agonisait. Une fraction du peuple, un millier d'ouvriers au plus, sur les dix mille âmes de la ville, saluaient encore l'arbre de la liberté, planté au milieu de la place de la Sous-Préfecture.

Les plus fins politiques de Plassans, ceux qui dirigeaient le mouvement réactionnaire, ne flairèrent l'Empire que fort tard. La popularité du prince Louis Napoléon leur parut un engouement passager de la foule dont on aurait facilement raison. La personne même du prince leur inspirait une admiration médiocre. Ils le jugeaient nul, songe-creux, incapable de mettre la main sur la France et surtout de se maintenir au pouvoir. Pour eux, ce n'était qu'un instrument dont ils comptaient se servir, qui ferait la place nette, et qu'ils mettraient à la porte, lorsque l'heure serait venue où le vrai prétendant devrait se montrer. Cependant les mois s'écoulèrent, ils devinrent inquiets. Alors seulement ils eurent vaguement conscience qu'on les dupait. Mais on ne leur laissa pas le temps de prendre un parti ; le coup d'État éclata sur leurs têtes, et ils durent applaudir. La grande impure, la République, venait d'être assassinée. C'était un triomphe quand même. Le clergé et la noblesse acceptèrent les faits avec résignation, remettant à plus tard la réalisation de leurs espérances, se vengeant de

leur mécompte en s'unissant aux bonapartistes pour
écraser les derniers républicains.

Ces événements fondèrent la fortune des Rougon.
Mêlés aux diverses phases de cette crise, ils grandirent sur les ruines de la liberté. Ce fut la République que volèrent ces bandits à l'affût ; après qu'on
l'eut égorgée, ils aidèrent à la détrousser.

Au lendemain des journées de février, Félicité, le
nez le plus fin de la famille, comprit qu'ils étaient
enfin sur la bonne piste. Elle se mit à tourner autour
de son mari, à l'aiguillonner, pour qu'il se remuât. Les
premiers bruits de révolution avaient effrayé Pierre.
Lorsque sa femme lui eut fait entendre qu'ils avaient
peu à perdre et beaucoup à gagner dans un bouleversement, il se rangea vite à son opinion.

« Je ne sais ce que tu peux faire, répétait Félicité,
mais il me semble qu'il y a quelque chose à faire.
M. de Carnavant ne nous disait-il pas, l'autre jour,
qu'il serait riche si jamais Henri V revenait, et que ce
roi récompenserait magnifiquement ceux qui auraient
travaillé à son retour. Notre fortune est peut-être là.
Il serait temps d'avoir la main heureuse. »

Le marquis de Carnavant, ce noble qui, selon la
chronique scandaleuse de la ville, avait connu intimement la mère de Félicité, venait, en effet, de temps à
autre rendre visite aux époux. Les méchantes langues prétendaient que Mme Rougon lui ressemblait.
C'était un petit homme, maigre, actif, alors âgé de
soixante-quinze ans, dont cette dernière semblait
avoir pris, en vieillissant, les traits et les allures. On
racontait que les femmes lui avaient dévoré les débris
d'une fortune déjà fort entamée par son père au
temps de l'émigration. Il avouait d'ailleurs sa pauvreté
de fort bonne grâce. Recueilli par un de ses parents,

le comte de Valqueyras, il vivait en parasite, mangeant à la table du comte, habitant un étroit logement situé sous les combles de son hôtel.

« Petite, disait-il souvent en tapotant les joues de Félicité, si jamais Henri V me rend une fortune, je te ferai mon héritière. »

Félicité avait cinquante ans qu'il l'appelait encore « petite ». C'était à ces tapes familières et à ces continuelles promesses d'héritage que Mme Rougon pensait en poussant son mari dans la politique. Souvent M. de Carnavant s'était plaint amèrement de ne pouvoir lui venir en aide. Nul doute qu'il ne se conduisît en père à son égard, le jour où il serait puissant. Pierre, auquel sa femme expliqua la situation à demi-mots, se déclara prêt à marcher dans le sens qu'on lui indiquerait.

La position particulière du marquis fit de lui, à Plassans, dès les premiers jours de la République, l'agent actif du mouvement réactionnaire. Ce petit homme remuant, qui avait tout à gagner au retour de ses rois légitimes, s'occupa avec fièvre du triomphe de leur cause. Tandis que la noblesse riche du quartier Saint-Marc s'endormait dans son désespoir muet, craignant peut-être de se compromettre et de se voir de nouveau condamnée à l'exil, lui se multipliait, faisait de la propagande, racolait des fidèles. Il fut une arme dont une main invisible tenait la poignée. Dès lors, ses visites chez les Rougon devinrent quotidiennes. Il lui fallait un centre d'opérations. Son parent, M. de Valqueyras, lui ayant défendu d'introduire des affiliés dans son hôtel, il avait choisi le salon jaune de Félicité. D'ailleurs, il ne tarda pas à trouver dans Pierre un aide précieux. Il ne pouvait aller prêcher lui-même la cause de la légitimité aux petits détaillants et aux ouvriers du vieux quartier ; on l'aurait hué. Pierre, au contraire, qui avait vécu au milieu de ces gens-là, parlait leur langue, connaissait leurs besoins, arrivait à les catéchiser en douceur. Il devint ainsi l'homme indispensable. En moins de quinze jours, les Rougon furent plus royalistes que le roi. Le marquis, en voyant le zèle de Pierre, s'était finement abrité derrière lui. À quoi bon se mettre en vue, quand un homme à fortes épaules veut bien endosser toutes les sottises d'un parti ? Il laissa Pierre trôner, se gonfler d'importance, parler en maître, se contentant de le retenir ou de le jeter en avant, selon les nécessités de la cause. Aussi l'ancien marchand d'huile fut-il bientôt un personnage. Le soir, quand ils se retrouvaient seuls, Félicité lui disait :

« Marche, ne crains rien. Nous sommes en bon chemin. Si cela continue, nous serons riches, nous aurons un salon pareil à celui du receveur, et nous donnerons des soirées. »

Il s'était formé chez les Rougon un noyau de conservateurs qui se réunissaient chaque soir dans le salon jaune pour déblatérer contre la République.

Il y avait là trois ou quatre négociants retirés qui tremblaient pour leurs rentes, et qui appelaient de tous leurs vœux un gouvernement sage et fort. Un ancien marchand d'amandes, membre du conseil municipal, M. Isidore Granoux, était comme le chef de ce groupe. Sa bouche en bec de lièvre, fendue à cinq ou six centimètres du nez, ses yeux ronds, son air à la fois satisfait et ahuri, le faisaient ressembler à une oie grasse qui digère dans la salutaire crainte du cuisinier. Il parlait peu, ne pouvant trouver les mots ; il n'écoutait que lorsqu'on accusait les républicains de vouloir piller les maisons des riches, se contentant alors de devenir rouge à faire craindre une apoplexie, et de murmurer des invectives sourdes, au milieu desquelles revenaient les mots « fainéants, scélérats, voleurs, assassins ».

Tous les habitués du salon jaune, à la vérité, n'avaient pas l'épaisseur de cette oie grasse. Un riche propriétaire, M. Roudier, au visage grassouillet et insinuant, y discourait des heures entières, avec la passion d'un orléaniste que la chute de Louis-Philippe avait dérangé dans ses calculs. C'était un bonnetier de Paris retiré à Plassans, ancien fournisseur de la cour, qui avait fait de son fils un magistrat, comptant sur les Orléans pour pousser ce garçon aux plus hautes dignités. La révolution ayant tué ses espérances, il s'était jeté dans la réaction à corps perdu. Sa fortune, ses anciens rapports commerciaux avec les Tuileries, dont il semblait faire des rapports de bonne amitié, le prestige que prend en province tout homme qui a gagné de l'argent à Paris et qui daigne venir le manger au fond d'un département, lui donnaient une très grande influence dans le pays ; certaines gens l'écoutaient parler comme un oracle.

Mais la plus forte tête du salon jaune était à coup sûr le commandant Sicardot, le beau-père d'Aristide[1]. Taillé en hercule, le visage rouge brique, couturé et planté de bouquets de poil gris, il comptait parmi les plus glorieuses ganaches de la Grande Armée. Dans les journées de février, la guerre des rues seule l'avait exaspéré ; il ne tarissait pas sur ce sujet, disant avec colère qu'il était honteux de se battre de la sorte ; et il rappelait avec orgueil le grand règne de Napoléon.

On voyait aussi, chez les Rougon, un personnage aux mains humides, aux regards louches, le sieur Vuillet, un libraire qui fournissait d'images saintes

et de chapelets toutes les dévotes de la ville. Vuillet
tenait la librairie classique et la librairie religieuse ;
il était catholique pratiquant, ce qui lui assurait la
clientèle des nombreux couvents et des paroisses.
Par un coup de génie, il avait joint à son commerce
la publication d'un petit journal bihebdomadaire, *la
Gazette de Plassans*, dans lequel il s'occupait exclu-
sivement des intérêts du clergé. Ce journal lui mangeait chaque année un millier de francs ; mais il
faisait de lui le champion de l'Église, et l'aidait à écouler les rossignols sacrés de sa boutique. Cet homme
illettré, dont l'orthographe était douteuse, rédigeait
lui-même les articles de *la Gazette* avec une humilité et un fiel qui lui tenaient lieu de talent. Aussi le
marquis, en se mettant en campagne, avait-il été
frappé du parti qu'il pourrait tirer de cette figure plate
de sacristain, de cette plume grossière et intéressée.
Depuis février, les articles de *la Gazette* contenaient
moins de fautes ; le marquis les revoyait.

On peut imaginer, maintenant, le singulier spectacle que le salon jaune des Rougon offrait chaque soir.
Toutes les opinions se coudoyaient et aboyaient à la
fois contre la République. On s'entendait dans la
haine. Le marquis, d'ailleurs, qui ne manquait pas
une réunion, apaisait par sa présence les petites
querelles qui s'élevaient entre le commandant et les
autres adhérents. Ces roturiers étaient secrètement
flattés des poignées de main qu'il voulait bien leur
distribuer à l'arrivée et au départ. Seul, Roudier, en
libre penseur de la rue Saint-Honoré, disait que le
marquis n'avait pas un sou, et qu'il se moquait du
marquis. Ce dernier gardait un aimable sourire de
gentilhomme ; il s'encanaillait avec ces bourgeois,
sans une seule des grimaces de mépris que tout autre

habitant du quartier Saint-Marc aurait cru devoir faire. Sa vie de parasite l'avait assoupli. Il était l'âme du groupe. Il commandait au nom de personnages inconnus, dont il ne livrait jamais les noms. « Ils veulent ceci, ils ne veulent pas cela », disait-il. Ces dieux cachés, veillant aux destinées de Plassans du fond de leur nuage, sans paraître se mêler directement des affaires publiques, devaient être certains prêtres, les grands politiques du pays. Quand le marquis prononçait cet « ils » mystérieux, qui inspirait à l'assemblée un merveilleux respect, Vuillet confessait par une attitude béate qu'il les connaissait parfaitement.

La personne la plus heureuse dans tout cela était Félicité. Elle commençait enfin à avoir du monde dans son salon. Elle se sentait bien un peu honteuse de son vieux meuble de velours jaune ; mais elle se consolait en pensant au riche mobilier qu'elle achèterait, lorsque la bonne cause aurait triomphé. Les Rougon avaient fini par prendre leur royalisme au sérieux. Félicité allait jusqu'à dire, quand Roudier n'était pas là, que, s'ils n'avaient pas fait fortune dans leur commerce d'huile, la faute en était à la monarchie de Juillet. C'était une façon de donner une couleur politique à leur pauvreté. Elle trouvait des caresses pour tout le monde, même pour Granoux, inventant chaque soir une nouvelle façon polie de le réveiller, à l'heure du départ.

Le salon, ce noyau de conservateurs appartenant à tous les partis, et qui grossissait journellement, eut bientôt une grande influence. Par la diversité de ses membres, et surtout grâce à l'impulsion secrète que chacun d'eux recevait du clergé, il devint le centre réactionnaire qui rayonna sur Plassans entier. La tactique du marquis, qui s'effaçait, fit regarder Rougon comme le chef de la bande. Les réunions avaient lieu chez lui, cela suffisait aux yeux peu clairvoyants du plus grand nombre pour le mettre à la tête du groupe et le désigner à l'attention publique. On lui attribua toute la besogne ; on le crut le principal ouvrier de ce mouvement qui, peu à peu, ramenait au parti conservateur les républicains enthousiastes de la veille. Il est certaines situations dont bénéficient seuls les gens tarés. Ils fondent leur fortune là où des hommes mieux posés et plus influents n'auraient point osé risquer la leur. Certes, Roudier, Granoux et les autres, par leur position d'hommes riches et respectés, semblaient devoir être mille fois préférés à Pierre comme chefs actifs du parti conservateur. Mais aucun d'eux n'aurait consenti à faire de son salon un centre politique ; leurs convictions n'allaient pas jusqu'à se compromettre ouvertement ; en somme, ce n'étaient que des braillards, des commères de province, qui voulaient bien cancaner chez un voisin contre la République, du moment où le voisin endossait la responsabilité de leurs cancans. La partie était trop chanceuse. Il n'y avait pour la jouer, dans la bourgeoisie de Plassans, que les Rougon, ces grands appétits inassouvis et poussés aux résolutions extrêmes.

En avril 1849, Eugène quitta brusquement Paris et vint passer quinze jours auprès de son père. On ne connut jamais bien le but de ce voyage. Il est à croire qu'Eugène vint tâter sa ville natale pour savoir s'il y poserait avec succès sa candidature de représentant à l'Assemblée législative[1], qui devait remplacer prochainement la Constituante. Il était trop fin pour risquer un échec. Sans doute l'opinion publi-

que lui parut peu favorable, car il s'abstint de toute
tentative. On ignorait, d'ailleurs, à Plassans, ce qu'il
était devenu, ce qu'il faisait à Paris. À son arrivée, on
le trouva moins gros, moins endormi. On l'entoura,
on tâcha de le faire causer. Il feignit l'ignorance, ne se
livrant pas, forçant les autres à se livrer. Des esprits
plus souples eussent trouvé, sous son apparente flâ-
nerie, un grand souci des opinions politiques de la
ville. Il semblait sonder le terrain plus encore pour
un parti que pour son propre compte.

Bien qu'il eût renoncé à toute espérance personnelle, il n'en resta pas moins à Plassans jusqu'à la fin
du mois, très assidu surtout aux réunions du salon
jaune. Dès le premier coup de sonnette, il s'asseyait
dans le creux d'une fenêtre, le plus loin possible de la
lampe. Il demeurait là toute la soirée, le menton sur
la paume de la main droite, écoutant religieusement.
Les plus grosses niaiseries le laissaient impassible.
Il approuvait tout de la tête, jusqu'aux grognements
effarés de Granoux. Quand on lui demandait son
avis, il répétait poliment l'opinion de la majorité.
Rien ne parvint à lasser sa patience, ni les rêves
creux du marquis qui parlait des Bourbons comme
au lendemain de 1815, ni les effusions bourgeoises
de Roudier, qui s'attendrissait en comptant le nombre
de paires de chaussettes qu'il avait fournies jadis au
roi citoyen. Au contraire, il paraissait fort à l'aise au
milieu de cette tour de Babel. Parfois, quand tous
ces grotesques tapaient à bras raccourcis sur la République, on voyait ses yeux rire sans que ses lèvres per-
dissent leur moue d'homme grave. Sa façon recueillie
d'écouter, sa complaisance inaltérable lui avaient
concilié toutes les sympathies. On le jugeait nul, mais
bon enfant. Lorsqu'un ancien marchand d'huile ou

d'amandes ne pouvait placer, au milieu du tumulte, de quelle façon il sauverait la France, s'il était le maître, il se réfugiait auprès d'Eugène et lui criait ses plans merveilleux à l'oreille. Eugène hochait douce-ment la tête, comme ravi des choses élevées qu'il entendait. Vuillet seul le regardait d'un air louche. Ce libraire, doublé d'un sacristain et d'un journaliste, parlant moins que les autres, observait davantage. Il avait remarqué que l'avocat causait parfois dans les coins avec le commandant Sicardot. Il se promit de les surveiller, mais il ne put jamais surprendre une seule de leurs paroles. Eugène faisait taire le com-mandant d'un clignement d'yeux, dès qu'il approchait. Sicardot, à partir de cette époque, ne parla plus des Napoléon qu'avec un mystérieux sourire.

Deux jours avant son retour à Paris, Eugène ren-contra sur le cours Sauvaire son frère Aristide, qui l'accompagna quelques instants, avec l'insistance d'un homme en quête d'un conseil. Aristide était dans une grande perplexité. Dès la proclamation de la Répu-blique, il avait affiché le plus vif enthousiasme pour le gouvernement nouveau. Son intelligence, assou-plie par ses deux années de séjour à Paris, voyait plus loin que les cerveaux épais de Plassans ; il devinait l'impuissance des légitimistes et des orléanistes, sans distinguer avec netteté quel serait le troisième larron qui viendrait voler la République. À tout hasard, il s'était mis du côté des vainqueurs. Il avait rompu tout rapport avec son père, le qualifiant en public de vieux fou, de vieil imbécile enjôlé par la noblesse.

« Ma mère est pourtant une femme intelligente, ajoutait-il. Jamais je ne l'aurais crue capable de pous-ser son mari dans un parti dont les espérances sont chimériques. Ils vont achever de se mettre sur la paille. Mais les femmes n'entendent rien à la politique. »

Lui, voulait se vendre, le plus cher possible. Sa grande inquiétude fut dès lors de prendre le vent, de se mettre toujours du côté de ceux qui pourraient, à l'heure du triomphe, le récompenser magnifiquement. Par malheur, il marchait en aveugle ; il se sentait perdu, au fond de sa province, sans boussole, sans indications précises. En attendant que le cours des événements lui traçât une voie sûre, il garda l'attitude de républicain enthousiaste prise par lui dès le premier jour. Grâce à cette attitude, il resta à la sous-préfecture ; on augmenta même ses appointements. Mordu bientôt par le désir de jouer un rôle, il détermina un libraire, un rival de Vuillet, à fonder un journal démocratique, dont il devint un des rédacteurs les plus âpres. *L'Indépendant* fit, sous son impulsion, une guerre sans merci aux réactionnaires. Mais le courant l'entraîna peu à peu, malgré lui, plus loin qu'il ne voulait aller ; il en arriva à écrire des articles incendiaires qui lui donnaient des frissons lorsqu'il les relisait. On remarqua beaucoup, à Plassans, une série d'attaques dirigées par le fils contre les personnes que le père recevait chaque soir dans le fameux salon jaune. La richesse des Roudier et des Granoux exaspérait Aristide au point de lui faire perdre toute prudence. Poussé par ses aigreurs jalouses d'affamé, il s'était fait de la bourgeoisie une ennemie irréconciliable, lorsque l'arrivée d'Eugène et la façon dont il se comporta à Plassans vinrent le consterner. Il accordait à son frère une grande habileté. Selon lui, ce gros garçon endormi ne sommeillait jamais que d'un œil, comme les chats à l'affût devant un trou de souris. Et voilà qu'Eugène passait les soirées entières

dans le salon jaune, écoutant religieusement ces grotesques que lui, Aristide, avait si impitoyablement
raillés. Quand il sut, par les bavardages de la ville,
que son frère donnait des poignées de main à Granoux et en recevait du marquis, il se demanda avec
anxiété ce qu'il devait croire. Se serait-il trompé à
ce point ? Les légitimistes ou les orléanistes auraient-
ils quelque chance de succès ? Cette pensée le terrifia.
Il perdit son équilibre, et, comme il arrive souvent, il
tomba sur les conservateurs avec plus de rage, pour
se venger de son aveuglement.

La veille du jour où il arrêta Eugène sur le cours
Sauvaire, il avait publié, dans *l'Indépendant*, un article
terrible sur les menées du clergé, en réponse à un
entrefilet de Vuillet, qui accusait les républicains de
vouloir démolir les églises. Vuillet était la bête noire
d'Aristide. Il ne se passait pas de semaine sans que
les deux journalistes échangeassent les plus grossières injures. En province, où l'on cultive encore la
périphrase, la polémique met le catéchisme poissard[1]
en beau langage : Aristide appelait son adversaire
« frère Judas », ou encore « serviteur de saint
Antoine », et Vuillet répondait galamment en traitant
le républicain de « monstre gorgé de sang dont la
guillotine était l'ignoble pourvoyeuse ».

Pour sonder son frère, Aristide, qui n'osait paraître
inquiet ouvertement, se contenta de lui demander :

« As-tu lu mon article d'hier ? Qu'en penses-tu ? »

Eugène eut un léger mouvement d'épaules.

« Vous êtes un niais, mon frère, répondit-il simplement.

— Alors, s'écria le journaliste en pâlissant, tu donnes raison à Vuillet, tu crois au triomphe de Vuillet.

— Moi !... Vuillet... »

Il allait certainement ajouter : « Vuillet est un niais comme toi. » Mais en apercevant la face grimaçante de son frère, qui se tendait anxieusement vers lui, il parut pris d'une subite défiance.

« Vuillet a du bon », dit-il avec tranquillité.

En quittant son frère, Aristide se sentit encore plus perplexe qu'auparavant. Eugène avait dû se moquer de lui, car Vuillet était bien le plus sale personnage qu'on pût imaginer. Il se promit d'être prudent, de ne pas se lier davantage, de façon à avoir les mains libres, s'il lui fallait un jour aider un parti à étrangler la République.

Le matin même de son départ, une heure avant de monter en diligence, Eugène emmena son père dans la chambre à coucher et eut avec lui un long entretien. Félicité, restée dans le salon, essaya vainement d'écouter. Les deux hommes parlaient bas, comme s'ils eussent redouté qu'une seule de leurs paroles pût être entendue du dehors. Quand ils sortirent enfin de la chambre, ils paraissaient très animés. Après avoir embrassé son père et sa mère, Eugène, dont la voix traînait d'habitude, dit avec une vivacité émue :

« Vous m'avez bien compris, mon père ? Là est notre fortune. Il faut travailler de toutes nos forces, dans ce sens. Ayez foi en moi.

— Je suivrai tes instructions fidèlement, répondit Rougon. Seulement n'oublie pas ce que je t'ai demandé comme prix de mes efforts.

— Si nous réussissons, vos désirs seront satisfaits, je vous le jure. D'ailleurs, je vous écrirai, je vous guiderai, selon la direction que prendront les événements. Pas de panique ni d'enthousiasme. Obéissez-moi en aveugle.

— Qu'avez-vous donc comploté ? demanda curieusement Félicité.

— Ma chère mère, répondit Eugène avec un sourire, vous avez trop douté de moi pour que je vous confie aujourd'hui mes espérances, qui ne reposent encore que sur des calculs de probabilité. Il vous faudrait la foi pour me comprendre. D'ailleurs, mon père vous instruira, quand l'heure sera venue. »

Et comme Félicité prenait l'attitude d'une femme piquée, il ajouta à son oreille, en l'embrassant de nouveau :

« Je tiens de toi, bien que tu m'aies renié. Trop d'intelligence nuirait en ce moment. Lorsque la crise arrivera, c'est toi qui devras conduire l'affaire. »

Il s'en alla ; puis il rouvrit la porte, et dit encore d'une voix supérieure :

« Surtout défiez-vous d'Aristide, c'est un brouillon qui gâterait tout. Je l'ai assez étudié pour être certain qu'il retombera toujours sur ses pieds. Ne vous apitoyez pas ; car, si nous faisons fortune, il saura nous voler sa part. »

Quand Eugène fut parti, Félicité essaya de pénétrer le secret qu'on lui cachait. Elle connaissait trop son mari pour l'interroger ouvertement ; il lui aurait répondu avec colère que cela ne la regardait pas. Mais, malgré la tactique savante qu'elle déploya, elle n'apprit absolument rien. Eugène, à cette heure trouble où la plus grande discrétion était nécessaire, avait bien choisi son confident. Pierre, flatté de la confiance de son fils, exagéra encore cette lourdeur passive qui faisait de lui une masse grave et impénétrable. Lorsque Félicité eut compris qu'elle ne saurait rien, elle cessa de tourner autour de lui. Une seule curiosité lui resta, la plus âpre. Les deux hommes avaient parlé d'un prix stipulé par Pierre lui-même. Quel pouvait être ce prix ? Là était le grand intérêt pour Félicité, qui se moquait parfaitement des questions politiques. Elle savait que son mari avait dû se vendre cher, mais elle brûlait de connaître la nature du marché. Un soir, voyant Pierre de belle humeur, comme ils venaient de se mettre au lit, elle amena la conversation sur les ennuis de leur pauvreté.

« Il est bien temps que cela finisse, dit-elle ; nous nous ruinons en bois et en huile, depuis que ces messieurs viennent ici. Et qui payera la note ? Personne peut-être. »

Son mari tomba dans le piège. Il eut un sourire de supériorité complaisante.

« Patience », dit-il.

Puis, il ajouta d'un air fin, en regardant sa femme dans les yeux :

« Serais-tu contente d'être la femme d'un receveur particulier ? »

Le visage de Félicité s'empourpra d'une joie chaude. Elle se mit sur son séant, frappant comme une enfant dans ses mains sèches de petite vieille.

« Vrai ?… balbutia-t-elle. À Plassans ?… »

Pierre, sans répondre, fit un long signe affirmatif. Il jouissait de l'étonnement de sa compagne. Elle étranglait d'émotion.

« Mais, reprit-elle enfin, il faut un cautionnement énorme. Je me suis laissé dire que notre voisin, M. Peirotte, avait dû déposer quatre-vingt mille francs au trésor.

— Eh ! dit l'ancien marchand d'huile, ça ne me regarde pas. Eugène se charge de tout. Il me fera avancer le cautionnement par un banquier de Paris… Tu comprends, j'ai choisi une place qui rapporte gros.

Eugène a commencé par faire la grimace. Il me disait
qu'il fallait être riche pour occuper ces positions-là,
qu'on choisissait d'habitude des gens influents. J'ai
tenu bon, et il a cédé. Pour être receveur, on n'a pas
besoin de savoir le latin ni le grec ; j'aurai, comme
M. Peirotte, un fondé de pouvoir qui fera toute la
besogne. »

Félicité l'écoutait avec ravissement.

« J'ai bien deviné, continua-t-il, ce qui inquiétait
notre cher fils. Nous sommes peu aimés ici. On nous
sait sans fortune, on clabaudera. Mais baste ! dans
les moments de crise, tout arrive. Eugène voulait me
faire nommer dans une autre ville. J'ai refusé, je veux
rester à Plassans.

— Oui, oui, il faut rester, dit vivement la vieille
femme. C'est ici que nous avons souffert, c'est ici que
nous devons triompher. Ah ! je les écraserai, toutes
ces belles promeneuses du Mail qui toisent dédai-
gneusement mes robes de laine !... Je n'avais pas
songé à la place de receveur ; je croyais que tu voulais devenir maire.

— Maire, allons donc !... La place est gratuite !...
Eugène aussi m'a parlé de la mairie. Je lui ai
répondu : « J'accepte, si tu me constitues une rente
de quinze mille francs. »

Cette conversation, où de gros chiffres partaient
comme des fusées, enthousiasmait Félicité. Elle fré-
tillait, elle éprouvait une sorte de démangeaison
intérieure. Enfin elle prit une pose dévote, et, se
recueillant :

« Voyons, calculons, dit-elle. Combien gagneras-tu ?

— Mais, dit Pierre, les appointements fixes sont,
je crois, de trois mille francs.

— Trois mille, compta Félicité.

— Puis, il y a le tant pour cent sur les recettes, qui, à Plassans, peut produire une somme de douze mille francs.

— Ça fait quinze mille.

— Oui, quinze mille francs environ. C'est ce que gagne Peirotte. Ce n'est pas tout. Peirotte fait de la banque pour son compte personnel. C'est permis. Peut-être me risquerai-je, dès que je sentirai la chance venue.

— Alors mettons vingt mille... Vingt mille francs de rente ! répéta Félicité ahurie par ce chiffre.

— Il faudra rembourser les avances, fit remarquer Pierre.

— N'importe, reprit Félicité, nous serons plus riches que beaucoup de ces messieurs... Est-ce que le marquis et les autres doivent partager le gâteau avec toi ?

— Non, non, tout sera pour nous. »

Et, comme elle insistait, Pierre crut qu'elle voulait lui arracher son secret. Il fronça les sourcils.

« Assez causé, dit-il brusquement. Il est tard, dormons. Ça nous portera malheur de faire des calculs à l'avance. Je ne tiens pas encore la place. Surtout, sois discrète. »

La lampe éteinte, Félicité ne put dormir. Les yeux fermés, elle faisait de merveilleux châteaux en Espagne. Les vingt mille francs de rente dansaient devant elle, dans l'ombre, une danse diabolique. Elle habitait un bel appartement de la ville neuve, avait le luxe de M. Peirotte, donnait des soirées, éclaboussait de sa fortune la ville entière. Ce qui chatouillait le plus ses vanités, c'était la belle position que son mari occuperait alors. Ce serait lui qui payerait leurs rentes à Granoux, à Roudier, à tous ces bourgeois qui venaient aujourd'hui chez elle comme on va dans un café, pour parler haut et savoir les nouvelles du jour. Elle s'était parfaitement aperçue de la façon cavalière dont ces gens entraient dans son salon, ce qui les lui avait fait prendre en grippe. Le marquis lui-même, avec sa politesse ironique, commençait à lui déplaire. Aussi, triompher seuls, garder tout le gâteau, suivant son expression, était une vengeance qu'elle caressait amoureusement. Plus tard, quand ces grossiers personnages se présenteraient le chapeau bas chez M. le receveur Rougon, elle les écraserait à son tour. Toute la nuit elle remua ces pensées. Le lendemain, en ouvrant ses persiennes, son premier regard se porta instinctivement de l'autre côté de la rue, sur les fenêtres de M. Peirotte ; elle sourit en contemplant les larges rideaux de damas qui pendaient derrière les vitres.

Les espérances de Félicité, en se déplaçant, ne furent que plus âpres. Comme toutes les femmes, elle ne détestait pas une pointe de mystère. Le but caché que poursuivait son mari la passionna plus que ne l'avaient jamais fait les menées légitimistes de M. de Carnavant. Elle abandonna sans trop de regret les calculs fondés sur la réussite du marquis, du moment que, par d'autres moyens, son mari prétendait pouvoir garder les gros bénéfices. Elle fut, d'ailleurs, admirable de discrétion et de prudence.

Au fond, une curiosité anxieuse continuait à la torturer ; elle étudiait les moindres gestes de Pierre, elle tâchait de comprendre. S'il allait faire fausse route ? Si Eugène l'entraînait à sa suite dans quelque casse-cou d'où ils sortiraient plus affamés et plus pauvres ? Cependant la foi lui venait. Eugène avait commandé avec une telle autorité, qu'elle finissait par croire en lui. Là encore agissait la puissance de l'inconnu. Pierre lui parlait mystérieusement des hauts personnages que son fils aîné fréquentait à Paris ; elle-même ignorait ce qu'il pouvait y faire, tandis qu'il lui était impossible de fermer les yeux sur les coups de tête commis par Aristide à Plassans. Dans son propre salon, on ne se gênait guère pour traiter le journaliste démocrate avec la dernière sévérité. Granoux l'appelait brigand entre ses dents, et Roudier, deux ou trois fois par semaine, répétait à Félicité :

« Votre fils en écrit de belles. Hier encore il attaquait notre ami Vuillet avec un cynisme révoltant. »

Tout le salon faisait chorus. Le commandant Sicardot parlait de calotter son gendre. Pierre reniait nettement son fils. La pauvre mère baissait la tête, dévorant ses larmes. Par instants, elle avait envie d'éclater, de crier à Roudier que son cher enfant, malgré ses fautes, valait encore mieux que lui et les autres ensemble. Mais elle était liée, elle ne voulait pas compromettre la position si laborieusement acquise. En voyant toute la ville accabler Aristide, elle pensait avec désespoir que le malheureux se perdait. À deux reprises, elle l'entretint secrètement, le conjurant de revenir à eux, de ne pas irriter davantage le salon jaune. Aristide lui répondit qu'elle n'entendait rien à ces choses-là, et que c'était elle qui avait commis une grande faute en mettant son mari au service du marquis. Elle dut l'abandonner, se promettant bien, si Eugène réussissait, de le forcer à partager la proie avec le pauvre garçon, qui restait son enfant préféré.

Après le départ de son fils aîné, Pierre Rougon continua à vivre en pleine réaction. Rien ne parut changé dans les opinions du fameux salon jaune. Chaque soir, les mêmes hommes vinrent y faire la même propagande en faveur d'une monarchie, et le maître du logis les approuva et les aida avec autant de zèle que par le passé. Eugène avait quitté Plassans le 1er mai. Quelques jours plus tard, le salon jaune était dans l'enthousiasme. On y commentait la lettre du président de la République au général Oudinot, dans laquelle le siège de Rome était décidé. Cette lettre fut regardée comme une victoire éclatante, due à la ferme attitude du parti réactionnaire. Depuis 1848, les Chambres discutaient la question romaine ; il était réservé à un Bonaparte d'aller étouffer une République naissante par une intervention dont la France libre ne se fût jamais rendue coupable[1]. Le marquis déclara qu'on ne pouvait mieux travailler pour la cause de la légitimité. Vuillet écrivit un article superbe. L'enthousiasme n'eut plus de bornes, lorsque, un mois plus tard, le commandant Sicardot entra un soir chez les Rougon, en annonçant à la société que l'armée française se battait sous les murs de Rome. Pendant que tout le monde s'exclamait, il alla serrer la main à Pierre d'une façon significative. Puis, dès qu'il se fut assis, il entama l'éloge du président de la République, qui, disait-il, pouvait seul sauver la France de l'anarchie.

« Qu'il la sauve donc au plus tôt, interrompit le marquis, et qu'il comprenne ensuite son devoir en la remettant entre les mains de ses maîtres légitimes ! »

Pierre sembla approuver vivement cette belle réponse. Quand il eut ainsi fait preuve d'ardent royalisme, il osa dire que le prince Louis Bonaparte avait ses sympathies, dans cette affaire. Ce fut alors, entre lui et le commandant, un échange de courtes

phrases qui célébraient les excellentes intentions du
président et qu'on eût dites préparées et apprises à
l'avance. Pour la première fois, le bonapartisme
entrait ouvertement dans le salon jaune. D'ailleurs,
depuis l'élection du 10 décembre, le prince y était
traité avec une certaine douceur. On le préférait mille
fois à Cavaignac, et toute la bande réactionnaire avait
voté pour lui. Mais on le regardait plutôt comme un
complice que comme un ami ; encore se défiait-on
de ce complice, que l'on commençait à accuser de
vouloir garder pour lui les marrons après les avoir
tirés du feu. Ce soir-là, cependant, grâce à la campagne de Rome, on écouta avec faveur les éloges de
Pierre et du commandant.

Le groupe de Granoux et de Roudier demandait
déjà que le président fît fusiller tous ces scélérats de
républicains. Le marquis, appuyé contre la cheminée, regardait d'un air méditatif une rosace déteinte
du tapis. Lorsqu'il leva enfin la tête, Pierre, qui semblait suivre à la dérobée sur son visage l'effet de ses
paroles, se tut subitement. M. de Carnavant se
contenta de sourire en regardant Félicité d'un air fin.
Ce jeu rapide échappa aux bourgeois qui se trouvaient
là. Vuillet seul dit d'une voix aigre :

« J'aimerais mieux voir votre Bonaparte à Londres
qu'à Paris. Nos affaires marcheraient plus vite. »

L'ancien marchand d'huile pâlit légèrement, craignant de s'être trop avancé.

« Je ne tiens pas à "mon" Bonaparte, dit-il avec
assez de fermeté ; vous savez où je l'enverrais, si j'étais
le maître ; je prétends simplement que l'expédition
de Rome est une bonne chose. »

Félicité avait suivi cette scène avec un étonnement
curieux. Elle n'en reparla pas à son mari, ce qui

prouvait qu'elle la prit pour base d'un secret travail d'intuition. Le sourire du marquis, dont le sens exact lui échappait, lui donnait beaucoup à penser.

À partir de ce jour, Rougon, de loin en loin, lorsque l'occasion se présentait, glissait un mot en faveur du président de la République. Ces soirs-là, le commandant Sicardot jouait le rôle d'un compère complaisant. D'ailleurs, l'opinion cléricale dominait encore en souveraine dans le salon jaune. Ce fut surtout l'année suivante que ce groupe de réactionnaires prit dans la ville une influence décisive, grâce au mouvement rétrograde qui s'accomplissait à Paris. L'ensemble de mesures antilibérales qu'on nomma l'expédition de Rome à l'intérieur, assura définitivement à Plassans le triomphe du parti Rougon. Les derniers bourgeois enthousiastes virent la République agonisante et se hâtèrent de se rallier aux conservateurs. L'heure des Rougon était venue. La ville neuve leur fit presque une ovation le jour où l'on scia l'arbre de la liberté planté sur la place de la Sous-Préfecture. Cet arbre, un jeune peuplier apporté des bords de la Viorne, s'était desséché peu à peu, au grand désespoir des ouvriers républicains qui venaient chaque dimanche constater les progrès du mal, sans pouvoir comprendre les causes de cette mort lente. Un apprenti chapelier prétendit enfin avoir vu une femme sortir de la maison Rougon et venir verser un seau d'eau empoisonnée au pied de l'arbre. Il fut dès lors acquis à l'histoire que Félicité en personne se levait chaque nuit pour arroser le peuplier de vitriol. L'arbre mort, la municipalité déclara que la dignité de la République commandait de l'enlever. Comme on redoutait le mécontentement de la population ouvrière, on choisit une

heure avancée de la soirée. Les rentiers conservateurs de la ville neuve eurent vent de la petite fête ;
ils descendirent tous sur la place de la Sous-Préfecture, pour voir comment tomberait un arbre de la
liberté. La société du salon jaune s'était mise aux fenêtres. Quand le peuplier craqua sourdement et s'abattit
dans l'ombre avec la raideur tragique d'un héros
frappé à mort, Félicité crut devoir agiter un mouchoir blanc. Alors il y eut des applaudissements dans
la foule, et les spectateurs répondirent au salut en
agitant également leurs mouchoirs. Un groupe vint
même sous la fenêtre, criant :

« Nous l'enterrerons, nous l'enterrerons ! »

Ils parlaient sans doute de la République. L'émotion faillit donner une crise de nerfs à Félicité. Ce
fut une belle soirée pour le salon jaune.

Cependant, le marquis gardait toujours son mystérieux sourire en regardant Félicité. Ce petit vieux
était bien trop fin pour ne pas comprendre où allait
la France. Un des premiers, il flaira l'Empire. Plus
tard, quand l'Assemblée législative s'usa en vaines
querelles, quand les orléanistes et les légitimistes eux-
mêmes acceptèrent tacitement la pensée d'un coup
d'État, il se dit que décidément la partie était perdue. D'ailleurs, lui seul vit clair. Vuillet sentit bien que
la cause d'Henri V, défendue par son journal, devenait détestable ; mais peu lui importait ; il lui suffisait d'être la créature obéissante du clergé ; toute sa
politique tendait à écouler le plus possible de chapelets et d'images saintes. Quant à Roudier et à Granoux, ils vivaient dans un aveuglement effaré ; il
n'était pas certain qu'ils eussent une opinion ; ils voulaient manger et dormir en paix, là se bornaient leurs
aspirations politiques. Le marquis, après avoir dit

adieu à ses espérances, n'en vint pas moins régulièrement chez les Rougon. Il s'y amusait. Le heurt des
ambitions, l'étalage des sottises bourgeoises, avaient
fini par lui offrir chaque soir un spectacle des plus
réjouissants. Il grelottait à la pensée de se renfermer
dans son petit logement, dû à la charité du comte de
Valqueyras. Ce fut avec une joie malicieuse qu'il garda
pour lui la conviction que l'heure des Bourbons n'était
pas venue. Il feignit l'aveuglement, travaillant comme
par le passé au triomphe de la légitimité, restant
toujours aux ordres du clergé et de la noblesse. Dès
le premier jour, il avait pénétré la nouvelle tactique
de Pierre, et il croyait que Félicité était sa complice.

Un soir, étant arrivé le premier, il trouva la vieille
femme seule dans le salon.

« Eh bien ! petite, lui demanda-t-il avec sa familiarité souriante, vos affaires marchent ?... Pourquoi,
diantre ! fais-tu la cachottière avec moi ?

— Je ne fais pas la cachottière, répondit Félicité
intriguée.

— Voyez-vous, elle croit tromper un vieux renard
de mon espèce ! Eh ! ma chère enfant, traite-moi en
ami. Je suis tout prêt à vous aider secrètement...
Allons, sois franche. »

Félicité eut un éclair d'intelligence. Elle n'avait rien
à dire, elle allait peut-être tout apprendre, si elle
savait se taire.

« Tu souris ? reprit M. de Carnavant. C'est le commencement d'un aveu. Je me doutais bien que tu
devais être derrière ton mari ! Pierre est trop lourd
pour inventer la jolie trahison que vous préparez...
Vrai, je souhaite de tout mon cœur que les Bonaparte
vous donnent ce que j'aurais demandé pour toi aux
Bourbons. »

Cette simple phrase confirma les soupçons que la vieille femme avait depuis quelque temps.

« Le prince Louis a toutes les chances, n'est-ce pas ? demanda-t-elle vivement.

— Me trahiras-tu si je te dis que je le crois ? répondit en riant le marquis. J'en ai fait mon deuil, petite. Je suis un vieux bonhomme fini et enterré. C'est pour toi, d'ailleurs, que je travaillais. Puisque tu as su trouver sans moi le bon chemin, je me consolerai en te voyant triompher de ma défaite... Surtout ne joue plus le mystère. Viens à moi, si tu es embarrassée. »

Et il ajouta, avec le sourire sceptique du gentilhomme encanaillé :

« Bast ! je puis bien trahir un peu, moi aussi. »

À ce moment arriva le clan des anciens marchands d'huile et d'amandes.

« Ah ! les chers réactionnaires ! reprit à voix basse M. de Carnavant. Vois-tu, petite, le grand art en politique consiste à avoir deux bons yeux, quand les autres sont aveugles. Tu as toutes les belles cartes dans ton jeu. »

Le lendemain, Félicité, aiguillonnée par cette conversation, voulut avoir une certitude. On était alors dans les premiers jours de l'année 1851. Depuis plus de dix-huit mois, Rougon recevait régulièrement, tous les quinze jours, une lettre de son fils Eugène. Il s'enfermait dans la chambre à coucher pour lire ces lettres, qu'il cachait ensuite au fond d'un vieux secrétaire, dont il gardait soigneusement la clef dans une poche de son gilet. Lorsque sa femme l'interrogeait, il se contentait de répondre : « Eugène m'écrit qu'il se porte bien. » Il y avait longtemps que Félicité rêvait de mettre la main sur les lettres de son fils. Le lendemain matin, pendant que Pierre dormait encore, elle se leva et alla, sur la pointe des pieds, substituer à la clef du secrétaire, dans la poche du gilet, la clef de la commode, qui était de la même grandeur. Puis, dès que son mari fut sorti, elle s'enferma à son tour, vida le tiroir et lut les lettres avec une curiosité fébrile.

M. de Carnavant ne s'était pas trompé, et ses propres soupçons se confirmaient. Il y avait là une quarantaine de lettres, dans lesquelles elle put suivre le grand mouvement bonapartiste qui devait aboutir à l'Empire. C'était une sorte de journal succinct, exposant les faits à mesure qu'ils s'étaient présentés, et tirant de chacun d'eux des espérances et des conseils. Eugène avait la foi. Il parlait à son père du prince Louis Bonaparte comme de l'homme nécessaire et fatal qui seul pouvait dénouer la situation. Il avait cru en lui avant même son retour en France, lorsque le bonapartisme était traité de chimère ridicule. Félicité comprit que son fils était depuis 1848 un agent secret très actif. Bien qu'il ne s'expliquât pas nettement sur sa situation à Paris, il était évident qu'il travaillait à l'Empire, sous les ordres de personnages qu'il nommait avec une sorte de familiarité. Chacune de ses lettres constatait les progrès de la cause et faisait prévoir un dénouement prochain. Elles se terminaient généralement par l'exposé de la ligne de conduite que Pierre devait tenir à Plassans. Félicité s'expliqua alors certaines paroles et certains actes de son mari dont l'utilité lui avait échappé ; Pierre obéissait à son fils, il suivait aveuglément ses recommandations.

Quand la vieille femme eut terminé sa lecture, elle était convaincue. Toute la pensée d'Eugène lui apparut clairement. Il comptait faire sa fortune politique dans la bagarre, et, du coup, payer à ses parents la dette de son instruction, en leur jetant un lambeau de la proie, à l'heure de la curée. Pour peu que son père l'aidât, se rendît utile à la cause, il lui serait facile de le faire nommer receveur particulier. On ne pourrait rien lui refuser, à lui qui aurait mis les deux mains dans les plus secrètes besognes. Ses lettres étaient une simple prévenance de sa part, une façon d'éviter bien des sottises aux Rougon. Aussi Félicité éprouva-t-elle une vive reconnaissance. Elle relut certains passages des lettres, ceux dans lesquels Eugène parlait en termes vagues de la catastrophe finale. Cette catastrophe, dont elle ne devinait pas bien le genre ni la portée, devint pour elle une sorte de fin du monde ; le Dieu rangerait les élus à sa droite et les damnés à sa gauche, et elle se mettait parmi les élus.

Lorsqu'elle eut réussi, la nuit suivante, à remettre la clef du secrétaire dans la poche du gilet, elle se promit d'user du même moyen pour lire chaque nouvelle lettre qui arriverait. Elle résolut également de faire l'ignorante. Cette tactique était excellente. À partir de ce jour, elle aida d'autant plus son mari qu'elle parut le faire en aveugle. Lorsque Pierre croyait travailler seul, c'était elle qui, le plus souvent, amenait la conversation sur le terrain voulu, qui recrutait des partisans pour le moment décisif. Elle souffrait de la méfiance d'Eugène. Elle voulait pouvoir lui dire, après la réussite : « Je savais tout, et, loin de rien gâter, j'ai assuré le triomphe. » Jamais complice ne fit moins de bruit et plus de besogne. Le marquis, qu'elle avait pris pour confident, en était émerveillé.

Ce qui l'inquiétait toujours, c'était le sort de son cher Aristide. Depuis qu'elle partageait la foi de son fils aîné, les articles rageurs de *l'Indépendant* l'épouvantaient davantage encore. Elle désirait vivement convertir le malheureux républicain aux idées napoléoniennes ; mais elle ne savait comment le faire d'une façon prudente. Elle se rappelait avec quelle insistance Eugène leur avait dit de se défier d'Aristide. Elle soumit le cas à M. de Carnavant, qui fut absolument du même avis.

« Ma petite, lui dit-il, en politique il faut savoir être égoïste. Si vous convertissiez votre fils et que *l'Indépendant* se mît à défendre le bonapartisme, ce serait porter un rude coup au parti. *L'Indépendant* est jugé ; son titre seul suffit pour mettre en fureur les bourgeois de Plassans. Laissez le cher Aristide patauger, cela forme les jeunes gens. Il me paraît taillé de façon à ne pas jouer longtemps le rôle de martyr. »

Dans sa rage d'indiquer aux siens la bonne voie, maintenant qu'elle croyait posséder la vérité, Félicité alla jusqu'à vouloir endoctriner son fils Pascal. Le médecin, avec l'égoïsme du savant enfoncé dans ses recherches, s'occupait fort peu de politique. Les empires auraient pu crouler, pendant qu'il faisait une expérience, sans qu'il daignât tourner la tête. Cependant il avait fini par céder aux instances de sa mère, qui l'accusait plus que jamais de vivre en loup-garou.

« Si tu fréquentais le beau monde, lui disait-elle, tu aurais des clients dans la haute société. Viens au moins passer les soirées dans notre salon. Tu feras la connaissance de MM. Roudier, Granoux, Sicardot, tous gens bien posés qui te payeront tes visites quatre et cinq francs. Les pauvres ne t'enrichiront pas. »

L'idée de réussir, de voir toute sa famille arriver à la fortune, était devenue une monomanie chez Félicité. Pascal, pour ne pas la chagriner, vint donc passer quelques soirées dans le salon jaune. Il s'y ennuya moins qu'il ne le craignait. La première fois, il fut stupéfait du degré d'imbécillité auquel un homme bien portant peut descendre. Les anciens marchands d'huile et d'amandes, le marquis et le commandant eux-mêmes, lui parurent des animaux curieux qu'il n'avait pas eu jusque-là l'occasion d'étudier. Il regarda avec l'intérêt d'un naturaliste leurs masques figés dans une grimace, où il retrouvait leurs occupations et leurs appétits ; il écouta leurs bavardages vides, comme il aurait cherché à surprendre les sens du miaulement d'un chat ou de l'aboiement d'un chien. À cette époque, il s'occupait beaucoup d'histoire naturelle comparée, ramenant à la race humaine les observations qu'il lui était permis de faire sur la façon dont l'hérédité se comporte chez les animaux. Aussi, en se trouvant dans le salon jaune, s'amusat-il à se croire tombé dans une ménagerie. Il établit des ressemblances entre chacun de ces grotesques et quelque animal de sa connaissance. Le marquis lui rappela exactement une grande sauterelle verte, avec sa maigreur, sa tête mince et futée. Vuillet lui fit l'impression blême et visqueuse d'un crapaud. Il fut plus doux pour Roudier, un mouton gras, et pour le commandant, un vieux dogue édenté. Mais son continuel étonnement était le prodigieux Granoux. Il passa toute une soirée à mesurer son angle facial. Quand il l'écoutait bégayer quelque vague injure contre les républicains, ces buveurs de sang, il s'attendait toujours à l'entendre geindre comme un veau ; et il ne pouvait le voir se lever, sans s'imaginer qu'il allait se mettre à quatre pattes pour sortir du salon.

« Cause donc, lui disait tout bas sa mère, tâche d'avoir la clientèle de ces messieurs.

— Je ne suis pas vétérinaire », répondit-il enfin, poussé à bout.

Félicité le prit, un soir, dans un coin, et essaya de le catéchiser. Elle était heureuse de le voir venir chez elle avec une certaine assiduité. Elle le croyait gagné au monde, ne pouvant supposer un instant les singuliers amusements qu'il goûtait à ridiculiser des gens riches. Elle nourrissait le secret projet de faire de lui, à Plassans, le médecin à la mode. Il suffirait que des hommes comme Granoux et Roudier consentissent à le lancer. Avant tout, elle voulait lui donner les idées politiques de la famille, comprenant qu'un médecin avait tout à gagner en se faisant le chaud partisan du régime qui devait succéder à la République.

« Mon ami, lui dit-elle, puisque te voilà devenu raisonnable, il te faut songer à l'avenir... On t'accuse d'être républicain, parce que tu es assez bête pour soigner tous les gueux de la ville sans te faire payer. Sois franc, quelles sont tes véritables opinions ? »

Pascal regarda sa mère avec un étonnement naïf. Puis, souriant :

« Mes véritables opinions ? répondit-il, je ne sais trop... On m'accuse d'être républicain, dites-vous ? Eh bien ! je ne m'en trouve nullement blessé. Je le suis sans doute, si l'on entend par ce mot un homme qui souhaite le bonheur de tout le monde.

— Mais tu n'arriveras à rien, interrompit vivement Félicité. On te grugera. Vois tes frères, ils cherchent à faire leur chemin. »

Pascal comprit qu'il n'avait point à se défendre de ses égoïsmes de savant. Sa mère l'accusait simplement de ne pas spéculer sur la situation politique. Il se mit à rire, avec quelque tristesse, et il détourna la conversation. Jamais Félicité ne put l'amener à calculer les chances des partis, ni à s'enrôler dans celui qui paraissait devoir l'emporter. Il continua cependant à venir de temps à autre passer une soirée dans le salon jaune. Granoux l'intéressait comme un animal antédiluvien.

Cependant les événements marchaient. L'année 1851 fut, pour les politiques de Plassans, une année d'anxiété et d'effarement dont la cause secrète des Rougon profita. Les nouvelles les plus contradictoires arrivaient de Paris ; tantôt les républicains l'emportaient, tantôt le parti conservateur écrasait la République. L'écho des querelles qui déchiraient l'Assemblée législative parvenait au fond de la province, grossi un jour, affaibli le lendemain, changé au point que les plus clairvoyants marchaient en pleine nuit. Le seul sentiment général était qu'un dénouement approchait. Et c'était l'ignorance de ce dénouement qui tenait dans une inquiétude ahurie ce peuple de bourgeois poltrons. Tous souhaitaient d'en finir. Ils étaient malades d'incertitude, ils se seraient jetés dans les bras du Grand Turc, si le Grand Turc eût daigné sauver la France de l'anarchie.

Le sourire du marquis devenait plus aigu. Le soir, dans le salon jaune, lorsque l'effroi rendait indistincts les grognements de Granoux, il s'approchait de Félicité, il lui disait à l'oreille :

« Allons, petite, le fruit est mûr... Mais il faut vous rendre utile. »

Souvent Félicité, qui continuait à lire les lettres d'Eugène, et qui savait que, d'un jour à l'autre, une crise décisive pouvait avoir lieu, avait compris cette nécessité : se rendre utile, et s'était demandé de quelle façon les Rougon s'emploieraient. Elle finit par consulter le marquis.

« Tout dépend des événements, répondit le petit vieillard. Si le département reste calme, si quelque insurrection ne vient pas effrayer Plassans, il vous sera difficile de vous mettre en vue et de rendre des services au gouvernement nouveau. Je vous conseille alors de rester chez vous et d'attendre en paix les bienfaits de votre fils Eugène. Mais si le peuple se lève et que nos braves bourgeois se croient menacés, il y aura un bien joli rôle à jouer... Ton mari est un peu épais...

— Oh ! dit Félicité, je me charge de l'assouplir... Pensez-vous que le département se révolte ?

— C'est chose certaine, selon moi. Plassans ne bougera peut-être pas ; la réaction y a triomphé trop largement. Mais les villes voisines, les bourgades et les campagnes surtout, sont travaillées depuis longtemps par des sociétés secrètes et appartiennent au parti républicain avancé. Qu'un coup d'État éclate, et l'on entendra le tocsin dans toute la contrée, des forêts de la Seille au plateau de Sainte-Roure. »

Félicité se recueillit.

« Ainsi, reprit-elle, vous pensez qu'une insurrection est nécessaire pour assurer notre fortune ?

— C'est mon avis », répondit M. de Carnavant.

Et il ajouta avec un sourire légèrement ironique :

« On ne fonde une nouvelle dynastie que dans une bagarre. Le sang est un bon engrais. Il sera beau que les Rougon, comme certaines illustres familles, datent d'un massacre. »

Ces mots, accompagnés d'un ricanement, firent courir un frisson froid dans le dos de Félicité. Mais elle était femme de tête, et la vue des beaux rideaux de M. Peirotte, qu'elle regardait religieusement chaque matin, entretenait son courage. Quand elle se sentait faiblir, elle se mettait à la fenêtre et contemplait la maison du receveur. C'était ses Tuileries, à elle. Elle était décidée aux actes les plus extrêmes pour entrer dans la ville neuve, cette terre promise sur le seuil de laquelle elle brûlait de désirs depuis tant d'années.

La conversation qu'elle avait eue avec le marquis acheva de lui montrer clairement la situation. Peu de jours après, elle put lire une lettre d'Eugène dans laquelle l'employé au coup d'État semblait également compter sur une insurrection pour donner quelque importance à son père. Eugène connaissait son département. Tous ses conseils avaient tendu à faire mettre entre les mains des réactionnaires du salon jaune le plus d'influence possible, pour que les Rougon pussent tenir la ville au moment critique. Selon ses vœux, en novembre 1851, le salon jaune était maître de Plassans. Roudier y représentait la bourgeoisie riche ; sa conduite déciderait à coup sûr celle de toute la ville neuve. Granoux était plus précieux encore ; il avait derrière lui le conseil municipal, dont il était le membre le plus influent, ce qui donne une idée des autres membres. Enfin, par le commandant Sicardot, que le marquis était parvenu à faire nommer chef de la garde nationale, le salon jaune disposait de la force armée. Les Rougon, ces pauvres hères mal famés, avaient donc réussi à grouper autour d'eux les outils de leur fortune. Chacun, par lâcheté ou par bêtise, devait leur obéir et travailler aveuglément à leur élévation. Ils n'avaient qu'à redouter les autres influences qui pouvaient agir dans le sens de la leur, et enlever, en partie, à leurs efforts le mérite de la victoire. C'était là leur grande crainte, car ils entendaient jouer à eux seuls le rôle de sauveurs. À l'avance, ils savaient qu'ils seraient plutôt aidés qu'entravés par le clergé et la noblesse. Mais, dans le cas où le sous-préfet, le maire et les autres fonctionnaires se mettraient en avant et étoufferaient immédiatement l'insurrection, ils se trouveraient diminués, arrêtés même dans leurs exploits ; ils n'auraient ni le temps ni les moyens de se rendre utiles. Ce qu'ils rêvaient, c'était l'abstention complète, la panique générale des fonctionnaires. Si toute administration régulière disparaissait, et s'ils étaient alors un seul jour les maîtres des destinées de Plassans, leur fortune était solidement fondée. Heureusement pour eux, il n'y avait pas dans l'administration un homme assez convaincu ou assez besogneux pour risquer la partie. Le sous-préfet était un esprit libéral que le pouvoir exécutif avait oublié à Plassans, grâce sans doute au bon renom de la ville ; timide de caractère, incapable d'un excès de pouvoir, il devait se montrer fort embarrassé devant une insurrection. Les Rougon, qui le savaient favorable à la cause démocratique, et qui, par conséquent, ne redoutaient pas son zèle, se demandaient simplement avec curiosité quelle attitude il prendrait. La municipalité ne leur donnait guère plus de crainte. Le maire, M. Garçonnet, était un légitimiste que le quartier Saint-Marc avait réussi à faire nommer en 1849 ; il détestait les républicains et les traitait d'une façon fort dédaigneuse ; mais il se trouvait trop lié d'amitié avec certains membres du clergé, pour prêter activement la main à un coup d'État bonapartiste. Les autres fonctionnaires étaient dans le même cas. Les juges de paix, le directeur de la poste, le percepteur, ainsi que le receveur particulier, M. Peirotte, tenant leur place de la réaction cléricale, ne pouvaient accepter l'Empire avec de grands élans d'enthousiasme. Les Rougon, sans bien voir comment ils se débarrasseraient de ces gens-là et feraient ensuite place nette pour se mettre seuls en vue, se livraient pourtant à de grandes espérances, en ne trouvant personne qui leur disputât leur rôle de sauveurs.

Le dénouement approchait. Dans les derniers jours de novembre, comme le bruit d'un coup d'État courait et qu'on accusait le prince président de vouloir se faire nommer empereur :

« Eh ! nous le nommerons ce qu'il voudra, s'était écrié Granoux, pourvu qu'il fasse fusiller ces gueux de républicains ! »

Cette exclamation de Granoux, qu'on croyait endormi, causa une grande émotion. Le marquis feignit de ne pas avoir entendu ; mais tous les bourgeois approuvèrent de la tête l'ancien marchand d'amandes. Roudier, qui ne craignait pas d'applaudir tout haut, parce qu'il était riche, déclara même, en regardant M. de Carnavant du coin de l'œil, que la position n'était plus tenable, et que la France devait être corrigée au plus tôt par n'importe quelle main.

Le marquis garda encore le silence, ce qui fut pris pour un acquiescement. Le clan des conservateurs, abandonnant la légitimité, osa alors faire des vœux pour l'Empire.

« Mes amis, dit le commandant Sicardot en se

levant, un Napoléon peut seul aujourd'hui protéger les personnes et les propriétés menacées... Soyez sans crainte, j'ai pris les précautions nécessaires pour que l'ordre règne à Plassans. »

Le commandant avait, en effet, de concert avec Rougon, caché, dans une sorte d'écurie, près des remparts, une provision de cartouches et un nombre assez considérable de fusils ; il s'était en même temps assuré le concours de gardes nationaux sur lesquels il croyait pouvoir compter. Ses paroles produisirent une très heureuse impression. Ce soir-là, en se séparant, les paisibles bourgeois du salon jaune parlaient de massacrer « les rouges », s'ils osaient bouger.

Le 1er décembre, Pierre Rougon reçut une lettre d'Eugène qu'il alla lire dans la chambre à coucher, selon sa prudente habitude. Félicité remarqua qu'il était fort agité en sortant de la chambre. Elle tourna toute la journée autour du secrétaire. La nuit venue, elle ne put patienter davantage. Son mari fut à peine endormi, qu'elle se leva doucement, prit la clef du secrétaire dans la poche du gilet, et s'empara de la lettre, en faisant le moins de bruit possible. Eugène, en dix lignes, prévenait son père que la crise allait avoir lieu et lui conseillait de mettre sa mère au courant de la situation. L'heure était venue de l'instruire ; il pourrait avoir besoin de ses conseils.

Le lendemain, Félicité attendit une confidence qui ne vint pas. Elle n'osa pas avouer ses curiosités, elle continua à feindre l'ignorance, en enrageant contre les sottes défiances de son mari, qui la jugeait sans doute bavarde et faible comme les autres femmes. Pierre, avec cet orgueil marital qui donne à un homme la croyance de sa supériorité dans le ménage, avait fini par attribuer à sa femme toutes les mau-

vaises chances passées. Depuis qu'il s'imaginait
conduire seul leurs affaires, tout lui semblait marcher
à souhait. Aussi avait-il résolu de se passer entièrement des conseils de sa femme, et de ne lui rien
confier, malgré les recommandations de son fils.

Félicité fut piquée, au point qu'elle aurait mis
des bâtons dans les roues, si elle n'avait pas désiré
le triomphe aussi ardemment que Pierre. Elle continua de travailler activement au succès, mais en
cherchant quelque vengeance.

« Ah ! s'il pouvait avoir une bonne peur, pensait-
elle, s'il commettait une grosse bêtise !... Je le ver-
rais venir me demander humblement conseil, je ferais
la loi à mon tour. »

Ce qui l'inquiétait, c'était l'attitude de maître tout-
puissant que Pierre prendrait nécessairement, s'il
triomphait sans son aide. Quand elle avait épousé
ce fils de paysan, de préférence à quelque clerc de
notaire, elle avait entendu s'en servir comme d'un
pantin solidement bâti, dont elle tirerait les ficelles
à sa guise. Et voilà qu'au jour décisif, le pantin, dans
sa lourdeur aveugle, voulait marcher seul ! Tout
l'esprit de ruse, toute l'activité fébrile de la petite
vieille protestaient. Elle savait Pierre très capable
d'une décision brutale, pareille à celle qu'il avait prise
en faisant signer à sa mère le reçu de cinquante mille
francs ; l'instrument était bon, peu scrupuleux ; mais
elle sentait le besoin de le diriger, surtout dans les
circonstances présentes qui demandaient beaucoup
de souplesse.

La nouvelle officielle du coup d'État n'arriva à Plassans que dans l'après-midi du 3 décembre, un jeudi.
Dès sept heures du soir, la réunion était au complet
dans le salon jaune. Bien que la crise fût vivement

désirée, une vague inquiétude se peignait sur la plupart des visages. On commenta les événements, au
milieu de bavardages sans fin. Pierre, légèrement
pâle comme les autres, crut devoir, par un luxe de
prudence, excuser l'acte décisif du prince Louis
devant les légitimistes et les orléanistes qui étaient
présents.

« On parle d'un appel au peuple, dit-il ; la nation
sera libre de choisir le gouvernement qui lui plaira...
Le président est homme à se retirer devant nos maîtres légitimes. »

Seul, le marquis, qui avait tout son sang-froid de
gentilhomme, accueillit ces paroles par un sourire.
Les autres, dans la fièvre de l'heure présente, se
moquaient bien de ce qui arriverait ensuite ! Toutes
les opinions sombraient. Roudier, oubliant sa tendresse d'ancien boutiquier pour les Orléans, interrompit Pierre avec brusquerie. Tous crièrent :

« Ne raisonnons pas. Songeons à maintenir
l'ordre. »

Ces braves gens avaient une peur horrible des
républicains. Cependant la ville n'avait éprouvé
qu'une légère émotion à l'annonce des événements
de Paris. Il y avait eu des rassemblements devant les
affiches collées à la porte de la sous-préfecture ; le
bruit courait aussi que quelques centaines d'ouvriers
venaient de quitter leur travail et cherchaient à orga-
niser la résistance. C'était tout. Aucun trouble grave
ne paraissait devoir éclater. L'attitude que prendraient
les villes et les campagnes voisines était bien autrement inquiétante ; mais on ignorait encore la façon
dont elles avaient accueilli le coup d'État.

Vers neuf heures, Granoux arriva, essoufflé ; il sortait d'une séance du conseil municipal, convoqué

d'urgence. D'une voix étranglée par l'émotion, il dit
que le maire, M. Garçonnet, tout en faisant ses réser-
ves, s'était montré décidé à maintenir l'ordre par les
moyens les plus énergiques. Mais la nouvelle qui fit
le plus clabauder le salon jaune, fut celle de la démission du sous-préfet ; ce fonctionnaire avait absolument refusé de communiquer aux habitants de
Plassans les dépêches du ministre de l'intérieur ; il
venait, affirmait Granoux, de quitter la ville, et c'était
par les soins du maire que les dépêches se trouvaient
affichées. C'est peut-être le seul sous-préfet, en
France, qui ait eu le courage de ses opinions démocratiques[1].

Si l'attitude ferme de M. Garçonnet inquiéta secrètement les Rougon, ils firent des gorges chaudes sur
la fuite du sous-préfet, qui leur laissait la place libre.
Il fut décidé, dans cette mémorable soirée, que le
groupe du salon jaune acceptait le coup d'État et se
déclarait ouvertement en faveur des faits accomplis.
Vuillet fut chargé d'écrire immédiatement un article dans ce sens, que *la Gazette* publierait le lendemain. Lui et le marquis ne firent aucune objection.
Ils avaient sans doute reçu les instructions des personnages mystérieux auxquels ils faisaient parfois
une dévote allusion. Le clergé et la noblesse se rési-
gnaient déjà à prêter main-forte aux vainqueurs pour
écraser l'ennemie commune, la République.

Ce soir-là, pendant que le salon jaune délibérait,
Aristide eut des sueurs froides d'anxiété. Jamais
joueur qui risque son dernier louis sur une carte n'a
éprouvé une pareille angoisse. Dans la journée, la
démission de son chef lui donna beaucoup à réfléchir. Il lui entendit répéter à plusieurs reprises que
le coup d'État devait échouer. Ce fonctionnaire, d'une

honnêteté bornée, croyait au triomphe définitif de la démocratie, sans avoir cependant le courage de travailler à ce triomphe en résistant. Aristide écoutait d'ordinaire aux portes de la sous-préfecture, pour avoir des renseignements précis ; il sentait qu'il marchait en aveugle, et il se raccrochait aux nouvelles qu'il volait à l'administration. L'opinion du sous-préfet le frappa ; mais il resta très perplexe. Il pensait : « Pourquoi s'éloigne-t-il, s'il est certain de l'échec du prince président ? » Toutefois, forcé de prendre un parti, il résolut de continuer son opposition. Il écrivit un article très hostile au coup d'État, qu'il porta le soir même à *l'Indépendant*, pour le numéro du lendemain matin. Il avait corrigé les épreuves de cet article, et il revenait chez lui, presque tranquillisé, lorsqu'en passant par la rue de la Banne, il leva machinalement la tête et regarda les fenêtres des Rougon. Ces fenêtres étaient vivement éclairées.

« Que peuvent-ils comploter là-haut ? » se demanda le journaliste avec une curiosité inquiète.

Une envie furieuse lui vint alors de connaître l'opinion du salon jaune sur les derniers événements. Il accordait à ce groupe réactionnaire une médiocre intelligence ; mais ses doutes revenaient, il était dans une de ces heures où l'on prendrait conseil d'un enfant de quatre ans. Il ne pouvait songer à entrer chez son père en ce moment, après la campagne qu'il avait faite contre Granoux et les autres. Il monta cependant, tout en songeant à la singulière mine qu'il ferait, si l'on venait à le surprendre dans l'escalier. Arrivé à la porte des Rougon, il ne put saisir qu'un bruit confus de voix.

« Je suis un enfant, dit-il ; la peur me rend bête. »

Et il allait redescendre, quand il entendit sa mère
qui reconduisait quelqu'un. Il n'eut que le temps
de se jeter dans un trou noir que formait un petit
escalier menant aux combles de la maison. La porte
s'ouvrit, le marquis parut, suivi de Félicité. M. de
Carnavant se retirait d'habitude avant les rentiers de
la ville neuve, sans doute pour ne pas avoir à leur
distribuer des poignées de main dans la rue.

« Eh ! petite, dit-il sur le palier, en étouffant sa voix,
ces gens sont encore plus poltrons que je ne l'aurais
cru. Avec de pareils hommes, la France sera toujours
à qui osera la prendre. »

Et il ajouta avec amertume, comme se parlant à
lui-même :

« La monarchie est décidément devenue trop honnête pour les temps modernes. Son temps est fini.

— Eugène avait annoncé la crise à son père, dit
Félicité. Le triomphe du prince Louis lui paraît
assuré.

— Oh ! vous pouvez marcher hardiment, répondit
le marquis en descendant les premières marches.
Dans deux ou trois jours, le pays sera bel et bien
garrotté. À demain, petite. »

Félicité referma la porte. Aristide, dans son trou
noir, venait d'avoir un éblouissement. Sans attendre
que le marquis eût gagné la rue, il dégringola quatre à
quatre l'escalier et s'élança dehors comme un fou ;
puis il prit sa course vers l'imprimerie de *l'Indépendant*. Un flot de pensées battait dans sa tête. Il enra-
geait, il accusait sa famille de l'avoir dupé. Comment !
Eugène tenait ses parents au courant de la situation,
et jamais sa mère ne lui avait fait lire les lettres de
son frère aîné, dont il aurait suivi aveuglément les
conseils ! Et c'était à cette heure qu'il apprenait par

hasard que ce frère aîné regardait le succès du coup d'État comme certain ! Cela, d'ailleurs, confirmait en lui certains pressentiments que cet imbécile de sous-préfet lui avait empêché d'écouter. Il était surtout exaspéré contre son père, qu'il avait cru assez sot pour être légitimiste, et qui se révélait bonapartiste au bon moment.

« M'ont-ils laissé commettre assez de bêtises, murmurait-il en courant. Je suis un joli monsieur, maintenant. Ah ! quelle école ! Granoux est plus fort que moi. »

Il entra dans les bureaux de *l'Indépendant*, avec un bruit de tempête, en demandant son article d'une voix étranglée. L'article était déjà mis en page. Il fit desserrer la forme, et ne se calma qu'après avoir décomposé lui-même l'article, en mêlant furieusement les lettres comme un jeu de dominos. Le libraire qui dirigeait le journal le regarda faire d'un air stupéfait. Au fond, il était heureux de l'incident, car l'article lui avait paru dangereux. Mais il lui fallait absolument de la matière, s'il voulait que *l'Indépendant* parût.

« Vous allez me donner autre chose ? demanda-t-il.

— Certainement », répondit Aristide.

Il se mit à une table et commença un panégyrique très chaud du coup d'État. Dès la première ligne, il jurait que le prince Louis venait de sauver la République. Mais il n'avait pas écrit une page, qu'il s'arrêta et parut chercher la suite. Sa face de fouine devenait inquiète.

« Il faut que je rentre chez moi, dit-il enfin. Je vous enverrai cela tout à l'heure. Vous paraîtrez un peu plus tard, s'il est nécessaire. »

En revenant chez lui, il marcha lentement, perdu dans ses réflexions. L'indécision le reprenait. Pourquoi se rallier si vite ? Eugène était un garçon intelligent, mais peut-être sa mère avait-elle exagéré la portée d'une simple phrase de sa lettre. En tout cas, il fallait mieux attendre et se taire.

Une heure plus tard, Angèle arriva chez le libraire, en feignant une vive émotion.

« Mon mari vient de se blesser cruellement, dit-elle. Il s'est pris en rentrant les quatre doigts dans une porte. Il m'a, au milieu des plus vives souffrances, dicté cette petite note qu'il vous prie de publier demain. »

Le lendemain, *l'Indépendant*, presque entièrement composé de faits divers, parut avec ces quelques lignes en tête de la première colonne :

« *Un regrettable accident survenu à notre éminent collaborateur, M. Aristide Rougon, va nous priver de ses articles pendant quelque temps. Le silence lui sera cruel dans les graves circonstances présentes. Mais aucun de nos lecteurs ne doutera des vœux que ses sentiments patriotiques font pour le bonheur de la France.* »

Cette note amphigourique avait été mûrement étudiée. La dernière phrase pouvait s'expliquer en faveur de tous les partis. De cette façon, après la victoire, Aristide se ménageait une superbe rentrée par un panégyrique des vainqueurs. Le lendemain, il se montra dans toute la ville, le bras en écharpe. Sa mère étant accourue, très effrayée par la note du journal, il refusa de lui montrer sa main et lui parla avec une amertume qui éclaira la vieille femme.

« Ce ne sera rien, lui dit-elle en le quittant, rassurée et légèrement railleuse. Tu n'as besoin que de repos. »

Ce fut sans doute grâce à ce prétendu accident et au départ du sous-préfet, que *l'Indépendant* dut de n'être pas inquiété, comme le furent la plupart des journaux démocratiques des départements.

La journée du 4 se passa à Plassans dans un calme relatif. Il y eut, le soir, une manifestation populaire que la vue des gendarmes suffit à disperser. Un groupe d'ouvriers vint demander la communication des dépêches de Paris à M. Garçonnet, qui refusa avec hauteur ; en se retirant, le groupe poussa les cris de : *Vive la République ! Vive la Constitution !* Puis, tout rentra dans l'ordre. Le salon jaune, après avoir commenté longuement cette innocente promenade, déclara que les choses allaient pour le mieux.

Mais les journées du 5 et du 6 furent plus inquiétantes. On apprit successivement l'insurrection des petites villes voisines ; tout le sud du département prenait les armes ; la Palud et Saint-Martin-de-Vaulx s'étaient soulevés les premiers, entraînant à leur suite les villages, Chavanoz, Nazères, Poujols, Valqueyras, Vernoux. Alors le salon jaune commença à être sérieusement pris de panique. Ce qui l'inquiétait surtout, c'était de sentir Plassans isolé au sein même de la révolte. Des bandes d'insurgés devaient battre les campagnes et interrompre toute communication. Granoux répétait d'un air effaré que M. le maire était sans nouvelles. Et des gens commençaient à dire que le sang coulait à Marseille et qu'une formidable révolution avait éclaté à Paris. Le commandant Sicardot, furieux de la poltronnerie des bourgeois, parlait de mourir à la tête de ses hommes.

Le 7, un dimanche, la terreur fut à son comble. Dès six heures, le salon jaune, où une sorte de comité réactionnaire se tenait en permanence, fut encom-

Granoux – le chef, plus riche
Sicardot – militaire, la Grande Armée (sous Napoléon 1er)
Roudier – commerçant à Paris, assez riche
Vuillet – journaliste, chef de la Gazette
Carnavant – l'âme du groupe
Pierre Rougon

bré par une foule de bonshommes pâles et frissonnants, qui causaient entre eux à voix basse, comme dans la chambre d'un mort. On avait su, dans la journée, qu'une colonne d'insurgés, forte environ de trois mille hommes, se trouvait réunie à Alboise, un bourg éloigné au plus de trois lieues. On prétendait, à la vérité, que cette colonne devait se diriger sur le chef-lieu, en laissant Plassans à sa gauche ; mais le plan de campagne pouvait être changé, et il suffisait, d'ailleurs, aux rentiers poltrons de sentir les insurgés à quelques kilomètres, pour s'imaginer que des mains rudes d'ouvriers les serraient déjà à la gorge. Ils avaient eu, le matin, un avant-goût de la révolte : les quelques républicains de Plassans, voyant qu'ils ne sauraient rien tenter de sérieux dans la ville, avaient résolu d'aller rejoindre leurs frères de la Palud et de Saint-Martin-de-Vaulx ; un premier groupe était parti, vers onze heures, par la porte de Rome, en chantant *la Marseillaise* et en cassant quelques vitres. Une des fenêtres de Granoux se trouvait endommagée. Il racontait le fait avec des balbutiements d'effroi.

Le salon jaune, cependant, s'agitait dans une vive anxiété. Le commandant avait envoyé son domestique pour être renseigné sur la marche exacte des insurgés, et l'on attendait le retour de cet homme, en faisant les suppositions les plus étonnantes. La réunion était au complet. Roudier et Granoux, affaissés dans leurs fauteuils, se jetaient des regards lamentables, tandis que, derrière eux, geignait le groupe ahuri des commerçants retirés. Vuillet, sans paraître trop effrayé, réfléchissait aux dispositions qu'il prendrait pour protéger sa boutique et sa personne ; il délibérait s'il se cacherait dans son grenier ou dans

sa cave, et il penchait pour la cave. Pierre et le commandant marchaient de long en large, échangeant
un mot de temps à autre. L'ancien marchand d'huile
se raccrochait à son ami Sicardot, pour lui emprunter un peu de son courage. Lui qui attendait la crise
depuis si longtemps, il tâchait de faire bonne conte-
nance, malgré l'émotion qui l'étranglait. Quant au
marquis, plus pimpant et plus souriant que de cou-
tume, il causait dans un coin avec Félicité, qui paraissait fort gaie.

Enfin, on sonna. Ces messieurs tressaillirent
comme s'ils avaient entendu un coup de fusil. Pendant que Félicité allait ouvrir, un silence de mort
régna dans le salon ; les faces, blêmes et anxieuses, se
tendaient vers la porte. Le domestique du commandant parut sur le seuil, tout essoufflé, et dit brusquement à son maître :

« Monsieur, les insurgés seront ici dans une
heure. »

Ce fut un coup de foudre. Tout le monde se dressa
en s'exclamant ; des bras se levèrent au plafond. Pendant plusieurs minutes, il fut impossible de s'entendre. On entourait le messager, on le pressait de
questions.

« Sacré tonnerre ! cria enfin le commandant, ne
braillez donc pas comme ça. Du calme, ou je ne
réponds plus de rien ! »

Tous retombèrent sur leurs sièges, en poussant
de gros soupirs. On put alors avoir quelques détails.
Le messager avait rencontré la colonne aux Tulettes, et s'était empressé de revenir.

« Ils sont au moins trois mille, dit-il. Ils marchent
comme des soldats, par bataillons. J'ai cru voir des
prisonniers au milieu d'eux.

— Des prisonniers ! crièrent les bourgeois épou-
vantés.

— Sans doute ! interrompit le marquis de sa voix
flûtée. On m'a dit que les insurgés arrêtaient les personnes connues pour leurs opinions conservatrices. »

Cette nouvelle acheva de consterner le salon jaune.
Quelques bourgeois se levèrent et gagnèrent furtivement la porte, songeant qu'ils n'avaient pas trop de
temps devant eux pour trouver une cachette sûre.

L'annonce des arrestations opérées par les républicains parut frapper Félicité. Elle prit le marquis
à part et lui demanda :

« Que font donc ces hommes des gens qu'ils arrêtent ?

— Mais, ils les emmènent à leur suite, répondit
M. de Carnavant. Ils doivent les regarder comme
d'excellents otages.

— Ah ! » répondit la vieille femme d'une voix singulière.

Elle se remit à suivre d'un air pensif la curieuse
scène de panique qui se passait dans le salon. Peu à
peu, les bourgeois s'éclipsèrent ; il ne resta bientôt
plus que Vuillet et Roudier, auxquels l'approche du
danger rendait quelque courage. Quant à Granoux,
il demeura également dans son coin, ses jambes lui
refusant tout service.

« Ma foi ! j'aime mieux cela, dit Sicardot en remar-
quant la fuite des autres adhérents. Ces poltrons
finissaient par m'exaspérer. Depuis plus de deux
ans, ils parlent de fusiller tous les républicains de la
contrée, et aujourd'hui ils ne leur tireraient seulement pas sous le nez un pétard d'un sou. »

Il prit son chapeau et se dirigea vers la porte.

« Voyons, continua-t-il, le temps presse... Venez, Rougon. »

Félicité semblait attendre ce moment. Elle se jeta entre la porte et son mari, qui, d'ailleurs, ne s'empressait guère de suivre le terrible Sicardot.

« Je ne veux pas que tu sortes, cria-t-elle, en feignant un subit désespoir. Jamais je ne te laisserai me quitter. Ces gueux te tueraient. »

Le commandant s'arrêta, étonné.

« Sacrebleu ! gronda-t-il, si les femmes se mettent à pleurnicher, maintenant... Venez donc, Rougon.

— Non, non, reprit la vieille femme en affectant une terreur de plus en plus croissante, il ne vous suivra pas ; je m'attacherai plutôt à ses vêtements. »

Le marquis, très surpris de cette scène, regardait curieusement Félicité. Était-ce bien cette femme qui, tout à l'heure, causait si gaiement ? Quelle comédie jouait-elle donc ? Cependant Pierre, depuis que sa femme le retenait, faisait mine de vouloir sortir à toute force.

« Je te dis que tu ne sortiras pas », répétait la vieille, qui se cramponnait à l'un de ses bras.

Et, se tournant vers le commandant :

« Comment pouvez-vous songer à résister ? Ils sont trois mille, et vous ne réunirez pas cent hommes de courage. Vous allez vous faire égorger inutilement.

— Eh ! c'est notre devoir », dit Sicardot impatienté.

Félicité éclata en sanglots.

« S'ils ne me le tuent pas, ils le feront prisonnier, poursuivit-elle, en regardant son mari fixement. Mon Dieu ! que deviendrai-je, seule, dans une ville abandonnée !

— Mais, s'écria le commandant, croyez-vous que nous n'en serons pas moins arrêtés, si nous permet-

tons aux insurgés d'entrer tranquillement chez nous ?
Je jure bien qu'au bout d'une heure, le maire et tous
les fonctionnaires se trouveront prisonniers, sans
compter votre mari et les habitants de ce salon. »

Le marquis crut voir un vague sourire passer sur
les lèvres de Félicité, pendant qu'elle répondait d'un
air épouvanté :

« Vous croyez ?

— Pardieu ! reprit Sicardot, les républicains ne sont
pas assez bêtes pour laisser des ennemis derrière
eux. Demain, Plassans sera vide de fonctionnaires
et de bons citoyens. »

À ces paroles, qu'elle avait habilement provoquées,
Félicité lâcha le bras de son mari. Pierre ne fit plus
mine de sortir. Grâce à sa femme, dont la savante tactique lui échappa d'ailleurs, et dont il ne soupçonna
pas un instant la secrète complicité, il venait d'entrevoir tout un plan de campagne.

« Il faudrait délibérer avant de prendre une décision, dit-il au commandant. Ma femme n'a peut-être
pas tort, en nous accusant d'oublier les véritables
intérêts de nos familles.

— Non, certes, madame n'a pas tort », s'écria Granoux, qui avait écouté les cris terrifiés de Félicité
avec le ravissement d'un poltron.

Le commandant enfonça son chapeau sur sa tête,
d'un geste énergique, et dit, d'une voix nette :

« Tort ou raison, peu m'importe. Je suis commandant de la garde nationale, je devrais déjà être à la
mairie. Avouez que vous avez peur et que vous me
laissez seul... Alors, bonsoir. »

Il tournait le bouton de la porte, lorsque Rougon
le retint vivement.

« Écoutez, Sicardot », dit-il.

Et il l'entraîna dans un coin, en voyant que Vuillet tendait ses larges oreilles. Là, à voix basse, il lui expliqua qu'il était de bonne guerre de laisser derrière les insurgés quelques hommes énergiques, qui pourraient rétablir l'ordre dans la ville. Et comme le farouche commandant s'entêtait à ne pas vouloir déserter son poste, il s'offrit pour se mettre à la tête du corps de réserve.

« Donnez-moi, lui dit-il, la clef du hangar où sont les armes et les munitions, et faites dire à une cinquantaine de nos hommes de ne pas bouger jusqu'à ce que je les appelle. »

Sicardot finit par consentir à ces mesures prudentes. Il lui confia la clef du hangar, comprenant lui-même l'inutilité présente de la résistance, mais voulant quand même payer de sa personne.

Pendant cet entretien, le marquis murmura quelques mots d'un air fin à l'oreille de Félicité. Il la complimentait sans doute sur son coup de théâtre. La vieille femme ne put réprimer un léger sourire. Et comme Sicardot donnait une poignée de main à Rougon et se disposait à sortir :

« Décidément, vous nous quittez ? lui demandat-elle en reprenant son air bouleversé.

— Jamais un vieux soldat de Napoléon, répondit-il, ne se laissera intimider par la canaille. »

Il était déjà sur le palier, lorsque Granoux se précipita et lui cria :

« Si vous allez à la mairie, prévenez le maire de ce qui se passe. Moi, je cours chez ma femme pour la rassurer. »

Félicité s'était à son tour penchée à l'oreille du marquis, en murmurant avec une joie discrète :

« Ma foi ! j'aime mieux que ce diable de commandant aille se faire arrêter. Il a trop de zèle. »

Cependant Rougon avait ramené Granoux dans le
salon. Roudier, qui, de son coin, suivait silencieusement la scène, en appuyant de signes énergiques les
propositions de mesures prudentes, vint les retrouver.
Quand le marquis et Vuillet se furent également
levés :

« À présent, dit Pierre, que nous sommes seuls,
entre gens paisibles, je vous propose de nous cacher,
afin d'éviter une arrestation certaine, et d'être libres,
lorsque nous redeviendrons les plus forts. »

Granoux faillit l'embrasser ; Roudier et Vuillet
respirèrent plus à l'aise.

« J'aurai prochainement besoin de vous, messieurs,
continua le marchand d'huile avec importance. C'est à
nous qu'est réservé l'honneur de rétablir l'ordre à
Plassans.

— Comptez sur nous », s'écria Vuillet avec un
enthousiasme qui inquiéta Félicité.

L'heure pressait. Les singuliers défenseurs de Plassans qui se cachaient pour mieux défendre la ville,
se hâtèrent chacun d'aller s'enfouir au fond de quelque trou. Resté seul avec sa femme, Pierre lui recom-
manda de ne pas commettre la faute de se barricader,
et de répondre, si l'on venait la questionner, qu'il
était parti pour un petit voyage. Et comme elle faisait la niaise, feignant quelque terreur et lui demandant ce que tout cela allait devenir, il lui répondit
brusquement :

« Ça ne te regarde pas. Laisse-moi conduire seul
nos affaires. Elles n'en iront que mieux. »

Quelques minutes après, il filait rapidement le long
de la rue de la Banne. Arrivé au cours Sauvaire, il vit

sortir du vieux quartier une bande d'ouvriers armés qui chantaient *la Marseillaise*.

« Fichtre ! pensa-t-il, il était temps. Voilà la ville qui s'insurge, maintenant. »

Il hâta sa marche, qu'il dirigea vers la porte de Rome. Là, il eut des sueurs froides, pendant les lenteurs que le gardien mit à lui ouvrir cette porte. Dès ses premiers pas sur la route, il aperçut, au clair de lune, à l'autre bout du faubourg, la colonne des insurgés, dont les fusils jetaient de petites flammes blanches. Ce fut en courant qu'il s'engagea dans l'impasse Saint-Mittre et qu'il arriva chez sa mère, où il n'était pas allé depuis de longues années.

IV

Antoine Macquart[1] revint à Plassans après la chute de Napoléon. Il avait eu l'incroyable chance de ne faire aucune des dernières et meurtrières campagnes de l'Empire. Il s'était traîné de dépôt en dépôt, sans que rien le tirât de sa vie hébétée de soldat. Cette vie acheva de développer ses vices naturels. Sa paresse devint raisonnée ; son ivrognerie, qui lui valut un nombre incalculable de punitions, fut dès lors à ses yeux une religion véritable. Mais ce qui fit surtout de lui le pire des garnements, ce fut le beau dédain qu'il contracta pour les pauvres diables qui gagnaient le matin leur pain du soir.

« J'ai de l'argent au pays, disait-il souvent à ses camarades ; quand j'aurai fait mon temps, je pourrai vivre bourgeois. »

Cette croyance et son ignorance crasse l'empêchèrent d'arriver même au grade de caporal.

Depuis son départ, il n'était pas venu passer un seul jour de congé à Plassans, son frère inventant mille prétextes pour l'en tenir éloigné. Aussi ignorait-il complètement la façon adroite dont Pierre s'était emparé de la fortune de leur mère. Adélaïde, dans l'indifférence profonde où elle vivait, ne lui écrivit pas trois fois, pour lui dire simplement qu'elle se portait bien. Le silence qui accueillait le plus souvent ses nombreuses demandes d'argent ne lui donna aucun soupçon ; la ladrerie de Pierre suffit pour lui expliquer la difficulté qu'il éprouvait à arracher, de loin en loin, une misérable pièce de vingt francs. Cela ne fit, d'ailleurs, qu'augmenter sa rancune contre son frère, qui le laissait se morfondre au service, malgré sa promesse formelle de le racheter. Il se jurait, en rentrant au logis, de ne plus obéir en petit garçon et de réclamer carrément sa part de fortune, pour vivre à sa guise. Il rêva, dans la diligence qui le ramenait, une délicieuse existence de paresse. L'écroulement de ses châteaux en Espagne fut terrible. Quand il arriva dans le faubourg et qu'il ne reconnut plus l'enclos des Fouque, il resta stupide. Il lui fallut demander la nouvelle adresse de sa mère. Là, il y eut une scène épouvantable. Adélaïde lui apprit tranquillement la vente des biens. Il s'emporta, allant jusqu'à lever la main.

La pauvre femme répétait :

« Ton frère a tout pris ; il aura soin de toi, c'est convenu. »

Il sortit enfin et courut chez Pierre, qu'il avait prévenu de son retour, et qui s'était préparé à le recevoir de façon à en finir avec lui, au premier mot grossier.

« Écoutez, lui dit le marchand d'huile qui affecta de ne plus le tutoyer, ne m'échauffez pas la bile ou je vous jette à la porte. Après tout, je ne vous connais pas. Nous ne portons pas le même nom. C'est déjà bien assez malheureux pour moi que ma mère se soit mal conduite, sans que ses bâtards viennent ici m'injurier. J'étais bien disposé pour vous ; mais, puisque vous êtes insolent, je ne ferai rien, absolument rien. »

Antoine faillit étrangler de colère.

« Et mon argent, criait-il, me le rendras-tu, voleur, ou faudra-t-il que je te traîne devant les tribunaux ? »

Pierre haussait les épaules :

« Je n'ai pas d'argent à vous, répondit-il, de plus en plus calme. Ma mère a disposé de sa fortune comme elle l'a entendu. Ce n'est pas moi qui irai mettre le nez dans ses affaires. J'ai renoncé volontiers à toute espérance d'héritage. Je suis à l'abri de vos sales accusations. »

Et, comme son frère bégayait, exaspéré par ce sang-froid et ne sachant plus que croire, il lui mit sous les yeux le reçu qu'Adélaïde avait signé. La lecture de cette pièce acheva d'accabler Antoine.

« C'est bien, dit-il d'une voix presque calmée, je sais ce qu'il me reste à faire. »

La vérité était qu'il ne savait quel parti prendre. Son impuissance à trouver un moyen immédiat d'avoir sa part et de se venger, activait encore sa fièvre furieuse. Il revint chez sa mère, il lui fit subir un interrogatoire honteux. La malheureuse femme ne pouvait que le renvoyer chez Pierre.

« Est-ce que vous croyez, s'écria-t-il insolemment, que vous allez me faire aller comme une navette ? Je saurai bien qui de vous deux a le magot. Tu l'as peut-être déjà croqué, toi ?... »

Et, faisant allusion à son ancienne inconduite, il lui demanda si elle n'avait pas quelque canaille d'homme auquel elle donnait ses derniers sous. Il n'épargna même pas son père, cet ivrogne de Macquart, disait-il, qui devait l'avoir grugée jusqu'à sa mort, et qui laissait ses enfants sur la paille. La pauvre femme écoutait, d'un air hébété. De grosses larmes coulaient sur ses joues. Elle se défendit avec une terreur d'enfant, répondant aux questions de son fils comme à celles d'un juge, jurant qu'elle se conduisait bien, et répétant toujours avec insistance qu'elle n'avait pas eu un sou, que Pierre avait tout pris. Antoine finit presque par la croire.

« Ah ! quel gueux ! murmura-t-il ; c'est pour cela qu'il ne me rachetait pas. »

Il dut coucher chez sa mère, sur une paillasse jetée dans un coin. Il était revenu les poches absolument vides, et ce qui l'exaspérait, c'était surtout de se sentir sans aucune ressource, sans feu ni lieu, abandonné comme un chien sur le pavé, tandis que son frère, selon lui, faisait de belles affaires, mangeait et dormait grassement. N'ayant pas de quoi acheter des vêtements, il sortit le lendemain avec son pantalon et son képi d'ordonnance. Il eut la chance de trouver, au fond d'une armoire, une vieille veste de velours jaunâtre, usée et rapiécée, qui avait appartenu à Macquart. Ce fut dans ce singulier accoutrement qu'il courut la ville, contant son histoire et demandant justice.

Les gens qu'il alla consulter le reçurent avec un mépris qui lui fit verser des larmes de rage. En province, on est implacable pour les familles déchues. Selon l'opinion commune, les Rougon-Macquart chassaient de race en se dévorant entre eux ; la galerie, au lieu de les séparer, les aurait plutôt excités à se mordre. Pierre, d'ailleurs, commençait à se laver de sa tache originelle. On rit de sa friponnerie ; des personnes allèrent jusqu'à dire qu'il avait bien fait, s'il s'était réellement emparé de l'argent, et que cela serait une bonne leçon pour les personnes débauchées de la ville.

Antoine rentra découragé. Un avoué lui avait conseillé, avec des mines dégoûtées, de laver son linge sale en famille, après s'être habilement informé s'il possédait la somme nécessaire pour soutenir un procès. Selon cet homme, l'affaire paraissait bien embrouillée, les débats seraient très longs, et le succès était douteux. D'ailleurs, il fallait de l'argent, beaucoup d'argent.

Ce soir-là, Antoine fut encore plus dur pour sa mère ; ne sachant sur qui se venger, il reprit ses accusations de la veille ; il tint la malheureuse jusqu'à minuit, toute frissonnante de honte et d'épouvante. Adélaïde lui ayant appris que Pierre lui servait une pension, il devint certain pour lui que son frère avait empoché les cinquante mille francs. Mais, dans son irritation, il feignit de douter encore, par un raffinement de méchanceté qui le soulageait. Et il ne cessait de l'interroger d'un air soupçonneux, en paraissant continuer à croire qu'elle avait mangé sa fortune avec des amants.

« Voyons, mon père n'a pas été le seul », dit-il enfin avec grossièreté.

À ce dernier coup, elle alla se jeter chancelante sur un vieux coffre, où elle resta toute la nuit à sangloter.

Antoine comprit bientôt qu'il ne pouvait, seul et sans ressources, mener à bien une campagne contre son frère. Il essaya d'abord d'intéresser Adélaïde à sa cause ; une accusation, portée par elle, devait avoir de graves conséquences. Mais la pauvre femme, si molle et si endormie, dès les premiers mots d'Antoine, refusa avec énergie d'inquiéter son fils aîné.

« Je suis une malheureuse, balbutiait-elle. Tu as raison de te mettre en colère. Mais, vois-tu, ce serait trop de remords, si je faisais conduire un de mes enfants en prison. Non, j'aime mieux que tu me battes. »

Il sentit qu'il n'en tirerait que des larmes, et il se contenta d'ajouter qu'elle était justement punie et qu'il n'avait aucune pitié d'elle. Le soir, Adélaïde, secouée par les querelles successives que lui cherchait son fils, eut une de ces crises nerveuses qui la tenaient roidie, les yeux ouverts, comme morte. Le jeune homme la jeta sur son lit ; puis, sans même la délacer, il se mit à fureter dans la maison, cherchant si la malheureuse n'avait pas des économies cachées quelque part. Il trouva une quarantaine de francs. Il s'en empara, et, tandis que sa mère restait là, rigide et sans souffle, il alla prendre tranquillement la diligence de Marseille.

Il venait de songer que Mouret, cet ouvrier chapelier qui avait épousé sa sœur Ursule, devait être indigné de la friponnerie de Pierre, et qu'il voudrait sans doute défendre les intérêts de sa femme. Mais il ne trouva pas l'homme sur lequel il comptait. Mouret lui dit nettement qu'il s'était habitué à regarder Ursule comme une orpheline, et qu'il ne voulait, à aucun prix, avoir des démêlés avec sa famille. Les affaires du ménage prospéraient. Antoine, reçu très froidement, se hâta de reprendre la diligence. Mais, avant de partir, il voulut se venger du secret mépris qu'il lisait dans les regards de l'ouvrier ; sa sœur lui ayant paru pâle et oppressée, il eut la cruauté sournoise de dire au mari, en s'éloignant :

« Prenez garde, ma sœur a toujours été chétive, et je l'ai trouvée bien changée ; vous pourriez la perdre. »

Les larmes qui montèrent aux yeux de Mouret lui prouvèrent qu'il avait mis le doigt sur une plaie vive. Ces ouvriers étalaient aussi par trop leur bonheur.

Quand il fut revenu à Plassans, la certitude qu'il avait les mains liées rendit Antoine plus menaçant encore. Pendant un mois, on ne vit que lui dans la ville. Il courait les rues, contant son histoire à qui voulait l'entendre. Lorsqu'il avait réussi à se faire donner une pièce de vingt sous par sa mère, il allait la boire dans quelque cabaret, et là criait tout haut que son frère était une canaille qui aurait bientôt de ses nouvelles. En de pareils endroits, la douce fraternité qui règne entre ivrognes lui donnait un auditoire sympathique ; toute la crapule de la ville épousait sa querelle ; c'étaient des invectives sans fin contre ce gueux de Rougon qui laissait sans pain un brave soldat, et la séance se terminait d'ordinaire par la condamnation générale de tous les riches. Antoine, par un raffinement de vengeance, continuait à se promener avec son képi, son pantalon d'ordonnance et sa vieille veste de velours jaune, bien que sa mère eût offert de lui acheter des vêtements plus convenables. Il affichait ses guenilles, les étalait le dimanche, en plein cours Sauvaire.

Une de ses plus délicates jouissances fut de passer dix fois par jour devant le magasin de Pierre. Il agrandissait les trous de la veste avec les doigts, il ralentissait le pas, se mettait parfois à causer devant la porte, pour rester davantage dans la rue. Ces jours-là, il emmenait quelque ivrogne de ses amis, qui lui servait de compère ; il lui racontait le vol des cinquante mille francs, accompagnant son récit d'injures et de menaces, à voix haute, de façon à ce que toute la rue l'entendît, et que ses gros mots allassent à leur adresse, jusqu'au fond de la boutique.

« Il finira, disait Félicité désespérée, par venir mendier devant notre maison. »

La vaniteuse petite femme souffrait horriblement de ce scandale. Il lui arriva même, à cette époque, de regretter en secret d'avoir épousé Rougon ; ce dernier avait aussi une famille par trop terrible. Elle eût donné tout au monde pour qu'Antoine cessât de promener ses haillons. Mais Pierre, que la conduite de son frère affolait, ne voulait seulement pas qu'on prononçât son nom devant lui. Lorsque sa femme lui faisait entendre qu'il vaudrait peut-être mieux s'en débarrasser en donnant quelques sous :

« Non, rien, pas un liard, criait-il avec fureur. Qu'il crève ! »

Cependant il finit lui-même par confesser que l'attitude d'Antoine devenait intolérable. Un jour, Félicité, voulant en finir, appela cet homme, comme elle le nommait en faisant une moue dédaigneuse. « Cet homme » était en train de la traiter de coquine au milieu de la rue, en compagnie d'un sien camarade encore plus déguenillé que lui. Tous deux étaient gris.

« Viens donc, on nous appelle là-dedans », dit Antoine à son compagnon d'une voix goguenarde.

Félicité recula en murmurant :

« C'est à vous seul que nous désirons parler.

— Bah ! répondit le jeune homme, le camarade est un bon enfant. Il peut tout entendre. C'est mon témoin. »

Le témoin s'assit lourdement sur une chaise. Il ne se découvrit pas et se mit à regarder autour de lui, avec ce sourire hébété des ivrognes et des gens grossiers qui se sentent insolents. Félicité, honteuse, se plaça devant la porte de la boutique, pour qu'on ne vît pas du dehors quelle singulière compagnie elle recevait. Heureusement que son mari arriva à son secours. Une violente querelle s'engagea entre lui et son frère. Ce dernier, dont la langue épaisse s'embarrassait dans les injures, répéta à plus de vingt reprises les mêmes griefs. Il finit même par se mettre à pleurer, et peu s'en fallut que son émotion ne gagnât son camarade. Pierre s'était défendu d'une façon très digne.

« Voyons, dit-il enfin, vous êtes malheureux et j'ai pitié de vous. Bien que vous m'ayez cruellement insulté, je n'oublie pas que nous avons la même mère. Mais si je vous donne quelque chose, sachez que je le fais par bonté et non par crainte... Voulez-vous cent francs pour vous tirer d'affaire ? »

Cette offre brusque de cent francs éblouit le camarade d'Antoine. Il regarda ce dernier d'un air ravi qui signifiait clairement : « Du moment que le bourgeois offre cent francs, il n'y a plus de sottises à lui dire. » Mais Antoine entendait spéculer sur les bonnes dispositions de son frère. Il lui demanda s'il se moquait de lui ; c'était sa part, dix mille francs, qu'il exigeait.

« Tu as tort, tu as tort », bégayait son ami.

Enfin, comme Pierre impatienté parlait de les jeter tous les deux à la porte, Antoine abaissa ses prétentions et, d'un coup, ne réclama plus que mille francs. Ils se querellèrent encore un grand quart d'heure sur ce chiffre. Félicité intervint. On commençait à se rassembler devant la boutique.

« Écoutez, dit-elle vivement, mon mari vous donnera deux cents francs, et moi je me charge de vous acheter un vêtement complet et de vous louer un logement pour une année. »

Rougon se fâcha. Mais le camarade d'Antoine, enthousiasmé, cria :

« C'est dit, mon ami accepte. »

Et Antoine déclara, en effet, d'un air rechigné, qu'il acceptait. Il sentait qu'il n'obtiendrait pas davantage. Il fut convenu qu'on lui enverrait l'argent et le vêtement le lendemain, et que peu de jours après, dès que Félicité lui aurait trouvé un logement, il pourrait s'installer chez lui. En se retirant, l'ivrogne qui accompagnait le jeune homme fut aussi respectueux qu'il venait d'être insolent ; il salua plus de dix fois la compagnie, d'un air humble et gauche, bégayant des remerciements vagues, comme si les dons des Rougon lui eussent été destinés.

Une semaine plus tard, Antoine occupait une grande chambre du vieux quartier, dans laquelle Félicité, tenant plus que ses promesses, sur l'engagement formel du jeune homme de les laisser tranquilles désormais, avait fait mettre un lit, une table et des chaises. Adélaïde vit sans aucun regret partir son fils ; elle était condamnée à plus de trois mois de pain et d'eau par le court séjour qu'il avait fait chez elle. Antoine eut vite bu et mangé les deux cents francs. Il n'avait pas songé un instant à les mettre dans quelque petit commerce qui l'eût aidé à vivre. Quand il fut de nouveau sans le sou, n'ayant aucun métier, répugnant d'ailleurs à toute besogne suivie,

il voulut puiser encore dans la bourse des Rougon.
Mais les circonstances n'étaient plus les mêmes, il
ne réussit pas à les effrayer. Pierre profita même de
cette occasion pour le jeter à la porte, en lui défen-
dant de jamais remettre les pieds chez lui. Antoine
eut beau reprendre ses accusations : la ville qui
connaissait la munificence de son frère, dont Félicité avait fait grand bruit, lui donna tort et le traita
de fainéant. Cependant la faim le pressait. Il menaça
de se faire contrebandier comme son père, et de commettre quelque mauvais coup qui déshonorerait sa
famille. Les Rougon haussèrent les épaules ; ils le
savaient trop lâche pour risquer sa peau. Enfin, plein
d'une rage sourde contre ses proches et contre la
société tout entière, Antoine se décida à chercher du
travail.

Il avait fait connaissance, dans un cabaret du faubourg, d'un ouvrier vannier qui travaillait en chambre. Il lui offrit de l'aider. En peu de temps, il apprit
à tresser des corbeilles et des paniers, ouvrages grossiers et à bas prix d'une vente facile. Bientôt il travailla pour son compte. Ce métier peu fatigant lui
plaisait. Il restait maître de ses paresses, et c'était là
surtout ce qu'il demandait. Il se mettait à la besogne lorsqu'il ne pouvait plus faire autrement, tres-
sant à la hâte une douzaine de corbeilles qu'il allait
vendre au marché. Tant que l'argent durait, il flânait,
courant les marchands de vin, digérant au soleil ;
puis, quand il avait jeûné pendant un jour, il reprenait ses brins d'osier avec de sourdes invectives,
accusant les riches, qui, eux, vivent sans rien faire.
Le métier de vannier, ainsi entendu, est fort ingrat ;
son travail n'aurait pu suffire à payer ses soûleries,
s'il ne s'était arrangé de façon à se procurer de l'osier

à bon compte. Comme il n'en achetait jamais à Plassans, il disait qu'il allait faire chaque mois sa provision dans une ville voisine, où il prétendait qu'on le vendait meilleur marché. La vérité était qu'il se fournissait dans les oseraies de la Viorne, par les nuits sombres. Le garde champêtre l'y surprit même une fois, ce qui lui valut quelques jours de prison. Ce fut à partir de ce moment qu'il se posa dans la ville en républicain farouche. Il affirma qu'il fumait tranquillement sa pipe au bord de la rivière, lorsque le garde champêtre l'avait arrêté. Et il ajoutait :

« Ils voudraient se débarrasser de moi, parce qu'ils savent quelles sont mes opinions. Mais je ne les crains pas, ces gueux de riches ! »

Cependant, au bout de dix ans de fainéantise, Macquart trouva qu'il travaillait trop. Son continuel rêve était d'inventer une façon de bien vivre sans rien faire. Sa paresse ne se serait pas contentée de pain et d'eau, comme celle de certains fainéants qui consentent à rester sur leur faim, pourvu qu'ils puissent se croiser les bras. Lui, il voulait de bons repas et de belles journées d'oisiveté. Il parla un instant d'entrer comme domestique chez quelque noble du quartier Saint-Marc. Mais un palefrenier de ses amis lui fit peur en lui racontant les exigences de ses maîtres. Macquart, dégoûté de ses corbeilles, voyant venir le jour où il lui faudrait acheter l'osier nécessaire, allait se vendre comme remplaçant et reprendre la vie de soldat, qu'il préférait mille fois à celle d'ouvrier, lorsqu'il fit la connaissance d'une femme dont la rencontre modifia ses plans.

Joséphine Gavaudan, que toute la ville connaissait sous le diminutif familier de Fine, était une grande et grosse gaillarde d'une trentaine d'années. Sa face carrée, d'une ampleur masculine, portait au menton et aux lèvres des poils rares, mais terriblement longs. On la nommait comme une maîtresse femme, capable à l'occasion de faire le coup de poing. Aussi ses larges épaules, ses bras énormes imposaient-ils un merveilleux respect aux gamins, qui n'osaient seulement pas sourire de ses moustaches. Avec cela, Fine avait une toute petite voix, une voix d'enfant, mince et claire. Ceux qui la fréquentaient affirmaient que, malgré son air terrible, elle était d'une douceur de mouton. Très courageuse à la besogne, elle aurait pu mettre quelque argent de côté, si elle n'avait aimé les liqueurs ; elle adorait l'anisette. Souvent, le dimanche soir, on était obligé de la rapporter chez elle.

Toute la semaine, elle travaillait avec un entêtement de bête. Elle faisait trois ou quatre métiers, vendait des fruits ou des châtaignes bouillies à la halle, suivant la saison, s'occupait des ménages de quelques rentiers, allait laver la vaisselle chez les bourgeois les jours de gala, et employait ses loisirs à rempailler les vieilles chaises. C'était surtout comme rempailleuse qu'elle était connue de la ville entière. On fait, dans le Midi, une grande consommation de chaises de paille, qui y sont d'un usage commun.

Antoine Macquart lia connaissance avec Fine à la halle. Quand il allait y vendre ses corbeilles, l'hiver, il se mettait, pour avoir chaud, à côté du fourneau sur lequel elle faisait cuire ses châtaignes. Il fut émerveillé de son courage, lui que la moindre besogne épouvantait. Peu à peu, sous l'apparente rudesse de cette forte commère, il découvrit des timidités, des bontés secrètes. Souvent il lui voyait donner des poignées de châtaignes aux marmots en guenilles qui s'arrêtaient en extase devant sa marmite fumante.

D'autres fois, lorsque l'inspecteur du marché la bousculait, elle pleurait presque, sans paraître avoir conscience de ses gros poings. Antoine finit par se dire que c'était la femme qu'il lui fallait. Elle travaillerait pour deux, et il ferait la loi au logis. Ce serait sa bête de somme, une bête infatigable et obéissante. Quant à son goût pour les liqueurs, il le trouvait tout naturel. Après avoir bien pesé les avantages d'une pareille union, il se déclara. Fine fut ravie. Jamais aucun homme n'avait osé s'attaquer à elle. On eut beau lui dire qu'Antoine était le pire des chenapans, elle ne se sentit pas le courage de se refuser au mariage que sa forte nature réclamait depuis longtemps. Le soir même des noces, le jeune homme vint habiter le logement de sa femme, rue Civadière, près de la halle ; ce logement, composé de trois pièces, était beaucoup plus confortablement meublé que le sien, et ce fut avec un soupir de contentement qu'il s'allongea sur les deux excellents matelas qui garnissaient le lit.

Tout marcha bien pendant les premiers jours. Fine vaquait, comme par le passé, à ses besognes multiples ; Antoine, pris d'une sorte d'amour-propre marital qui l'étonna lui-même, tressa en une semaine plus de corbeilles qu'il n'en avait jamais fait en un mois. Mais, le dimanche, la guerre éclata. Il y avait à la maison une somme assez ronde que les époux entamèrent fortement. La nuit, ivres tous deux, ils se battirent comme plâtre, sans qu'il leur fût possible, le lendemain, de se souvenir comment la querelle avait commencé. Ils étaient restés fort tendres jusque vers les dix heures ; puis Antoine s'était mis à cogner brutalement sur Fine, et Fine, exaspérée, oubliant sa douceur, avait rendu autant de coups de poing qu'elle recevait de gifles. Le lendemain, elle se remit bravement au travail, comme si de rien n'était. Mais son mari, avec une sourde rancune, se leva tard et alla le restant du jour fumer sa pipe au soleil.

À partir de ce moment, les Macquart prirent le genre de vie qu'ils devaient continuer à mener. Il fut comme entendu tacitement entre eux que la femme suerait sang et eau pour entretenir le mari. Fine, qui aimait le travail par instinct, ne protesta pas. Elle était d'une patience angélique, tant qu'elle n'avait pas bu, trouvant tout naturel que son homme fût paresseux, et tâchant de lui éviter même les plus petites besognes. Son péché mignon, l'anisette, la rendait non pas méchante, mais juste ; les soirs où elle s'était oubliée devant une bouteille de sa liqueur favorite, si Antoine lui cherchait querelle, elle tombait sur lui à bras raccourcis, en lui reprochant sa fainéantise et son ingratitude. Les voisins étaient habitués aux tapages périodiques qui éclataient dans la chambre des époux. Ils s'assommaient consciencieusement ; la femme tapait en mère qui corrige son galopin ; mais le mari, traître et haineux, calculait ses coups, et, à plusieurs reprises, il faillit estropier la malheureuse.

« Tu seras bien avancé, quand tu m'auras cassé une jambe ou un bras, lui disait-elle. Qui te nourrira, fainéant ? »

À part ces scènes de violence, Antoine commençait à trouver supportable son existence nouvelle. Il était bien vêtu, mangeait à sa faim, buvait à sa soif. Il avait complètement mis de côté la vannerie ; parfois, quand il s'ennuyait par trop, il se promettait de tresser, pour le prochain marché, une douzaine de corbeilles ; mais, souvent, il ne terminait seulement pas la première. Il garda, sous un canapé, un paquet d'osier qu'il n'usa pas en vingt ans.

Les Macquart eurent trois enfants : deux filles et un garçon.

Lisa, née la première, en 1827, un an après le mariage, resta peu au logis. C'était une grosse et belle enfant, très saine, toute sanguine, qui ressemblait beaucoup à sa mère. Mais elle ne devait pas avoir son dévouement de bête de somme. Macquart avait mis en elle un besoin de bien-être très arrêté. Tout enfant, elle consentait à travailler une journée entière pour avoir un gâteau. Elle n'avait pas sept ans, qu'elle fut prise en amitié par la directrice des postes, une voisine. Celle-ci en fit une petite bonne. Lorsqu'elle perdit son mari, en 1839, et qu'elle alla se retirer à Paris, elle emmena Lisa avec elle. Les parents la lui avaient comme donnée.

La seconde fille, Gervaise, née l'année suivante, était bancale de naissance. Conçue dans l'ivresse, sans doute pendant une de ces nuits honteuses où les époux s'assommaient, elle avait la cuisse droite déviée et amaigrie, étrange reproduction héréditaire des brutalités que sa mère avait eu à endurer dans une heure de lutte et de soûlerie furieuse. Gervaise resta chétive, et Fine, la voyant toute pâle et toute faible, la mit au régime de l'anisette, sous prétexte qu'elle avait besoin de prendre des forces. La pauvre créature se dessécha davantage. C'était une grande fille fluette dont les robes, toujours trop larges, flottaient comme vides. Sur son corps émacié et contrefait, elle avait une délicieuse tête de poupée, une petite face ronde et blême d'une exquise délicatesse. Son infirmité était presque une grâce ; sa taille fléchissait

doucement à chaque pas, dans une sorte de balancement cadencé.

Le fils des Macquart, Jean, naquit trois ans plus
tard. Ce fut un fort gaillard, qui ne rappela en rien
les maigreurs de Gervaise. Il tenait de sa mère,
comme la fille aînée, sans avoir sa ressemblance
physique. Il apportait, le premier, chez les Rougon-
Macquart, un visage aux traits réguliers, et qui avait
la froideur grasse d'une nature sérieuse et peu intelligente. Ce garçon grandit avec la volonté tenace de
se créer un jour une position indépendante. Il fréquenta assidûment l'école et s'y cassa la tête, qu'il
avait fort dure, pour y faire entrer un peu d'arithmétique et d'orthographe. Il se mit ensuite en apprentissage, en renouvelant les mêmes efforts, entêtement
d'autant plus méritoire qu'il lui fallait un jour pour
apprendre ce que d'autres savaient en une heure.

Tant que les pauvres petits restèrent à la charge
de la maison, Antoine grogna. C'étaient des bouches
inutiles qui lui rognaient sa part. Il avait juré, comme
son frère, de ne plus avoir d'enfants, ces mange-tout
qui mettent leurs parents sur la paille. Il fallait l'entendre se désoler, depuis qu'ils étaient cinq à table, et
que la mère donnait les meilleurs morceaux à Jean,
à Lisa et à Gervaise.

« C'est ça, grondait-il, bourre-les, fais-les crever ! »

À chaque vêtement, à chaque paire de souliers que
Fine leur achetait, il restait maussade pour plusieurs
jours. Ah ! s'il avait su, il n'aurait jamais eu cette
marmaille, qui le forçait à ne plus fumer que quatre
sous de tabac par jour, et qui ramenait par trop souvent, au dîner, des ragoûts de pommes de terre, un
plat qu'il méprisait profondément.

Plus tard, dès les premières pièces de vingt sous que Jean et Gervaise lui rapportèrent, il trouva que les enfants avaient du bon. Lisa n'était déjà plus là. Il se fit nourrir par les deux qui restaient sans le moindre scrupule, comme il se faisait déjà nourrir par leur mère. Ce fut, de sa part, une spéculation très arrêtée. Dès l'âge de huit ans, la petite Gervaise alla casser des amandes chez un négociant voisin ; elle gagnait dix sous par jour, que le père mettait royalement dans sa poche, sans que Fine elle-même osât demander où cet argent passait. Puis, la jeune fille entra en apprentissage chez une blanchisseuse, et, quand elle fut ouvrière et qu'elle toucha deux francs par jour, les deux francs s'égarèrent de la même façon entre les mains de Macquart. Jean, qui avait appris l'état de menuisier, était également dépouillé les jours de paye, lorsque Macquart parvenait à l'arrêter au passage, avant qu'il eût remis son argent à sa mère. Si cet argent lui échappait, ce qui arrivait quelquefois, il était d'une terrible maussaderie. Pendant une semaine, il regardait ses enfants et sa femme d'un air furieux, leur cherchant querelle pour un rien, mais ayant encore la pudeur de ne pas avouer la cause de son irritation. À la paye suivante, il faisait le guet et disparaissait des journées entières, dès qu'il avait réussi à escamoter le gain des petits.

Gervaise, battue, élevée dans la rue avec les garçons du voisinage, devint grosse à l'âge de quatorze ans. Le père de l'enfant n'avait pas dix-huit ans. C'était un ouvrier tanneur, nommé Lantier. Macquart s'emporta. Puis, quand il sut que la mère de Lantier, qui était une brave femme, voulait bien prendre l'enfant avec elle, il se calma. Mais il garda Gervaise, elle gagnait

déjà vingt-cinq sous, et il évita de parler mariage.
Quatre ans plus tard, elle eut un second garçon que
la mère de Lantier réclama encore[1]. Macquart, cette
fois-là, ferma absolument les yeux. Et comme Fine
lui disait timidement qu'il serait bon de faire une
démarche auprès du tanneur pour régler une situation qui faisait clabauder, il déclara très carrément
que sa fille ne le quitterait pas, et qu'il la donnerait à
son séducteur plus tard, « lorsqu'il serait digne d'elle,
et qu'il aurait de quoi acheter un mobilier ».

Cette époque fut le meilleur temps d'Antoine Macquart. Il s'habilla comme un bourgeois, avec des
redingotes et des pantalons de drap fin. Soigneusement rasé, devenu presque gras, ce ne fut plus ce
chenapan hâve et déguenillé qui courait les cabarets.
Il fréquenta les cafés, lut les journaux, se promena
sur le cours Sauvaire. Il jouait au monsieur, tant
qu'il avait de l'argent en poche. Les jours de misère,
il restait chez lui, exaspéré d'être retenu dans son
taudis et de ne pouvoir aller prendre sa demi-tasse ;
ces jours-là, il accusait le genre humain tout entier de
sa pauvreté, il se rendait malade de colère et d'envie,
au point que Fine, par pitié, lui donnait souvent la
dernière pièce blanche de la maison, pour qu'il pût
passer sa soirée au café. Le cher homme était d'un
égoïsme féroce. Gervaise apportait jusqu'à soixante
francs par mois dans la maison, et elle mettait de
minces robes d'indienne, tandis qu'il se commandait
des gilets de satin noir chez un des bons tailleurs de
Plassans. Jean, ce grand garçon qui gagnait de trois
à quatre francs par jour, était peut-être dévalisé avec
plus d'impudence encore. Le café où son père restait des journées entières se trouvait justement en
face de la boutique de son patron, et, pendant qu'il

manœuvrait le rabot ou la scie, il pouvait voir, de l'autre côté de la place, « monsieur » Macquart sucrant sa demi-tasse en faisant un piquet avec quelque petit rentier. C'était son argent que le vieux fainéant jouait. Lui n'allait jamais au café, il n'avait pas les cinq sous nécessaires pour prendre un gloria[1]. Antoine le traitait en jeune fille, ne lui laissant pas un centime et lui demandant compte de l'emploi exact de son temps. Si le malheureux, entraîné par des camarades, perdait une journée dans quelque partie de campagne, au bord de la Viorne ou sur les pentes des Garrigues, son père s'emportait, levait la main, lui gardait longtemps rancune pour les quatre francs qu'il trouvait en moins à la fin de la quinzaine. Il tenait ainsi son fils dans un état de dépendance intéressée, allant parfois jusqu'à regarder comme siennes les maîtresses que le jeune menuisier courtisait. Il venait, chez les Macquart, plusieurs amies de Gervaise, des ouvrières de seize à dix-huit ans, des filles hardies et rieuses dont la puberté s'éveillait avec des ardeurs provocantes, et qui, certains soirs, emplissaient la chambre de jeunesse et de gaieté. Le pauvre Jean, sevré de tout plaisir, retenu au logis par le manque d'argent, regardait ces filles avec des yeux luisants de convoitise ; mais la vie de petit garçon qu'on lui faisait mener lui donnait une timidité invincible ; il jouait avec les camarades de sa sœur, osant à peine les effleurer du bout des doigts. Macquart haussait les épaules de pitié :

« Quel innocent ! » murmurait-il d'un air de supériorité ironique.

Et c'était lui qui embrassait les jeunes filles sur le cou, quand sa femme avait le dos tourné. Il poussa même les choses plus loin avec une petite blanchisseuse que Jean poursuivait plus vigoureusement que les autres. Il la lui vola un beau soir, presque entre les bras. Le vieux coquin se piquait de galanterie.

Il est des hommes qui vivent d'une maîtresse. Antoine Macquart vivait ainsi de sa femme et de ses enfants, avec autant de honte et d'impudence. C'était sans la moindre vergogne qu'il pillait la maison et allait festoyer au dehors, quand la maison était vide. Et il prenait encore une attitude d'homme supérieur ; il ne revenait du café que pour railler amèrement la misère qui l'attendait au logis ; il trouvait le dîner détestable ; il déclarait que Gervaise était une sotte et que Jean ne serait jamais un homme. Enfoncé dans ses jouissances égoïstes, il se frottait les mains, quand il avait mangé le meilleur morceau ; puis il fumait sa pipe à petites bouffées, tandis que les deux pauvres enfants, brisés de fatigue, s'endormaient sur la table. Ses journées passaient, vides et heureuses. Il lui semblait tout naturel qu'on l'entretînt, comme une fille, à vautrer ses paresses sur les banquettes d'un estaminet, à les promener, aux heures fraîches, sur le Cours ou sur le Mail. Il finit par raconter ses escapades amoureuses devant son fils, qui l'écoutait avec des yeux ardents d'affamé. Les enfants ne protestaient pas, accoutumés à voir leur mère l'humble servante de son mari. Fine, cette gaillarde qui le rossait d'importance, quand ils étaient ivres tous deux, continuait à trembler devant lui, lorsqu'elle avait son bon sens, et le laissait régner en despote au logis. Il lui volait la nuit les gros sous qu'elle gagnait au marché dans la journée, sans qu'elle se permît autre chose que des reproches voilés. Parfois, lorsqu'il avait mangé à l'avance l'argent de la semaine, il accusait cette malheureuse, qui se tuait de travail, d'être une pauvre tête, de ne pas savoir se tirer d'affaire. Fine, avec une douceur d'agneau, répondait de cette petite voix claire qui faisait un si singulier effet en sortant de ce grand corps, qu'elle n'avait plus ses vingt ans, et que l'argent devenait bien dur à gagner. Pour se consoler, elle achetait un litre d'anisette, elle buvait le soir des petits verres avec sa fille, tandis qu'Antoine retournait au café. C'était là leur débauche. Jean allait se coucher ; les deux femmes restaient attablées, prêtant l'oreille, pour faire disparaître la bouteille et les petits verres au moindre bruit. Lorsque Macquart s'attardait, il arrivait qu'elles se soûlaient ainsi, à légères doses, sans en avoir conscience. Hébétées, se regardant avec un sourire vague, cette mère et cette fille finissaient par balbutier. Des taches roses montaient aux joues de Gervaise ; sa petite face de poupée, si délicate, se noyait dans un air de béatitude stupide, et rien n'était plus navrant que cette enfant chétive et blême, toute brûlante d'ivresse, ayant sur ses lèvres humides le rire idiot des ivrognes. Fine, tassée sur sa chaise, s'appesantissait. Elles oubliaient parfois de faire le guet, ou ne se sentaient plus la force d'enlever la bouteille et les verres, quand elles entendaient les pas d'Antoine dans l'escalier. Ces jours-là, on s'assommait chez les Macquart. Il fallait que Jean se levât pour séparer son père et sa mère, et pour aller coucher sa sœur, qui, sans lui, aurait dormi sur le carreau.

Chaque parti a ses grotesques et ses infâmes. Antoine Macquart, rongé d'envie et de haine, rêvant des vengeances contre la société entière, accueillit la République comme une ère bienheureuse où il lui serait permis d'emplir ses poches dans la caisse du voisin, et même d'étrangler le voisin, s'il témoignait

le moindre mécontentement. Sa vie de café, les articles de journaux qu'il avait lus sans les comprendre,
avaient fait de lui un terrible bavard qui émettait en
politique les théories les plus étranges du monde. Il
faut avoir entendu, en province, dans quelque estaminet, pérorer un de ces envieux qui ont mal digéré
leurs lectures, pour s'imaginer à quel degré de sottise méchante en était arrivé Macquart. Comme il
parlait beaucoup, qu'il avait servi et qu'il passait
naturellement pour être un homme d'énergie, il était
très entouré, très écouté par les naïfs. Sans être un
chef de parti, il avait su réunir autour de lui un petit
groupe d'ouvriers qui prenaient ses fureurs jalouses
pour des indignations honnêtes et convaincues.

Dès février, il s'était dit que Plassans lui appartenait, et la façon goguenarde dont il regardait, en
passant dans les rues, les petits détaillants qui se
tenaient, effarés, sur le seuil de leur boutique, signifiait clairement : « Notre jour est arrivé, mes agneaux,
et nous allons vous faire danser une drôle de
danse ! » Il était devenu d'une insolence incroyable ;
il jouait son rôle de conquérant et de despote, à ce
point qu'il cessa de payer ses consommations au café,
et que le maître de l'établissement, un niais qui tremblait devant ses roulements d'yeux, n'osa jamais lui
présenter sa note. Ce qu'il but de demi-tasses, à
cette époque, fut incalculable ; il invitait parfois les
amis, et pendant des heures il criait que le peuple
mourait de faim et que les riches devaient partager.
Lui n'aurait pas donné un sou à un pauvre.

Ce qui fit surtout de lui un républicain féroce, ce
fut l'espérance de se venger enfin des Rougon, qui
se rangeaient franchement du côté de la réaction. Ah !
quel triomphe ! s'il pouvait un jour tenir Pierre et

Félicité à sa merci ! Bien que ces derniers eussent fait d'assez mauvaises affaires, ils étaient devenus des bourgeois, et lui, Macquart, était resté ouvrier. Cela l'exaspérait. Chose plus mortifiante peut-être, ils avaient un de leurs fils avocat, un autre médecin, le troisième employé, tandis que son Jean travaillait chez un menuisier, et sa Gervaise, chez une blanchisseuse. Quand il comparait les Macquart aux Rougon, il éprouvait encore une grande honte à voir sa femme vendre des châtaignes à la halle et rempailler le soir les vieilles chaises graisseuses du quartier. Cependant, Pierre était son frère, il n'avait pas plus droit que lui à vivre grassement de ses rentes. Et, d'ailleurs, c'était avec l'argent qu'il lui avait volé, qu'il jouait au monsieur aujourd'hui. Dès qu'il entamait ce sujet, tout son être entrait en rage ; il clabaudait pendant des heures, répétant ses anciennes accusations à satiété, ne se lassant pas de dire :

« Si mon frère était où il devrait être, c'est moi qui serais rentier à cette heure. »

Et quand on lui demandait où devrait être son frère, il répondait : « Au bagne ! » d'une voix terrible.

Sa haine s'accrut encore, lorsque les Rougon eurent groupé les conservateurs autour d'eux, et qu'ils prirent, à Plassans, une certaine influence. Le fameux salon jaune devint, dans ses bavardages ineptes de café, une caverne de bandits, une réunion de scélérats qui juraient chaque soir sur des poignards d'égorger le peuple. Pour exciter contre Pierre les affamés, il alla jusqu'à faire courir le bruit que l'ancien marchand d'huile n'était pas aussi pauvre qu'il le disait, et qu'il cachait ses trésors par avarice et par crainte des voleurs. Sa tactique tendit ainsi à ameuter les pauvres gens, en leur contant des histoires à dormir

debout, auxquelles il finissait souvent par croire lui-
même. Il cachait assez mal ses rancunes personnel-
les et ses désirs de vengeance sous le voile du patriotisme le plus pur ; mais il se multipliait tellement, il
avait une voix si tonnante, que personne n'aurait
alors osé douter de ses convictions.

Au fond, tous les membres de cette famille avaient
la même rage d'appétits brutaux. Félicité, qui comprenait que les opinions exaltées de Macquart
n'étaient que des colères rentrées et des jalousies
tournées à l'aigre, aurait désiré vivement l'acheter
pour le faire taire. Malheureusement l'argent lui
manquait, et elle n'osait l'intéresser à la dangereuse
partie que jouait son mari. Antoine leur causait le
plus grand tort auprès des rentiers de la ville neuve.
Il suffisait qu'il fût leur parent. Granoux et Roudier
leur reprochaient, avec de continuels mépris, d'avoir
un pareil homme dans leur famille. Aussi Félicité se
demandait-elle avec angoisse comment ils arrive-
raient à se laver de cette tache.

Il lui semblait monstrueux et indécent que, plus
tard, M. Rougon eût un frère dont la femme vendait
des châtaignes, et qui lui-même vivait dans une oisiveté crapuleuse. Elle finit par trembler pour le succès
de leurs secrètes menées, qu'Antoine compromettait
comme à plaisir ; lorsqu'on lui rapportait les diatribes que cet homme déclamait en public contre le
salon jaune, elle frissonnait en pensant qu'il était
capable de s'acharner et de tuer leurs espérances
par le scandale.

Antoine sentait à quel point son attitude devait
consterner les Rougon, et c'était uniquement pour
les mettre à bout de patience, qu'il affectait, de jour
en jour, des convictions plus farouches. Au café, il

appelait Pierre « mon frère », d'une voix qui faisait retourner tous les consommateurs ; dans la rue, s'il venait à rencontrer quelque réactionnaire du salon jaune, il murmurait de sourdes injures que le digne bourgeois, confondu de tant d'audace, répétait le soir aux Rougon en paraissant les rendre responsables de la mauvaise rencontre qu'il avait faite.

Un jour, Granoux arriva furieux.

« Vraiment, cria-t-il dès le seuil de la porte, c'est intolérable ; on est insulté à chaque pas. »

Et, s'adressant à Pierre :

« Monsieur, quand on a un frère comme le vôtre, on en débarrasse la société. Je venais tranquillement par la place de la Sous-Préfecture, lorsque ce misérable, en passant à côté de moi, a murmuré quelques paroles au milieu desquelles j'ai parfaitement distingué le mot de vieux coquin. »

Félicité pâlit et crut devoir présenter des excuses à Granoux ; mais le bonhomme ne voulait rien entendre, il parlait de rentrer chez lui. Le marquis s'empressa d'arranger les choses.

« C'est bien étonnant, dit-il, que ce malheureux vous ait appelé vieux coquin ; êtes-vous sûr que l'injure s'adressait à vous ? »

Granoux devint perplexe ; il finit par convenir qu'Antoine avait bien pu murmurer : « Tu vas encore chez ce vieux coquin. »

M. de Carnavant se caressa le menton pour cacher le sourire qui montait malgré lui à ses lèvres.

Rougon dit alors avec le plus beau sang-froid :

« Je m'en doutais, c'est moi qui devais être le vieux coquin. Je suis heureux que le malentendu soit expliqué. Je vous en prie, messieurs, évitez l'homme

dont il vient d'être question, et que je renie formel-
lement. »

Mais Félicité ne prenait pas aussi froidement les
choses, elle se rendait malade, à chaque esclandre de
Macquart ; pendant des nuits entières, elle se demandait ce que ces messieurs devaient penser.

Quelques mois avant le coup d'État, les Rougon
reçurent une lettre anonyme, trois pages d'ignobles
injures, au milieu desquelles on les menaçait, si
jamais leur parti triomphait, de publier dans un
journal l'histoire scandaleuse des anciennes amours
d'Adélaïde et du vol dont Pierre s'était rendu coupable, en faisant signer un reçu de cinquante mille
francs à sa mère, rendue idiote par la débauche. Cette
lettre fut un coup de massue pour Rougon lui-même.
Félicité ne put s'empêcher de reprocher à son mari
sa honteuse et sale famille ; car les époux ne doutè-
rent pas un instant que la lettre fût l'œuvre d'Antoine.

« Il faudra, dit Pierre d'un air sombre, nous débarrasser à tout prix de cette canaille. Il est par trop
gênant. »

Cependant Macquart, reprenant son ancienne tactique, cherchait des complices contre les Rougon,
dans la famille même. Il avait d'abord compté sur
Aristide, en lisant ses terribles articles de *l'Indépendant*. Mais le jeune homme, bien qu'aveuglé par ses
rages jalouses, n'était point assez sot pour faire cause
commune avec un homme tel que son oncle. Il ne
prit même pas la peine de le ménager et le tint toujours à distance, ce qui le fit traiter de suspect par
Antoine ; dans les estaminets où régnait ce dernier,
on alla jusqu'à dire que le journaliste était un agent
provocateur. Battu de ce côté, Macquart n'avait plus
qu'à sonder les enfants de sa sœur Ursule.

Ursule était morte en 1839, réalisant ainsi la sinistre prophétie de son frère. Les névroses de sa mère s'étaient changées chez elle en une phtisie lente qui l'avait peu à peu consumée. Elle laissait trois enfants : une fille de dix-huit ans, Hélène, mariée à un employé, et deux garçons, le fils aîné, François, jeune homme de vingt-trois ans, et le dernier venu, pauvre créature à peine âgée de six ans, qui se nommait Silvère. La mort de sa femme, qu'il adorait, fut pour Mouret un coup de foudre. Il se traîna une année, ne s'occupant plus de ses affaires, perdant l'argent qu'il avait amassé. Puis, un matin, on le trouva pendu dans un cabinet où étaient encore accrochées les robes d'Ursule. Son fils aîné, auquel il avait pu faire donner une bonne instruction commerciale, entra, à titre de commis, chez son oncle Rougon, où il remplaça Aristide qui venait de quitter la maison.

Rougon, malgré sa haine profonde pour les Macquart, accueillit très volontiers son neveu, qu'il savait laborieux et sobre. Il sentait le besoin d'un garçon dévoué qui l'aidât à relever ses affaires. D'ailleurs, pendant la prospérité des Mouret, il avait éprouvé une grande estime pour ce ménage qui gagnait de l'argent, et du coup il s'était raccommodé avec sa sœur. Peut-être aussi voulait-il, en acceptant François comme employé, lui offrir une compensation ; il avait dépouillé la mère, il s'évitait tout remords en donnant du travail au fils ; les fripons ont de ces calculs d'honnêteté. Ce fut pour lui une bonne affaire. Il trouva dans son neveu l'aide qu'il cherchait. Si, à cette époque, la maison Rougon ne fit pas fortune, on ne put en accuser ce garçon paisible et méticuleux, qui semblait né pour passer sa vie derrière un comptoir d'épicier, entre une jarre d'huile et un paquet de morue sèche. Bien qu'il eût une grande ressemblance physique avec sa mère, il tenait de son père un cerveau étroit et juste, aimant d'instinct la vie réglée, les calculs certains du petit commerce. Trois mois après son entrée chez lui, Pierre, continuant son système de compensation, lui donna en mariage Marthe, sa fille cadette, dont il ne savait comment se débarrasser. Les deux jeunes gens s'étaient aimés tout d'un coup, en quelques jours. Une circonstance singulière avait sans doute déterminé et grandi leur tendresse : ils se ressemblaient étonnamment, d'une ressemblance étroite de frère et de sœur. François, par Ursule, avait le visage d'Adélaïde, l'aïeule. Le cas de Marthe était plus curieux, elle était également tout le portrait d'Adélaïde, bien que Pierre Rougon n'eût aucun trait de sa mère nettement accusé ; la ressemblance physique avait ici sauté par-dessus Pierre, pour reparaître chez sa fille, avec plus d'énergie. D'ailleurs, la fraternité des jeunes époux s'arrêtait au visage ; si l'on retrouvait dans François le digne fils du chapelier Mouret, rangé et un peu lourd de sang, Marthe avait l'effarement, le détraquement intérieur de sa grand-mère, dont elle était à distance l'étrange et exacte reproduction. Peut-être fut-ce à la fois leur ressemblance physique et leur dissemblance morale qui les jetèrent aux bras l'un de l'autre. De 1840 à 1844, ils eurent trois enfants[1]. François resta chez son oncle jusqu'au jour où celui-ci se retira. Pierre voulait lui céder son fonds, mais le jeune homme savait à quoi s'en tenir sur les chances de fortune que le commerce présentait à Plassans ; il refusa et alla s'établir à Marseille, avec ses quelques économies.

Macquart dut vite renoncer à entraîner dans sa campagne contre les Rougon ce gros garçon laborieux, qu'il traitait d'avare et de sournois, par une rancune de fainéant. Mais il crut découvrir le complice qu'il cherchait dans le second fils Mouret, Silvère, un enfant âgé de quinze ans. Lorsqu'on trouva Mouret pendu dans les jupes de sa femme, le petit Silvère n'allait pas même encore à l'école. Son frère aîné, ne sachant que faire de ce pauvre être, l'emmena avec lui chez son oncle. Celui-ci fit la grimace en voyant arriver l'enfant; il n'entendait pas pousser ses compensations jusqu'à nourrir une bouche inutile. Silvère, que Félicité prit également en grippe, grandissait dans les larmes, comme un malheureux abandonné, lorsque sa grand-mère, dans une des rares visites qu'elle faisait aux Rougon, eut pitié de lui et demanda à l'emmener. Pierre fut ravi; il laissa partir l'enfant, sans même parler d'augmenter la faible pension qu'il servait à Adélaïde, et qui désormais devrait suffire pour deux.

Adélaïde avait alors près de soixante-quinze ans. Vieillie dans une existence monacale, elle n'était plus la maigre et ardente fille qui courait jadis se jeter au cou du braconnier Macquart. Elle s'était roidie et figée, au fond de sa masure de l'impasse Saint-Mittre, ce trou silencieux et morne où elle vivait absolument seule, et dont elle ne sortait pas une fois par mois, se nourrissant de pommes de terre et de légumes secs. On eût dit, à la voir passer, une de ces vieilles religieuses, aux blancheurs molles, à la démarche automatique, que le cloître a désintéressées de ce monde. Sa face blême, toujours correctement encadrée d'une coiffe blanche, était comme une face de mourante, un masque vague, apaisé, d'une indifférence suprême. L'habitude d'un long silence l'avait rendue muette ; l'ombre de sa demeure, la vue continuelle des mêmes objets, avaient éteint ses regards et donné à ses yeux une limpidité d'eau de source. C'était un renoncement absolu, une lente mort physique et morale, qui avait fait peu à peu de l'amoureuse détraquée une matrone grave. Quand ses yeux se fixaient, machinalement, regardant sans voir, on apercevait par ces trous clairs et profonds un grand vide intérieur. Rien ne restait de ses anciennes ardeurs voluptueuses qu'un amollissement des chairs, un tremblement sénile des mains. Elle avait aimé avec une brutalité de louve, et de son pauvre être usé, assez décomposé déjà pour le cercueil, ne s'exhalait plus qu'une senteur fade de feuille sèche. Étrange travail des nerfs, des âpres désirs qui s'étaient rongés eux-mêmes, dans une impérieuse et involontaire chasteté. Ses besoins d'amour, après la mort de Macquart, cet homme nécessaire à sa vie, avaient brûlé en elle, la dévorant comme une fille cloîtrée, et sans qu'elle songeât un instant à les contenter. Une vie de honte l'aurait laissée peut-être moins lasse, moins hébétée, que cet inassouvissement achevant de se satisfaire par des ravages lents et secrets, qui modifiaient son organisme.

Parfois encore, dans cette morte, dans cette vieille femme blême qui paraissait n'avoir plus une goutte de sang, des crises nerveuses passaient, comme des courants électriques, qui la galvanisaient et lui rendaient pour une heure une vie atroce d'intensité. Elle demeurait sur son lit, rigide, les yeux ouverts ; puis des hoquets la prenaient, et elle se débattait ; elle avait la force effrayante de ces folles hystériques, qu'on est obligé d'attacher, pour qu'elles ne se brisent pas la tête contre les murs. Ce retour à ses anciennes ardeurs, ces brusques attaques, secouaient d'une façon navrante son pauvre corps endolori. C'était comme toute sa jeunesse de passion chaude qui éclatait honteusement dans ses froideurs de sexagénaire[1]. Quand elle se relevait, stupide, elle chancelait, elle reparaissait si effarée, que les commères du faubourg disaient : « Elle a bu, la vieille folle ! »

Le sourire enfantin du petit Silvère fut pour elle un dernier rayon pâle qui rendit quelque chaleur à ses membres glacés. Elle avait demandé l'enfant, lasse de solitude, terrifiée par la pensée de mourir seule, dans une crise. Ce bambin qui tournait autour d'elle la rassurait contre la mort. Sans sortir de son mutisme, sans assouplir ses mouvements automatiques, elle se prit pour lui d'une tendresse ineffable. Roide, muette, elle le regardait jouer pendant des heures, écoutant avec ravissement le tapage intolérable dont il emplissait la vieille masure. Cette tombe était toute vibrante de bruit, depuis que Silvère la parcourait à califourchon sur un manche à balai, se cognant dans les portes, pleurant et criant. Il ramenait Adélaïde sur cette terre ; elle s'occupait de lui avec des maladresses adorables ; elle qui avait dans sa jeunesse oublié d'être mère pour être amante, éprouvait les voluptés divines d'une nouvelle accouchée, à le débarbouiller, à l'habiller, à veiller sans cesse sur sa frêle existence. Ce fut un réveil d'amour, une dernière passion adoucie que le ciel accordait à cette femme toute dévastée par le besoin d'aimer. Touchante agonie de ce cœur qui avait vécu dans les désirs les plus âpres et qui se mourait dans l'affection d'un enfant.

Elle était trop morte déjà pour avoir les effusions bavardes des grand-mères bonnes et grasses ; elle

adorait l'orphelin secrètement, avec des pudeurs de
jeune fille, sans pouvoir trouver des caresses. Parfois,
elle le prenait sur ses genoux, elle le regardait longuement de ses yeux pâles. Lorsque le petit, effrayé par
ce visage blanc et muet, se mettait à sangloter, elle
paraissait confuse de ce qu'elle venait de faire, elle
le remettait vite sur le sol sans l'embrasser. Peut-être
lui trouvait-elle une lointaine ressemblance avec le
braconnier Macquart.

Silvère grandit dans un continuel tête-à-tête avec
Adélaïde. Par une cajolerie d'enfant, il l'appelait tante
Dide, nom qui finit par rester à la vieille femme ; le
nom de tante, ainsi employé, est en Provence une
simple caresse. L'enfant eut pour sa grand-mère une
singulière tendresse mêlée d'une terreur respectueuse.
Quand il était tout petit et qu'elle avait une crise nerveuse, il se sauvait en pleurant, épouvanté par la
décomposition de son visage ; puis il revenait timidement après l'attaque, prêt à se sauver encore,
comme si la pauvre vieille eût été capable de le battre.
Plus tard, à douze ans, il demeura courageusement,
veillant à ce qu'elle ne se blessât pas en tombant de
son lit. Il resta des heures à la tenir étroitement entre
ses bras pour maîtriser les brusques secousses qui
tordaient ses membres. Pendant les intervalles de
calme, il regardait avec de grandes pitiés sa face
convulsionnée, son corps amaigri, sur lequel les jupes
plaquaient, pareilles à un linceul. Ces drames secrets,
qui revenaient chaque mois, cette vieille femme rigide
comme un cadavre et cet enfant penché sur elle,
épiant en silence le retour de la vie, prenaient, dans
l'ombre de la masure, un étrange caractère de morne
épouvante et de bonté navrée. Lorsque tante Dide
revenait à elle, elle se levait péniblement, rattachait

ses jupes, se remettait à vaquer dans le logis, sans même questionner Silvère ; elle ne se souvenait de rien, et l'enfant, par un instinct de prudence, évitait de faire la moindre allusion à la scène qui venait de se passer. Ce furent surtout ces crises renaissantes qui attachèrent profondément le petit-fils à sa grand-mère. Mais, de même qu'elle l'adorait sans effusions bavardes, il eut pour elle une affection cachée et comme honteuse. Au fond, s'il lui était reconnaissant de l'avoir recueilli et élevé, il continuait à voir en elle une créature extraordinaire, en proie à des maux inconnus, qu'il fallait plaindre et respecter. Il n'y avait sans doute plus assez d'humanité dans Adélaïde, elle était trop blanche et trop roide pour que Silvère osât se pendre à son cou. Ils vécurent ainsi dans un silence triste, au fond duquel ils entendaient le frissonnement d'une tendresse infinie.

Cet air grave et mélancolique qu'il respira dès son enfance donna à Silvère une âme forte, où s'amassèrent tous les enthousiasmes. Ce fut de bonne heure un petit homme sérieux, réfléchi, qui rechercha l'instruction avec une sorte d'entêtement. Il n'apprit qu'un peu d'orthographe et d'arithmétique à l'école des frères, que les nécessités de son apprentissage lui firent quitter à douze ans. Les premiers éléments lui manquèrent toujours. Mais il lut tous les volumes dépareillés qui lui tombèrent sous la main, et se composa ainsi un étrange bagage ; il avait des données sur une foule de choses, données incomplètes, mal digérées, qu'il ne réussit jamais à classer nettement dans sa tête. Tout petit, il était allé jouer chez un maître charron, un brave homme nommé Vian, dont l'atelier se trouvait au commencement de l'impasse, en face de l'aire Saint-Mittre, où le charron déposait son bois.

Il montait sur les roues des carrioles en réparation, il s'amusait à traîner les lourds outils que ses petites mains pouvaient à peine soulever ; une de ses grandes joies était alors d'aider les ouvriers, en maintenant quelque pièce de bois ou en leur apportant les ferrures dont ils avaient besoin. Quand il eut grandi, il entra naturellement en apprentissage chez Vian, qui s'était pris d'amitié pour ce galopin qu'il rencontrait sans cesse dans ses jambes, et qui le demanda à Adélaïde sans vouloir accepter la moindre pension. Silvère accepta avec empressement, voyant déjà le moment où il rendrait à la pauvre tante Dide ce qu'elle avait dépensé pour lui. En peu de temps, il devint un excellent ouvrier. Mais il se sentait des ambitions plus hautes. Ayant aperçu, chez un carrossier de Plassans, une belle calèche neuve, toute luisante de vernis, il s'était dit qu'il construirait un jour des voitures semblables. Cette calèche resta dans son esprit comme un objet d'art rare et unique, comme un idéal vers lequel tendirent ses aspirations d'ouvrier. Les carrioles auxquelles il travaillait chez Vian, ces carrioles qu'il avait soignées amoureusement, lui semblaient maintenant indignes de ses tendresses. Il se mit à fréquenter l'école de dessin, où il se lia avec un jeune échappé du collège qui lui prêta son ancien traité de géométrie. Et il s'enfonça dans l'étude, sans guide, passant des semaines à se creuser la tête pour comprendre les choses les plus simples du monde. Il devint ainsi un de ces ouvriers savants qui savent à peine signer leur nom et qui parlent de l'algèbre comme d'une personne de leur connaissance. Rien ne détraque autant un esprit qu'une pareille instruction, faite à bâtons rompus, ne reposant sur aucune base solide. Le plus souvent,

ces miettes de science donnent une idée absolument
fausse des hautes vérités, et rendent les pauvres
d'esprit insupportables de carrure bête. Chez Silvère, les bribes de savoir volé ne firent qu'accroître
les exaltations généreuses. Il eut conscience des horizons qui lui restaient fermés. Il se fit une idée sainte
de ces choses qu'il n'arrivait pas à toucher de la main,
et il vécut dans une profonde et innocente religion
des grandes pensées et des grands mots vers lesquels
il se haussait, sans toujours les comprendre. Ce fut
un naïf, un naïf sublime, resté sur le seuil du temple,
à genoux devant des cierges qu'il prenait de loin
pour des étoiles.

La masure de l'impasse Saint-Mittre se composait
d'abord d'une grande salle sur laquelle s'ouvrait directement la porte de la rue ; cette salle, dont le sol était
pavé, et qui servait à la fois de cuisine et de salle à
manger, avait pour uniques meubles des chaises de
paille, une table posée sur des tréteaux, et un vieux
coffre qu'Adélaïde avait transformé en canapé, en étalant sur le couvercle un lambeau d'étoffe de laine ;
dans une encoignure, à gauche d'une vaste cheminée,
se trouvait une Sainte Vierge en plâtre, entourée de
fleurs artificielles, la bonne mère traditionnelle des
vieilles femmes provençales, si peu dévotes qu'elles
soient. Un couloir menait de la salle à la petite cour,
située derrière la maison, et dans laquelle se trouvait
un puits. À gauche du couloir, était la chambre de
tante Dide, une étroite pièce meublée d'un lit en fer
et d'une chaise ; à droite, dans une pièce plus étroite
encore, où il y avait juste la place d'un lit de sangles, couchait Silvère, qui avait dû imaginer tout un
système de planches, montant jusqu'au plafond, pour
garder auprès de lui ses chers volumes dépareillés,

achetés sou à sou dans la boutique d'un fripier du voisinage. La nuit, quand il lisait, il accrochait sa lampe à un clou, au chevet de son lit. Si quelque crise prenait sa grand-mère, il n'avait, au premier râle, qu'un saut à faire pour être auprès d'elle.

La vie du jeune homme resta celle de l'enfant. Ce fut dans ce coin perdu qu'il fit tenir toute son existence. Il éprouvait les répugnances de son père pour les cabarets et les flâneries du dimanche. Ses camarades blessaient ses délicatesses par leurs joies brutales. Il préférait lire, se casser la tête à quelque problème bien simple de géométrie. Depuis que tante Dide le chargeait des petites commissions du ménage, elle ne sortait plus, elle vivait étrangère même à sa famille. Parfois, le jeune homme songeait à cet abandon ; il regardait la pauvre vieille qui demeurait à deux pas de ses enfants, et que ceux-ci cherchaient à oublier, comme si elle fût morte ; alors il l'aimait davantage, il l'aimait pour lui et pour les autres. S'il avait, par moments, vaguement conscience que tante Dide expiait d'anciennes fautes, il pensait : « Je suis né pour lui pardonner. »

Dans un pareil esprit, ardent et contenu, les idées républicaines s'exaltèrent naturellement. Silvère, la nuit, au fond de son taudis, lisait et relisait un volume de Rousseau, qu'il avait découvert chez le fripier voisin, au milieu de vieilles serrures. Cette lecture le tenait éveillé jusqu'au matin. Dans le rêve cher aux malheureux du bonheur universel, les mots de liberté, d'égalité, de fraternité, sonnaient à ses oreilles avec ce bruit sonore et sacré des cloches qui fait tomber les fidèles à genoux. Aussi, quand il apprit que la République venait d'être proclamée en France, crut-il que tout le monde allait vivre dans une béatitude céleste. Sa demi-instruction lui faisait voir plus loin que les autres ouvriers, ses aspirations ne s'arrêtaient pas au pain de chaque jour ; mais ses naïvetés profondes, son ignorance complète des hommes, le maintenaient en plein rêve théorique, au milieu d'un Éden où régnait l'éternelle justice. Son paradis fut longtemps un lieu de délices dans lequel il s'oublia. Quand il crut s'apercevoir que tout n'allait pas pour le mieux dans la meilleure des républiques, il éprouva une douleur immense ; il fit un autre rêve, celui de contraindre les hommes à être heureux, même par la force. Chaque acte qui lui parut blesser les intérêts du peuple excita en lui une indignation vengeresse. D'une douceur d'enfant, il eut des haines politiques farouches. Lui qui n'aurait pas écrasé une mouche, il parlait à toute heure de prendre les armes. La liberté fut sa passion, une passion irraisonnée, absolue, dans laquelle il mit toutes les fièvres de son sang. Aveuglé d'enthousiasme, à la fois trop ignorant et trop instruit pour être tolérant, il ne voulut pas compter avec les hommes ; il lui fallait un gouvernement idéal d'entière justice et d'entière liberté. Ce fut à cette époque que son oncle Macquart songea à le jeter sur les Rougon. Il se disait que ce jeune fou ferait une terrible besogne, s'il parvenait à l'exaspérer convenablement. Ce calcul ne manquait pas d'une certaine finesse.

Antoine chercha donc à attirer Silvère chez lui, en affichant une admiration immodérée pour les idées du jeune homme. Dès le début, il faillit tout compromettre : il avait une façon intéressée de considérer le triomphe de la République, comme une ère d'heureuse fainéantise et de mangeailles sans fin, qui froissa les aspirations purement morales de son

neveu. Il comprit qu'il faisait fausse route, il se jeta
dans un pathos étrange, dans une enfilade de mots
creux et sonores, que Silvère accepta comme une
preuve suffisante de civisme. Bientôt l'oncle et le
neveu se virent deux et trois fois par semaine. Pendant leurs longues discussions, où le sort du pays
était carrément décidé, Antoine essaya de persuader
au jeune homme que le salon des Rougon était le
principal obstacle au bonheur de la France. Mais,
de nouveau, il fit fausse route en appelant sa mère
« vieille coquine » devant Silvère. Il alla jusqu'à lui
raconter les anciens scandales de la pauvre vieille. Le
jeune homme, rouge de honte, l'écouta sans l'interrompre. Il ne lui demandait pas ces choses, il fut
navré d'une pareille confidence, qui le blessait dans
ses tendresses respectueuses pour tante Dide. À partir
de ce jour, il entoura sa grand-mère de plus de soins,
il eut pour elle de bons sourires et de bons regards
de pardon. D'ailleurs, Macquart s'était aperçu qu'il
avait commis une bêtise, et il s'efforçait d'utiliser les
tendresses de Silvère en accusant les Rougon de l'isolement et de la pauvreté d'Adélaïde. À l'entendre, lui
avait toujours été le meilleur des fils, mais son frère
s'était conduit d'une façon ignoble ; il avait dépouillé
sa mère, et aujourd'hui qu'elle n'avait plus le sou, il
rougissait d'elle. C'était, sur ce sujet, des bavardages
sans fin. Silvère s'indignait contre l'oncle Pierre, au
grand contentement de l'oncle Antoine.

À chaque visite du jeune homme, les mêmes scènes se reproduisaient. Il arrivait, le soir, pendant le
dîner de la famille Macquart. Le père avalait quelque
ragoût de pommes de terre en grognant. Il triait les
morceaux de lard, et suivait des yeux le plat, lorsqu'il
passait aux mains de Jean et de Gervaise.

« Tu vois, Silvère, disait-il avec une rage sourde qu'il cachait mal sous un air d'indifférence ironique, encore des pommes de terre, toujours des pommes de terre ! Nous ne mangeons plus que de ça. La viande, c'est pour les riches. Il devient impossible de joindre les deux bouts, avec des enfants qui ont un appétit de tous les diables. »

Gervaise et Jean baissaient le nez dans leur assiette, n'osant plus se couper du pain. Silvère, vivant au ciel dans son rêve, ne se rendait nullement compte de la situation. Il prononçait d'une voix tranquille ces paroles grosses d'orage :

« Mais, mon oncle, vous devriez travailler.

— Ah ! oui, ricanait Macquart touché au vif de sa plaie, tu veux que je travaille, n'est-ce pas ? pour que ces gueux de riches spéculent encore sur moi. Je gagnerais peut-être vingt sous à m'exterminer le tempérament. Ça vaut bien la peine !

— On gagne ce qu'on peut, répondait le jeune homme. Vingt sous, c'est vingt sous, et ça aide dans une maison... D'ailleurs vous êtes un ancien soldat, pourquoi ne cherchez-vous pas un emploi ? »

Fine intervenait alors, avec une étourderie dont elle se repentait bientôt.

« C'est ce que je lui répète tous les jours, disait-elle. Ainsi l'inspecteur du marché a besoin d'un aide ; je lui ai parlé de mon mari, il paraît bien disposé pour nous... »

Macquart l'interrompait en la foudroyant d'un regard.

« Eh ! tais-toi, grondait-il avec une colère contenue. Ces femmes ne savent pas ce qu'elles disent ! On ne voudrait pas de moi. On connaît trop bien mes opinions. »

À chaque place qu'on lui offrait, il entrait ainsi dans une irritation profonde. Il ne cessait cependant de demander des emplois, quitte à refuser ceux qu'on lui trouvait, en alléguant les plus singulières raisons. Quand on le poussait sur ce point, il devenait terrible.

Si Jean, après le dîner, prenait un journal :

« Tu ferais mieux d'aller te coucher. Demain tu te lèveras tard, et ce sera encore une journée de perdue... Dire que ce galopin-là a rapporté huit francs de moins la semaine dernière ! Mais j'ai prié son patron de ne plus lui remettre son argent. Je le toucherai moi-même. »

Jean allait se coucher, pour ne pas entendre les récriminations de son père. Il sympathisait peu avec Silvère ; la politique l'ennuyait, et il trouvait que son cousin était « toqué ». Lorsqu'il ne restait plus que les femmes, si par malheur elles causaient à voix basse, après avoir desservi la table :

« Ah ! les fainéantes ! criait Macquart. Est-ce qu'il n'y a rien à raccommoder ici ? Nous sommes tous en loques... Écoute, Gervaise, j'ai passé chez ta maîtresse, où j'en ai appris de belles. Tu es une coureuse et une propre à rien. »

Gervaise, grande fille de vingt ans passés, rougissait d'être ainsi grondée devant Silvère. Celui-ci, en face d'elle, éprouvait un malaise. Un soir, étant venu tard, pendant une absence de son oncle, il avait trouvé la mère et la fille ivres mortes devant une bouteille vide. Depuis ce moment, il ne pouvait revoir sa cousine sans se rappeler le spectacle honteux de cette enfant, riant d'un rire épais, ayant de larges plaques rouges sur sa pauvre petite figure pâlie. Il était aussi intimidé par les vilaines histoires qui couraient

sur son compte. Grandi dans une chasteté de céno-
bite, il la regardait parfois à la dérobée, avec l'étonnement craintif d'un collégien mis en face d'une fille.

Quand les deux femmes avaient pris leur aiguille
et se tuaient les yeux à lui raccommoder ses vieilles
chemises, Macquart, assis sur le meilleur siège, se
renversait voluptueusement, sirotant et fumant, en
homme qui savoure sa fainéantise. C'était l'heure où
le vieux coquin accusait les riches de boire la sueur
du peuple. Il avait des emportements superbes contre ces messieurs de la ville neuve, qui vivaient dans la
paresse et se faisaient entretenir par le pauvre monde.
Les lambeaux d'idées communistes qu'il avait pris
le matin dans les journaux devenaient grotesques et
monstrueux en passant par sa bouche. Il parlait d'une
époque prochaine où personne ne serait plus obligé
de travailler. Mais il gardait pour les Rougon ses haines les plus féroces. Il n'arrivait pas à digérer les
pommes de terre qu'il avait mangées.

« J'ai vu, disait-il, cette gueuse de Félicité qui
achetait ce matin un poulet à la halle... Ils mangent
du poulet, ces voleurs d'héritage !

— Tante Dide, répondait Silvère, prétend que mon
oncle Pierre a été bon pour vous, à votre retour du
service. N'a-t-il pas dépensé une forte somme pour
vous habiller et vous loger ?

— Une forte somme ! hurlait Macquart exaspéré.
Ta grand-mère est folle !... Ce sont ces brigands qui
ont fait courir ces bruits-là, afin de me fermer la
bouche. Je n'ai rien reçu. »

Fine intervenait encore maladroitement, rappelant
à son mari qu'il avait eu deux cents francs, plus un
vêtement complet et une année de loyer. Antoine lui

criait de se taire, il continuait avec une furie croissante :

« Deux cents francs ! la belle affaire ! c'est mon dû
que je veux, c'est dix mille francs. Ah ! oui, parlons
du bouge où ils m'ont jeté comme un chien, et de la
vieille redingote que Pierre m'a donnée, parce qu'il
n'osait plus la mettre, tant elle était sale et trouée ! »

Il mentait ; mais personne, devant sa colère, ne
protestait plus. Puis, se tournant vers Silvère :

« Tu es encore bien naïf, toi, de les défendre ! ajoutait-il. Ils ont dépouillé ta mère, et la brave femme ne
serait pas morte, si elle avait eu de quoi se soigner.

— Non, vous n'êtes pas juste, mon oncle, disait
le jeune homme, ma mère n'est pas morte faute de
soins, et je sais que jamais mon père n'aurait accepté
un sou de la famille de sa femme.

— Baste ! laisse-moi donc tranquille ! Ton père
aurait pris l'argent tout comme un autre. Nous avons
été dévalisés indignement, nous devons rentrer dans
notre bien. »

Et Macquart recommençait pour la centième fois
l'histoire des cinquante mille francs. Son neveu, qui
la savait par cœur, ornée de toutes les variantes dont
il l'enjolivait, l'écoutait avec quelque impatience.

« Si tu étais un homme, disait Antoine en finissant,
tu viendrais un jour avec moi, et nous ferions un beau
vacarme chez les Rougon. Nous ne sortirions pas
sans qu'on nous donnât de l'argent. »

Mais Silvère devenait grave et répondait d'une voix
nette :

« Si ces misérables nous ont dépouillés, tant pis
pour eux ! Je ne veux pas de leur argent. Voyez-vous,
mon oncle, ce n'est pas à nous qu'il appartient de

frapper notre famille. Ils ont mal agi, ils seront terriblement punis un jour.

— Ah ! quel grand innocent ! criait l'oncle. Quand
nous serons les plus forts, tu verras si je ne fais pas
mes petites affaires moi-même. Le bon Dieu s'occupe
bien de nous ! La sale famille, la sale famille que la
nôtre ! Je crèverais de faim, que pas un de ces gueux-
là ne me jetterait un morceau de pain sec. »

Lorsque Macquart entamait ce sujet, il ne tarissait pas. Il montrait à nu les blessures saignantes de
son envie. Il voyait rouge, dès qu'il venait à songer que
lui seul n'avait pas eu de chance dans la famille, et
qu'il mangeait des pommes de terre, quand les autres
avaient de la viande à discrétion. Tous ses parents,
jusqu'à ses petits-neveux, passaient alors par ses
mains, et il trouvait des griefs et des menaces contre
chacun d'eux.

« Oui, oui, répétait-il avec amertume, ils me laisse-
raient crever comme un chien. »

Gervaise, sans lever la tête, sans cesser de tirer son
aiguille, disait parfois timidement :

« Pourtant, papa, mon cousin Pascal a été bon pour
nous, l'année dernière, quand tu étais malade.

— Il t'a soigné sans jamais demander un sou, reprenait Fine, venant au secours de sa fille, et souvent il
m'a glissé des pièces de cinq francs pour te faire du
bouillon.

— Lui ! il m'aurait fait crever, si je n'avais pas eu
une bonne constitution ! s'exclamait Macquart. Taisez-vous, bêtes ! Vous vous laisseriez entortiller
comme des enfants. Ils voudraient tous me voir mort.
Lorsque je serai malade, je vous prie de ne plus aller
chercher mon neveu, car je n'étais pas déjà si tranquille que ça, de me sentir entre ses mains. C'est un

médecin de quatre sous, il n'a pas une personne comme il faut dans sa clientèle. »

Puis Macquart, une fois lancé, ne s'arrêtait plus.

« C'est comme cette petite vipère d'Aristide, disait-il, c'est un faux frère, un traître. Est-ce que tu te laisses prendre à ses articles de *l'Indépendant*, toi, Silvère ? Tu serais un fameux niais. Ils ne sont pas même écrits en français, ses articles. J'ai toujours dit que ce républicain de contrebande s'entendait avec son digne père pour se moquer de nous. Tu verras comme il retournera sa veste... Et son frère, l'illustre Eugène, ce gros bêta dont les Rougon font tant d'embarras ! Est-ce qu'ils n'ont pas le toupet de prétendre qu'il a à Paris une belle position ! Je la connais, moi, sa position. Il est employé à la rue de Jérusalem ; c'est un mouchard...

— Qui vous l'a dit ? Vous n'en savez rien, interrompait Silvère, dont l'esprit droit finissait par être blessé des accusations mensongères de son oncle.

— Ah ! je n'en sais rien ? Tu crois cela ? Je te dis que c'est un mouchard... Tu te feras tondre comme un agneau, avec ta bienveillance. Tu n'es pas un homme. Je ne veux pas dire du mal de ton frère François ; mais, à ta place, je serais joliment vexé de la façon pingre dont il se conduit à ton égard ; il gagne de l'argent gros comme lui, à Marseille, et il ne t'enverrait jamais une misérable pièce de vingt francs pour tes menus plaisirs. Si tu tombes un jour dans la misère, je ne te conseille pas de t'adresser à lui.

— Je n'ai besoin de personne, répondait le jeune homme d'une voix fière et légèrement altérée. Mon travail nous suffit, à moi et à tante Dide. Vous êtes cruel, mon oncle.

— Moi, je dis la vérité, voilà tout... Je voudrais t'ouvrir les yeux. Notre famille est une sale famille ; c'est triste, mais c'est comme ça. Il n'y a pas jusqu'au petit Maxime, le fils d'Aristide, ce mioche de neuf ans, qui ne me tire la langue, quand il me rencontre. Cet enfant battra sa mère un jour, et ce sera bien fait. Va, tu as beau dire, tous ces gens-là ne méritent pas leur chance ; mais ça se passe toujours ainsi dans les familles : les bons pâtissent et les mauvais font fortune. »

Tout ce linge sale que Macquart lavait avec tant de complaisance devant son neveu écœurait profondément le jeune homme. Il aurait voulu remonter dans son rêve. Dès qu'il donnait des signes trop vifs d'impatience, Antoine employait les grands moyens pour l'exaspérer contre leurs parents.

« Défends-les ! défends-les ! disait-il en paraissant se calmer. Moi, en somme, je me suis arrangé de façon à ne plus avoir affaire à eux. Ce que je t'en dis, c'est par tendresse pour ma pauvre mère, que toute cette clique traite vraiment d'une façon révoltante.

— Ce sont des misérables ! murmurait Silvère.

— Oh ! tu ne sais rien, tu n'entends rien, toi. Il n'y a pas d'injures que les Rougon ne disent contre la brave femme. Aristide a défendu à son fils de jamais la saluer. Félicité parle de la faire enfermer dans une maison de folles. »

Le jeune homme, pâle comme un linge, interrompait brusquement son oncle.

« Assez ! criait-il, je ne veux pas en savoir davantage. Il faudra que tout cela finisse.

— Je me tais, puisque ça te contrarie, reprenait le vieux coquin en faisant le bonhomme. Il y a des choses pourtant que tu ne dois pas ignorer, à moins que tu ne veuilles jouer le rôle d'un imbécile. »

Macquart, tout en s'efforçant de jeter Silvère sur les Rougon, goûtait une joie exquise à mettre des larmes de douleur dans les yeux du jeune homme. Il le détestait peut-être plus que les autres, parce qu'il était excellent ouvrier et qu'il ne buvait jamais. Aussi aiguisait-il ses plus fines cruautés à inventer des mensonges atroces qui frappaient au cœur le pauvre garçon ; il jouissait alors de sa pâleur, du tremblement de ses mains, de ses regards navrés, avec la volupté d'un esprit méchant qui calcule ses coups et qui a touché sa victime au bon endroit. Puis, quand il croyait avoir suffisamment blessé et exaspéré Silvère, il abordait enfin la politique.

« On m'a assuré, disait-il en baissant la voix, que les Rougon préparent un mauvais coup.

— Un mauvais coup ? interrogeait Silvère devenu attentif.

— Oui, on doit saisir, une de ces nuits prochaines, tous les bons citoyens de la ville et les jeter en prison. »

Le jeune homme commençait par douter. Mais son oncle donnait des détails précis : il parlait de listes dressées, il nommait les personnes qui se trouvaient sur ces listes, il indiquait de quelle façon, à quelle heure et dans quelles circonstances s'exécuterait le complot. Peu à peu Silvère se laissait prendre à ce conte de bonne femme, et bientôt il délirait contre les ennemis de la République.

« Ce sont eux, criait-il, que nous devrions réduire à l'impuissance, s'ils continuent à trahir le pays. Et que comptent-ils faire des citoyens qu'ils arrêteront ?

— Ce qu'ils comptent en faire ! répondait Macquart

avec un petit rire sec, mais ils les fusilleront dans les basses fosses des prisons. »

Et comme le jeune homme, stupide d'horreur, le regardait sans pouvoir trouver une parole :

« Et ce ne sera pas les premiers qu'on y assassinera, continuait-il. Tu n'as qu'à aller rôder le soir, derrière le palais de justice, tu y entendras des coups de feu et des gémissements.

— Ô les infâmes ! » murmurait Silvère.

Alors, l'oncle et le neveu se lançaient dans la haute politique. Fine et Gervaise, en les voyant aux prises, allaient se coucher doucement, sans qu'ils s'en aperçussent. Jusqu'à minuit, les deux hommes restaient ainsi à commenter les nouvelles de Paris, à parler de la lutte prochaine et inévitable. Macquart déblatérait amèrement contre les hommes de son parti ; Silvère rêvait tout haut, et pour lui seul, son rêve de liberté idéale. Étranges entretiens, pendant lesquels l'oncle se versait un nombre incalculable de petits verres, et dont le neveu sortait gris d'enthousiasme. Antoine ne put cependant jamais obtenir du jeune républicain un calcul perfide, un plan de guerre contre les Rougon ; il eut beau le pousser, il n'entendit sortir de sa bouche que des appels à la justice éternelle, qui tôt ou tard punirait les méchants.

Le généreux enfant parlait bien avec fièvre de prendre les armes et de massacrer les ennemis de la République ; mais, dès que ces ennemis sortaient du rêve et se personnifiaient dans son oncle Pierre ou dans toute autre personne de sa connaissance, il comptait sur le ciel pour lui éviter l'horreur du sang versé. Il est à croire qu'il aurait même cessé de fréquenter Macquart, dont les fureurs jalouses lui causaient une sorte de malaise, s'il n'avait goûté la joie de parler librement chez lui de sa chère République. Toutefois, son oncle eut sur sa destinée une influence décisive ; il irrita ses nerfs par ses continuelles diatribes ; il acheva de lui faire souhaiter âprement la lutte armée, la conquête violente du bonheur universel.

Comme Silvère atteignait sa seizième année, Macquart le fit initier à la société secrète des Montagnards, cette association puissante qui couvrait tout le Midi. Dès ce moment, le jeune républicain couva des yeux la carabine du contrebandier, qu'Adélaïde avait accrochée sur le manteau de la cheminée. Une nuit, pendant que sa grand-mère dormait, il la nettoya, la remit en état. Puis il la replaça à son clou et attendit. Et il se berçait dans ses rêveries d'illuminé, il bâtissait des épopées gigantesques, voyant en plein idéal des luttes homériques, des sortes de tournois chevaleresques, dont les défenseurs de la liberté sortaient vainqueurs, et acclamés par le monde entier.

Macquart, malgré l'inutilité de ses efforts, ne se découragea pas. Il se dit qu'il suffirait seul à étrangler les Rougon, s'il pouvait jamais les tenir dans un petit coin. Ses rages de fainéant envieux et affamé s'accrurent encore, à la suite d'accidents successifs qui l'obligèrent à se remettre au travail. Vers les premiers jours de l'année 1850, Fine mourut presque subitement d'une fluxion de poitrine, qu'elle avait prise en allant laver un soir le linge de la famille à la Viorne, et en le rapportant mouillé sur son dos ; elle était rentrée trempée d'eau et de sueur, écrasée par ce fardeau qui pesait un poids énorme, et ne s'était plus relevée. Cette mort consterna Macquart. Son revenu le plus assuré lui échappait. Quand il vendit, au bout de quelques jours, le chaudron dans lequel

sa femme faisait bouillir ses châtaignes, et le cheva-
let qui lui servait à rempailler ses vieilles chaises, il
accusa grossièrement le bon Dieu de lui avoir pris
la défunte, cette forte commère dont il avait eu
honte et dont il sentait à cette heure tout le prix. Il
se rabattit sur le gain de ses enfants avec plus d'avidité. Mais, un mois plus tard, Gervaise, lasse de ses
continuelles exigences, s'en alla avec ses deux enfants
et Lantier, dont la mère était morte. Les amants se
réfugièrent à Paris. Antoine, atterré, s'emporta igno-
blement contre sa fille, en lui souhaitant de crever à
l'hôpital, comme ses pareilles. Ce débordement d'injures n'améliora pas sa situation qui, décidément,
devenait mauvaise. Jean suivit bientôt l'exemple de
sa sœur. Il attendit un jour de paye et s'arrangea de
façon à toucher lui-même son argent. Il dit en partant à un de ses amis, qui le répéta à Antoine, qu'il
ne voulait plus nourrir son fainéant de père, et que si
ce dernier s'avisait de le faire ramener par les gendarmes, il était décidé à ne plus toucher une scie ni
un rabot. Le lendemain, lorsque Antoine l'eut cherché inutilement et qu'il se trouva seul, sans un sou,
dans le logement où, pendant vingt ans, il s'était fait
grassement entretenir, il entra dans une rage atroce,
donnant des coups de pieds aux meubles, hurlant les
imprécations les plus monstrueuses. Puis il s'affaissa,
il se mit à traîner les pieds, à geindre comme un
convalescent. La crainte d'avoir à gagner son pain
le rendait positivement malade. Quand Silvère vint
le voir, il se plaignit avec des larmes de l'ingratitude
des enfants. N'avait-il pas toujours été un bon père ?
Jean et Gervaise étaient des monstres qui le récom-
pensaient bien mal de tout ce qu'il avait fait pour eux.

Maintenant, ils l'abandonnaient, parce qu'il était vieux et qu'ils ne pouvaient plus rien tirer de lui.

« Mais, mon oncle, dit Silvère, vous êtes encore d'un âge à travailler. »

Macquart, toussant, se courbant, hocha lugubrement la tête, comme pour dire qu'il ne résisterait pas longtemps à la moindre fatigue. Au moment où son neveu allait se retirer, il lui emprunta dix francs. Il vécut un mois, en portant un à un chez un fripier les vieux effets de ses enfants, et en vendant également peu à peu tous les menus objets du ménage. Bientôt il n'eut plus qu'une table, une chaise, son lit et les vêtements qu'il portait. Il finit même par troquer la couchette de noyer contre un simple lit de sangles. Quand il fut à bout de ressources, pleurant de rage, avec la pâleur farouche d'un homme qui se résigne au suicide, il alla chercher le paquet d'osier oublié dans un coin depuis un quart de siècle. En le prenant, il parut soulever une montagne. Et il se remit à tresser des corbeilles et des paniers, accusant le genre humain de son abandon. Ce fut alors surtout qu'il parla de partager avec les riches. Il se montra terrible. Il incendiait de ses discours l'estaminet, où ses regards furibonds lui assuraient un crédit illimité. D'ailleurs, il ne travaillait que lorsqu'il n'avait pu soutirer une pièce de cent sous à Silvère ou à un camarade. Il ne fut plus « monsieur » Macquart, cet ouvrier rasé et endimanché tous les jours, qui jouait au bourgeois ; il redevint le grand diable malpropre qui avait spéculé jadis sur ses haillons. Maintenant qu'il se trouvait presque à chaque marché pour vendre ses corbeilles, Félicité n'osait plus aller à la halle. Il lui fit une fois une scène atroce. Sa haine pour les Rougon croissait avec sa misère. Il jurait, en proférant d'effroyables menaces, de se faire justice lui-même, puisque les riches s'entendaient pour le forcer au travail.

Dans ces dispositions d'esprit, il accueillit le coup d'État avec la joie chaude et bruyante d'un chien qui flaire la curée[1]. Les quelques libéraux honorables de la ville n'ayant pu s'entendre et se tenant à l'écart, il se trouva naturellement un des agents les plus en vue de l'insurrection. Les ouvriers, malgré l'opinion déplorable qu'ils avaient fini par avoir de ce paresseux, devaient le prendre à l'occasion comme un drapeau de ralliement. Mais les premiers jours, la ville restant paisible, Macquart crut ses plans déjoués. Ce fut seulement à la nouvelle du soulèvement des campagnes, qu'il se remit à espérer. Pour rien au monde, il n'aurait quitté Plassans ; aussi inventa-t-il un prétexte pour ne pas suivre les ouvriers qui allèrent, le dimanche matin, rejoindre la bande insurrectionnelle de la Palud et de Saint-Martin-de-Vaulx. Le soir du même jour, il était avec quelques fidèles dans un estaminet borgne du vieux quartier, lorsqu'un camarade accourut les prévenir que les insurgés se trouvaient à quelques kilomètres de Plassans. Cette nouvelle venait d'être apportée par une estafette qui avait réussi à pénétrer dans la ville, et qui était chargée d'en faire ouvrir les portes à la colonne. Il y eut une explosion de triomphe. Macquart surtout parut délirer d'enthousiasme. L'arrivée imprévue des insurgés lui sembla une attention délicate de la Providence à son égard. Et ses mains tremblaient à la pensée qu'il tiendrait bientôt les Rougon à la gorge.

Cependant Antoine et ses amis sortirent en hâte du café. Tous les républicains qui n'avaient pas encore quitté la ville se trouvèrent bientôt réunis sur le cours

Sauvaire. C'était cette bande que Rougon avait aperçue en courant se cacher chez sa mère. Lorsque la bande fut arrivée à la hauteur de la rue de la Banne, Macquart, qui s'était mis à la queue, fit rester en arrière quatre de ses compagnons, grands gaillards de peu de cervelle qu'il dominait de tous ses bavardages de café. Il leur persuada aisément qu'il fallait arrêter sur-le-champ les ennemis de la République, si l'on voulait éviter les plus grands malheurs. La vérité était qu'il craignait de voir Pierre lui échapper, au milieu du trouble que l'entrée des insurgés allait causer. Les quatre grands gaillards le suivirent avec une docilité exemplaire et vinrent heurter violemment à la porte des Rougon. Dans cette circonstance critique, Félicité fut admirable de courage. Elle descendit ouvrir la porte de la rue.

« Nous voulons monter chez toi, lui dit brutalement Macquart.

— C'est bien, messieurs, montez », répondit-elle avec une politesse ironique, en feignant de ne pas reconnaître son beau-frère.

En haut, Macquart lui ordonna d'aller chercher son mari.

« Mon mari n'est pas ici, dit-elle de plus en plus calme, il est en voyage pour ses affaires ; il a pris la diligence de Marseille, ce soir à six heures. »

Antoine, à cette déclaration faite d'une voix nette, eut un geste de rage. Il entra violemment dans le salon, passa dans la chambre à coucher, bouleversa le lit, regardant derrière les rideaux et sous les meubles. Les quatre grands gaillards l'aidaient. Pendant un quart d'heure, ils fouillèrent l'appartement. Félicité s'était paisiblement assise sur le canapé du salon et s'occupait à renouer les cordons de ses jupes, comme

une personne qui vient d'être surprise dans son sommeil, et qui n'a pas eu le temps de se vêtir convenablement.

« C'est pourtant vrai, il s'est sauvé, le lâche ! »
bégaya Macquart en revenant dans le salon.

Il continua pourtant de regarder autour de lui d'un
air soupçonneux. Il avait le pressentiment que Pierre
ne pouvait avoir abandonné la partie au moment
décisif. Il s'approcha de Félicité qui bâillait.

« Indique-nous l'endroit où ton mari est caché, lui
dit-il, et je te promets qu'il ne lui sera fait aucun mal.

— Je vous ai dit la vérité, répondit-elle avec impatience. Je ne puis pourtant pas vous livrer mon mari,
puisqu'il n'est pas ici. Vous avez regardé partout,
n'est-ce pas ? Laissez-moi tranquille maintenant. »

Macquart, exaspéré par son sang-froid, allait certainement la battre, lorsqu'un bruit sourd monta de
la rue. C'était la colonne des insurgés qui s'engageait
dans la rue de la Banne.

Il dut quitter le salon jaune, après avoir montré le
poing à sa belle-sœur, en la traitant de vieille gueuse
et en la menaçant de revenir bientôt. Au bas de l'escalier, il prit à part un des hommes qui l'avait accompagné, un terrassier nommé Cassoute, le plus épais
des quatre, et lui ordonna de s'asseoir sur la première
marche et de n'en pas bouger jusqu'à nouvel ordre.

« Tu viendrais m'avertir, lui dit-il, si tu voyais rentrer la canaille d'en haut. »

L'homme s'assit pesamment. Quand il fut sur le
trottoir, Macquart, levant les yeux, aperçut Félicité
accoudée à une fenêtre du salon jaune et regardant
curieusement le défilé des insurgés, comme s'il se
fût agi d'un régiment traversant la ville, musique en
tête. Cette dernière preuve de tranquillité parfaite

l'irrita au point qu'il fut tenté de remonter pour jeter la vieille femme dans la rue. Il suivit la colonne en murmurant d'une voix sourde :

« Oui, oui, regarde-nous passer. Nous verrons si demain tu te mettras à ton balcon. »

Il était près de onze heures du soir, lorsque les insurgés entrèrent dans la ville, par la porte de Rome. Ce furent les ouvriers restés à Plassans qui leur ouvrirent cette porte à deux battants, malgré les lamentations du gardien, auquel on n'arracha les clefs que par la force. Cet homme, très jaloux de ses fonctions, demeura anéanti devant ce flot de foule, lui qui ne laissait entrer qu'une personne à la fois, après l'avoir longuement regardée au visage ; il murmurait qu'il était déshonoré. À la tête de la colonne, marchaient toujours les hommes de Plassans, guidant les autres ; Miette, au premier rang, ayant Silvère à sa gauche, levait le drapeau avec plus de crânerie, depuis qu'elle sentait, derrière les persiennes closes, des regards effarés de bourgeois réveillés en sursaut. Les insurgés suivirent avec une prudente lenteur les rues de Rome et de la Banne ; à chaque carrefour, ils craignaient d'être accueillis à coups de fusil, bien qu'ils connussent le tempérament calme des habitants. Mais la ville semblait morte ; à peine entendait-on aux fenêtres des exclamations étouffées. Cinq ou six persiennes seulement s'ouvrirent ; quelque vieux rentier se montrait, en chemise, une bougie à la main, se penchant pour mieux voir ; puis, dès que le bonhomme distinguait la grande fille rouge qui paraissait traîner derrière elle cette foule de démons noirs, il refermait précipitamment sa fenêtre, terrifié par cette apparition diabolique. Le silence de la ville endormie tranquillisa les insurgés, qui osèrent s'engager dans les ruelles du vieux quartier, et qui arrivèrent ainsi sur la place du Marché et sur la place de l'Hôtel-de-Ville, qu'une rue courte et large relie entre elles. Les deux places, plantées d'arbres maigres, se trouvaient vivement éclairées par la lune. Le bâtiment de l'Hôtel-de-Ville, fraîchement restauré, faisait, au bord du ciel clair, une grande tache d'une blancheur crue sur laquelle le balcon du premier étage détachait en minces lignes noires ses arabesques de fer forgé. On distinguait nettement plusieurs personnes debout sur ce balcon, le maire, le commandant Sicardot, trois ou quatre conseillers municipaux, et d'autres fonctionnaires. En bas, les portes étaient fermées. Les trois mille républicains, qui emplissaient les deux places, s'arrêtèrent, levant la tête, prêts à enfoncer les portes d'une poussée.

L'arrivée de la colonne insurrectionnelle, à pareille heure, surprenait l'autorité à l'improviste. Avant de se rendre à la mairie, le commandant Sicardot avait pris le temps d'aller endosser son uniforme. Il fallut ensuite courir éveiller le maire. Quand le gardien de la porte de Rome, laissé libre par les insurgés, vint annoncer que les scélérats étaient dans la ville, le commandant n'avait encore réuni à grand-peine qu'une vingtaine de gardes nationaux. Les gendarmes, dont la caserne était cependant voisine, ne purent même être prévenus. On dut fermer les portes à la hâte pour délibérer. Cinq minutes plus tard, un roulement sourd et continu annonçait l'approche de la colonne.

M. Garçonnet, par haine de la République, aurait vivement souhaité de se défendre. Mais c'était un homme prudent qui comprit l'inutilité de la lutte, en ne voyant autour de lui que quelques hommes pâles et à peine éveillés. La délibération ne fut pas longue. Seul Sicardot s'entêta ; il voulait se battre, il prétendait que vingt hommes suffiraient pour mettre ces trois mille canailles à la raison. M. Garçonnet haussa les épaules et déclara que l'unique parti à prendre était de capituler d'une façon honorable. Comme les brouhahas de la foule croissaient, il se rendit sur le balcon, où toutes les personnes présentes le suivirent. Peu à peu le silence se fit. En bas, dans la masse noire et frissonnante des insurgés, les fusils et les faux luisaient au clair de lune.

« Qui êtes-vous et que voulez-vous ? » cria le maire d'une voix forte.

Alors, un homme en paletot, un propriétaire de la Palud, s'avança.

« Ouvrez la porte, dit-il sans répondre aux questions de M. Garçonnet. Évitez une lutte fratricide.

— Je vous somme de vous retirer, reprit le maire. Je proteste au nom de la loi. »

Ces paroles soulevèrent dans la foule des clameurs assourdissantes. Quand le tumulte fut un peu calmé, des interpellations véhémentes montèrent jusqu'au balcon. Des voix crièrent :

« C'est au nom de la loi que nous sommes venus.

— Votre devoir, comme fonctionnaire, est de faire respecter la loi fondamentale du pays, la Constitution, qui vient d'être outrageusement violée.

— Vive la Constitution ! vive la République ! »

Et comme M. Garçonnet essayait de se faire entendre et continuait à invoquer sa qualité de fonctionnaire, le propriétaire de la Palud, qui était resté au bas du balcon, l'interrompit avec une grande énergie.

« Vous n'êtes plus, dit-il, que le fonctionnaire d'un

fonctionnaire déchu ; nous venons vous casser de vos fonctions. »

Jusque-là, le commandant Sicardot avait terriblement mordu ses moustaches, en mâchant de sourdes injures. La vue des bâtons et des faux l'exaspérait ; il faisait des efforts inouïs pour ne pas traiter comme ils le méritaient ces soldats de quatre sous qui n'avaient pas même chacun un fusil. Mais quand il entendit un monsieur en simple paletot parler de casser un maire ceint de son écharpe, il ne put se taire davantage, il cria :

« Tas de gueux ! si j'avais seulement quatre hommes et un caporal, je descendrais vous tirer les oreilles pour vous rappeler au respect ! »

Il n'en fallait pas tant pour occasionner les plus graves accidents. Un long cri courut dans la foule, qui se rua contre les portes de la mairie. M. Garçonnet, consterné, se hâta de quitter le balcon, en suppliant Sicardot d'être raisonnable, s'il ne voulait pas les faire massacrer. En deux minutes, les portes cédèrent, le peuple envahit la mairie et désarma les gardes nationaux. Le maire et les autres fonctionnaires présents furent arrêtés. Sicardot, qui voulut refuser son épée, dut être protégé par le chef du contingent des Tulettes, homme d'un grand sang-froid, contre l'exaspération de certains insurgés. Quand l'Hôtel-de-Ville fut au pouvoir des républicains, ils conduisirent les prisonniers dans un petit café de la place du Marché, où ils furent gardés à vue.

L'armée insurrectionnelle aurait évité de traverser Plassans, si les chefs n'avaient jugé qu'un peu de nourriture et quelques heures de repos étaient pour leurs hommes d'une absolue nécessité. Au lieu de se porter directement sur le chef-lieu, la colonne, par une inexpérience et une faiblesse inexcusables du général improvisé qui la commandait, accomplissait alors une conversion à gauche, une sorte de large détour qui devait la mener à sa perte. Elle se dirigeait vers les plateaux de Sainte-Roure, éloignés encore d'une dizaine de lieues, et c'était la perspective de cette longue marche qui l'avait décidée à pénétrer dans la ville, malgré l'heure avancée. Il pouvait être alors onze heures et demie.

Lorsque M. Garçonnet sut que la bande réclamait des vivres, il s'offrit pour lui en procurer. Ce fonctionnaire montra, en cette circonstance difficile, une intelligence très nette de la situation. Ces trois mille affamés devaient être satisfaits ; il ne fallait pas que Plassans, à son réveil, les trouvât encore assis sur les trottoirs de ses rues ; s'ils partaient avant le jour, ils auraient simplement passé au milieu de la ville endormie comme un mauvais rêve, comme un de ces cauchemars que l'aube dissipe. Bien qu'il restât prisonnier, M. Garçonnet, suivi par deux gardiens, alla frapper aux portes des boulangers et fit distribuer aux insurgés toutes les provisions qu'il put découvrir.

Vers une heure, les trois mille hommes, accroupis à terre, tenant leurs armes entre leurs jambes, mangeaient. La place du Marché et celle de l'Hôtel-de-Ville étaient transformées en de vastes réfectoires. Malgré le froid vif, il y avait des traînées de gaieté dans cette foule grouillante, dont les clartés vives de la lune dessinaient vivement les moindres groupes. Les pauvres affamés dévoraient joyeusement leur part, en soufflant dans leurs doigts ; et, du fond des rues voisines, où l'on distinguait de vagues formes noires assises sur le seuil blanc des maisons, venaient aussi des rires brusques qui coulaient de l'ombre et se perdaient dans la grande cohue. Aux fenêtres, les curieuses enhardies, des bonnes femmes coiffées de foulards, regardaient manger ces terribles insurgés, ces buveurs de sang allant à tour de rôle boire à la pompe du marché, dans le creux de leur main.

Pendant que l'Hôtel-de-Ville était envahi, la gendarmerie, située à deux pas, dans la rue Canquoin, qui donne sur la halle, tombait également au pouvoir du peuple. Les gendarmes furent surpris dans leur lit et désarmés en quelques minutes. Les poussées de la foule avaient entraîné Miette et Silvère de ce côté. L'enfant, qui serrait toujours la hampe du drapeau contre sa poitrine, fut collée contre le mur de la caserne, tandis que le jeune homme, emporté par le flot humain, pénétrait à l'intérieur et aidait ses compagnons à arracher aux gendarmes les carabines qu'ils avaient saisies à la hâte. Silvère, devenu farouche, grisé par l'élan de la bande, s'attaqua à un grand diable de gendarme nommé Rengade, avec lequel il lutta quelques instants. Il parvint d'un mouvement brusque à lui enlever sa carabine. Le canon de l'arme alla frapper violemment Rengade au visage et lui creva l'œil droit. Le sang coula, des éclaboussures jaillirent sur les mains de Silvère, qui fut subitement dégrisé. Il regarda ses mains, il lâcha la carabine ; puis il sortit en courant, la tête perdue, secouant les doigts.

« Tu es blessé ! cria Miette.

— Non, non, répondit-il d'une voix étouffée, c'est un gendarme que je viens de tuer.

— Est-ce qu'il est mort ?

— Je ne sais pas, il avait du sang plein la figure. Viens vite. »

Il entraîna la jeune fille. Arrivé à la halle, il la fit asseoir sur un banc de pierre. Il lui dit de l'attendre là. Il regardait toujours ses mains, il balbutiait. Miette finit par comprendre, à ses paroles entrecoupées, qu'il voulait aller embrasser sa grand-mère avant de partir.

« Eh bien ! va, dit-elle. Ne t'inquiète pas de moi. Lave tes mains. »

Il s'éloigna rapidement, tenant ses doigts écartés, sans songer à les tremper dans les fontaines auprès desquelles il passait. Depuis qu'il avait senti sur sa peau la tiédeur du sang de Rengade, une seule idée le poussait, courir auprès de tante Dide et se laver les mains dans l'auge du puits, au fond de la petite cour. Là seulement, il croyait pouvoir effacer ce sang. Toute son enfance paisible et tendre s'éveillait, il éprouvait un besoin irrésistible de se réfugier dans les jupes de sa grand-mère, ne fût-ce que pendant une minute. Il arriva haletant. Tante Dide n'était pas couchée, ce qui aurait surpris Silvère en tout autre moment. Mais il ne vit pas même, en entrant, son oncle Rougon, assis dans un coin, sur le vieux coffre. Il n'attendit pas les questions de la pauvre vieille.

« Grand-mère, dit-il rapidement, il faut me pardonner... Je vais partir avec les autres... Vous voyez, j'ai du sang... Je crois que j'ai tué un gendarme.

— Tu as tué un gendarme ! » répéta tante Dide d'une voix étrange.

Des clartés aiguës s'allumaient dans ses yeux fixés sur les taches rouges. Brusquement, elle se tourna vers le manteau de la cheminée.

« Tu as pris le fusil, dit-elle ; où est le fusil ? »

Silvère, qui avait laissé la carabine auprès de Miette, lui jura que l'arme était en sûreté. Pour la

première fois, Adélaïde fit allusion au contrebandier Macquart devant son petit-fils.

« Tu rapporteras le fusil ? Tu me le promets ! dit-
elle avec une singulière énergie... C'est tout ce qui
me reste de lui... Tu as tué un gendarme ; lui, ce
sont les gendarmes qui l'ont tué. »

Elle continuait à regarder Silvère fixement, d'un air
de cruelle satisfaction, sans paraître songer à le retenir. Elle ne lui demandait aucune explication, elle ne
pleurait point comme ces bonnes grand-mères qui
voient leurs petits-enfants à l'agonie pour la moindre
égratignure. Tout son être se tendait vers une même
pensée, qu'elle finit par formuler avec une curiosité
ardente.

« Est-ce que c'est avec le fusil que tu as tué le gendarme ? » demanda-t-elle.

Sans doute Silvère entendit mal ou ne comprit pas.

« Oui, répondit-il... Je vais me laver les mains. »

Ce ne fut qu'en revenant du puits qu'il aperçut
son oncle. Pierre avait entendu en pâlissant les paroles du jeune homme. Vraiment, Félicité avait raison,
sa famille prenait plaisir à le compromettre. Voilà
maintenant qu'un de ses neveux tuait les gendarmes ! Jamais il n'aurait la place de receveur, s'il
n'empêchait ce fou furieux de rejoindre les insurgés.
Il se mit devant la porte, décidé à ne pas le laisser
sortir.

« Écoutez, dit-il à Silvère, très surpris de le trouver là, je suis le chef de la famille, je vous défends de
quitter cette maison. Il y va de votre honneur et du
nôtre. Demain, je tâcherai de vous faire gagner la
frontière. »

Silvère haussa les épaules.

« Laissez-moi passer, répondit-il tranquillement.

Je ne suis pas un mouchard ; je ne ferai pas connaître votre cachette, soyez tranquille. »

Et comme Rougon continuait de parler de la dignité de la famille et de l'autorité que lui donnait sa qualité d'aîné :

« Est-ce que je suis de votre famille ! continua le jeune homme. Vous m'avez toujours renié... Aujourd'hui, la peur vous a poussé ici, parce que vous sentez bien que le jour de la justice est venu. Voyons, place ! je ne me cache pas, moi ; j'ai un devoir à accomplir. »

Rougon ne bougeait pas. Alors tante Dide, qui écoutait les paroles véhémentes de Silvère avec une sorte de ravissement, posa sa main sèche sur le bras de son fils.

« Ôte-toi, Pierre, dit-elle, il faut que l'enfant sorte. »

Le jeune homme poussa légèrement son oncle et s'élança dehors. Rougon, en refermant la porte avec soin, dit à sa mère d'une voix pleine de colère et de menaces :

« S'il lui arrive malheur, ce sera de votre faute... Vous êtes une vieille folle, vous ne savez pas ce que vous venez de faire. »

Mais Adélaïde ne parut pas l'entendre ; elle alla jeter un sarment dans le feu qui s'éteignait, en murmurant avec un vague sourire :

« Je connais ça... Il restait des mois entiers dehors ; puis il me revenait mieux portant. »

Elle parlait sans doute de Macquart.

Cependant Silvère regagna la halle en courant. Comme il approchait de l'endroit où il avait laissé Miette, il entendit un bruit violent de voix et vit un rassemblement qui lui firent hâter le pas. Une scène cruelle venait de se passer. Des curieux circulaient dans la foule des insurgés, depuis que ces derniers s'étaient tranquillement mis à manger. Parmi ces curieux, se trouva Justin, le fils du méger Rébufat, un garçon d'une vingtaine d'années, créature chétive et louche qui nourrissait contre sa cousine Miette une haine implacable. Au logis, il lui reprochait le pain qu'elle mangeait, il la traitait comme une misérable ramassée par charité au coin d'une borne. Il est à croire que l'enfant avait refusé d'être sa maîtresse. Grêle, blafard, les membres trop longs, le visage de travers, il se vengeait sur elle de sa propre laideur et des mépris que la belle et puissante fille avait dû lui témoigner. Son rêve caressé était de la faire jeter à la porte par son père. Aussi l'espionnait-il sans relâche. Depuis quelque temps, il avait surpris ses rendez-vous avec Silvère ; il n'attendait qu'une occasion décisive pour tout rapporter à Rébufat. Ce soir-là, l'ayant vue s'échapper de la maison vers huit heures, la haine l'emporta, il ne put se taire davantage. Rébufat, au récit qu'il lui fit, entra dans une colère terrible et dit qu'il chasserait cette coureuse à coups de pied, si elle avait l'audace de revenir. Justin se coucha, savourant à l'avance la belle scène qui aurait lieu le lendemain. Puis il éprouva un âpre désir de prendre immédiatement un avant-goût de sa vengeance. Il se rhabilla et sortit. Peut-être rencontrerait-il Miette. Il se promettait d'être très insolent. Ce fut ainsi qu'il assista à l'entrée des insurgés et qu'il les suivit jusqu'à l'Hôtel-de-Ville, avec le vague pressentiment qu'il allait retrouver les amoureux de ce côté. Il finit, en effet, par apercevoir sa cousine sur le banc où elle attendait Silvère. En la voyant vêtue de sa grande pelisse et ayant à côté d'elle le drapeau rouge, appuyé contre un pilier de la halle, il se mit à rica-

ner, à la plaisanter grossièrement. La jeune fille, saisie
à sa vue, ne trouva pas une parole. Elle sanglotait
sous les injures. Et tandis qu'elle était toute secouée
par les sanglots, la tête basse, se cachant la face, Justin l'appelait fille de forçat et lui criait que le père
Rébufat lui ferait danser une fameuse danse si jamais
elle s'avisait de rentrer au Jas-Meiffren. Pendant un
quart d'heure, il la tint ainsi frissonnante et meurtrie. Des gens avaient fait cercle, riant bêtement de
cette scène douloureuse. Quelques insurgés inter-
vinrent enfin et menacèrent le jeune homme de lui
administrer une correction exemplaire, s'il ne laissait pas Miette tranquille. Mais Justin, tout en reculant, déclara qu'il ne les craignait pas. Ce fut à ce
moment que parut Silvère. Le jeune Rébufat, en
l'apercevant, fit un saut brusque, comme pour prendre la fuite ; il le redoutait, le sachant beaucoup plus
vigoureux que lui. Il ne put cependant résister à la
cuisante volupté d'insulter une dernière fois la jeune
fille devant son amoureux.

« Ah ! je savais bien, cria-t-il, que le charron ne
devait pas être loin ! C'est pour suivre ce toqué, n'est-
ce pas, que tu nous as quittés ? La malheureuse ! elle
n'a pas seize ans ! À quand le baptême ? »

Il fit encore quelques pas en arrière, en voyant
Silvère serrer les poings.

« Et surtout, continua-t-il avec un ricanement ignoble, ne viens pas faire tes couches chez nous. Tu
n'aurais pas besoin de sage-femme. Mon père te délivrerait à coups de pied, entends-tu ? »

Il se sauva, hurlant, le visage meurtri. Silvère, d'un
bond, s'était jeté sur lui et lui avait porté en pleine
figure un terrible coup de poing. Il ne le poursuivit
pas. Quand il revint auprès de Miette, il la trouva

debout, essuyant fiévreusement ses larmes avec la paume de sa main. Comme il la regardait doucement, pour la consoler, elle eut un geste de brusque énergie.

« Non, dit-elle, je ne pleure plus, tu vois... J'aime mieux ça. Maintenant, je n'ai plus de remords d'être partie. Je suis libre. »

Elle reprit le drapeau, et ce fut elle qui ramena Silvère au milieu des insurgés. Il était alors près de deux heures du matin. Le froid devenait tellement vif, que les républicains s'étaient levés, achevant leur pain debout et cherchant à se réchauffer en marquant le pas gymnastique sur place. Les chefs donnèrent enfin l'ordre du départ. La colonne se reforma. Les prisonniers furent placés au milieu ; outre M. Garçonnet et le commandant Sicardot, les insurgés avaient arrêté et emmenaient M. Peirotte, le receveur, et plusieurs autres fonctionnaires.

À ce moment, on vit circuler Aristide parmi les groupes. Le cher garçon, devant ce soulèvement formidable, avait pensé qu'il était imprudent de ne pas rester l'ami des républicains ; mais comme, d'un autre côté, il ne voulait pas trop se compromettre avec eux, il était venu leur faire ses adieux, le bras en écharpe, en se plaignant amèrement de cette maudite blessure qui l'empêchait de tenir une arme. Il rencontra dans la foule son frère Pascal, muni d'une trousse et d'une petite caisse de secours. Le médecin lui annonça, de sa voix tranquille, qu'il allait suivre les insurgés. Aristide le traita tout bas de grand innocent. Il finit par s'esquiver, craignant qu'on ne lui confiât la garde de la ville, poste qu'il jugeait singulièrement périlleux.

Les insurgés ne pouvaient songer à conserver Plassans en leur pouvoir. La ville était animée d'un esprit trop réactionnaire, pour qu'ils cherchassent même à y établir une commission démocratique, comme ils l'avaient déjà fait ailleurs. Ils se seraient éloignés simplement, si Macquart, poussé et enhardi par ses haines, n'avait offert de tenir Plassans en respect, à la condition qu'on laissât sous ses ordres une vingtaine d'hommes déterminés. On lui donna les vingt hommes, à la tête desquels il alla triomphalement occuper la mairie. Pendant ce temps, la colonne descendait le cours Sauvaire et sortait par la Grand-Porte, laissant derrière elle, silencieuses et désertes, ces rues qu'elle avait traversées comme un coup de tempête. Au loin s'étendaient les routes toutes blanches de lune. Miette avait refusé le bras de Silvère ; elle marchait bravement, ferme et droite, tenant le drapeau rouge à deux mains, sans se plaindre de l'onglée qui lui bleuissait les doigts[1].

V

Au loin s'étendaient les routes toutes blanches de lune. La bande insurrectionnelle, dans la campagne froide et claire, reprit sa marche héroïque. C'était comme un large courant d'enthousiasme. Le souffle d'épopée qui emportait Miette et Silvère, ces grands enfants avides d'amour et de liberté, traversait avec une générosité sainte les honteuses comédies des Macquart et des Rougon. La voix haute du peuple, par intervalles, grondait, entre les bavardages du salon jaune et les diatribes de l'oncle Antoine. Et la farce vulgaire, la farce ignoble, tournait au grand drame de l'histoire.

Au sortir de Plassans, les insurgés avaient pris la route d'Orchères. Ils devaient arriver à cette ville vers dix heures du matin. La route remonte le cours de la Viorne, en suivant à mi-côte les détours des collines aux pieds desquelles coule le torrent. À gauche, la plaine s'élargit, immense tapis vert, piqué de loin en loin par les taches grises des villages. À droite, la chaîne des Garrigues dresse ses pics désolés, ses champs de pierres, ses blocs couleur de rouille, comme roussis par le soleil. Le grand chemin, formant chaussée du côté de la rivière, passe au milieu de rocs énormes, entre lesquels se montrent, à chaque pas, des bouts de la vallée. Rien n'est plus sauvage, plus étrangement grandiose, que cette route taillée dans le flanc même des collines. La nuit surtout, ces lieux ont une horreur sacrée. Sous la lumière pâle, les insurgés s'avançaient comme dans une avenue de ville détruite, ayant aux deux bords des débris de temples ; la lune faisait de chaque rocher un fût de colonne tronqué, un chapiteau écroulé, une muraille trouée de mystérieux portiques. En haut, la masse des Garrigues dormait, à peine blanchie d'une teinte laiteuse, pareille à une immense cité cyclopéenne dont les tours, les obélisques, les maisons aux terrasses hautes, auraient caché une moitié du ciel ; et, dans les fonds, du côté de la plaine, se creusait, s'élargissait un océan de clartés diffuses, une étendue vague, sans bornes, où flottaient des nappes de brouillard lumineux. La bande insurrectionnelle aurait pu croire qu'elle suivait une chaussée gigantesque, un chemin de ronde construit au bord d'une

mer phosphorescente et tournant autour d'une Babel
inconnue.

Cette nuit-là, la Viorne, au bas des rochers de la
route, grondait d'une voix rauque. Dans ce roulement
continu du torrent, les insurgés distinguaient des
lamentations aigres de tocsin. Les villages épars
dans la plaine, de l'autre côté de la rivière, se soulevaient, sonnant l'alarme, allumant des feux. Jusqu'au
matin, la colonne en marche, qu'un glas funèbre semblait suivre dans la nuit d'un tintement obstiné, vit
ainsi l'insurrection courir le long de la vallée comme
une traînée de poudre. Les feux tachaient l'ombre de
points sanglants ; des chants lointains venaient, par
souffles affaiblis ; toute la vague étendue, noyée sous
les buées blanchâtres de la lune, s'agitait confusément, avec de brusques frissons de colère. Pendant
des lieues, le spectacle resta le même.

Ces hommes, qui marchaient dans l'aveuglement
de la fièvre que les événements de Paris avaient mise
au cœur des républicains, s'exaltaient au spectacle de
cette longue bande de terre toute secouée de révolte.
Grisés par l'enthousiasme du soulèvement général
qu'ils rêvaient, ils croyaient que la France les suivait,
ils s'imaginaient voir, au-delà de la Viorne, dans la
vaste mer de clartés diffuses, des files d'hommes interminables qui couraient, comme eux, à la défense de
la République. Et leur esprit rude, avec cette naïveté et cette illusion des foules, concevait une victoire
facile et certaine. Ils auraient saisi et fusillé comme
traître quiconque leur aurait dit, à cette heure, que
seuls ils avaient le courage du devoir, tandis que le
reste du pays, écrasé de terreur, se laissait lâchement
garrotter.

Ils puisaient encore un continuel entraînement de courage dans l'accueil que leur faisaient les quelques bourgs bâtis sur le penchant des Garrigues, au bord de la route. Dès l'approche de la petite armée, les habitants se levaient en masse ; les femmes accouraient en leur souhaitant une prompte victoire ; les hommes, à demi vêtus, se joignaient à eux, après avoir pris la première arme qui leur tombait sous la main. C'était, à chaque village, une nouvelle ovation, des cris de bienvenue, des adieux longuement répétés.

Vers le matin, la lune disparut derrière les Garrigues ; les insurgés continuèrent leur marche rapide dans le noir épais d'une nuit d'hiver ; ils ne distinguaient plus ni la vallée ni les coteaux ; ils entendaient seulement les plaintes sèches des cloches, battant au fond des ténèbres, comme des tambours invisibles, cachés ils ne savaient où, et dont les appels désespérés les fouettaient sans relâche.

Cependant Miette et Silvère allaient dans l'emportement de la bande. Vers le matin, la jeune fille était brisée de fatigue. Elle ne marchait plus qu'à petits pas pressés, ne pouvant suivre les grandes enjambées des gaillards qui l'entouraient. Mais elle mettait tout son courage à ne pas se plaindre ; il lui eût trop coûté d'avouer qu'elle n'avait pas la force d'un garçon. Dès les premières lieues, Silvère lui avait donné le bras ; puis, voyant que le drapeau glissait peu à peu de ses mains roidies, il avait voulu le prendre, pour la soulager ; et elle s'était fâchée, elle lui avait seulement permis de soutenir le drapeau d'une main, tandis qu'elle continuerait à le porter sur son épaule. Elle garda ainsi son attitude héroïque avec une opiniâtreté d'enfant, souriant au jeune homme chaque fois qu'il lui jetait un regard de tendresse inquiète.

Mais quand la lune se cacha, elle s'abandonna dans le noir. Silvère la sentait devenir plus lourde à son bras. Il dut porter le drapeau et la prendre à la taille, pour l'empêcher de trébucher. Elle ne se plaignait toujours pas.

« Tu es bien lasse, ma pauvre Miette ? lui demanda son compagnon.

— Oui, un peu lasse, répondit-elle d'une voix oppressée.

— Veux-tu que nous nous reposions ? »

Elle ne dit rien ; seulement il comprit qu'elle chancelait. Alors il confia le drapeau à un des insurgés et sortit des rangs, en emportant presque l'enfant dans ses bras. Elle se débattit un peu, elle était confuse d'être si petite fille. Mais il la calma, il lui dit qu'il connaissait un chemin de traverse qui abrégeait la route de moitié. Ils pouvaient se reposer une bonne heure et arriver à Orchères en même temps que la bande.

Il était alors environ six heures. Un léger brouillard devait monter de la Viorne. La nuit semblait s'épaissir encore. Les jeunes gens grimpèrent à tâtons le long de la pente des Garrigues, jusqu'à un rocher, sur lequel ils s'assirent. Autour d'eux se creusait un abîme de ténèbres. Ils étaient comme perdus sur la pointe d'un récif, au-dessus du vide. Et dans ce vide, quand le roulement sourd de la petite armée se fut perdu, ils n'entendirent plus que deux cloches, l'une vibrante, sonnant sans doute à leurs pieds, dans quelque village bâti au bord de la route, l'autre éloignée, étouffée, répondant aux plaintes fébriles de la première par de lointains sanglots. On eût dit que ces cloches se racontaient, dans le néant, la fin sinistre d'un monde.

Miette et Silvère, échauffés par leur course rapide,

ne sentirent pas d'abord le froid. Ils gardèrent le silence, écoutant avec une tristesse indicible ces bruits de tocsin dont frissonnait la nuit. Ils ne se voyaient même pas. Miette eut peur ; elle chercha la main de Silvère et la garda dans la sienne. Après l'élan fiévreux qui, pendant des heures, venait de les emporter hors d'eux-mêmes, la pensée perdue, cet arrêt brusque, cette solitude dans laquelle ils se retrouvaient côte à côte, les laissaient brisés et étonnés, comme éveillés en sursaut d'un rêve tumultueux. Il leur semblait qu'un flot les avait jetés sur le bord de la route et que la mer s'était ensuite retirée. Une réaction invincible les plongeait dans une stupeur inconsciente ; ils oubliaient leur enthousiasme ; ils ne songeaient plus à cette bande d'hommes qu'ils devaient rejoindre ; ils étaient tout au charme triste de se sentir seuls, au milieu de l'ombre farouche, la main dans la main.

« Tu ne m'en veux pas ? demanda enfin la jeune fille. Je marcherais bien toute la nuit avec toi ; mais ils couraient trop fort, je ne pouvais plus souffler.

— Pourquoi t'en voudrais-je ? dit le jeune homme.

— Je ne sais pas. J'ai peur que tu ne m'aimes plus. J'aurais voulu faire de grands pas comme toi, aller toujours sans m'arrêter. Tu vas croire que je suis une enfant. »

Silvère eut dans l'ombre un sourire que Miette devina. Elle continua d'une voix décidée :

« Il ne faut pas toujours me traiter comme une sœur ; je veux être ta femme. »

Et, d'elle-même, elle attira Silvère contre sa poitrine.

Elle le tint serré entre ses bras, en murmurant :

« Nous allons avoir froid, réchauffons-nous comme cela. »

Il y eut un silence. Jusqu'à cette heure trouble, les jeunes gens s'étaient aimés d'une tendresse fraternelle. Dans leur ignorance, ils continuaient à prendre pour une amitié vive l'attrait qui les poussait à se serrer sans cesse entre les bras, et à se garder dans leurs étreintes, plus longtemps que ne se gardent les frères et les sœurs. Mais, au fond de ces amours naïves, grondaient, plus hautement, chaque jour, les tempêtes du sang ardent de Miette et de Silvère. Avec l'âge, avec la science, une passion chaude, d'une fougue méridionale, devait naître de cette idylle. Toute fille qui se pend au cou d'un garçon est femme déjà, femme inconsciente, qu'une caresse peut éveiller. Quand les amoureux s'embrassent sur les joues, c'est qu'ils tâtonnent et cherchent les lèvres. Un baiser fait des amants. Ce fut par cette noire et froide nuit de décembre, aux lamentations aigres du tocsin, que Miette et Silvère échangèrent un de ces baisers qui appellent à la bouche tout le sang du cœur.

Ils restaient muets, étroitement serrés l'un contre l'autre. Miette avait dit : « Réchauffons-nous comme cela », et ils attendaient innocemment d'avoir chaud. Des tiédeurs leur vinrent bientôt à travers leurs vêtements ; ils sentirent peu à peu leur étreinte les brûler, ils entendirent leurs poitrines se soulever d'un même souffle. Une langueur les envahit, qui les plongea dans une somnolence fiévreuse. Ils avaient chaud maintenant ; des lueurs passaient devant leurs paupières closes, des bruits confus montaient à leur cerveau. Cet état de bien-être douloureux, qui dura quelques minutes, leur parut sans fin. Et alors ce fut dans une sorte de rêve, que leurs lèvres se rencontrèrent. Leur

baiser fut long, avide. Il leur sembla que jamais ils
ne s'étaient embrassés. Ils souffraient, ils se séparèrent. Puis, quand le froid de la nuit eut glacé leur fièvre, ils demeurèrent à quelque distance l'un de l'autre,
dans une grande confusion.

Les deux cloches causaient toujours sinistrement
entre elles, dans l'abîme noir qui se creusait autour
des jeunes gens. Miette, frissonnante, effrayée, n'osa
pas se rapprocher de Silvère. Elle ne savait même plus
s'il était là, elle ne l'entendait plus faire un mouvement. Tous deux étaient pleins de la sensation âcre
de leur baiser ; des effusions leur montaient aux
lèvres, ils auraient voulu se remercier, s'embrasser
encore ; mais ils étaient si honteux de leur bonheur
cuisant, qu'ils eussent mieux aimé ne jamais le goûter
une seconde fois, que d'en parler tout haut. Longtemps encore, si leur marche rapide n'avait fouetté
leur sang, si la nuit épaisse ne s'était faite complice,
ils se seraient embrassés sur les joues, comme de
bons camarades. La pudeur venait à Miette. Après
l'ardent baiser de Silvère, dans ces heureuses ténèbres où son cœur s'ouvrait, elle se rappela les gros-
sièretés de Justin. Quelques heures auparavant, elle
avait écouté sans rougir ce garçon, qui la traitait de
fille perdue ; il demandait à quand le baptême, il lui
criait que son père la délivrerait à coups de pied, si
jamais elle s'avisait de rentrer au Jas-Meiffren, et elle
avait pleuré sans comprendre, elle avait pleuré parce
qu'elle devinait que tout cela devait être ignoble.
Maintenant qu'elle devenait femme, elle se disait,
avec ses innocences dernières, que le baiser, dont elle
sentait encore la brûlure en elle, suffisait peut-être
pour l'emplir de cette honte dont son cousin l'accusait. Alors elle fut prise de douleur, elle sanglota.

« Qu'as-tu ? pourquoi pleures-tu ? demanda Silvère d'une voix inquiète.

— Non, laisse, balbutia-t-elle, je ne sais pas. »

Puis, comme malgré elle, au milieu de ses larmes :

« Ah ! je suis une malheureuse. J'avais dix ans, on me jetait des pierres. Aujourd'hui, on me traite comme la dernière des créatures. Justin a eu raison de me mépriser devant le monde. Nous venons de faire le mal, Silvère. »

Le jeune homme, consterné, la reprit entre ses bras, essayant de la consoler.

« Je t'aime ! murmurait-il. Je suis ton frère. Pourquoi dis-tu que nous venons de faire le mal ? Nous nous sommes embrassés parce que nous avions froid. Tu sais bien que nous nous embrassions tous les soirs en nous séparant.

— Oh ! pas comme tout à l'heure, dit-elle d'une voix très basse. Il ne faut plus faire cela, vois-tu ; ça doit être défendu, car je me suis sentie toute singulière. Maintenant, les hommes vont rire, quand je passerai. Je n'oserai plus me défendre, ils seront dans leur droit. »

Le jeune homme se taisait, ne trouvant pas une parole pour tranquilliser l'esprit effaré de cette grande enfant de treize ans, toute frémissante et toute peureuse, à son premier baiser d'amour. Il la serrait doucement contre lui, il devinait qu'il la calmerait, s'il pouvait lui rendre le tiède engourdissement de leur étreinte. Mais elle se débattait, elle continuait :

« Si tu voulais, nous nous en irions, nous quitterions le pays. Je ne puis plus rentrer à Plassans ; mon oncle me battrait, toute la ville me montrerait au doigt... »

Puis, comme prise d'une irritation brusque :

« Non, je suis maudite, je te défends de quitter tante Dide pour me suivre. Il faut m'abandonner sur une grande route.

— Miette, Miette, implora Silvère, ne dis pas cela !

— Si, je te débarrasserai de moi. Sois raisonnable. On m'a chassée comme une vaurienne. Si je revenais avec toi, tu te battrais tous les jours. Je ne veux pas. »

Le jeune homme lui donna un nouveau baiser sur la bouche, en murmurant :

« Tu seras ma femme, personne n'osera plus te nuire.

— Oh ! je t'en supplie, dit-elle avec un faible cri, ne m'embrasse pas comme cela. Ça me fait mal. »

Puis, au bout d'un silence :

« Tu sais bien que je ne puis être ta femme. Nous sommes trop jeunes. Il me faudrait attendre, et je mourrais de honte. Tu as tort de te révolter, tu seras bien forcé de me laisser dans quelque coin. »

Alors Silvère, à bout de force, se mit à pleurer. Les sanglots d'un homme ont des sécheresses navrantes. Miette, effrayée de sentir le pauvre garçon secoué dans ses bras, le baisa au visage, oubliant qu'elle brûlait ses lèvres. C'était sa faute. Elle était une niaise de n'avoir pu supporter la douceur cuisante d'une caresse. Elle ne savait pas pourquoi elle avait songé à des choses tristes, juste au moment où son amoureux l'embrassait comme il ne l'avait jamais fait encore. Et elle le pressait contre sa poitrine pour lui demander pardon de l'avoir chagriné. Les enfants, pleurant, se serrant de leurs bras inquiets, mettaient un désespoir de plus dans l'obscure nuit de décembre. Au loin, les cloches continuaient à se plaindre sans relâche, d'une voix plus haletante.

« Il vaut mieux mourir, répétait Silvère au milieu de ses sanglots, il vaut mieux mourir... »

— Ne pleure plus, pardonne-moi, balbutiait Miette. Je serai forte, je ferai ce que tu voudras. »

Quand le jeune homme eut essuyé ses larmes :

« Tu as raison, dit-il, nous ne pouvons retourner à Plassans. Mais l'heure n'est pas venue d'être lâche. Si nous sortons vainqueurs de la lutte, j'irai chercher tante Dide, nous l'emmènerons bien loin avec nous. Si nous sommes vaincus... »

Il s'arrêta.

« Si nous sommes vaincus ?... répéta Miette doucement.

— Alors, à la grâce de Dieu ! continua Silvère d'une voix plus basse. Je ne serai plus là sans doute, tu consoleras la pauvre vieille. Ça vaudrait mieux.

— Oui, tu le disais tout à l'heure, murmura la jeune fille, il vaut mieux mourir. »

À ce désir de mort, ils eurent une étreinte plus étroite. Miette comptait bien mourir avec Silvère ; celui-ci n'avait parlé que de lui, mais elle sentait qu'il l'emporterait avec joie dans la terre. Ils s'y aimeraient plus librement qu'au grand soleil. Tante Dide mourrait, elle aussi, et viendrait les rejoindre. Ce fut comme un pressentiment rapide, un souhait d'une étrange volupté que le ciel, par les voix désolées du tocsin, leur promettait de bientôt satisfaire. Mourir ! mourir ! les cloches répétaient ce mot avec un emportement croissant, et les amoureux se laissaient aller à ces appels de l'ombre ; ils croyaient prendre un avant-goût du dernier sommeil, dans cette somnolence où les replongeaient la tiédeur de leurs membres et les brûlures de leurs lèvres, qui venaient encore de se rencontrer.

Miette ne se défendait plus. C'était elle, maintenant, qui collait sa bouche sur celle de Silvère, qui cherchait avec une muette ardeur cette joie dont elle n'avait pu d'abord supporter l'amère cuisson. Le rêve d'une mort prochaine l'avait enfiévrée ; elle ne se sentait plus rougir, elle s'attachait à son amant, elle semblait vouloir épuiser, avant de se coucher dans la terre, ces voluptés nouvelles, dans lesquelles elle venait à peine de tremper les lèvres, et dont elle s'irritait de ne pas pénétrer sur-le-champ tout le poignant inconnu. Au-delà du baiser, elle devinait autre chose qui l'épouvantait et l'attirait, dans le vertige de ses sens éveillés. Et elle s'abandonnait ; elle eût supplié Silvère de déchirer le voile, avec l'impudique naïveté des vierges. Lui, fou de la caresse qu'elle lui donnait, empli d'un bonheur parfait, sans force, sans autres désirs, ne paraissait pas même croire à des voluptés plus grandes.

Quand Miette n'eut plus d'haleine, et qu'elle sentit faiblir le plaisir âcre de la première étreinte :

« Je ne veux pas mourir sans que tu m'aimes, murmura-t-elle ; je veux que tu m'aimes encore davantage... »

Les mots lui manquaient, non qu'elle eût conscience de la honte, mais parce qu'elle ignorait ce qu'elle désirait. Elle était simplement secouée par une sourde révolte intérieure et par un besoin d'infini dans la joie.

Elle eût, dans son innocence, frappé du pied comme un enfant auquel on refuse un jouet.

« Je t'aime, je t'aime », répétait Silvère défaillant.

Miette hochait la tête, elle semblait dire que ce n'était pas vrai, que le jeune homme lui cachait quelque chose. Sa nature puissante et libre avait le secret

instinct des fécondités de la vie. C'est ainsi qu'elle
refusait la mort, si elle devait mourir ignorante. Et,
cette rébellion de son sang et de ses nerfs, elle
l'avouait naïvement par ses mains brûlantes et éga-
rées, par ses balbutiements, par ses supplications.

Puis, se calmant, elle posa la tête sur l'épaule du
jeune homme, elle garda le silence. Silvère se baissait et l'embrassait longuement. Elle goûtait ces baisers avec lenteur, en cherchait le sens, la saveur
secrète. Elle les interrogeait, les écoutait courir dans
ses veines, leur demandait s'ils étaient tout l'amour,
toute la passion. Une langueur la prit, elle s'endormit
doucement, sans cesser de goûter dans son sommeil
les caresses de Silvère. Celui-ci l'avait enveloppée
dans la grande pelisse rouge, dont il avait également
ramené un pan sur lui. Ils ne sentaient plus le froid.
Quand Silvère, à la respiration régulière de Miette,
eut compris qu'elle sommeillait, il fut heureux de ce
repos qui allait leur permettre de continuer gaillar-
dement leur chemin. Il se promit de la laisser dormir une heure. Le ciel était toujours noir ; à peine, au
levant, une ligne blanchâtre indiquait-elle l'approche
du jour. Il devait y avoir, derrière les amants, un bois
de pins, dont le jeune homme entendait le réveil musical, aux souffles de l'aube. Et les lamentations des
cloches devenaient plus vibrantes dans l'air frissonnant, berçant le sommeil de Miette, comme elles
avaient accompagné ses fièvres d'amoureuse.

Les jeunes gens, jusqu'à cette nuit de trouble,
avaient vécu une de ces naïves idylles qui naissent
au milieu de la classe ouvrière, parmi ces déshérités,
ces simples d'esprit, chez lesquels on retrouve encore
parfois les amours primitives des anciens contes
grecs[1].

Miette avait à peine neuf ans, lorsque son père fut envoyé au bagne, pour avoir tué un gendarme d'un coup de feu[1]. Le procès de Chantegreil était resté célèbre dans le pays. Le braconnier avoua hautement le meurtre ; mais il jura que le gendarme le tenait lui-même au bout de son fusil. « Je n'ai fait que le prévenir, dit-il ; je me suis défendu ; c'est un duel et non un assassinat. » Il ne sortit pas de ce raisonnement. Jamais le président des assises ne parvint à lui faire entendre que, si un gendarme a le droit de tirer sur un braconnier, un braconnier n'a pas celui de tirer sur un gendarme. Chantegreil échappa à la guillotine, grâce à son attitude convaincue et à ses bons antécédents. Cet homme pleura comme un enfant, lorsqu'on lui amena sa fille, avant son départ pour Toulon. La petite, qui avait perdu sa mère au berceau, demeurait avec son grand-père à Chavanoz, un village des gorges de la Seille. Quand le braconnier ne fut plus là, le vieux et la fillette vécurent d'aumônes. Les habitants de Chavanoz, tous chasseurs, vinrent en aide aux pauvres créatures que le forçat laissait derrière lui. Cependant le vieux mourut de chagrin. Miette, restée seule, aurait mendié sur les routes, si les voisines ne s'étaient souvenues qu'elle avait une tante à Plassans. Une âme charitable voulut bien la conduire chez cette tante, qui l'accueillit assez mal.

Eulalie Chantegreil, mariée au méger Rébufat, était une grande diablesse noire et volontaire qui gouvernait au logis. Elle menait son mari par le bout du nez, disait-on dans le faubourg. La vérité était que Rébufat, avare, âpre à la besogne et au gain, avait une sorte de respect pour cette grande diablesse, d'une vigueur peu commune, d'une sobriété et d'une économie rares.

Grâce à elle, le ménage prospérait. Le méger grogna le soir où, en rentrant du travail, il trouva Miette installée. Mais sa femme lui ferma la bouche, en lui disant de sa voix rude :

« Bah ! la petite est bien constituée ; elle nous servira de servante ; nous la nourrirons et nous économiserons les gages. »

Ce calcul sourit à Rébufat. Il alla jusqu'à tâter les bras de l'enfant, qu'il déclara avec satisfaction très forte pour son âge. Miette avait alors neuf ans. Dès le lendemain, il l'utilisa. Le travail des paysannes, dans le Midi, est beaucoup plus doux que dans le Nord. On y voit rarement les femmes occupées à bêcher la terre, à porter les fardeaux, à faire des besognes d'hommes. Elles lient les gerbes, cueillent les olives et les feuilles de mûrier ; leur occupation la plus pénible est d'arracher les mauvaises herbes. Miette travailla gaiement. La vie en plein air était sa joie et sa santé. Tant que sa tante vécut, elle n'eut que des rires. La brave femme, malgré ses brusqueries, l'aimait comme son enfant ; elle lui défendait de faire les gros travaux dont son mari tentait parfois de la charger, et elle criait à ce dernier :

« Ah ! tu es un habile homme ! Tu ne comprends donc pas, imbécile, que si tu la fatigues trop aujourd'hui, elle ne pourra rien faire demain ! »

Cet argument était décisif. Rébufat baissait la tête et portait lui-même le fardeau qu'il voulait mettre sur les épaules de la jeune fille.

Celle-ci eût vécu parfaitement heureuse, sous la protection secrète de sa tante Eulalie, sans les taquineries de son cousin, alors âgé de seize ans, qui occupait ses paresses à la détester et à la persécuter sourdement. Les meilleures heures de Justin étaient celles où il parvenait à la faire gronder par quelque rapport gros de mensonges. Quand il pouvait lui marcher sur les pieds ou la pousser avec brutalité, en feignant de ne pas l'avoir aperçue, il riait, il goûtait cette volupté sournoise des gens qui jouissent béatement du mal des autres. Miette le regardait alors, avec ses grands yeux noirs d'enfant, d'un regard luisant de colère et de fierté muette, qui arrêtait les ricanements du lâche galopin. Au fond, il avait une peur atroce de sa cousine.

La jeune fille allait atteindre sa onzième année, lorsque sa tante Eulalie mourut brusquement. Dès ce jour, tout changea au logis. Rébufat se laissa peu à peu aller à traiter Miette en valet de ferme. Il l'accabla de besognes grossières, se servit d'elle comme d'une bête de somme. Elle ne se plaignit même pas, elle croyait avoir une dette de reconnaissance à payer. Le soir, brisée de fatigue, elle pleurait sa tante, cette terrible femme dont elle sentait maintenant toute la bonté cachée. D'ailleurs, le travail même dur ne lui déplaisait pas ; elle aimait la force, elle avait l'orgueil de ses gros bras et de ses solides épaules. Ce qui la navrait, c'était la surveillance méfiante de son oncle, ses continuels reproches, son attitude de maître irrité. À cette heure, elle était une étrangère dans la maison. Même une étrangère n'aurait pas été aussi maltraitée qu'elle. Rébufat abusait sans scrupule de cette petite parente pauvre qu'il gardait auprès de lui par une charité bien entendue. Elle payait dix fois de son travail cette dure hospitalité, et il ne se passait pas de journée qu'il ne lui reprochât le pain qu'elle mangeait. Justin, surtout, excellait à la blesser. Depuis que sa mère n'était plus là, voyant l'enfant sans défense, il mettait tout son mauvais esprit à lui

rendre le logis insupportable. La plus ingénieuse tor-
ture qu'il inventa fut de parler à Miette de son père.
La pauvre fille, ayant vécu hors du monde, sous la
protection de sa tante, qui avait défendu qu'on prononçât devant elle les mots de bagne et de forçat, ne
comprenait guère le sens de ces mots. Ce fut Justin
qui le lui apprit, en lui racontant à sa manière le
meurtre du gendarme et la condamnation de Chantegreil. Il ne tarissait pas en détails odieux : les forçats
avaient un boulet au pied, ils travaillaient quinze heures par jour, ils mouraient tous à la peine ; le bagne
était un lieu sinistre dont il décrivait minutieuse-
ment toutes les horreurs. Miette l'écoutait, hébétée,
les yeux en larmes. Parfois des violences brusques
la soulevaient, et Justin se hâtait de faire un saut en
arrière, devant ses poings crispés. Il savourait en
gourmand cette cruelle initiation. Quand son père,
pour la moindre négligence, s'emportait contre
l'enfant, il se mettait de la partie, heureux de pouvoir l'insulter sans danger. Et si elle essayait de se
défendre :

« Va, disait-il, bon sang ne peut mentir : tu finiras
au bagne, comme ton père. »

Miette sanglotait, frappée au cœur, écrasée de
honte, sans force.

À cette époque, Miette devenait femme déjà. D'une
puberté précoce, elle résista au martyre avec une
énergie extraordinaire. Elle s'abandonnait rarement,
seulement aux heures où ses fiertés natives mollis-
saient sous les outrages de son cousin. Bientôt elle
supporta d'un œil sec les blessures incessantes de
cet être lâche, qui la surveillait en parlant, de peur
qu'elle ne lui sautât au visage. Puis, elle savait le faire
taire, en le regardant fixement. Elle eut à plusieurs

reprises l'envie de se sauver du Jas-Meiffren. Mais elle n'en fit rien, par courage, pour ne pas s'avouer vaincue sous les persécutions qu'elle endurait. En somme, elle gagnait son pain, elle ne volait pas l'hospitalité des Rébufat ; cette certitude suffisait à son orgueil. Elle resta ainsi pour lutter, se roidissant, vivant dans une continuelle pensée de résistance. Sa ligne de conduite fut de faire sa besogne en silence et de se venger des mauvaises paroles par un mépris muet. Elle savait que son oncle abusait trop d'elle pour écouter aisément les insinuations de Justin, qui rêvait de la faire jeter à la porte. Aussi, mettait-elle une sorte de défi à ne pas s'en aller d'elle-même.

Ses longs silences volontaires furent pleins d'étranges rêveries. Passant ses journées dans l'enclos, séparée du monde, elle grandit en révoltée, elle se fit des opinions qui auraient singulièrement effarouché les bonnes gens du faubourg. La destinée de son père l'occupa surtout. Toutes les mauvaises paroles de Justin lui revinrent ; elle finit par accepter l'accusation d'assassinat, par se dire que son père avait bien fait de tuer le gendarme qui voulait le tuer. Elle connaissait l'histoire vraie de la bouche d'un terrassier qui avait travaillé au Jas-Meiffren. À partir de ce moment, elle ne tourna même plus la tête, les rares fois qu'elle sortait, lorsque les vauriens du faubourg la suivaient en criant :

« Eh ! la Chantegreil ! »

Elle pressait le pas, les lèvres serrées, les yeux d'un noir farouche. Quand elle refermait la grille, en rentrant, elle jetait un seul et long regard sur la bande des galopins. Elle serait devenue mauvaise, elle aurait glissé à la sauvagerie cruelle des parias, si parfois toute son enfance ne lui était revenue au cœur. Ses

onze ans la jetaient à des faiblesses de petite fille qui
la soulageaient. Alors elle pleurait, elle était honteuse
d'elle et de son père. Elle courait se cacher au fond
d'une écurie pour sangloter à l'aise, comprenant que,
si l'on voyait ses larmes, on la martyriserait davantage. Et quand elle avait bien pleuré, elle allait baigner ses yeux dans la cuisine, elle reprenait son visage
muet. Ce n'était pas son intérêt seul qui la faisait se
cacher ; elle poussait l'orgueil de ses forces précoces
jusqu'à ne plus vouloir paraître une enfant. À la longue tout devait s'aigrir en elle. Elle fut heureusement
sauvée, en retrouvant les tendresses de sa nature
aimante.

Le puits qui se trouvait dans la cour de la maison
habitée par tante Dide et Silvère était un puits
mitoyen. Le mur du Jas-Meiffren le coupait en deux.
Anciennement, avant que l'enclos des Fouque fût
réuni à la grande propriété voisine, les maraîchers
se servaient journellement de ce puits. Mais depuis
l'achat du terrain, comme il était éloigné des communs, les habitants du Jas, qui avaient à leur disposition de vastes réservoirs, n'y puisaient pas un seau
d'eau dans un mois. De l'autre côté, au contraire, chaque matin, on entendait grincer la poulie ; c'était
Silvère qui tirait pour tante Dide l'eau nécessaire au
ménage.

Un jour, la poulie se fendit. Le jeune charron tailla
lui-même une belle et forte poulie de chêne qu'il posa
le soir, après sa journée. Il lui fallut monter sur le
mur. Quand il eut fini son travail, il resta à califourchon sur le chaperon du mur, se reposant, regardant
curieusement la large étendue du Jas-Meiffren. Une
paysanne qui arrachait les mauvaises herbes à quelques pas de lui finit par fixer son attention. On était

en juillet, l'air brûlait, bien que le soleil fût déjà au bord de l'horizon. La paysanne avait retiré sa casaque. En corset blanc, un fichu de couleur noué sur les épaules, les manches de chemise retroussées jusqu'aux coudes, elle était accroupie dans les plis de sa jupe de cotonnade bleue, que retenaient deux bretelles croisées derrière le dos[1]. Elle marchait sur les genoux, arrachant activement l'ivraie qu'elle jetait dans un couffin. Le jeune homme ne voyait d'elle que ses bras nus, brûlés par le soleil, s'allongeant à droite, à gauche, pour saisir quelque herbe oubliée. Il suivait complaisamment ce jeu rapide des bras de la paysanne, goûtant un singulier plaisir à les voir si fermes et si prompts. Elle s'était légèrement redressée en ne l'entendant plus travailler, et avait baissé de nouveau la tête, avant qu'il eût pu même distinguer ses traits. Ce mouvement effarouché le retint. Il se questionnait sur cette femme, en garçon curieux, sifflant machinalement et battant la mesure avec un ciseau à froid qu'il tenait à la main, lorsque le ciseau lui échappa. L'outil tomba du côté du Jas-Meiffren, sur la margelle du puits, et alla rebondir à quelques pas de la muraille. Silvère le regarda, se penchant, hésitant à descendre. Mais il paraît que la paysanne examinait le jeune homme du coin de l'œil, car elle se leva sans mot dire, et vint ramasser le ciseau à froid, qu'elle tendit à Silvère. Alors ce dernier vit que la paysanne était une enfant. Il resta surpris et un peu intimidé. Dans les clartés rouges du couchant, la jeune fille se haussait vers lui. Le mur, à cet endroit, était bas, mais la hauteur se trouvait encore trop grande. Silvère se coucha sur le chaperon, la petite paysanne se dressa sur la pointe des pieds. Ils ne disaient rien, ils se regardaient d'un air confus et souriant. Le jeune homme eût, d'ailleurs, voulu prolonger l'attitude de l'enfant. Elle levait vers lui une adorable tête, de grands yeux noirs, une bouche rouge, qui l'étonnaient et le remuaient singulièrement. Jamais il n'avait vu une fille de si près ; il ignorait qu'une bouche et des yeux pussent être si plaisants à regarder. Tout lui paraissait avoir un charme inconnu, le fichu de couleur, le corset blanc, la jupe de cotonnade bleue, que tiraient les bretelles, tendues par le mouvement des épaules. Son regard glissa le long du bras qui lui présentait l'outil ; jusqu'au coude, le bras était d'un brun doré, comme vêtu de hâle ; mais plus loin, dans l'ombre de la manche de chemise retroussée, Silvère apercevait une rondeur nue, d'une blancheur de lait. Il se troubla, se pencha davantage, et put enfin saisir le ciseau. La petite paysanne commençait à être embarrassée. Puis ils restèrent là, à se sourire encore, l'enfant en bas, la face toujours levée, le jeune garçon à demi couché sur le chaperon du mur. Ils ne savaient comment se séparer. Ils n'avaient pas échangé une parole. Silvère oubliait même de dire merci.

« Comment t'appelles-tu ? demanda-t-il.

— Marie, répondit la paysanne ; mais tout le monde m'appelle Miette. »

Elle se haussa légèrement, et de sa voix nette :

« Et toi ? demanda-t-elle à son tour.

— Moi, je m'appelle Silvère », répondit le jeune ouvrier.

Il y eut un silence, pendant lequel ils parurent écouter complaisamment la musique de leurs noms.

« Moi j'ai quinze ans, reprit Silvère. Et toi ?

— Moi, dit Miette, j'aurai onze ans à la Toussaint. »

Le jeune ouvrier fit un geste de surprise.

« Ah ! bien, dit-il en riant, moi qui t'avais prise pour une femme !... Tu as de gros bras. »

Elle se mit à rire, elle aussi, en baissant les yeux sur ses bras. Puis ils ne se dirent plus rien. Ils demeurèrent encore un bon moment, à se regarder et à sourire. Comme Silvère semblait n'avoir plus de questions à lui adresser, Miette s'en alla tout simplement et se remit à arracher les mauvaises herbes, sans lever la tête. Lui, resta un instant sur le mur. Le soleil se couchait ; une nappe de rayons obliques coulait sur les terres jaunes du Jas-Meiffren ; les terres flambaient, on eût dit un incendie courant au ras du sol. Et, dans cette nappe flambante, Silvère regardait la petite paysanne accroupie et dont les bras nus avaient repris leur jeu rapide ; la jupe de cotonnade bleue blanchissait, des lueurs couraient le long des bras cuivrés. Il finit par éprouver une sorte de honte à rester là. Il descendit du mur.

Le soir, Silvère, préoccupé de son aventure, essaya de questionner tante Dide. Peut-être saurait-elle qui était cette Miette qui avait des yeux si noirs et une bouche si rouge. Mais, depuis qu'elle habitait la maison de l'impasse, tante Dide n'avait plus jeté un seul coup d'œil derrière le mur de la petite cour. C'était, pour elle, comme un rempart infranchissable, qui murait son passé. Elle ignorait, elle voulait ignorer ce qu'il y avait maintenant de l'autre côté de cette muraille, dans cet ancien enclos des Fouque, où elle avait enterré son amour, son cœur et sa chair. Aux premières questions de Silvère, elle le regarda avec un effroi d'enfant. Allait-il donc lui aussi remuer les cendres de ces jours éteints et la faire pleurer comme son fils Antoine ?

« Je ne sais, dit-elle d'une voix rapide, je ne sors plus, je ne vois personne… »

Silvère attendit le lendemain avec quelque impatience. Dès qu'il fut arrivé chez son patron, il fit causer ses camarades d'atelier. Il ne raconta pas son entrevue avec Miette ; il parla vaguement d'une fille qu'il avait aperçue de loin dans le Jas-Meiffren.

« Eh ! c'est la Chantegreil ! » cria un des ouvriers.

Et, sans que Silvère eût besoin de les interroger, ses camarades lui racontèrent l'histoire du braconnier Chantegreil et de sa fille Miette, avec cette haine aveugle des foules contre les parias. Ils traitèrent surtout cette dernière d'une sale façon ; et toujours l'insulte de fille de galérien leur venait aux lèvres, comme une raison sans réplique qui condamnait la chère innocente à une éternelle honte.

Le charron Vian, un brave et digne homme, finit par leur imposer silence.

« Eh ! taisez-vous, mauvaises langues ! dit-il en lâchant un brancard de carriole qu'il examinait. N'avez-vous pas honte de vous acharner après une enfant ? Je l'ai vue, moi, cette petite. Elle a un air très honnête. Puis on m'a dit qu'elle ne boudait pas devant le travail et qu'elle faisait déjà la besogne d'une femme de trente ans. Il y a ici des fainéants qui ne la valent pas. Je lui souhaite pour plus tard un bon mari qui fasse taire les méchants propos. »

Silvère, que les plaisanteries et les injures grossières des ouvriers avaient glacé, sentit les larmes lui monter aux yeux, à cette dernière parole de Vian. D'ailleurs, il n'ouvrit pas les lèvres. Il reprit son marteau, qu'il avait posé auprès de lui, et se mit à taper de toutes ses forces sur le moyeu d'une roue qu'il ferrait.

Le soir, dès qu'il fut rentré de l'atelier, il courut grimper sur le mur. Il trouva Miette à sa besogne de la veille. Il l'appela. Elle vint à lui, avec son sourire embarrassé, son adorable sauvagerie d'enfant grandie dans les larmes.

« Tu es la Chantegreil, n'est-ce pas ? » lui demanda-t-il brusquement.

Elle recula, elle cessa de sourire, et ses yeux devinrent d'un noir dur, luisant de défiance. Ce garçon allait donc l'insulter comme les autres ! Elle tournait le dos sans répondre, lorsque Silvère, consterné du subit changement de son visage, se hâta d'ajouter :

« Reste, je t'en prie... Je ne veux pas te faire de la peine... J'ai tant de choses à te dire ! »

Elle revint, méfiante encore. Silvère, dont le cœur était plein et qui s'était promis de le vider longuement, resta muet, ne sachant par où commencer, craignant de commettre quelque nouvelle maladresse. Tout son cœur se mit enfin dans une phrase :

« Veux-tu que je sois ton ami ? » dit-il d'une voix émue.

Et comme Miette, toute surprise, levait vers lui ses yeux redevenus humides et souriants, il continua avec vivacité :

« Je sais qu'on te fait du chagrin. Il faut que cela cesse. C'est moi qui te défendrai maintenant. Veux-tu ? »

L'enfant rayonnait. Cette amitié qui s'offrait à elle la tirait de tous ses mauvais rêves de haines muettes. Elle hocha la tête, elle répondit :

« Non, je ne veux pas que tu te battes pour moi. Tu aurais trop à faire. Puis il est des gens contre lesquels tu ne peux me défendre. »

Silvère voulut crier qu'il la défendrait contre le monde entier, mais elle lui ferma la bouche, d'un geste câlin, en ajoutant :

« Il me suffit que tu sois mon ami. »

Alors ils causèrent quelques minutes, en baissant la voix le plus possible. Miette parla à Silvère de son oncle et de son cousin. Pour rien au monde, elle n'aurait voulu qu'ils le vissent ainsi à califourchon sur le chaperon du mur. Justin serait implacable s'il avait une arme contre elle. Elle disait ses craintes avec l'effroi d'une écolière qui rencontre une amie que sa mère lui a défendu de fréquenter. Silvère comprit seulement qu'il ne pourrait voir Miette à son aise. Cela l'attrista beaucoup. Il promit cependant de ne plus remonter sur le mur. Ils cherchaient tous deux un moyen pour se revoir, lorsque Miette le supplia de s'en aller ; elle venait d'apercevoir Justin qui traversait la propriété, en se dirigeant du côté du puits. Silvère se hâta de descendre. Quand il fut dans la petite cour, il resta au pied du mur, prêtant l'oreille, irrité de sa fuite. Au bout de quelques minutes, il se hasarda à grimper de nouveau et à jeter un coup d'œil dans le Jas-Meiffren ; mais il vit Justin qui causait avec Miette, il retira vite la tête. Le lendemain, il ne put voir son amie, pas même de loin ; elle devait avoir fini sa besogne dans cette partie du Jas. Huit jours se passèrent ainsi, sans que les deux camarades eussent l'occasion d'échanger une seule parole. Silvère était désespéré ; il songeait à aller carrément demander Miette chez les Rébufat.

Le puits mitoyen était un grand puits très peu profond. De chaque côté du mur, les margelles s'arrondissaient en un large demi-cercle. L'eau se trouvait à trois ou quatre mètres, au plus. Cette eau dormante reflétait les deux ouvertures du puits, deux demi-lunes que l'ombre de la muraille séparait d'une raie noire. En se penchant, on eût cru apercevoir, dans le jour vague, deux glaces d'une netteté et d'un éclat singuliers. Par les matinées de soleil, lorsque l'égouttement des cordes ne troublait pas la surface de l'eau, ces glaces, ces reflets du ciel se découpaient, blancs sur l'eau verte, en reproduisant avec une étrange exactitude les feuilles d'un pied de lierre qui avait poussé le long de la muraille, au-dessus du puits.

premier rencontre – puits

Un matin, de fort bonne heure, Silvère, en venant tirer la provision d'eau de tante Dide, se pencha machinalement, au moment où il saisissait la corde. Il eut un tressaillement, il resta courbé, immobile. Au fond du puits, il avait cru distinguer une tête de jeune fille qui le regardait en souriant ; mais il avait ébranlé la corde, l'eau agitée n'était plus qu'un miroir trouble sur lequel rien ne se reflétait nettement. Il attendit que l'eau se fût rendormie, n'osant bouger, le cœur battant à grands coups. Et à mesure que les rides de l'eau s'élargissaient et se mouraient, il vit l'apparition se reformer. Elle oscilla longtemps dans un balancement qui donnait à ses traits une grâce vague de fantôme. Elle se fixa enfin. C'était le visage souriant de Miette, avec son buste, son fichu de couleur, son corset blanc, ses bretelles bleues. Silvère s'aperçut à son tour dans l'autre glace. Alors, sachant tous deux qu'ils se voyaient, ils firent des signes de tête. Dans le premier moment, ils ne songèrent même pas à parler. Puis ils se saluèrent.

« Bonjour, Silvère.

— Bonjour, Miette. »

l'eau comme un miroir

Le son étrange de leurs voix les étonna. Elles avaient pris une sourde et singulière douceur dans ce trou humide. Il leur semblait qu'elles venaient de très loin, avec ce chant léger des voix entendues le soir dans la campagne. Ils comprirent qu'il leur suffirait de parler bas pour s'entendre. Le puits résonnait au moindre souffle. Accoudés aux margelles, penchés et se regardant, ils causèrent. Miette dit combien elle avait eu du chagrin depuis huit jours. Elle travaillait à l'autre bout du Jas et ne pouvait s'échapper que le matin de bonne heure. En disant cela, elle faisait une moue de dépit que Silvère distinguait parfaitement, et à laquelle il répondait par un balancement de tête irrité. Ils se faisaient leurs confidences, comme s'ils se fussent trouvés face à face, avec les gestes et les expressions de physionomie que demandaient les paroles. Peu leur importait le mur qui les séparait, maintenant qu'ils se voyaient là-bas, dans ces profondeurs discrètes.

« Je savais, continua Miette avec une mine futée, que tu tirais de l'eau chaque jour à la même heure. J'entends, de la maison, grincer la poulie. Alors j'ai inventé un prétexte, j'ai prétendu que l'eau de ce puits cuisait mieux les légumes. Je me disais que je viendrais en puiser tous les matins en même temps que toi, et que je pourrais te dire bonjour, sans que personne s'en doutât. »

Elle eut un rire d'innocente qui s'applaudit de sa ruse, et elle termina en disant :

« Mais je ne m'imaginais pas que nous nous verrions dans l'eau. »

C'était là, en effet, la joie inespérée qui les ravissait. Ils ne parlaient guère que pour voir remuer leurs lèvres, tant ce jeu nouveau amusait l'enfance qui était encore en eux. Aussi se promirent-ils sur tous les tons de ne jamais manquer au rendez-vous matinal. Quand Miette eut déclaré qu'il lui fallait s'en aller, elle dit à Silvère qu'il pouvait tirer son seau d'eau. Mais Silvère n'osait remuer la corde : Miette était restée penchée, il voyait toujours son visage souriant, et il lui en coûtait trop d'effacer ce sourire. À un léger ébranlement qu'il donna au seau, l'eau frémit, le sourire de Miette pâlit. Il s'arrêta, pris d'une étrange crainte : il s'imaginait qu'il venait de la contrarier et qu'elle pleurait. Mais l'enfant lui cria : « Va donc ! va donc ! » avec un rire que l'écho lui renvoyait plus prolongé et plus sonore. Et elle fit elle-même descendre un seau bruyamment. Il y eut une tempête. Tout disparut sous l'eau noire. Silvère alors se décida à emplir ses deux cruches, en écoutant les pas de Miette, qui s'éloignait, de l'autre côté de la muraille.

À partir de ce jour, les jeunes gens ne manquèrent pas une fois de se trouver au rendez-vous. L'eau dormante, ces glaces blanches où ils contemplaient leur image, donnaient à leurs entrevues un charme infini qui suffit longtemps à leur imagination joueuse d'enfants. Ils n'avaient aucun désir de se voir face à face, cela leur semblait bien plus amusant de prendre un puits pour miroir et de confier à son écho leur bonjour matinal. Ils connurent bientôt le puits comme un vieil ami. Ils aimaient à se pencher sur la nappe lourde et immobile, pareille à de l'argent en fusion. En bas, dans un demi-jour mystérieux, des lueurs vertes couraient, qui paraissaient changer le trou humide en une cachette perdue au fond des taillis. Ils s'apercevaient ainsi dans une sorte de nid verdâtre, tapissé de mousse, au milieu de la fraîcheur

de l'eau et du feuillage. Et tout l'inconnu de cette
source profonde, de cette tour creuse sur laquelle
ils se courbaient, attirés, avec de petits frissons, ajoutait à leur joie de se sourire une peur inavouée et
délicieuse[Il leur prenait la folle idée de descendre,
d'aller s'asseoir sur une rangée de grosses pierres
qui formaient une espèce de banc circulaire, à quelques centimètres de la nappe ; ils tremperaient leurs
pieds dans l'eau, ils causeraient pendant des heures,
sans qu'on s'avisât jamais de les venir chercher en
cet endroit. Puis, quand ils se demandaient ce qu'il
pouvait bien y avoir là-bas, leurs frayeurs vagues
revenaient, et ils pensaient que c'était assez déjà d'y
laisser descendre leur image, tout au fond, dans ces
lueurs vertes qui moiraient les pierres d'étranges
reflets, dans ces bruits singuliers qui montaient des
coins noirs.] Ces bruits surtout, venus de l'invisible,
les inquiétaient ; souvent il leur semblait que des
voix répondaient aux leurs ; alors ils se taisaient, et
ils entendaient mille petites plaintes qu'ils ne s'expliquaient pas : travail sourd de l'humidité, soupirs de
l'air, gouttes d'eau glissant sur les pierres et dont la
chute avait la sonorité grave d'un sanglot. Pour se
rassurer, ils se faisaient des signes de tête affectueux.
L'attrait qui les retenait accoudés aux margelles avait
ainsi, comme tout charme poignant, sa pointe d'horreur secrète. Mais le puits restait leur vieil ami. Il était
un si excellent prétexte à leur rendez-vous ! Jamais
Justin, qui espionnait chaque pas de Miette, ne se
défia de son empressement à aller tirer de l'eau, le
matin. Parfois il la regardait de loin se pencher,
s'attarder. « Ah ! la fainéante ! murmurait-il, dire
qu'elle s'amuse à faire des ronds ! » Comment soup-
çonner que, de l'autre côté du mur, il y avait un galant

qui regardait dans l'eau le sourire de la jeune fille, en lui disant : « Si cet âne rouge de Justin te maltraite, dis-le-moi, il aura de mes nouvelles ! »

Pendant plus d'un mois, ce jeu dura. On était en juillet ; les matinées brûlaient, blanches de soleil, et c'était une volupté d'accourir là, dans ce coin humide. Il faisait bon de recevoir au visage l'haleine glacée du puits, de s'aimer dans cette eau de source, à l'heure où l'incendie du ciel s'allumait. Miette arrivait tout essoufflée, traversant les chaumes ; dans sa course, les petits cheveux de son front et de ses tempes s'échevelaient ; elle prenait à peine le temps de poser sa cruche ; elle se penchait, rouge, décoiffée, vibrante de rires. Et Silvère, qui se trouvait presque toujours le premier au rendez-vous, éprouvait, en la voyant apparaître dans l'eau, avec cette rieuse et folle hâte, la sensation vive qu'il aurait ressentie, si elle s'était jetée brusquement dans ses bras, au détour d'un sentier. Autour d'eux, les gaietés de la radieuse matinée chantaient, un flot de lumière chaude, toute sonore d'un bourdonnement d'insectes, battait la vieille muraille, les piliers et les margelles. Mais eux ne voyaient plus la matinale ondée de soleil, n'entendaient plus les mille bruits qui montaient du sol : ils étaient au fond de leur cachette verte, sous la terre, dans ce trou mystérieux et vaguement effrayant, s'oubliant à jouir de la fraîcheur et du demi-jour, avec une joie frissonnante.

Certains matins, Miette, dont le tempérament ne s'accommodait pas d'une longue contemplation, se montrait taquine ; elle remuait la corde, elle faisait tomber exprès des gouttes d'eau qui ridaient les clairs miroirs et déformaient les images. Silvère la suppliait de se tenir tranquille. Lui, d'une ardeur plus concen-

trée, ne connaissait pas de plus vif plaisir que de
regarder le visage de son amie, réfléchi dans toute
la pureté de ses traits. Mais elle ne l'écoutait pas, elle
plaisantait, elle faisait la grosse voix, une voix de
croque-mitaine, à laquelle l'écho donnait une douceur rauque.

« Non, non, grondait-elle, je ne t'aime pas aujour-
d'hui, je te fais la grimace ; vois comme je suis laide. »

Et elle s'égayait à voir les formes bizarres que prenaient leurs figures élargies, dansantes sur l'eau.

Un matin, elle se fâcha pour tout de bon. Elle ne
trouva pas Silvère au rendez-vous, et elle l'attendit
près d'un quart d'heure, en faisant vainement grincer
la poulie. Elle allait s'éloigner, exaspérée, lorsqu'il
arriva enfin. Dès qu'elle l'aperçut, elle déchaîna une
véritable tempête dans le puits ; elle agitait le seau
d'une main irritée, l'eau noirâtre tourbillonnait avec
des jaillissements sourds contre les pierres. Silvère
eut beau lui expliquer que tante Dide l'avait retenu.
À toutes les excuses, elle répondait :

« Tu m'as fait de la peine, je ne veux pas te voir. »

Le pauvre garçon interrogeait avec désespoir ce
trou sombre, plein de bruits lamentables, où l'attendait, les autres jours, une si claire vision, dans le
silence de l'eau morte. Il dut se retirer sans avoir
vu Miette. Le lendemain, ayant devancé l'heure du
rendez-vous, il regardait mélancoliquement dans le
puits, n'entendant rien, se disant que la mauvaise tête
ne viendrait peut-être pas, lorsque l'enfant, qui était
déjà de l'autre côté, où elle guettait sournoisement
son arrivée, se pencha tout d'un coup, en éclatant de
rire. Tout fut oublié.

Il y eut ainsi des drames et des comédies dont
le puits fut complice. Ce bienheureux trou, avec ses

glaces blanches et son écho musical, hâta singulièrement leur tendresse. Ils lui donnèrent une vie
étrange, ils l'emplirent à tel point de leurs jeunes
amours, que, longtemps après, lorsqu'ils ne vinrent
plus s'accouder aux margelles, Silvère, chaque matin,
en tirant de l'eau, croyait y voir apparaître la figure
rieuse de Miette, dans le demi-jour frissonnant et ému
encore de toute la joie qu'ils avaient mise là.

Ce mois de tendresse joueuse sauva Miette de ses
désespoirs muets. Elle sentit se réveiller ses affections,
ses insouciances heureuses d'enfant, que la solitude
haineuse où elle vivait avait comprimées en elle. La
certitude qu'elle était aimée par quelqu'un, qu'elle
ne se trouvait plus seule au monde, lui rendit tolé-
rables les persécutions de Justin et des gamins du
faubourg. Il y avait maintenant une chanson dans
son cœur qui l'empêchait d'entendre les huées.
Elle pensait à son père avec une pitié attendrie, elle
ne s'abandonnait plus aussi souvent à des rêveries
d'implacable vengeance. Ses amours naissantes
étaient comme une aube fraîche dans laquelle se
calmaient ses mauvaises fièvres. Et en même temps
une rouerie de fille amoureuse lui venait. Elle s'était
dit qu'elle devait garder son attitude muette et révoltée, si elle voulait que Justin n'eût aucun soupçon.
Mais, malgré ses efforts, lorsque ce garçon la blessait,
il lui restait de la douceur plein les yeux ; elle ne
savait plus où prendre le regard noir et dur d'autrefois. Il l'entendait aussi chantonner entre ses dents,
le matin, au déjeuner.

« Eh ! tu es bien gaie, la Chantegreil ! lui disait-il
avec méfiance, en l'examinant de son air louche. Je
parie que tu as fait quelque mauvais coup. »

Elle haussait les épaules, mais elle tremblait inté-
rieurement ; elle s'efforçait vite de jouer son rôle de
martyre révoltée. D'ailleurs, bien qu'il flairât les joies
secrètes de sa victime, Justin chercha longtemps
avant d'apprendre de quelle façon elle lui avait
échappé.

Silvère, de son côté, goûtait des bonheurs profonds.
Ses rendez-vous quotidiens avec Miette suffisaient
pour remplir les heures vides qu'il passait au logis.
Sa vie solitaire, ses longs tête-à-tête silencieux avec
tante Dide furent employés à reprendre un à un ses
souvenirs de la matinée, à en jouir dans leurs moindres détails. Il éprouva dès lors une plénitude de
sensations qui le mura davantage dans l'existence
cloîtrée qu'il s'était faite auprès de sa grand-mère.
Par tempérament, il aimait les coins cachés, les solitudes où il pouvait à son aise vivre avec ses pensées.
À cette époque, il s'était déjà jeté avidement dans la
lecture de tous les bouquins dépareillés qu'il trouvait chez les brocanteurs du faubourg, et qui devaient
le mener à une généreuse et étrange religion sociale.
Cette instruction, mal digérée, sans base solide, lui
ouvrait sur le monde, sur les femmes surtout, des
échappées de vanité, de volupté ardente, qui auraient
singulièrement troublé son esprit, si son cœur était
resté inassouvi. Miette vint, il la prit d'abord comme
une camarade, puis comme la joie et l'ambition de
sa vie. Le soir, retiré dans le réduit où il couchait,
après avoir accroché sa lampe au chevet de son lit
de sangles, il retrouvait Miette à chaque page du vieux
volume poudreux qu'il avait pris au hasard sur une
planche, au-dessus de sa tête, et qu'il lisait dévote-
ment. Il ne pouvait être question, dans ses lectures,
d'une jeune fille, d'une créature belle et bonne, sans

qu'il la remplaçât immédiatement par son amoureuse. Et lui-même, il se mettait en scène. S'il lisait une histoire romanesque, il épousait Miette au dénouement ou mourait avec elle. S'il lisait, au contraire, quelque pamphlet politique, quelque grave dissertation sur l'économie sociale, livres qu'il préférait aux romans, par ce singulier amour que les demi-savants ont pour les lectures difficiles, il trouvait encore moyen de l'intéresser aux choses mortellement ennuyeuses que souvent il ne parvenait même pas à comprendre ; il croyait apprendre la façon d'être bon et aimant pour elle, quand ils seraient mariés. Il la mêlait ainsi à ses songeries les plus creuses. Protégé par cette pure tendresse contre les gravelures de certains contes du dix-huitième siècle qui lui tombèrent entre les mains, il se plut surtout à s'enfermer avec elle dans les utopies humanitaires que de grands esprits, affolés par la chimère du bonheur universel, ont rêvées de nos jours. Miette, dans son esprit, devenait nécessaire à l'abolissement du paupérisme et au triomphe définitif de la révolution. Nuits de lectures fiévreuses, pendant lesquelles son esprit tendu ne pouvait se détacher du volume qu'il quittait et reprenait vingt fois ; nuits pleines, en somme, d'un voluptueux énervement, dont il jouissait jusqu'au jour, comme d'une ivresse défendue, le corps serré par les murs de l'étroit cabinet, la vue troublée par la lueur jaune et louche de la lampe, se livrant à plaisir aux brûlures de l'insomnie et bâtissant des projets de société nouvelle, absurdes de générosité, où la femme, toujours sous les traits de Miette, était adorée par les nations à genoux. Il se trouvait prédisposé à l'amour de l'utopie par certaines influences héréditaires ; chez lui, les troubles nerveux

de sa grand-mère tournaient à l'enthousiasme chronique, à des élans vers tout ce qui était grandiose et
impossible.] Son enfance solitaire, sa demi-instruction, avaient singulièrement développé les tendances
de sa nature. Mais il n'était pas encore à l'âge où l'idée
fixe plante son clou dans le cerveau d'un homme.
Le matin, dès qu'il avait rafraîchi sa tête dans un
seau d'eau, il ne se souvenait plus que confusément
des fantômes de sa veille, il gardait seulement de ses
rêves une sauvagerie pleine de foi naïve et d'ineffable
tendresse. Il redevenait enfant. Il courait au puits,
avec le seul besoin de retrouver le sourire de son
amoureuse, de goûter les joies de la radieuse matinée. Et, dans la journée, si des pensées d'avenir le
rendaient songeur, souvent aussi, cédant à des effusions subites, il embrassait sur les deux joues tante
Dide, qui le regardait alors dans les yeux, comme
prise d'inquiétude, à les voir si clairs et si profonds
d'une joie qu'elle croyait reconnaître.

Cependant Miette et Silvère se lassaient un peu
de n'apercevoir que leur ombre. Ils avaient usé leur
jouet, ils rêvaient des plaisirs plus vifs, que le puits
ne pouvait leur donner. Dans ce besoin de réalité
qui les prenait, ils auraient voulu se voir face à face,
courir en pleins champs, revenir essoufflés, les bras
à la taille, serrés l'un contre l'autre, pour mieux sentir
leur amitié. Silvère parla un matin de franchir tout
simplement le mur et d'aller se promener dans le Jas,
avec Miette. Mais l'enfant le supplia de ne pas faire
cette folie, qui la livrerait à la merci de Justin. Il promit de chercher un autre moyen.

La muraille, dans laquelle le puits était enclavé,
formait, à quelques pas, un coude brusque qui ménageait une espèce d'enfoncement où les amoureux se

seraient trouvés à l'abri des regards, s'ils étaient parvenus à s'y réfugier. Il s'agissait d'arriver à cet enfoncement. Silvère ne pouvait plus songer à son projet d'escalade, dont Miette avait paru si effrayée. Il nourrissait secrètement un autre projet. La petite porte que Macquart et Adélaïde avaient jadis ouverte en une nuit était restée oubliée, dans ce coin perdu de la vaste propriété voisine ; on n'avait pas même songé à la condamner ; noire d'humidité, verte de mousse, la serrure et les gonds rongés de rouille, elle faisait comme partie de la vieille muraille. Sans doute la clef était perdue ; les herbes, poussées au bas des planches, contre lesquelles s'étaient formés de légers talus, prouvaient suffisamment que personne ne passait plus par là depuis de longues années. C'était cette clef perdue que comptait retrouver Silvère. Il savait avec quelle dévotion tante Dide laissait pourrir sur place les reliques du passé. Cependant il fouilla la maison pendant huit jours sans aucun résultat. Il allait toutes les nuits, à pas de loup, voir s'il avait enfin, dans la journée, mis la main sur la bonne clef. Il en essaya ainsi plus de trente, provenant sans doute de l'ancien enclos des Fouque, et qu'il ramassa un peu partout, le long des murs, sur les planches, au fond des tiroirs. Il commençait à se décourager, lorsqu'il trouva enfin la bienheureuse clef. Elle était tout simplement attachée par une ficelle au passe-partout de la porte d'entrée, qui restait toujours dans la serrure. Elle pendait là depuis près de quarante ans. Chaque jour tante Dide avait dû la toucher de la main, sans se décider jamais à la faire disparaître, maintenant qu'elle ne pouvait que la reporter douloureusement à ses voluptés mortes. Quand Silvère se fut assuré qu'elle ouvrait bien la petite porte, il

attendit le lendemain, en rêvant aux joies de la surprise qu'il ménageait à Miette. Il lui avait caché ses
recherches.

Le lendemain, dès qu'il entendit l'enfant poser sa
cruche, il ouvrit doucement la porte, dont il déblaya
d'une poussée le seuil couvert de longues herbes.
En allongeant la tête, il aperçut Miette penchée sur
la margelle, regardant dans le puits, tout absorbée par
l'attente. Alors il gagna en deux enjambées l'enfoncement formé par le mur, et, de là, il appela : « Miette !
Miette ! » d'une voix adoucie qui la fit tressaillir.
Elle leva la tête, le croyant sur le chaperon du mur.
Puis, quand elle le vit dans le Jas, à quelques pas
d'elle, elle eut un léger cri d'étonnement, elle accourut. Ils se prirent les mains ; ils se contemplaient,
ravis d'être si près l'un de l'autre, se trouvant bien
plus beaux ainsi, dans la lumière chaude du soleil.
C'était la mi-août, le jour de l'Assomption ; au loin
les cloches sonnaient, dans cet air limpide des grandes fêtes, qui semble avoir des souffles particuliers
de gaietés blondes.

« Bonjour, Silvère !

— Bonjour, Miette ! »

Et la voix dont ils échangèrent leur salut matinal
les étonna. Ils n'en connaissaient les sons que voilés
par l'écho du puits. Elle leur parut claire comme un
chant d'alouette. Ah ! qu'il faisait bon dans ce coin
tiède, dans cet air de fête ! Ils se tenaient toujours les
mains, Silvère le dos appuyé contre le mur, Miette
penchée un peu en arrière. Entre eux, leur sourire
mettait une clarté. Ils allaient se dire toutes les bonnes
choses qu'ils n'avaient point osé confier aux sonorités
sourdes du puits, lorsque Silvère, tournant la tête à
un léger bruit, pâlit et lâcha les mains de Miette. Il

venait de voir tante Dide devant lui, droite, arrêtée
sur le seuil de la porte.

La grand-mère était venue par hasard au puits.
En apercevant, dans la vieille muraille noire, la trouée
blanche de la porte que Silvère avait ouverte toute
grande, elle reçut au cœur un coup violent. Cette
trouée blanche lui semblait un abîme de lumière
creusé brutalement dans son passé. Elle se revit au
milieu des clartés du matin, accourant, passant le
seuil avec tout l'emportement de ses amours nerveuses. Et Macquart était là qui l'attendait. Elle se
pendait à son cou, elle restait sur sa poitrine, tandis
que le soleil levant, entrant avec elle dans la cour par
la porte qu'elle ne prenait pas le temps de refermer,
les baignait de ses rayons obliques. Vision brusque
qui la tirait cruellement du sommeil de sa vieillesse,
comme un châtiment suprême, en réveillant en elle
les cuissons brûlantes du souvenir. Jamais l'idée ne
lui était venue que cette porte pût encore s'ouvrir. La
mort de Macquart, pour elle, l'avait murée. Le puits,
la muraille entière auraient disparu sous terre, qu'elle
ne se serait pas sentie frappée d'une stupeur plus
grande. Et, dans son étonnement, montait sourdement une révolte contre la main sacrilège qui, après
avoir violé ce seuil, avait laissé derrière elle la trouée
blanche comme une tombe ouverte. Elle s'avança,
attirée par une sorte de fascination. Elle se tint immobile, dans l'encadrement de la porte.

Là, elle regarda devant elle, avec une surprise douloureuse. On lui avait bien dit que l'enclos des Fouque se trouvait réuni au Jas-Meiffren ; mais elle
n'aurait jamais pensé que sa jeunesse fût morte à ce
point. Un grand vent semblait avoir emporté tout
ce qui était resté cher à sa mémoire. Le vieux logis,

le vaste jardin potager, avec ses carrés verts de légumes, avaient disparu. Pas une pierre, pas un arbre
d'autrefois. Et, à la place de ce coin, où elle avait
grandi, et que la veille elle revoyait encore en fermant les yeux, s'étendait un lambeau de sol nu, une
large pièce de chaume désolée comme une lande
déserte. Maintenant, lorsque, les paupières closes,
elle voudrait évoquer les choses du passé, toujours
ce chaume lui apparaîtrait, pareil à un linceul de bure
jaunâtre jeté sur la terre où sa jeunesse était enseve-
lie. En face de cet horizon banal et indifférent, elle
crut que son cœur mourait une seconde fois. Tout,
à cette heure, était bien fini. On lui prenait jusqu'aux
rêves de ses souvenirs. Alors elle regretta d'avoir
cédé à la fascination de la trouée blanche, de cette
porte béante sur les jours à jamais disparus.

Elle allait se retirer, fermer la porte maudite, sans
chercher même à connaître la main qui l'avait violée, lorsqu'elle aperçut Miette et Silvère. La vue des
deux enfants amoureux qui attendaient son regard,
confus, la tête baissée, la retint sur le seuil, prise d'une
douleur plus vive. Elle comprenait maintenant.
Jusqu'au bout, elle devait se retrouver, elle et Macquart, aux bras l'un de l'autre, dans la claire matinée.
Une seconde fois, la porte était complice. Par où
l'amour avait passé, l'amour passait de nouveau.
C'était l'éternel recommencement, avec ses joies présentes et ses larmes futures. Tante Dide ne vit que les
larmes, et elle eut comme un pressentiment rapide
qui lui montra les deux enfants saignants, frappés au
cœur. Toute secouée par le souvenir des souffrances de sa vie, que ce lieu venait de réveiller en elle,
elle pleura son cher Silvère. Elle seule était coupable ;
si elle n'avait pas jadis troué la muraille, Silvère ne

serait point dans ce coin perdu, aux pieds d'une fille, à se griser d'un bonheur qui irrite la mort et la rend jalouse.

Au bout d'un silence, elle vint, sans dire un mot, prendre le jeune homme par la main. Peut-être les eût-elle laissés là, à jaser au pied du mur, si elle ne s'était sentie complice de ces douceurs mortelles. Comme elle rentrait avec Silvère, elle se retourna, en entendant le pas léger de Miette qui s'était hâtée de reprendre sa cruche et de fuir à travers le chaume. Elle courait follement, heureuse d'en être quitte à si bon marché. Tante Dide eut un sourire involontaire, à la voir traverser le champ comme une chèvre échappée.

« Elle est bien jeune, murmura-t-elle. Elle a le temps. »

Sans doute, elle voulait dire que Miette avait le temps de souffrir et de pleurer. Puis, reportant ses yeux sur Silvère, qui avait suivi avec extase la course de l'enfant dans le soleil limpide, elle ajouta simplement :

« Prends garde, mon garçon, on en meurt. »

Ce furent les seules paroles qu'elle prononça en cette aventure, qui remua toutes les douleurs endormies au fond de son être. Elle s'était fait une religion du silence. Quand Silvère fut rentré, elle ferma la porte à double tour et jeta la clef dans le puits. Elle était certaine, de cette façon, que la porte ne la rendrait plus complice. Elle revint l'examiner un instant, heureuse de lui voir reprendre son air sombre et immuable. La tombe était refermée, la trouée blanche se trouvait à jamais bouchée par ces quelques planches noires d'humidité, vertes de mousse, sur lesquelles les escargots avaient pleuré des larmes d'argent.

Le soir, tante Dide eut une de ces crises nerveuses qui la secouaient encore de loin en loin. Pendant ces attaques, elle parlait souvent à voix haute, sans suite, comme dans un cauchemar. Ce soir-là, Silvère, qui la maintenait sur son lit, navré d'une pitié poignante pour ce pauvre corps tordu, l'entendit prononcer en haletant les mots de douanier, de coup de feu, de meurtre. Et elle se débattait, elle demandait grâce, elle rêvait de vengeance. Quand la crise toucha à sa fin, elle eut, comme il arrivait toujours, une épouvante singulière, un frisson d'effroi qui faisait claquer ses dents. Elle se soulevait à moitié, elle regardait avec un étonnement hagard dans les coins de la pièce, puis se laissait retomber sur l'oreiller en poussant de longs soupirs. Sans doute elle était prise d'hallucination. Alors elle attira Silvère sur sa poitrine, elle parut commencer à le reconnaître, tout en le confondant par instants avec une autre personne.

« Ils sont là, bégaya-t-elle. Vois-tu, ils vont te prendre, ils te tueront encore... Je ne veux pas... Renvoie-les, dis-leur que je ne veux pas, qu'ils me font mal, à fixer ainsi leurs regards sur moi... »

Et elle se tourna vers la ruelle, pour ne plus voir les gens dont elle parlait. Au bout d'un silence :

« Tu es auprès de moi, n'est-ce pas, mon enfant ? continua-t-elle. Il ne faut pas me quitter... J'ai cru que j'allais mourir, tout à l'heure... Nous avons eu tort de percer le mur. Depuis ce jour, j'ai souffert. Je savais bien que cette porte nous porterait encore malheur... Ah ! les chers innocents, que de larmes ! On les tuera, eux aussi, à coups de fusil, comme des chiens. »

Elle retombait dans son état de catalepsie, elle ne savait même plus que Silvère était là. Brusquement elle se redressa, elle regarda au pied de son lit, avec une horrible expression de terreur.

« Pourquoi ne les as-tu pas renvoyés ? cria-t-elle en cachant sa tête blanchie dans le sein du jeune homme. Ils sont toujours là. Celui qui a le fusil me fait signe qu'il va tirer... »

Peu après, elle s'endormit du sommeil lourd qui terminait les crises. Le lendemain, elle parut avoir tout oublié. Jamais elle ne reparla à Silvère de la matinée où elle l'avait trouvé avec une amoureuse, derrière le mur.

Les jeunes gens restèrent deux jours sans se voir. Quand Miette osa revenir au puits, ils se promirent de ne plus recommencer l'équipée de l'avant-veille. Cependant leur entrevue, si brusquement coupée, leur avait donné un vif désir de se retrouver seule à seul, au fond de quelque heureuse solitude. Las des joies que le puits leur offrait, et ne voulant pas chagriner tante Dide, en revoyant Miette de l'autre côté du mur, Silvère supplia l'enfant de lui donner des rendez-vous autre part. Elle ne se fit guère prier, d'ailleurs ; elle accepta cette idée avec des rires satisfaits de gamine qui ne songe pas encore au mal ; ce qui la faisait rire, c'était l'idée qu'elle allait jouer de finesse avec cet espion de Justin. Lorsque les amoureux furent d'accord, ils discutèrent pendant longtemps le choix d'un lieu de rencontre. Silvère proposa des cachettes impossibles ; il rêvait de faire de véritables voyages, ou bien de rejoindre la jeune fille, à minuit, dans les greniers du Jas-Meiffren. Miette, plus pratique, haussa les épaules, en déclarant qu'elle chercherait à son tour. Le lendemain, elle ne demeura

qu'une minute au puits, le temps de sourire à Silvère
et de lui dire de se trouver le soir, vers dix heures, au
fond de l'aire Saint-Mittre. On pense si le jeune
homme fut exact ! Tout le jour, le choix de Miette
l'avait fort intrigué. Sa curiosité augmenta, lorsqu'il se
fut engagé dans l'étroite allée que les tas de planches
ménagent au fond du terrain. « Elle viendra par là »,
se disait-il en regardant du côté de la route de Nice.
Puis il entendit un grand bruit de branches derrière le
mur, et il vit apparaître, au-dessus du chaperon, une
tête rieuse, ébouriffée, qui lui cria joyeusement :

« C'est moi ! »

Et c'était Miette, en effet, grimpée comme un
gamin sur un des mûriers qui longent encore aujour-
d'hui la clôture du Jas. En deux sauts, elle atteignit
la pierre tombale, à demi enterrée dans l'angle de la
muraille, au fond de l'allée. Silvère la regarda descendre avec un étonnement ravi, sans songer seulement à l'aider. Il lui prit les deux mains, il lui dit :

« Comme tu es leste ! tu grimpes mieux que moi. »

Ce fut ainsi qu'ils se rencontrèrent pour la première
fois dans ce coin perdu où ils devaient passer de si
bonnes heures. À partir de cette soirée, ils se virent
là presque chaque nuit. Le puits ne leur servit plus
qu'à s'avertir des obstacles imprévus mis à leurs
rendez-vous, des changements d'heure, de toutes les
petites nouvelles, grosses à leurs yeux, et ne souffrant pas de retard ; il suffisait que celui qui avait à
faire une communication à l'autre, mît en mouvement
la poulie, dont le bruit strident s'entendait de fort
loin. Mais bien que, certains jours, ils s'appelassent
deux ou trois fois pour se dire des riens d'une énorme
importance, ils ne goûtaient leurs vraies joies que le
soir, dans l'allée discrète. Miette était d'une ponctua-

lité rare. Elle couchait heureusement au-dessus de la cuisine, dans une chambre où l'on serrait, avant son arrivée, les provisions d'hiver, et à laquelle conduisait un petit escalier particulier. Elle pouvait ainsi sortir à toute heure sans être vue du père Rébufat ni de Justin. Elle comptait d'ailleurs, si ce dernier la voyait jamais rentrer, lui faire quelque histoire, en le regardant de cet air dur qui lui fermait la bouche.

Ah ! quelles heureuses et tièdes soirées ! On était alors dans les premiers jours de septembre, mois de clair soleil en Provence. Les amoureux ne pouvaient guère se rejoindre que vers neuf heures. Miette arrivait par son mur. Elle acquit bientôt une telle habileté à franchir cet obstacle, qu'elle était presque toujours sur l'ancienne pierre tombale avant que Silvère lui eût tendu les bras. Et elle riait de son tour de force, elle restait là un instant, essoufflée, décoiffée, donnant de petites tapes sur sa jupe pour la faire retomber. Son amoureux l'appelait en riant « méchant galopin ». Au fond, il aimait la crânerie de l'enfant. Il la regardait sauter son mur avec la complaisance d'un frère aîné qui assiste aux exercices d'un de ses jeunes frères. Il y avait tant de puérilité dans leur tendresse naissante ! À plusieurs reprises, ils firent le projet d'aller un jour dénicher des oiseaux, au bord de la Viorne.

« Tu verras comme je monte aux arbres ! disait Miette orgueilleusement. Quand j'étais à Chavanoz, j'allais jusqu'en haut des noyers du père André. Est-ce que tu as jamais déniché des pies, toi ? C'est ça qui est difficile ! »

Et une discussion s'engageait sur la façon de grimper le long des peupliers. Miette donnait son avis nettement, comme un garçon.

Mais Silvère, la prenant par les genoux, l'avait descendue à terre, et ils marchaient côte à côte, les bras à la taille. Tout en se querellant sur la manière dont on doit poser les pieds et les mains à la naissance des branches, ils se serraient davantage, ils sentaient sous leurs étreintes des chaleurs inconnues les brûler d'une étrange joie. Jamais le puits ne leur avait procuré de pareils plaisirs. Ils restaient enfants, ils avaient des jeux et des causeries de gamins, et goûtaient des jouissances d'amoureux, sans savoir seulement parler d'amour, rien qu'à se tenir par le bout des doigts. Ils cherchaient la tiédeur de leurs mains, pris d'un besoin instinctif, ignorant où allaient leurs sens et leur cœur. À cette heure d'heureuse naïveté, ils se cachaient même la singulière émotion qu'ils se donnaient mutuellement, au moindre contact. Souriants, étonnés parfois des douceurs qui coulaient en eux, dès qu'ils se touchaient, ils s'abandonnaient secrètement aux mollesses de leurs sensations nouvelles, tout en continuant à causer, comme deux écoliers, des nids de pie qui sont si difficiles à atteindre.

Et ils allaient, dans le silence du sentier, entre les tas de planches et le mur du Jas-Meiffren. Jamais ils ne dépassaient le bout de ce cul-de-sac étroit, revenant sur leurs pas, à chaque fois. Ils étaient chez eux. Souvent Miette, heureuse de se sentir si bien cachée, s'arrêtait et se complimentait de sa découverte :

« Ai-je eu la main chanceuse ! disait-elle avec ravissement. Nous ferions une lieue, sans trouver une si bonne cachette ! »

L'herbe épaisse étouffait le bruit de leurs pas. Ils étaient noyés dans un flot de ténèbres, bercés entre deux rives sombres, ne voyant qu'une bande d'un bleu foncé, semée d'étoiles, au-dessus de leur tête. Et,

dans ce vague du sol qu'ils foulaient, dans cette ressemblance de l'allée à un ruisseau d'ombre coulant
sous le ciel noir et or, ils éprouvaient une émotion
indéfinissable, ils baissaient la voix, bien que personne ne pût les entendre. Se livrant à ces ondes
silencieuses de la nuit, la chair et l'esprit flottants,
ils se contaient, ces soirs-là, les mille riens de leur
journée, avec des frissons d'amoureux.

D'autres fois, par les soirées claires, lorsque la lune
découpait nettement les lignes de la muraille et des
tas de planches, Miette et Silvère gardaient leur insouciance d'enfant. L'allée s'allongeait, éclairée de raies
blanches, toute gaie, sans inconnu. Et les deux camarades se poursuivaient, riaient comme des gamins
en récréation, se hasardant même à grimper sur les
tas de planches. Il fallait que Silvère effrayât Miette,
en lui disant que Justin était peut-être derrière le mur,
qui la guettait. Alors, encore essoufflés, ils marchaient
côte à côte, en se promettant d'aller un jour courir
dans les prés Sainte-Claire, pour savoir lequel des
deux attraperait l'autre le plus vite.

Leurs amours naissantes s'accommodaient ainsi
des nuits obscures et des nuits limpides. Toujours leur
cœur était en éveil, et il suffisait d'un peu d'ombre
pour que leur étreinte fût plus douce et leur rire plus
mollement voluptueux. La chère retraite, si joyeuse
au clair de lune, si étrangement émue par les temps
sombres, leur semblait inépuisable en éclats de gaieté
et en silences frissonnants. Et jusqu'à minuit ils restaient là, tandis que la ville s'endormait et que les
fenêtres du faubourg s'éteignaient une à une.

Jamais ils ne furent troublés dans leur solitude. À
cette heure avancée, les gamins ne jouaient plus à
cache-cache derrière les tas de planches. Parfois,

lorsque les jeunes gens entendaient quelque bruit, un chant d'ouvriers passant sur la route, des voix venant des trottoirs voisins, ils se hasardaient à jeter un regard sur l'aire Saint-Mittre. Le champ des poutres s'étendait, vide, peuplé de rares ombres. Par les soirées tièdes, ils y voyaient des couples vagues d'amoureux, des vieillards assis sur des madriers, au bord du grand chemin. Quand les soirées devenaient plus fraîches, ils n'apercevaient plus, dans l'aire mélancolique et déserte, qu'un feu de bohémiens, devant lequel passaient de grandes ombres noires. L'air calme de la nuit leur apportait des paroles et des sons perdus, le bonsoir d'un bourgeois fermant sa porte, le claquement d'un volet, l'heure grave des horloges, tous ces bruits mourants d'une ville de province qui se couche. Et lorsque Plassans était endormi, ils entendaient encore les querelles des bohémiens, les pétillements de leur feu, au milieu desquels s'élevaient brusquement des voix gutturales de jeunes filles chantant en une langue inconnue, pleine d'accents rudes.

Mais les amoureux ne regardaient pas longtemps au dehors, dans l'aire Saint-Mittre ; ils se hâtaient de rentrer chez eux, ils se remettaient à marcher le long de leur cher sentier clos et discret. Ils se souciaient bien des autres, de la ville entière ! Les quelques planches qui les séparaient des méchantes gens leur semblaient, à la longue, un rempart infranchissable. Ils étaient si seuls, si libres dans ce coin situé en plein faubourg, à cinquante pas de la porte de Rome, qu'ils s'imaginaient parfois être bien loin, au fond de quelque creux de la Viorne, en rase campagne. De tous les bruits qui venaient à eux, ils n'en écoutaient qu'un avec une émotion inquiète, celui des horloges battant lentement dans la nuit. Quand l'heure sonnait, parfois ils feignaient de ne pas entendre, parfois ils s'arrêtaient net, comme pour protester. Cependant, ils avaient beau s'accorder dix minutes de grâce, il leur fallait se dire adieu. Ils auraient joué, ils auraient bavardé jusqu'au matin, les bras enlacés, afin d'éprouver ce singulier étouffement, dont ils goûtaient en secret les délices, avec de continuelles surprises. Miette se décidait enfin à remonter sur son mur. Mais ce n'était point fini, les adieux traînaient encore un bon quart d'heure. Quand l'enfant avait enjambé le mur, elle restait là, les coudes sur le chaperon, retenue par les branches du mûrier qui lui servait d'échelle. Silvère, debout sur la pierre tombale, pouvait lui reprendre les mains, se remettre à causer à demi-voix. Ils répétaient plus de dix fois : « À demain ! » et trouvaient toujours de nouvelles paroles. Silvère grondait.

« Voyons, descends, il est plus de minuit. »

Mais, avec des entêtements de fille, Miette voulait qu'il descendît le premier ; elle désirait le voir s'en aller. Et, comme le jeune homme tenait bon, elle finissait par dire brusquement, pour le punir, sans doute :

« Je vais sauter, tu vas voir. »

Et elle sautait du mûrier, au grand effroi de Silvère. Il entendait le bruit sourd de sa chute ; puis elle s'enfuyait avec un éclat de rire, sans vouloir répondre à son dernier adieu. Il restait quelques instants à regarder son ombre vague s'enfoncer dans le noir, et lentement il descendait à son tour, il regagnait l'impasse Saint-Mittre.

Pendant deux années, ils vinrent là chaque jour. Ils y jouirent, lors de leurs premiers rendez-vous, de quelques belles nuits encore toutes tièdes. Les amou-

reux purent se croire en mai, au mois des frissons de
la sève, lorsqu'une bonne odeur de terre et de feuilles
nouvelles traîne dans l'air chaud. Ce renouveau, ce
printemps tardif fut pour eux comme une grâce du
ciel, qui leur permit de courir librement dans l'allée
et d'y resserrer leur amitié d'un lien étroit.

Puis arrivèrent les pluies, les neiges, les gelées.
Ces mauvaises humeurs de l'hiver ne les retinrent pas.
Miette ne vint plus sans sa grande pelisse brune, et
ils se moquèrent tous deux des vilains temps. Quand
la nuit était sèche et claire, que de petits souffles soulevaient sous leurs pas une poussière blanche de
gelée, et les frappaient au visage comme à coups de
baguettes minces, ils se gardaient bien de s'asseoir ;
ils allaient et venaient plus vite, enveloppés dans la
pelisse, les joues bleues, les yeux pleurant de froid ;
et ils riaient, tout secoués de gaieté par leur marche
rapide dans l'air glacé. Un soir de neige, ils s'amu-
sèrent à faire une énorme boule qu'ils roulèrent dans
un coin ; elle resta là un grand mois, ce qui les fit
s'étonner à chaque nouveau rendez-vous. La pluie
ne les effrayait pas davantage. Ils se virent par de terribles averses qui les mouillaient jusqu'aux os. Silvère
accourait en se disant que Miette ne ferait pas la
folie de venir ; et quand Miette arrivait à son tour, il
ne savait plus comment la gronder. Au fond, il l'attendait. Il finit par chercher un abri contre les mauvais
temps, sentant bien qu'ils sortiraient quand même,
malgré leur promesse mutuelle de ne pas mettre les
pieds dehors lorsqu'il pleuvrait. Pour trouver un toit,
il n'eut qu'à creuser un des tas de planches ; il en
retira quelques morceaux de bois, qu'il rendit mobiles, de façon à pouvoir les déplacer et les replacer
aisément. Dès lors, les amoureux eurent à leur dis-

position une sorte de guérite basse et étroite, un trou carré, où ils ne pouvaient tenir que serrés l'un contre l'autre, assis sur le bout d'un madrier, qu'ils laissaient au fond de la logette. Quand l'eau tombait, le premier arrivé se réfugiait là ; et, lorsqu'ils s'y trouvaient réunis, ils écoutaient avec une jouissance infinie l'averse qui battait sur le tas de planches de sourds roulements de tambour. Devant eux, autour d'eux, dans le noir d'encre de la nuit, il y avait un grand ruissellement qu'ils ne voyaient pas, et dont le bruit continu ressemblait à la voix haute d'une foule. Ils étaient bien seuls cependant, au bout du monde, au fond des eaux. Jamais ils ne se sentaient aussi heureux, aussi séparés des autres, qu'au milieu de ce déluge, dans ce tas de planches, menacés à chaque instant d'être emportés par les torrents du ciel. Leurs genoux repliés arrivaient presque au ras de l'ouverture, et ils s'enfonçaient le plus possible, les joues et les mains baignées d'une fine poussière de pluie. À leurs pieds, de grosses gouttes tombées des planches clapotaient à temps égaux. Et ils avaient chaud dans la pelisse brune ; ils étaient si à l'étroit, que Miette se trouvait à demi sur les genoux de Silvère. Ils bavardaient ; puis ils se taisaient, pris d'une langueur, assoupis par la tiédeur de leur embrassement et par le roulement monotone de l'averse. Pendant des heures, ils restaient là, avec cet amour de la pluie qui fait marcher gravement les petites filles, par les temps d'orage, une ombrelle ouverte à la main. Ils finirent par préférer les soirées pluvieuses. Seule, leur séparation devenait alors plus pénible. Il fallait que Miette franchît son mur sous la pluie battante, et qu'elle traversât les flaques du Jas-Meiffren en pleine obscurité. Dès qu'elle quittait ses bras, Sil-

vère la perdait dans les ténèbres, dans la clameur de
l'eau. Il écoutait vainement, assourdi, aveuglé. Mais
l'inquiétude où les laissait tous deux cette brusque
séparation était un charme de plus ; jusqu'au lendemain, ils se demandaient s'il ne leur était rien arrivé,
par ce temps à ne pas mettre un chien dehors ; ils
avaient peut-être glissé, ils pouvaient s'être égarés,
craintes qui les occupaient tyranniquement l'un de
l'autre, et qui rendaient plus tendre leur entrevue suivante.

Enfin les beaux jours revinrent, avril amena des
nuits douces, l'herbe de l'allée verte grandit follement.
Dans ce flot de vie coulant du ciel et montant du sol,
au milieu des ivresses de la jeune saison, parfois les
amoureux regrettèrent leur solitude d'hiver, les
soirs de pluie, les nuits glacées, pendant lesquels ils
étaient si perdus, si loin de tous bruits humains.
Maintenant le jour ne tombait plus assez vite ; ils
maudissaient les longs crépuscules et lorsque la nuit
était devenue assez noire pour que Miette pût grimper sur le mur sans danger d'être vue, lorsqu'ils
étaient enfin parvenus à se glisser dans leur cher
sentier, ils n'y trouvaient plus l'isolement qui plaisait à
leur sauvagerie d'enfants amoureux. L'aire Saint-
Mittre se peuplait, les gamins du faubourg restaient
sur les poutres à se poursuivre, à crier, jusqu'à onze
heures ; il arriva même parfois qu'un d'entre eux
vint se cacher derrière les tas de planches, en jetant
à Miette et à Silvère le rire effronté d'un vaurien de
dix ans. La crainte d'être surpris, le réveil, les bruits
de la vie qui grandissaient autour d'eux, à mesure que
la saison devenait plus chaude, rendirent leurs entrevues inquiètes.

Puis ils commençaient à étouffer dans l'allée étroite. Jamais elle n'avait frissonné d'un si ardent frisson ; jamais le sol, ce terreau où dormaient les derniers ossements de l'ancien cimetière, n'avait laissé échapper des haleines plus troublantes. Et ils avaient encore trop d'enfance pour goûter le charme voluptueux de ce trou perdu, tout enfiévré par le printemps. Les herbes leur montaient aux genoux ; ils allaient et venaient difficilement, et, quand ils écrasaient les jeunes pousses, certaines plantes exhalaient des odeurs âcres qui les grisaient. Alors, pris d'étranges lassitudes, troublés et vacillants, les pieds comme liés par les herbes, ils s'adossaient contre la muraille, les yeux demi-clos, ne pouvant plus avancer. Il leur semblait que toute la langueur du ciel entrait en eux.

Leur pétulance d'écolier s'accommodant mal de ces faiblesses subites, ils finirent par accuser leur retraite de manquer d'air et par se décider à aller promener leur tendresse plus loin, en pleine campagne. Alors ce furent, chaque soir, de nouvelles escapades. Miette vint avec sa pelisse ; tous deux s'enfouissaient dans le large vêtement, ils filaient le long des murs, ils gagnaient la grand-route, les champs libres, les champs larges, où l'air roulait puissamment comme les vagues de la haute mer. Et ils n'étouffaient plus, ils retrouvaient là leur enfance, ils sentaient se dissiper les tournoiements de tête, les ivresses que leur causaient les herbes hautes de l'aire Saint-Mittre.

Ils battirent pendant deux étés ce coin de pays. Chaque bout de rocher, chaque banc de gazon les connut bientôt ; et il n'était pas un bouquet d'arbres, une haie, un buisson, qui ne devînt leur ami. Ils réalisèrent leurs rêves : ce furent des courses folles dans

les prés Sainte-Claire, et Miette courait joliment, et
il fallait que Silvère fît ses plus grandes enjambées
pour l'attraper. Ils allèrent aussi dénicher des nids de
pie ; Miette, entêtée, voulant montrer comment elle
grimpait aux arbres, à Chavanoz, se liait les jupes
avec un bout de ficelle, et montait sur les plus hauts
peupliers ; en bas, Silvère frissonnait, les bras en
avant, comme pour la recevoir, si elle venait à glisser. Ces jeux apaisaient leurs sens, au point qu'un
soir ils faillirent se battre comme deux galopins qui
sortent de l'école. Mais, dans la campagne large, il y
avait encore des trous qui ne leur valaient rien. Tant
qu'ils marchaient, c'était des rires bruyants, des poussées, des taquineries ; ils faisaient des lieues, allaient
parfois jusqu'à la chaîne des Garrigues, suivaient
les sentiers les plus étroits, et souvent coupaient à
travers champs ; la contrée leur appartenait, ils y
vivaient comme en pays conquis, jouissant de la terre
et du ciel. Miette, avec cette conscience large des femmes, ne se gênait même pas pour cueillir une grappe
de raisins, une branche d'amandes vertes, aux vignes,
aux amandiers, dont les rameaux la fouettaient au
passage ; ce qui contrariait les idées absolues de Silvère, sans qu'il osât d'ailleurs gronder la jeune fille,
dont les rares bouderies le désespéraient. « Ah ! la
mauvaise ! pensait-il en dramatisant puérilement la
situation, elle ferait de moi un voleur. » Et Miette
lui mettait dans la bouche sa part du fruit volé. Les
ruses qu'il employait — la tenant à la taille, évitant
les arbres fruitiers, se faisant poursuivre le long des
plants de vignes — pour la détourner de ce besoin instinctif de maraude, le mettaient vite à bout d'imagination. Et il la forçait à s'asseoir. C'était alors qu'ils
recommençaient à étouffer. Les creux de la Viorne,

surtout, étaient pour eux pleins d'une ombre fiévreuse. Quand la fatigue les ramenait au bord du
torrent, ils perdaient leurs belles gaietés de gamins.
Sous les saules, des ténèbres grises flottaient, pareilles
aux crêpes musqués d'une toilette de femme. Les
enfants sentaient ces crêpes, comme parfumés et tièdes encore des épaules voluptueuses de la nuit, les
caresser aux tempes, les envelopper d'une langueur
invincible. Au loin, les grillons chantaient dans les
prés Sainte-Claire, et la Viorne avait à leurs pieds
des voix chuchotantes d'amoureux, des bruits adoucis de lèvres humides. Du ciel endormi tombait une
pluie chaude d'étoiles. Et, sous le frisson de ce ciel,
de ces eaux, de cette ombre, les enfants, couchés sur
le dos, en pleine herbe, côte à côte, pâmés et les
regards perdus dans le noir, cherchaient leur main,
échangeaient une étreinte courte.

Silvère, qui comprenait vaguement le danger de
ces extases, se levait parfois d'un bond en proposant
de passer dans une des petites îles que les eaux basses découvraient au milieu de la rivière. Tous deux,
les pieds nus, s'aventuraient ; Miette se moquait des
cailloux, elle ne voulait pas que Silvère la soutînt, et
il lui arriva une fois de s'asseoir au beau milieu du
courant ; mais il n'y avait pas vingt centimètres d'eau,
elle en fut quitte pour faire sécher sa première jupe.
Puis, quand ils étaient dans l'île, ils se couchaient à
plat ventre sur une langue de sable, les yeux au niveau
de la surface de l'eau, dont ils regardaient au loin,
dans la nuit claire, frémir les écailles d'argent. Alors
Miette déclarait qu'elle était en bateau, l'île marchait
pour sûr ; elle la sentait bien qui l'emportait ; ce vertige que leur donnait le grand ruissellement dont
leurs yeux s'emplissaient les amusait un instant, les

tenait là, sur le bord, chantant à demi-voix, ainsi que les bateliers dont les rames battent l'eau. D'autres fois, quand l'île avait une berge basse, ils s'y asseyaient comme sur un banc de verdure, laissant pendre leurs pieds nus dans le courant. Et, pendant des heures, ils causaient, faisant jaillir l'eau à coups de talon, balançant les jambes, prenant plaisir à déchaîner des tempêtes dans le bassin paisible dont la fraîcheur calmait leur fièvre.

Ces bains de pieds firent naître dans l'esprit de Miette un caprice qui faillit gâter leurs belles amours innocentes. Elle voulut à toute force prendre de grands bains. Un peu en dessus du pont de la Viorne, il y avait un trou, très convenable, disait-elle, à peine profond de trois à quatre pieds, et très sûr ; il faisait si chaud, on serait si bien dans l'eau jusqu'aux épaules ; puis elle mourait depuis si longtemps du désir de savoir nager, Silvère lui apprendrait. Silvère élevait des objections : la nuit, ce n'était pas prudent, on pouvait les voir, ça leur ferait peut-être du mal ; mais il ne disait pas la vraie raison, il était instinctivement très alarmé à la pensée de ce nouveau jeu, il se demandait comment ils se déshabilleraient, et de quelle façon il s'y prendrait pour tenir Miette sur l'eau, dans ses bras nus. Celle-ci ne semblait pas se douter de ces difficultés.

Un soir, elle apporta un costume de bain qu'elle s'était taillé dans une vieille robe. Il fallut que Silvère retournât chez tante Dide chercher son caleçon. La partie fut toute naïve. Miette ne s'écarta même pas ; elle se déshabilla, naturellement, dans l'ombre d'un saule, si épaisse que son corps d'enfant n'y mit pendant quelques secondes qu'une blancheur vague. Silvère, de peau brune, apparut dans la nuit comme le

tronc assombri d'un jeune chêne, tandis que les jambes et les bras de la jeune fille, nus et arrondis, ressemblaient aux tiges laiteuses des bouleaux de la
rive. Puis tous deux, comme vêtus des taches sombres
que les hauts feuillages laissaient tomber sur eux,
entrèrent dans l'eau gaiement, s'appelant, se récriant,
surpris par la fraîcheur. Et les scrupules, les hontes
inavouées, les pudeurs secrètes, furent oubliés. Ils
restèrent là une grande heure, barbotant, se jetant
de l'eau au visage, Miette se fâchant, puis éclatant
de rire, et Silvère lui donnant sa première leçon, lui
enfonçant de temps à autre la tête, pour l'aguerrir.
Tant qu'il la tenait d'une main par la ceinture de son
costume, en lui passant l'autre main sous le ventre,
elle faisait aller furieusement les jambes et les bras,
elle croyait nager ; mais, dès qu'il la lâchait, elle se
débattait en criant, et, les mains tendues, frappant
l'eau, elle se rattrapait où elle pouvait, à la taille du
jeune homme, à l'un de ses poignets. Elle s'abandonnait un instant contre lui, elle se reposait, essoufflée,
toute ruisselante, tandis que son costume mouillé
dessinait les grâces de son buste de vierge. Puis elle
criait :
« Encore une fois ; mais tu le fais exprès, tu ne me
tiens pas. »
Et rien de honteux ne leur venait de ces embras-
sements de Silvère penché pour la soutenir, de ces
sauvetages éperdus de Miette se pendant au cou du
jeune homme. Le froid du bain les mettait dans une
pureté de cristal. C'était, sous la nuit tiède, au milieu
des feuillages pâmés, deux innocences nues qui
riaient. Silvère, après les premiers bains, se reprocha
secrètement d'avoir rêvé le mal. Miette se désha-

billait si vite, et elle était si fraîche dans ses bras, si sonore de rires !

Mais, au bout de quinze jours, l'enfant sut nager. Libre de ses membres, bercée par le flot, jouant avec lui, elle se laissait envahir par les souplesses molles de la rivière, par le silence du ciel, par les rêveries des berges mélancoliques.

Quand tous deux ils nageaient sans bruit, Miette croyait voir, aux deux bords, les feuillages s'épaissir, se pencher vers eux, draper leur retraite de rideaux énormes. Et les jours de lune, des lueurs glissaient entre les troncs, des apparitions douces se promenaient le long des rives en robe blanche. Miette n'avait pas peur. Elle éprouvait une émotion indéfinissable à suivre les jeux de l'ombre. Tandis qu'elle avançait, d'un mouvement ralenti, l'eau calme, dont la lune faisait un clair miroir, se froissait à son approche comme une étoffe lamée d'argent ; les ronds s'élargissaient, se perdaient dans les ténèbres des bords, sous les branches pendantes des saules, où l'on entendait des clapotements mystérieux ; et, à chaque brassée, elle trouvait ainsi des trous pleins de voix, des enfoncements noirs devant lesquels elle passait avec plus de hâte, des bouquets, des rangées d'arbres, dont les masses sombres changeaient de forme, s'allongeaient, avaient l'air de la suivre du haut de la berge. Quand elle se mettait sur le dos, les profondeurs du ciel l'attendrissaient encore. De la campagne, des horizons qu'elle ne voyait plus, elle entendait alors monter une voix grave, prolongée, faite de tous les soupirs de la nuit.

Elle n'était point de nature rêveuse, elle jouissait par tout son corps, par tous ses sens, du ciel, de la rivière, des ombres, des clartés. La rivière surtout, cette eau, ce terrain mouvant, la portait avec des caresses infinies. Elle éprouvait, quand elle remontait le courant, une grande jouissance à sentir le flot filer plus rapide contre sa poitrine et contre ses jambes ; c'était un long chatouillement, très doux, qu'elle pouvait supporter sans rire nerveux. Elle s'enfonçait davantage, se mettait de l'eau jusqu'aux lèvres, pour que le courant passât sur ses épaules, l'enveloppât d'un trait, du menton aux pieds, de son baiser fuyant. Elle avait des langueurs qui la laissaient immobile à la surface, tandis que de petits flots glissaient mollement entre son costume et sa peau, gonflant l'étoffe ; puis elle se roulait dans les nappes mortes, ainsi qu'une chatte sur un tapis ; et elle allait de l'eau lumineuse, où se baignait la lune, dans l'eau noire, assombrie par les feuillages, avec des frissons, comme si elle eût quitté une plaine ensoleillée et senti le froid des branches lui tomber sur la nuque.

Maintenant, elle s'écartait pour se déshabiller, elle se cachait. Dans l'eau, elle demeurait silencieuse ; elle ne voulait plus que Silvère la touchât ; elle se coulait doucement à son côté, nageant avec le petit bruit d'un oiseau dont le vol traverse un taillis ; ou parfois elle tournait autour de lui, prise de craintes vagues qu'elle ne s'expliquait pas. Lui-même s'éloignait, quand il frôlait un de ses membres. La rivière n'avait plus pour eux qu'une ivresse amollie, un engourdissement voluptueux, qui les troublait étrangement. Quand ils sortaient du bain, surtout, ils éprouvaient des somnolences, des éblouissements. Ils étaient comme épuisés. Miette mettait une grande heure à s'habiller. Elle ne passait d'abord que sa chemise et une jupe ; puis elle restait là, étendue sur l'herbe, se plaignant de fatigue, appelant Silvère, qui se tenait à quelques pas, la tête vide, les membres pleins d'une étrange et excitante lassitude. Et, au retour, il y avait plus d'ardeur dans leur étreinte, ils sentaient mieux, à travers leurs vêtements, leur corps assoupli par le bain, ils s'arrêtaient en poussant de gros soupirs. Le chignon énorme de Miette, encore tout humide, sa nuque, ses épaules avaient une senteur fraîche, une odeur pure, qui achevaient de griser le jeune homme. L'enfant, heureusement, déclara un soir qu'elle ne prendrait plus de bains, que l'eau froide lui faisait monter le sang à la tête. Sans doute elle donna cette raison en toute vérité, en toute innocence.

Ils reprirent leurs longues causeries. Il ne resta dans l'esprit de Silvère, du danger que venaient de courir leurs amours ignorantes, qu'une grande admiration pour la vigueur physique de Miette. En quinze jours, elle avait appris à nager, et souvent, quand ils luttaient de vitesse, il l'avait vue couper le courant d'un bras aussi rapide que le sien. Lui, qui adorait la force, les exercices corporels, se sentait le cœur attendri en la voyant si forte, si puissante et si adroite de corps. Il entrait, dans son cœur, une estime singulière pour ses gros bras. Un soir, après un de ces premiers bains qui les laissaient si rieurs, ils s'étaient empoignés par la taille, sur une bande de sable, et pendant de longues minutes, ils avaient lutté, sans que Silvère parvînt à renverser Miette ; puis le jeune homme, ayant perdu l'équilibre, c'était l'enfant qui était restée debout. Son amoureux la traitait en garçon, et ce furent ces marches forcées, ces courses folles à travers les prés, ces nids dénichés à la cime des arbres, ces luttes, tous ces jeux violents, qui les protégèrent si longtemps et les empêchèrent de salir leurs tendresses. Il y avait encore dans l'amour de

Silvère, outre son admiration pour la crânerie de son
amoureuse, les douceurs de son cœur tendre aux
malheureux. Lui qui ne pouvait voir un être abandonné, un pauvre homme, un enfant marchant nu-
pieds dans la poussière des routes, sans éprouver à
la gorge un serrement de pitié, il aimait Miette, parce
que personne ne l'aimait, parce qu'elle menait une
existence rude de paria. Quand il la voyait rire, il
était profondément ému de cette joie qu'il lui donnait. Puis, l'enfant était une sauvage comme lui, ils
s'entendaient dans la haine des commères du faubourg. Le rêve qu'il faisait, lorsque, dans la journée,
il cerclait chez son patron les roues des carrioles, à
grands coups de marteau, était plein de folie généreuse. Il pensait à Miette en rédempteur. Toutes ses
lectures lui remontaient au cerveau ; il voulait épouser un jour son amie pour la relever aux yeux du
monde ; il se donnait une mission sainte, le rachat,
le salut de la fille du forçat. Et il avait la tête tellement
bourrée de certains plaidoyers, qu'il ne se disait pas
ces choses simplement ; il s'égarait en plein mysti-
cisme social, il imaginait des réhabilitations d'apothéose, il voyait Miette assise sur un trône, au bout du
cours Sauvaire, et toute la ville s'inclinant, demandant pardon, chantant des louanges. Heureusement
qu'il oubliait ces belles choses, dès que Miette sautait
son mur et qu'elle lui disait sur la grande route :

« Courons, veux-tu ? je parie que tu ne m'attrape-
ras pas. »

Mais si le jeune homme rêvait tout éveillé la glo-
rification de son amoureuse, il avait de tels besoins
de justice, qu'il la faisait souvent pleurer en lui parlant de son père. Malgré les attendrissements profonds que l'amitié de Silvère avait mis en elle, elle

avait encore de loin en loin des réveils brusques, des
heures mauvaises, où les entêtements, les rébellions
de sa nature sanguine la roidissaient, les yeux durs,
les lèvres serrées. Alors elle soutenait que son père
avait bien fait de tuer le gendarme, que la terre
appartient à tout le monde, qu'on a le droit de tirer
des coups de fusil où l'on veut et quand on veut. Et
Silvère, de sa voix grave, lui expliquait le code comme
il le comprenait, avec des commentaires étranges qui
auraient fait bondir toute la magistrature de Plassans. Ces causeries avaient lieu, le plus souvent, dans
quelque coin perdu des prés Sainte-Claire. Les tapis
d'herbe, d'un noir verdâtre, s'étendaient à perte de
vue, sans qu'un seul arbre tachât l'immense nappe,
et le ciel semblait énorme, emplissant de ses étoiles la
rondeur nue de l'horizon. Les enfants étaient comme
bercés dans cette mer de verdure. Miette luttait
longtemps ; elle demandait à Silvère s'il eût mieux
valu que son père se laissât tuer par le gendarme, et
Silvère gardait un instant le silence ; puis il disait que,
dans un tel cas, il valait mieux être la victime que le
meurtrier, et que c'était un grand malheur, lorsqu'on
tuait son semblable, même en état de légitime
défense. Pour lui, la loi était chose sainte, les juges
avaient eu raison d'envoyer Chantegreil au bagne.
La jeune fille s'emportait, elle aurait battu son ami,
elle lui criait qu'il avait aussi mauvais cœur que les
autres. Et comme il continuait à défendre fermement ses idées de justice, elle finissait par éclater en
sanglots, en balbutiant qu'il rougissait sans doute
d'elle, puisqu'il lui rappelait toujours le crime de son
père. Ces discussions se terminaient dans les larmes,
dans une émotion commune. Mais l'enfant avait beau
pleurer, reconnaître qu'elle avait peut-être tort, elle

gardait tout au fond d'elle sa sauvagerie, son emportement sanguin. Une fois, elle raconta avec de longs
rires comment un gendarme devant elle, en tombant
de cheval, s'était cassé la jambe. D'ailleurs Miette ne
vivait plus que pour Silvère. Quand celui-ci la questionnait sur son oncle et sur son cousin, elle répondait « qu'elle ne savait pas », et s'il insistait, par
crainte qu'on la rendît trop malheureuse au Jas-
Meiffren, elle disait qu'elle travaillait beaucoup, que
rien n'était changé. Elle croyait pourtant que Justin
avait fini par savoir ce qui la faisait chanter le matin
et lui mettait de la douceur plein les yeux. Mais elle
ajoutait :

« Qu'est-ce que ça fait ? s'il vient jamais nous déran-
ger, nous le recevrons, n'est-ce pas, de telle façon, qu'il
n'aura plus l'envie de se mêler de nos affaires. »

Cependant, la campagne libre, les longues marches
en plein air, les lassaient parfois. Ils revenaient toujours à l'aire Saint-Mittre, à l'allée étroite, d'où les
avaient chassés les soirées d'été bruyantes, les odeurs
trop fortes des herbes foulées, les souffles chauds et
troublants. Mais, certains soirs, l'allée se faisait plus
douce, des vents la rafraîchissaient, ils pouvaient
demeurer là sans éprouver de vertige. Ils goûtaient
alors des repos délicieux. Assis sur la pierre tombale,
l'oreille fermée au tapage des enfants et des bohémiens, ils se retrouvaient chez eux. Silvère avait
ramassé à plusieurs reprises des fragments d'os, des
débris de crâne, et ils aimaient à parler de l'ancien
cimetière. Vaguement, avec leur imagination vive,
ils se disaient que leur amour avait poussé, comme
une belle plante robuste et grasse, dans ce terreau,
dans ce coin de terre fertilisé par la mort. Il y avait
grandi ainsi que ces herbes folles ; il y avait fleuri

comme ces coquelicots que la moindre brise faisait
battre sur leurs tiges, pareils à des cœurs ouverts et
saignants. Et ils s'expliquaient les haleines tièdes
passant sur leur front, les chuchotements entendus
dans l'ombre, le long frisson qui secouait l'allée :
c'étaient les morts qui leur soufflaient leurs passions
disparues au visage, les morts qui leur contaient leur
nuit de noces, les morts qui se retournaient dans la
terre, pris du furieux désir d'aimer, de recommencer l'amour. Ces ossements, ils le sentaient bien,
étaient pleins de tendresse pour eux ; les crânes brisés se réchauffaient aux flammes de leur jeunesse, les
moindres débris les entouraient d'un murmure ravi,
d'une sollicitude inquiète, d'une jalousie frémissante. Et quand ils s'éloignaient, l'ancien cimetière
pleurait. Ces herbes, qui leur liaient les pieds par
les nuits de feu, et qui les faisaient vaciller, c'étaient
des doigts minces, effilés par la tombe, sortis de
terre pour les retenir, pour les jeter aux bras l'un de
l'autre. Cette odeur âcre et pénétrante qu'exhalaient
les tiges brisées, c'était la senteur fécondante, le suc
puissant de la vie, qu'élaborent lentement les cercueils
et qui grisent de désirs les amants égarés dans la
solitude des sentiers. Les morts, les vieux morts,
voulaient les noces de Miette et de Silvère.

Jamais les enfants ne furent pris d'effroi. La tendresse flottante qu'ils devinaient autour d'eux les
touchait, leur faisait aimer les êtres invisibles dont ils
croyaient souvent sentir le frôlement, pareil à un léger
battement d'ailes. Ils étaient simplement attristés parfois d'une tristesse douce, et ils ne comprenaient pas
ce que les morts voulaient d'eux. Ils continuaient à
vivre leurs amours ignorantes, au milieu de ce flot de
sève, dans ce bout de cimetière abandonné, où la

terre engraissée suait la vie, et qui exigeait impérieusement leur union. Les voix bourdonnantes qui faisaient sonner leurs oreilles, les chaleurs subites qui leur poussaient tout le sang au visage, ne leur disaient rien de distinct. Il y avait des jours où la clameur des morts devenait si haute, que Miette, fiévreuse, alanguie, couchée à demi sur la pierre tombale, regardait Silvère de ses yeux noyés, comme pour lui dire : « Que demandent-ils donc ? pourquoi soufflent-ils ainsi de la flamme dans mes veines ? » Et Silvère, brisé, éperdu, n'osait répondre, n'osait répéter les mots ardents qu'il croyait saisir dans l'air, les conseils fous que lui donnaient les grandes herbes, les supplications de l'allée entière, des tombes mal fermées brûlant de servir de couche aux amours de ces deux enfants.

Ils se questionnaient souvent sur les ossements qu'ils découvraient. Miette, avec son instinct de femme, adorait les sujets lugubres. À chaque nouvelle trouvaille, c'étaient des suppositions sans fin. Si l'os était petit, elle parlait d'une belle jeune fille poitrinaire, ou emportée par une fièvre, la veille de son mariage ; si l'os était gros, elle rêvait quelque grand vieillard, un soldat, un juge, quelque homme terrible. La pierre tombale surtout les occupa longtemps. Par un beau clair de lune, Miette avait distingué, sur une des faces, des caractères à demi rongés. Il fallut que Silvère, avec son couteau, enlevât la mousse. Alors ils lurent l'inscription tronquée : *Cy gist... Marie... morte...* Et Miette, en trouvant son nom sur cette pierre, était restée toute saisie. Silvère l'appela « grosse bête ». Mais elle ne put retenir ses larmes. Elle dit qu'elle avait reçu un coup dans la poitrine, qu'elle mourrait bientôt, que cette pierre était pour elle. Le jeune homme se sentit glacé à son tour. Cependant il réussit à faire honte à l'enfant. Comment ! elle, si courageuse, rêvait de pareils enfantillages ! Ils finirent par rire. Puis ils évitèrent de reparler de cela. Mais, aux heures de mélancolie, lorsque le ciel voilé attristait l'allée, Miette ne pouvait s'empêcher de nommer cette morte, cette Marie inconnue dont la tombe avait si longtemps facilité leurs rendez-vous. Les os de la pauvre fille étaient peut-être encore là. Elle eut un soir l'étrange fantaisie de vouloir que Silvère retournât la pierre pour voir ce qu'il y avait dessous. Il s'y refusa comme à un sacrilège, et ce refus entretint les rêveries de Miette sur le cher fantôme qui portait son nom. Elle voulait absolument qu'elle fût morte à son âge, à treize ans, en pleine tendresse. Elle s'apitoyait jusque sur la pierre, cette pierre qu'elle enjambait si lestement, où ils s'étaient tant de fois assis, pierre glacée par la mort et qu'ils avaient réchauffée de leur amour. Elle ajoutait :

« Tu verras, ça nous portera malheur... Moi, si tu mourais, je viendrais mourir ici, et je voudrais qu'on roulât ce bloc sur mon corps. »

Silvère, la gorge serrée, la grondait de songer à des choses tristes.

Et ce fut ainsi que, pendant près de deux années, ils s'aimèrent dans l'allée étroite, dans la campagne large. Leur idylle traversa les pluies glacées de décembre et les brûlantes sollicitations de juillet, sans glisser à la honte des amours communes ; elle garda son charme exquis de conte grec, son ardente pureté, tous ses balbutiements naïfs de la chair qui désire et qui ignore. Les morts, les vieux morts eux-mêmes, chuchotèrent vainement à leurs oreilles. Et ils n'emportèrent de l'ancien cimetière qu'une mélancolie attendrie, que le pressentiment vague d'une vie courte ; une voix leur disait qu'ils s'en iraient, avec leurs tendresses vierges, avant les noces, le jour où ils voudraient se donner l'un à l'autre. Sans doute ce fut là, sur la pierre tombale, au milieu des ossements cachés sous les herbes grasses, qu'ils respirèrent leur amour de la mort, cet âpre désir de se coucher ensemble dans la terre, qui les faisait balbutier au bord de la route d'Orchères, par cette nuit de décembre, tandis que les deux cloches se renvoyaient leurs appels lamentables.

Miette dormait paisible, la tête sur la poitrine de Silvère, pendant qu'il rêvait aux rendez-vous lointains, à ces belles années de continuel enchantement. Au jour, l'enfant se réveilla. Devant eux, la vallée s'étendait toute claire sous le ciel blanc. Le soleil était encore derrière les coteaux. Une clarté de cristal, limpide et glacée comme une eau de source, coulait des horizons pâles. Au loin, la Viorne, pareille à un ruban de satin blanc, se perdait au milieu des terres rouges et jaunes. C'était une échappée sans bornes, des mers grises d'oliviers, des vignobles pareils à de vastes pièces d'étoffe rayée, toute une contrée agrandie par la netteté de l'air et la paix du froid. Le vent qui soufflait par courtes brises avait glacé le visage des enfants. Ils se levèrent vivement, ragaillardis, heureux des blancheurs de la matinée. Et, la nuit ayant emporté leurs tristesses effrayées, ils regardaient d'un œil ravi le cercle immense de la plaine, ils écoutaient les tintements des deux cloches, qui leur semblaient sonner joyeusement l'aube d'un jour de fête.

« Ah ! que j'ai bien dormi ! s'écria Miette. J'ai rêvé que tu m'embrassais... Est-ce que tu m'as embrassée, dis ?

« — C'est bien possible, répondit Silvère en riant.
Je n'avais pas chaud. Il fait un froid de loup.

— Moi, je n'ai froid qu'aux pieds.

— Eh bien ! courons... Nous avons deux bonnes
lieues à faire. Tu te réchaufferas. »

Et ils descendirent la côte, ils regagnèrent la route
en courant. Puis, quand ils furent en bas, ils levèrent
la tête, comme pour dire adieu à cette roche sur
laquelle ils avaient pleuré, en se brûlant les lèvres
d'un baiser. Mais ils ne reparlèrent point de cette
caresse ardente qui avait mis dans leur tendresse
un besoin nouveau, vague encore, et qu'ils n'osaient
formuler. Ils ne se donnèrent même pas le bras, sous
prétexte de marcher plus vite. Et ils marchaient gaiement, un peu confus, sans savoir pourquoi, quand ils
venaient à se regarder. Autour d'eux, le jour grandissait. Le jeune homme, que son patron envoyait parfois à Orchères, choisissait sans hésiter les bons
sentiers, les plus directs. Ils firent ainsi plus de deux
lieues, dans des chemins creux, le long de haies et de
murailles interminables. Miette accusait Silvère de
l'avoir égarée. Souvent, pendant des quarts d'heure
entiers, ils ne voyaient pas un bout du pays, ils n'apercevaient, au-dessus des murailles et des haies, que
de longues files d'amandiers dont les branches maigres se détachaient sur la pâleur du ciel.

Brusquement, ils débouchèrent juste en face
d'Orchères. De grands cris de joie, des brouhahas
de foule leur arrivaient, clairs dans l'air limpide. La
bande insurrectionnelle entrait à peine dans la ville.
Miette et Silvère y pénétrèrent avec les traînards.
Jamais ils n'avaient vu un enthousiasme pareil. Dans
les rues, on eût dit un jour de procession, lorsque le
passage du dais met les plus belles draperies aux

fenêtres. On fêtait les insurgés comme on fête des
libérateurs. Les hommes les embrassaient, les femmes
leur apportaient des vivres. Et il y avait, sur les portes, des vieillards qui pleuraient. Allégresse toute
méridionale qui s'épanchait d'une façon bruyante,
chantant, dansant, gesticulant. Comme Miette passait,
elle fut prise dans une immense farandole qui tournait sur la Grand-Place. Silvère la suivit. Ses idées
de mort, de découragement, étaient loin à cette heure.
Il voulait se battre, vendre du moins chèrement sa
vie. L'idée de la lutte le grisait de nouveau. Il rêvait
la victoire, la vie heureuse avec Miette, dans la grande
paix de la République universelle.

Cette réception fraternelle des habitants d'Orchères
fut la dernière joie des insurgés. Ils passèrent la journée dans une confiance rayonnante, dans un espoir
sans bornes. Les prisonniers, le commandant Sicardot, MM. Garçonnet, Peirotte et les autres, qu'on avait
enfermés dans une salle de la mairie, dont les fenêtres donnaient sur la Grand-Place, regardaient, avec
une surprise effrayée, ces farandoles, ces grands courants d'enthousiasme qui passaient devant eux.

« Quels gueux ! murmurait le commandant, appuyé
à la rampe d'une fenêtre, comme sur le velours d'une
loge de théâtre ; et dire qu'il ne viendra pas une ou
deux batteries pour me nettoyer toute cette
canaille ! »

Puis il aperçut Miette, il ajouta, en s'adressant à
M. Garçonnet :

« Voyez donc, monsieur le maire, cette grande fille
rouge, là-bas. C'est une honte. Ils ont traîné leurs
créatures avec eux. Pour peu que cela continue, nous
allons assister à de belles choses. »

M. Garçonnet hochait la tête, parlant « des passions déchaînées » et « des plus mauvais jours de notre histoire ». M. Peirotte, blanc comme un linge, restait silencieux ; il ouvrit une seule fois les lèvres, pour dire à Sicardot, qui continuait à déblatérer amèrement :

« Plus bas donc, monsieur ! vous allez nous faire massacrer. »

La vérité était que les insurgés traitaient ces messieurs avec la plus grande douceur. Ils leur firent même servir, le soir, un excellent dîner. Mais, pour des trembleurs comme le receveur particulier, de pareilles attentions devenaient effrayantes : les insurgés ne devaient les traiter si bien que dans le but de les trouver plus gras et plus tendres, le jour où ils les mangeraient.

Au crépuscule, Silvère se rencontra face à face avec son cousin, le docteur Pascal. Le savant avait suivi la bande à pied, causant au milieu des ouvriers, qui le vénéraient. Il s'était d'abord efforcé de les détourner de la lutte ; puis, comme gagné par leurs discours :

« Vous avez peut-être raison, mes amis, leur avait-il dit avec son sourire d'indifférent affectueux ; battez-vous, je suis là pour vous raccommoder les bras et les jambes[1]. »

Et, le matin, il s'était tranquillement mis à ramasser le long de la route des cailloux et des plantes. Il se désespérait de ne pas avoir emporté son marteau de géologue et sa boîte à herboriser. À cette heure, ses poches, pleines de pierres, crevaient, et sa trousse, qu'il tenait sous le bras, laissait passer des paquets de longues herbes.

« Tiens, c'est toi, mon garçon ! s'écria-t-il en apercevant Silvère. Je croyais être ici le seul de la famille. »

Il prononça ces derniers mots avec quelque ironie, raillant doucement les menées de son père et de l'oncle Antoine. Silvère fut heureux de rencontrer son cousin ; le docteur était le seul des Rougon qui lui serrât la main dans les rues et qui lui témoignât une sincère amitié. Aussi, en le voyant couvert encore de la poussière de la route, et le croyant acquis à la cause républicaine, le jeune homme montra-t-il une vive joie. Il lui parla des droits du peuple, de sa cause sainte, de son triomphe assuré, avec une emphase juvénile. Pascal l'écoutait en souriant ; il examinait avec curiosité ses gestes, les jeux ardents de sa physionomie, comme s'il eût étudié un sujet, disséqué un enthousiasme, pour voir ce qu'il y a au fond de cette fièvre généreuse.

« Comme tu vas ! comme tu vas ! Ah ! que tu es bien le petit-fils de ta grand-mère ! »

Et il ajouta, à voix plus basse, du ton d'un chimiste qui prend des notes :

« Hystérie ou enthousiasme, folie honteuse ou folie sublime. Toujours ces diables de nerfs ! »

Puis, concluant tout haut, résumant sa pensée :

« La famille est complète, reprit-il. Elle aura un héros. »

Silvère n'avait pas entendu. Il continuait à parler de sa chère République. À quelques pas, Miette s'était arrêtée, toujours vêtue de sa grande pelisse rouge ; elle ne quittait plus Silvère, ils avaient couru la ville aux bras l'un de l'autre. Cette grande fille rouge finit par intriguer Pascal ; il interrompit brusquement son cousin, il lui demanda :

« Quelle est cette enfant qui est avec toi ?

— C'est ma femme », répondit gravement Silvère.

Le docteur ouvrit de grands yeux. Il ne comprit pas. Et, comme il était très timide avec les femmes, il envoya à Miette, en s'éloignant, un large coup de chapeau.

La nuit fut inquiète. Il passa un vent de malheur sur les insurgés. L'enthousiasme, la confiance de la veille furent comme emportés dans les ténèbres. Au matin, les figures étaient sombres ; il y avait des échanges de regards tristes, des silences longs de découragement. Des bruits effrayants couraient ; les mauvaises nouvelles, que les chefs avaient réussi à cacher depuis la veille, s'étaient répandues sans que personne eût parlé, soufflées par cette bouche invisible qui jette d'une haleine la panique dans les foules. Des voix disaient que Paris était vaincu, que la province avait tendu les pieds et les poings ; et ces voix ajoutaient que des troupes nombreuses parties de Marseille, sous les ordres du colonel Masson et de M. de Blériot, le préfet du département[1], s'avançaient à marches forcées pour détruire les bandes insurrectionnelles. Ce fut un écroulement, un réveil plein de colère et de désespoir. Ces hommes, brûlant la veille de fièvre patriotique, se sentirent frissonner dans le grand froid de la France soumise, honteusement agenouillée. Eux seuls avaient donc eu l'héroïsme du devoir ! Ils étaient, à cette heure, perdus au milieu de l'épouvante de tous, dans le silence de mort du pays ; ils devenaient des rebelles ; on allait les chasser à coups de fusil, comme des bêtes fauves. Et ils avaient rêvé une grande guerre, la révolte d'un peuple, la conquête glorieuse du droit ! Alors, dans une telle déroute, dans un tel abandon, cette poignée d'hommes pleura sa foi morte, son rêve de justice évanoui. Il y en eut qui, en injuriant la

France entière de sa lâcheté, jetèrent leurs armes et allèrent s'asseoir sur le bord des routes ; ils disaient qu'ils attendraient là les balles de la troupe, pour montrer comment mouraient des républicains.

Bien que ces hommes n'eussent plus devant eux que l'exil ou la mort, il y eut peu de désertions. Une admirable solidarité unissait ces bandes. Ce fut contre les chefs que la colère se tourna. Ils étaient réellement incapables. Des fautes irréparables avaient été commises ; et maintenant, lâchés, sans discipline, à peine protégés par quelques sentinelles, sous les ordres d'hommes irrésolus, les insurgés se trouvaient à la merci des premiers soldats qui se présenteraient.

Ils passèrent deux jours encore à Orchères, le mardi et le mercredi, perdant le temps, aggravant leur situation. Le général, l'homme au sabre, que Silvère avait montré à Miette sur la route de Plassans, hésitait, pliait sous la terrible responsabilité qui pesait sur lui. Le jeudi, il jugea que décidément la position d'Orchères était dangereuse. Vers une heure, il donna l'ordre du départ, il conduisit sa petite armée sur les hauteurs de Sainte-Roure[1]. C'était là, d'ailleurs, une position inexpugnable, pour qui aurait su la défendre. Sainte-Roure étage ses maisons sur le flanc d'une colline ; derrière la ville, d'énormes blocs de rochers ferment l'horizon ; on ne peut monter à cette sorte de citadelle que par la plaine des Nores, qui s'élargit au bas du plateau. Une esplanade, dont on a fait un cours, planté d'ormes superbes, domine la plaine. Ce fut sur cette esplanade que les insurgés campèrent. Les otages eurent pour prison une auberge, l'hôtel de la Mule-Blanche, située au milieu du cours. La nuit se passa lourde et noire. On parla de trahison. Dès le matin, l'homme au sabre, qui avait négligé de prendre les plus simples précautions, passa une revue. Les contingents étaient alignés, tournant le dos à la plaine, avec le tohu-bohu étrange des costumes, vestes brunes, paletots foncés, blouses bleues, serrées par des ceintures rouges ; les armes, bizarrement mêlées, luisaient au soleil clair, les faux aiguisées de frais, les larges pelles de terrassier, les canons brunis des fusils de chasse : lorsque, au moment où le général improvisé passait à cheval devant la petite armée, une sentinelle, qu'on avait oubliée dans un champ d'oliviers, accourut en gesticulant, en criant :

« Les soldats ! les soldats ! »

Ce fut une émotion inexprimable. On crut d'abord à une fausse alerte. Les insurgés, oubliant toute discipline, se jetèrent en avant, coururent au bout de l'esplanade, pour voir les soldats. Les rangs furent rompus. Et quand la ligne sombre de la troupe apparut, correcte, avec le large éclair des baïonnettes, derrière le rideau grisâtre des oliviers, il y eut un mouvement de recul, une confusion qui fit passer un frisson de panique d'un bout à l'autre du plateau.

Cependant, au milieu du cours, la Palud et Saint-Martin-de-Vaulx, s'étant reformés, se tenaient farouches et debout. Un bûcheron, un géant dont la tête dépassait celle de ses compagnons, criait, en agitant sa cravate rouge : « À nous, Chavanoz, Graille, Poujols, Saint-Eutrope ! à nous, les Tulettes ! à nous, Plassans ! »

De grands courants de foule traversaient l'esplanade. L'homme au sabre, entouré des gens de Faverolles, s'éloigna, avec plusieurs contingents des campagnes, Vernoux, Corbière, Marsanne, Pruinas, pour tourner l'ennemi et le prendre de flanc. D'autres, Valqueyras, Nazères, Castel-le-Vieux, les Roches-

Noires, Murdaran, se jetèrent à gauche, se dispersèrent en tirailleurs dans la plaine des Nores.

Et, tandis que le cours se vidait, les villes, les villages que le bûcheron avait appelés à l'aide se réunissaient, formaient sous les ormes une masse sombre, irrégulière, groupée en dehors de toutes les règles de la stratégie, mais qui avait roulé là, comme un bloc, pour barrer le chemin ou mourir. Plassans se trouvait au milieu de ce bataillon héroïque. Dans la teinte grise des blouses et des vestes, dans l'éclat bleuâtre des armes, la pelisse de Miette, qui tenait le drapeau à deux mains, mettait une large tache rouge, une tache de blessure fraîche et saignante.

Il y eut brusquement un grand silence. À une des fenêtres de la Mule-Blanche, la tête blafarde de M. Peirotte apparut. Il parlait, il faisait des gestes.

« Rentrez, fermez les volets, crièrent les insurgés furieusement ; vous allez vous faire tuer. »

Les volets se fermèrent en toute hâte, et l'on n'entendit plus que les pas cadencés des soldats qui approchaient.

Une minute s'écoula, interminable. La troupe avait disparu ; elle était cachée dans un pli de terrain, et bientôt les insurgés aperçurent, du côté de la plaine, au ras du sol, des pointes de baïonnettes qui poussaient, grandissaient, roulaient sous le soleil levant, comme un champ de blé aux épis d'acier. Silvère, à ce moment, dans la fièvre qui le secouait, crut voir passer devant lui l'image du gendarme dont le sang lui avait taché les mains ; il savait, par les récits de ses compagnons, que Rengade n'était pas mort, qu'il avait simplement un œil crevé ; et il le distinguait nettement, avec son orbite vide, saignant, horrible. La pensée aiguë de cet homme, auquel il n'avait

plus songé depuis son départ de Plassans, lui fut
insupportable. Il craignit d'avoir peur. Il serrait
violemment sa carabine, les yeux voilés par un
brouillard, brûlant de décharger son arme, de chasser l'image du borgne à coups de feu. Les baïonnettes montaient toujours, lentement.

Quand les têtes des soldats apparurent au bord
de l'esplanade, Silvère, d'un mouvement instinctif,
se tourna vers Miette. Elle était là, grandie, le visage
rose, dans les plis du drapeau rouge ; elle se haussait sur la pointe des pieds, pour voir la troupe ; une
attente nerveuse faisait battre ses narines, montrait
ses dents blanches de jeune loup dans la rougeur de
ses lèvres. Silvère lui sourit. Et il n'avait pas tourné
la tête, qu'une fusillade éclata. Les soldats, dont on
ne voyait encore que les épaules, venaient de lâcher
leur premier feu. Il lui sembla qu'un grand vent passait sur sa tête, tandis qu'une pluie de feuilles coupées par les balles tombaient des ormes. Un bruit
sec, pareil à celui d'une branche morte qui se casse,
le fit regarder à sa droite. Il vit par terre le grand
bûcheron, celui dont la tête dépassait celles des
autres, avec un petit trou noir au milieu du front.
Alors il déchargea sa carabine devant lui, sans viser,
puis il rechargea, tira de nouveau. Et cela, toujours,
comme un furieux, comme une bête qui ne pense à
rien, qui se dépêche de tuer. Il ne distinguait même
plus les soldats ; des fumées flottaient sous les ormes,
pareilles à des lambeaux de mousseline grise. Les
feuilles continuaient à pleuvoir sur les insurgés, la
troupe tirait trop haut. Par instants, dans les bruits
déchirants de la fusillade, le jeune homme entendait
un soupir, un râle sourd ; et il y avait dans la petite
bande une poussée, comme pour faire de la place au

malheureux qui tombait en se cramponnant aux épaules de ses voisins. Pendant dix minutes, le feu dura.

Puis, entre deux décharges, un homme cria : « Sauve qui peut ! » avec un accent terrible de terreur. Il y eut des grondements, des murmures de rage, qui disaient : « Les lâches ! oh ! les lâches ! » Des phrases sinistres couraient : le général avait fui ; la cavalerie sabrait les tirailleurs dispersés dans la plaine des Nores. Et les coups de feu ne cessaient pas, ils partaient irréguliers, rayant la fumée de flammes brusques. Une voix rude répétait qu'il fallait mourir là. Mais la voix affolée, la voix de terreur, criait plus haut : « Sauve qui peut ! sauve qui peut ! » Des hommes s'enfuirent, jetant leurs armes, sautant par-dessus les morts. Les autres serrèrent les rangs. Il resta une dizaine d'insurgés. Deux prirent encore la fuite ; et, sur les huit autres, trois furent tués d'un coup.

Les deux enfants étaient restés machinalement, sans rien comprendre. À mesure que le bataillon diminuait, Miette élevait le drapeau davantage ; elle le tenait, comme un grand cierge, devant elle, les poings fermés. Il était criblé de balles. Quand Silvère n'eut plus de cartouches dans les poches, il cessa de tirer, il regarda sa carabine d'un air stupide. Ce fut alors qu'une ombre lui passa sur la face, comme si un oiseau colossal eût effleuré son front d'un battement d'aile. Et, levant les yeux, il vit le drapeau qui tombait des mains de Miette. L'enfant, les deux poings serrés sur la poitrine, la tête renversée, avec une expression atroce de souffrance, tournait lentement sur elle-même. Elle ne poussa pas un cri ; elle s'affaissa en arrière, sur la nappe rouge du drapeau.

« Relève-toi, viens vite », dit Silvère lui tendant la main, la tête perdue.

Mais elle resta par terre, les yeux tout grands ouverts, sans dire un mot. Il comprit, il se jeta à genoux.

« Tu es blessée, dis ? Où es-tu blessée ? »

Elle ne disait toujours rien ; elle étouffait ; elle le regardait de ses yeux agrandis, secouée par de courts frissons. Alors il lui écarta les mains.

« C'est là, n'est-ce pas ? c'est là. »

Et il déchira son corsage, mit à nu sa poitrine. Il chercha, il ne vit rien. Ses yeux s'emplissaient de larmes. Puis, sous le sein gauche, il aperçut un petit trou rose ; une seule goutte de sang tachait la plaie.

« Ça ne sera rien, balbutia-t-il ; je vais aller chercher Pascal, il te guérira. Si tu pouvais te relever... Tu ne peux pas te relever ? »

Les soldats ne tiraient plus ; ils s'étaient jetés à gauche, sur les contingents emmenés par l'homme au sabre. Au milieu de l'esplanade vide, il n'y avait que Silvère agenouillé devant le corps de Miette. Avec l'entêtement du désespoir, il l'avait prise dans ses bras. Il voulait la mettre debout ; mais l'enfant eut une telle secousse de douleur qu'il la recoucha. Il la suppliait :

« Parle-moi, je t'en prie. Pourquoi ne me dis-tu rien ? »

Elle ne pouvait pas. Elle agita les mains, d'un mouvement doux et lent, pour dire que ce n'était pas sa faute. Ses lèvres serrées s'amincissaient déjà sous le doigt de la mort. Les cheveux dénoués, la tête roulée dans les plis sanglants du drapeau, elle n'avait plus que ses yeux de vivants, des yeux noirs, qui luisaient dans son visage blanc. Silvère sanglota. Les regards de ces grands yeux navrés lui faisaient mal. Il y voyait un immense regret de la vie. Miette lui disait qu'elle partait seule, avant les noces, qu'elle s'en allait sans être sa femme ; elle lui disait encore que c'était lui qui avait voulu cela, qu'il aurait dû l'aimer comme tous les garçons aiment les filles. À son agonie, dans cette lutte rude que sa nature sanguine livrait à la mort, elle pleurait sa virginité. Silvère, penché sur elle, comprit les sanglots amers de cette chair ardente. Il entendit au loin les sollicitations des vieux ossements ; il se rappela ces caresses qui avaient brûlé leurs lèvres, dans la nuit, au bord de la route : elle se pendait à son cou, elle lui demandait tout l'amour, et lui, il n'avait pas su, il la laissait partir petite fille, désespérée de n'avoir pas goûté aux voluptés de la vie. Alors, désolé de la voir n'emporter de lui qu'un souvenir d'écolier et de bon camarade, il baisa sa poitrine de vierge, cette gorge pure et chaste qu'il venait de découvrir. Il ignorait ce buste frissonnant, cette puberté admirable. Ses larmes trempaient ses lèvres. Il collait sa bouche sanglotante sur la peau de l'enfant. Ces baisers d'amant mirent une dernière joie dans les yeux de Miette. Ils s'aimaient, et leur idylle se dénouait dans la mort.

Mais lui ne pouvait croire qu'elle allait mourir. Il disait :

« Non, tu vas voir, ça n'est rien... Ne parle pas, si tu souffres... Attends, je vais te soulever la tête ; puis je te réchaufferai, tu as les mains glacées. »

La fusillade reprenait, à gauche, dans les champs d'oliviers. Des galops sourds de cavalerie montaient de la plaine des Nores. Et, par instants, il y avait de grands cris d'hommes qu'on égorge. Des fumées épaisses arrivaient, traînaient sous les ormes de l'esplanade. Mais Silvère n'entendait plus, ne voyait plus. Pascal, qui descendait en courant vers la plaine, l'aperçut, vautré à terre, et s'approcha, le croyant blessé. Dès que le jeune homme l'eut reconnu, il se cramponna à lui. Il lui montrait Miette.

« Voyez donc, disait-il, elle est blessée, là, sous le sein... Ah ! que vous êtes bon d'être venu ; vous la sauverez. »

À ce moment, la mourante eut une légère convulsion. Une ombre douloureuse passa sur son visage, et, de ses lèvres serrées qui s'ouvrirent, sortit un petit souffle. Ses yeux, tout grands ouverts, restèrent fixés sur le jeune homme.

Pascal, qui s'était penché, se releva en disant à demi-voix :

« Elle est morte. »

Morte ! ce mot fit chanceler Silvère. Il s'était remis à genoux ; il tomba assis, comme renversé par le petit souffle de Miette.

« Morte ! morte ! répéta-t-il, ce n'est pas vrai, elle me regarde... Vous voyez bien qu'elle me regarde. »

Et il saisit le médecin par son vêtement, le conjurant de ne pas s'en aller, lui affirmant qu'il se trompait, qu'elle n'était pas morte, qu'il la sauverait, s'il voulait. Pascal lutta doucement, disant de sa voix affectueuse :

« Je ne puis rien, d'autres m'attendent... Laisse, mon pauvre enfant ; elle est bien morte, va. »

Il lâcha prise, il retomba. Morte ! morte ! encore ce mot, qui sonnait comme un glas dans sa tête vide ! Quand il fut seul, il se traîna auprès du cadavre. Miette le regardait toujours. Alors il se jeta sur elle, roula sa tête sur sa gorge nue, baigna sa peau de ses larmes. Ce fut un emportement. Il posait furieu-

sement les lèvres sur la rondeur naissante de ses
seins, il lui soufflait dans un baiser toute sa flamme,
toute sa vie, comme pour la ressusciter. Mais l'enfant
devenait froide sous ses caresses. Il sentait ce corps
inerte s'abandonner dans ses bras. Il fut pris d'épouvante ; il s'accroupit, la face bouleversée, les bras
pendants, et il resta là, stupide, répétant :

« Elle est morte, mais elle me regarde ; elle ne
ferme pas les yeux, elle me voit toujours. »

Cette idée l'emplit d'une grande douceur. Il ne bou-
gea plus. Il échangea avec Miette un long regard,
lisant encore, dans ces yeux que la mort rendait plus
profonds, les derniers regrets de l'enfant pleurant sa
virginité.

Cependant, la cavalerie sabrait toujours les fuyards,
dans la plaine des Nores ; les galops des chevaux,
les cris des mourants, s'éloignaient, s'adoucissaient,
comme une musique lointaine, apportée par l'air
limpide. Silvère ne savait plus qu'on se battait. Il ne
vit pas son cousin, qui remontait la pente et qui traversait de nouveau le cours. En passant, Pascal
ramassa la carabine de Macquart, que Silvère avait
jetée ; il la connaissait pour l'avoir vue pendue à la
cheminée de tante Dide, et songeait à la sauver des
mains des vainqueurs. Il était à peine entré dans
l'hôtel de la Mule-Blanche, où l'on avait porté un
grand nombre de blessés, qu'un flot d'insurgés, chassés par la troupe comme une bande de bêtes, envahit
l'esplanade. L'homme au sabre avait fui ; c'étaient
les derniers contingents des campagnes que l'on tra-
quait. Il y eut là un effroyable massacre. Le colonel
Masson et le préfet, M. de Blériot, pris de pitié, ordon-
nèrent vainement la retraite. Les soldats, furieux,
continuaient à tirer dans le tas, à clouer les fuyards

contre les murailles, à coups de baïonnette. Quand ils n'eurent plus d'ennemis devant eux, ils criblèrent de balles la façade de la Mule-Blanche. Les volets partaient en éclats ; une fenêtre, laissée entrouverte, fut arrachée, avec un bruit retentissant de verre cassé. Des voix lamentables criaient à l'intérieur : « Les prisonniers ! les prisonniers ! » Mais la troupe n'entendait pas, elle tirait toujours. On vit, à un moment, le commandant Sicardot, exaspéré, paraître sur le seuil, parler en agitant les bras. À côté de lui, le receveur particulier, M. Peirotte, montra sa taille mince, son visage effaré. Il y eut encore une décharge. Et M. Peirotte tomba par terre, le nez en avant, comme une masse.

Silvère et Miette se regardaient. Le jeune homme était resté penché sur la morte, au milieu de la fusillade et des hurlements d'agonie, sans même tourner la tête. Il sentit seulement des hommes autour de lui, et il fut pris d'un sentiment de pudeur : il ramena les plis du drapeau rouge sur Miette, sur sa gorge nue. Puis ils continuèrent à se regarder.

Mais la lutte était finie. Le meurtre du receveur particulier avait assouvi les soldats. Des hommes couraient, battant tous les coins de l'esplanade, pour ne pas laisser échapper un seul insurgé. Un gendarme, qui aperçut Silvère sous les arbres, accourut ; et, voyant qu'il avait à faire à un enfant :

« Que fais-tu là, galopin ? » lui demanda-t-il.

Silvère, les yeux sur les yeux de Miette, ne répondit pas.

« Ah ! le bandit, il a les mains noires de poudre, s'écria l'homme, qui s'était baissé. Allons, debout, canaille ! Ton compte est bon. »

Et comme Silvère, souriant vaguement, ne bougeait pas, l'homme s'aperçut que le cadavre qui se trouvait là, dans le drapeau, était un cadavre de femme :

« Une belle fille, c'est dommage ! murmura-t-il... Ta maîtresse, hein ? crapule ! »

Puis il ajouta avec un rire de gendarme :

« Allons, debout !... Maintenant qu'elle est morte, tu ne veux peut-être pas coucher avec. »

Il tira violemment Silvère, il le mit debout, il l'emmena comme un chien qu'on traîne par une patte. Silvère se laissa traîner, sans une parole, avec une obéissance d'enfant. Il se retourna, il regarda Miette. Il était désespéré de la laisser toute seule, sous les arbres. Il la vit de loin, une dernière fois. Elle restait là, chaste, dans le drapeau rouge, la tête légèrement penchée, avec ses grands yeux qui regardaient en l'air.

VI[1]

Rougon, vers cinq heures du matin, osa enfin sortir de chez sa mère. La vieille s'était endormie sur une chaise. Il s'aventura doucement jusqu'au bout de l'impasse Saint-Mittre. Pas un bruit, pas une ombre. Il poussa jusqu'à la porte de Rome. Le trou de la porte, ouverte à deux battants, béante, s'enfonçait dans le noir de la ville endormie. Plassans dormait à poings fermés, sans paraître se douter de l'imprudence énorme qu'il commettait en dormant ainsi les portes ouvertes. On eût dit une cité morte. Rougon,

prenant confiance, s'engagea dans la rue de Nice.
Il surveillait de loin les coins des ruelles ; il frissonnait, à chaque creux de porte, croyant toujours voir
une bande d'insurgés lui sauter aux épaules. Mais il
arriva au cours Sauvaire sans mésaventure. Décidément, les insurgés s'étaient évanouis dans les ténèbres, comme un cauchemar.

Alors Pierre s'arrêta un instant sur le trottoir désert.
Il poussa un gros soupir de soulagement et de triomphe. Ces gueux de républicains lui abandonnaient
donc Plassans. La ville lui appartenait, à cette heure :
elle dormait comme une sotte ; elle était là, noire et
paisible, muette et confiante, et il n'avait qu'à étendre la main pour la prendre. Cette courte halte, ce
regard d'homme supérieur jeté sur le sommeil de
toute une sous-préfecture, lui causèrent des jouissances ineffables. Il resta là, croisant les bras, prenant, seul dans la nuit, une pose de grand capitaine
à la veille d'une victoire. Au loin, il n'entendait que
le chant des fontaines du cours, dont les filets d'eau
sonores tombaient dans les bassins.

Puis des inquiétudes lui vinrent. Si, par malheur,
on avait fait l'Empire sans lui ! si les Sicardot, les
Garçonnet, les Peirotte, au lieu d'être arrêtés et
emmenés par la bande insurrectionnelle l'avaient
jetée tout entière dans les prisons de la ville ! Il eut
une sueur froide, il se remit en marche, espérant que
Félicité lui donnerait des renseignements exacts. Il
avançait plus rapidement, filant le long des maisons
de la rue de la Banne, lorsqu'un spectacle étrange,
qu'il aperçut en levant la tête, le cloua net sur le pavé.
Une des fenêtres du salon jaune était vivement éclairée, et, dans la lueur, une forme noire qu'il reconnut
pour être sa femme, se penchait, agitait les bras

d'une façon désespérée. Il s'interrogeait, ne comprenait pas, effrayé, lorsqu'un objet dur vint rebondir sur le trottoir, à ses pieds. Félicité lui jetait la clef du hangar, où il avait caché une réserve de fusils. Cette clef signifiait clairement qu'il fallait prendre les armes. Il rebroussa chemin, ne s'expliquant pas pourquoi sa femme l'avait empêché de monter, s'imaginant des choses terribles.

Il alla droit chez Roudier, qu'il trouva debout, prêt à marcher, mais dans une ignorance complète des événements de la nuit. Roudier demeurait à l'extrémité de la ville neuve, au fond d'un désert où le passage des insurgés n'avait envoyé aucun écho. Pierre lui proposa d'aller chercher Granoux, dont la maison faisait un angle de la place des Récollets, et sous les fenêtres duquel la bande avait dû passer. La bonne du conseiller municipal parlementa longtemps avant de les introduire, et ils entendaient la voix tremblante du pauvre homme, qui criait du premier étage :

« N'ouvrez pas, Catherine ! les rues sont infestées de brigands. »

Il était dans sa chambre à coucher, sans lumière. Quand il reconnut ses deux bons amis, il fut soulagé ; mais il ne voulut pas que la bonne apportât une lampe, de peur que la clarté ne lui attirât quelque balle. Il semblait croire que la ville était encore pleine d'insurgés. Renversé sur un fauteuil, près de la fenêtre, en caleçon et la tête enveloppée d'un foulard, il geignait :

« Ah ! mes amis, si vous saviez !… J'ai essayé de me coucher ; mais ils faisaient un tapage ! Alors je me suis jeté dans ce fauteuil. J'ai tout vu, tout. Des figures atroces, une bande de forçats échappés. Puis ils ont repassé ; ils entraînaient le brave commandant Sicardot, le digne M. Garçonnet, le directeur des postes, tous ces messieurs, en poussant des cris de cannibales !... »

Rougon eut une joie chaude. Il fit répéter à Granoux qu'il avait bien vu le maire et les autres au milieu de ces brigands.

« Quand je vous le dis ! pleurait le bonhomme ; j'étais derrière ma persienne... C'est comme M. Peirotte, ils sont venus l'arrêter ; je l'ai entendu qui disait, en passant sous ma fenêtre : "Messieurs, ne me faites pas de mal." Ils devaient le martyriser... C'est une honte, une honte... »

Roudier calma Granoux en lui affirmant que la ville était libre. Aussi le digne homme fut-il pris d'une belle ardeur guerrière, lorsque Pierre lui apprit qu'il venait le chercher pour sauver Plassans. Les trois sauveurs délibérèrent. Ils résolurent d'aller éveiller chacun leurs amis et de leur donner rendez-vous dans le hangar, l'arsenal secret de la réaction. Rougon songeait toujours aux grands gestes de Félicité, flairant un péril quelque part. Granoux, assurément le plus bête des trois, fut le premier à trouver qu'il devait être resté des républicains dans la ville. Ce fut un trait de lumière, et Rougon, avec un pressentiment qui ne le trompa pas, se dit en lui-même :

« Il y a du Macquart là-dessous. »

Au bout d'une heure, ils se retrouvèrent dans le hangar, situé au fond d'un quartier perdu. Ils étaient allés discrètement, de porte en porte, étouffant le bruit des sonnettes et des marteaux, racolant le plus d'hommes possible. Mais ils n'avaient pu en réunir qu'une quarantaine, qui arrivèrent à la file, se glissant dans l'ombre, sans cravate, avec les mines blêmes et encore tout endormies de bourgeois effarés. Le hangar, loué à un tonnelier, se trouvait encombré de vieux cercles, de barils effondrés, qui s'entassaient dans les coins. Au milieu, les fusils étaient couchés dans trois caisses longues. Un rat de cave, posé sur une pièce de bois, éclairait cette scène étrange d'une lueur de veilleuse qui vacillait. Quand Rougon eut retiré les couvercles des trois caisses, ce fut un spectacle d'un sinistre grotesque. Au-dessus des fusils, dont les canons luisaient, bleuâtres et comme phosphorescents, des cous s'allongeaient, des têtes se penchaient avec une sorte d'horreur secrète, tandis que, sur les murs, la clarté jaune du rat de cave dessinait l'ombre de nez énormes et de mèches de cheveux roidies.

Cependant la bande réactionnaire se compta, et, devant son petit nombre, elle eut une hésitation. On n'était que trente-neuf, on allait pour sûr se faire massacrer ; un père de famille parla de ses enfants ; d'autres, sans alléguer de prétexte, se dirigèrent vers la porte. Mais deux conjurés arrivèrent encore ; ceux-là demeuraient sur la place de l'Hôtel-de-Ville, ils savaient qu'il restait, à la mairie, au plus une vingtaine de républicains. On délibéra de nouveau. Quarante et un contre vingt parut un chiffre possible. La distribution des armes se fit au milieu d'un petit frémissement. C'était Rougon qui puisait dans les caisses, et chacun, en recevant son fusil, dont le canon, par cette nuit de décembre, était glacé, sentait un grand froid le pénétrer et le geler jusqu'aux entrailles. Les ombres, sur les murs, prirent des attitudes bizarres de conscrits embarrassés, écartant leurs dix doigts. Pierre referma les caisses avec regret ; il laissait là cent neuf fusils qu'il aurait distribués de

bon cœur ; ensuite il passa au partage des cartouches.
Il y en avait, au fond de la remise, deux grands tonneaux, pleins jusqu'aux bords, de quoi défendre Plassans contre une armée. Et, comme ce coin n'était
pas éclairé, et qu'un de ces messieurs apportait le
rat de cave, un autre des conjurés — c'était un gros
charcutier qui avait des poings de géant — se fâcha,
disant qu'il n'était pas du tout prudent d'approcher
ainsi la lumière. On l'approuva fort. Les cartouches
furent distribuées en pleine obscurité. Ils s'en emplirent les poches à les faire crever. Puis, quand ils
furent prêts, quand ils eurent chargé leurs armes avec
des précautions infinies, ils restèrent là un instant,
à se regarder d'un air louche, en échangeant des
regards où de la cruauté lâche luisait dans de la
bêtise.

Dans les rues, ils s'avancèrent le long des maisons,
muets, sur une seule file, comme des sauvages qui
partent pour la guerre. Rougon avait tenu à honneur
de marcher en tête ; l'heure était venue où il devait
payer de sa personne, s'il voulait le succès de ses
plans ; il avait des gouttes de sueur au front, malgré le
froid, mais il gardait une allure très martiale. Derrière
lui, venaient immédiatement Roudier et Granoux. À
deux reprises, la colonne s'arrêta net ; elle avait cru
entendre des bruits lointains de bataille ; ce n'était
que les petits plats à barbe de cuivre, pendus par des
chaînettes, qui servent d'enseigne aux perruquiers
du Midi, et que des souffles de vent agitaient. Après
chaque halte, les sauveurs de Plassans reprenaient
leur marche prudente dans le noir, avec leur allure de
héros effarouchés. Ils arrivèrent ainsi sur la place
de l'Hôtel-de-Ville. Là, ils se groupèrent autour de
Rougon, délibérant une fois de plus. En face d'eux,

sur la façade noire de la mairie, une seule fenêtre
était éclairée. Il était près de sept heures, le jour
allait paraître.

Après dix bonnes minutes de discussion, il fut
décidé qu'on avancerait jusqu'à la porte, pour voir
ce que signifiait cette ombre et ce silence inquiétants.
La porte était entrouverte. Un des conjurés passa la
tête et la retira vivement, disant qu'il y avait, sous le
porche, un homme assis contre le mur, avec un
fusil entre les jambes, et qui dormait. Rougon, voyant
qu'il pouvait débuter par un exploit, entra le premier,
s'empara de l'homme et le maintint, pendant que
Roudier le bâillonnait. Ce premier succès, remporté
dans le silence, encouragea singulièrement la petite
troupe, qui avait rêvé une fusillade très meurtrière.
Et Rougon faisait des signes impérieux pour que la
joie de ses soldats n'éclatât pas trop bruyamment.

Ils continuèrent à avancer sur la pointe des pieds.
Puis, à gauche, dans le poste de police qui se trouvait là, ils aperçurent une quinzaine d'hommes
couchés sur un lit de camp, ronflant dans la lueur
mourante d'une lanterne accrochée au mur. Rougon,
qui décidément devenait un grand général, laissa
devant le poste la moitié de ses hommes, avec l'ordre
de ne pas réveiller les dormeurs, mais de les tenir en
respect et de les faire prisonniers, s'ils bougeaient.
Ce qui l'inquiétait, c'était cette fenêtre éclairée qu'ils
avaient vue de la place ; il flairait toujours Macquart
dans l'affaire, et comme il sentait qu'il fallait d'abord
s'emparer de ceux qui veillaient en haut, il n'était
pas fâché d'opérer par surprise, avant que le bruit
d'une lutte les fît se barricader. Il monta doucement,
suivi des vingt héros dont il disposait encore. Roudier commandait le détachement resté dans la cour.

Macquart, en effet, se carrait en haut dans le cabinet du maire, assis dans son fauteuil, les coudes sur
son bureau. Après le départ des insurgés, avec cette
belle confiance d'un homme d'esprit grossier, tout à
son idée fixe et tout à sa victoire, il s'était dit qu'il
était le maître de Plassans et qu'il allait s'y conduire
en triomphateur. Pour lui, cette bande de trois mille
hommes qui venait de traverser la ville était une
armée invincible, dont le voisinage suffirait pour
tenir ses bourgeois humbles et dociles sous sa main.
Les insurgés avaient enfermé les gendarmes dans leur
caserne, la garde nationale se trouvait démembrée, le
quartier noble devait crever de peur, les rentiers de
la ville neuve n'avaient certainement jamais touché
un fusil de leur vie. Pas d'armes, d'ailleurs, pas plus
que de soldats. Il ne prit seulement pas la précaution
de faire fermer les portes, et tandis que ses hommes
poussaient la confiance plus loin encore, jusqu'à
s'endormir, il attendait tranquillement le jour qui
allait, pensait-il, amener et grouper autour de lui tous
les républicains du pays.

Déjà il songeait aux grandes mesures révolutionnaires : la nomination d'une Commune dont il serait
le chef, l'emprisonnement des mauvais patriotes et
surtout des gens qui lui déplaisaient. La pensée des
Rougon vaincus, du salon jaune désert, de toute cette
clique lui demandant grâce, le plongeait dans une
douce joie. Pour prendre patience, il avait résolu
d'adresser une proclamation aux habitants de Plassans. Ils s'étaient mis quatre pour rédiger cette affi-
che. Quand elle fut terminée, Macquart, prenant une
pose digne dans le fauteuil du maire, se la fit lire,
avant de l'envoyer à l'imprimerie de *l'Indépendant*,
sur le civisme de laquelle il comptait. Un des rédac-

teurs commençait avec emphase : « Habitants de Plassans, l'heure de l'indépendance a sonné, le règne de la justice est venu... » lorsqu'un bruit se fit entendre à la porte du cabinet, qui s'ouvrait lentement.

« C'est toi, Cassoute ? » demanda Macquart en interrompant la lecture.

On ne répondit pas ; la porte s'ouvrait toujours.

« Entre donc ! reprit-il avec impatience. Mon brigand de frère est chez lui ? »

Alors, brusquement, les deux battants de la porte, poussés avec violence, claquèrent contre les murs, et un flot d'hommes armés, au milieu desquels marchait Rougon, très rouge, les yeux hors des orbites, envahirent le cabinet en brandissant leurs fusils comme des bâtons.

« Ah ! les canailles, ils ont des armes ! » hurla Macquart.

Il voulut prendre une paire de pistolets posés sur le bureau ; mais il avait déjà cinq hommes à la gorge qui le maintenaient. Les quatre rédacteurs de la proclamation luttèrent un instant. Il y eut des poussées, des trépignements sourds, des bruits de chute. Les combattants étaient singulièrement embarrassés par leurs fusils, qui ne leur servaient à rien, et qu'ils ne voulaient pas lâcher. Dans la lutte, celui de Rougon, qu'un insurgé cherchait à lui arracher, partit tout seul, avec une détonation épouvantable, en emplissant le cabinet de fumée ; la balle alla briser une superbe glace, montant de la cheminée au plafond, et qui avait la réputation d'être une des plus belles. glaces de la ville. Ce coup de feu, tiré on ne savait pourquoi, assourdit tout le monde et mit fin à la bataille.

Alors, pendant que ces messieurs soufflaient, on entendit trois détonations qui venaient de la cour. Granoux courut à une des fenêtres du cabinet. Les visages s'allongèrent, et tous, penchés anxieusement, attendirent, peu soucieux d'avoir à recommencer la lutte avec les hommes du poste, qu'ils avaient oubliés dans leur victoire. Mais la voix de Roudier cria que tout allait bien. Granoux referma la fenêtre, rayonnant. La vérité était que le coup de feu de Rougon avait réveillé les dormeurs ; ils s'étaient rendus, voyant toute résistance impossible. Seulement, dans la hâte aveugle qu'ils avaient d'en finir, trois des hommes de Roudier avaient déchargé leurs armes en l'air, comme pour répondre à la détonation d'en haut, sans bien savoir ce qu'ils faisaient. Il y a de ces moments où les fusils partent d'eux-mêmes dans les mains des poltrons.

Cependant Rougon fit lier solidement les poings de Macquart avec les embrasses des grands rideaux verts du cabinet. Celui-ci ricanait, pleurant de rage[1].

« C'est cela, allez toujours... balbutiait-il. Ce soir ou demain, quand les autres reviendront, nous réglerons nos comptes ! »

Cette allusion à la bande insurrectionnelle fit passer un frisson dans le dos des vainqueurs. Rougon surtout éprouva un léger étranglement. Son frère, qui était exaspéré d'avoir été surpris comme un enfant par ces bourgeois effarés, qu'il traitait d'abominables pékins, à titre d'ancien soldat, le regardait, le bravait avec des yeux luisants de haine.

« Ah ! j'en sais de belles, j'en sais de belles ! reprit-il sans le quitter du regard. Envoyez-moi donc un peu devant la cour d'assises pour que je raconte aux juges des histoires qui feront rire. »

Rougon devint blême. Il eut une peur atroce que Macquart ne parlât et ne le perdît dans l'estime des messieurs qui venaient de l'aider à sauver Plassans. D'ailleurs, ces messieurs, tout ahuris de la rencontre dramatique des deux frères, s'étaient retirés dans un coin du cabinet, en voyant qu'une explication orageuse allait avoir lieu. Rougon prit une décision héroïque. Il s'avança vers le groupe et dit d'un ton très noble :

« Nous garderons cet homme ici. Quand il aura réfléchi à sa situation, il pourra nous donner des renseignements utiles. »

Puis, d'une voix encore plus digne :

« J'accomplirai mon devoir, messieurs. J'ai juré de sauver la ville de l'anarchie, et je la sauverai, dussé-je être le bourreau de mon plus proche parent. »

On eût dit un vieux Romain sacrifiant sa famille sur l'autel de la patrie. Granoux, très ému, vint lui serrer la main d'un air larmoyant qui signifiait : « Je vous comprends, vous êtes sublime ! » Il lui rendit ensuite le service d'emmener tout le monde, sous le prétexte de conduire dans la cour les quatre prisonniers qui étaient là.

Quand Pierre fut seul avec son frère, il sentit tout son aplomb lui revenir. Il reprit :

« Vous ne m'attendiez guère, n'est-ce pas ? Je comprends maintenant : vous deviez avoir dressé quelque guet-apens chez moi. Malheureux ! voyez où vous ont conduit vos vices et vos désordres ! »

Macquart haussa les épaules.

« Tenez, répondit-il, fichez-moi la paix. Vous êtes un vieux coquin. Rira bien qui rira le dernier. »

Rougon, qui n'avait pas de plan arrêté à son égard, le poussa dans un cabinet de toilette où M. Garçonnet venait se reposer parfois. Ce cabinet, éclairé par en haut, n'avait d'autre issue que la porte d'entrée. Il était meublé de quelques fauteuils, d'un divan et d'un lavabo de marbre. Pierre ferma la porte à double tour, après avoir délié à moitié les mains de son frère. On entendit ce dernier se jeter sur le divan, et il entonna le *Ça ira !* d'une voix formidable, comme pour se bercer.

Rougon, seul enfin, s'assit à son tour dans le fauteuil du maire. Il poussa un soupir, il s'essuya le front. Que la conquête de la fortune et des honneurs était rude ! Enfin il touchait au but, il sentait le fauteuil moelleux s'enfoncer sous lui, il caressait de la main, d'un geste machinal, le bureau d'acajou, qu'il trouvait soyeux et délicat comme la peau d'une jolie femme. Et il se carra davantage, il prit la pose digne que Macquart avait un instant auparavant, en écoutant la lecture de la proclamation. Autour de lui, le silence du cabinet lui semblait prendre une gravité religieuse qui lui pénétrait l'âme d'une divine volupté. Il n'était pas jusqu'à l'odeur de poussière et de vieux papiers, traînant dans les coins, qui ne montât comme un encens à ses narines dilatées. Cette pièce, aux tentures fanées, puant les affaires étroites, les soucis misérables d'une municipalité de troisième ordre, était un temple dont il devenait le dieu. Il entrait dans quelque chose de sacré. Lui qui, au fond, n'aimait pas les prêtres, il se rappela l'émotion délicieuse de sa première communion quand il avait cru avaler Jésus.

Mais, dans son ravissement, il éprouvait de petits soubresauts nerveux, à chaque éclat de voix de Macquart. Les mots d'aristocrate, de lanterne, les menaces de pendaison, lui arrivaient par souffles violents à travers la porte, et coupaient d'une façon désagréable son rêve triomphant. Toujours cet homme ! Et son rêve, qui lui montrait Plassans à ses pieds, s'achevait par la vision brusque de la cour d'assises, des juges, des jurés et du public, écoutant les révélations honteuses de Macquart, l'histoire des cinquante mille francs et les autres ; ou bien, tout en goûtant la mollesse du fauteuil de M. Garçonnet, il se voyait tout d'un coup pendu à une lanterne de la rue de la Banne. Qui donc le débarrasserait de ce misérable ? Enfin Antoine s'endormit. Pierre eut dix bonnes minutes d'extase pure.

Roudier et Granoux vinrent le tirer de cette béatitude. Ils arrivaient de la prison, où ils avaient conduit les insurgés. Le jour grandissait, la ville allait s'éveiller, il s'agissait de prendre un parti. Roudier déclara qu'avant tout il serait bon d'adresser une proclamation aux habitants. Pierre, justement, lisait celle que les insurgés avaient laissée sur une table.

« Mais, s'écria-t-il, voilà qui nous convient parfaitement. Il n'y a que quelques mots à changer. »

Et, en effet, un quart d'heure suffit, au bout duquel Granoux lut, d'une voix émue :

« Habitants de Plassans, l'heure de la résistance a sonné, le règne de l'ordre est revenu... »

Il fut décidé que l'imprimerie de *la Gazette* imprimerait la proclamation, et qu'on l'afficherait à tous les coins de rue.

« Maintenant, écoutez, dit Rougon, nous allons nous rendre chez moi ; pendant ce temps, M. Granoux réunira ici les membres du conseil municipal qui n'ont pas été arrêtés, et leur racontera les terribles événements de cette nuit. »

Puis il ajouta, avec majesté :

« Je suis tout prêt à accepter la responsabilité de mes actes. Si ce que j'ai déjà fait paraît un gage suffisant de mon amour de l'ordre, je consens à me mettre à la tête d'une commission municipale, jusqu'à ce que les autorités régulières puissent être rétablies. Mais, pour qu'on ne m'accuse pas d'ambition, je ne rentrerai à la mairie que rappelé par les instances de mes concitoyens. »

Granoux et Roudier se récrièrent. Plassans ne serait pas ingrat. Car enfin leur ami avait sauvé la ville. Et ils rappelèrent tout ce qu'il avait fait pour la cause de l'ordre : le salon jaune toujours ouvert aux amis du pouvoir, la bonne parole portée dans les trois quartiers, le dépôt d'armes dont l'idée lui appartenait, et surtout cette nuit mémorable, cette nuit de prudence et d'héroïsme, dans laquelle il s'était illustré à jamais. Granoux ajouta qu'il était sûr d'avance de l'admiration et de la reconnaissance de messieurs les conseillers municipaux. Il conclut en disant :

« Ne bougez pas de chez vous ; je veux aller vous chercher et vous ramener en triomphe. »

Roudier dit encore qu'il comprenait, d'ailleurs, le tact, la modestie de leur ami, et qu'il l'approuvait. Personne, certes, ne songerait à l'accuser d'ambition, mais on sentirait la délicatesse qu'il mettait à ne vouloir rien être sans l'assentiment de ses concitoyens. Cela était très digne, très noble, tout à fait grand.

Sous cette pluie d'éloges, Rougon baissait humblement la tête. Il murmurait : « Non, non, vous allez trop loin », avec de petites pâmoisons d'homme chatouillé voluptueusement. Chaque phrase du bonnetier retiré et de l'ancien marchand d'amandes, placés l'un à sa droite, l'autre à sa gauche, lui passait suavement sur la face ; et, renversé dans le fauteuil

du maire, pénétré par les senteurs administratives du
cabinet, il saluait à gauche, à droite, avec des allures de prince prétendant dont un coup d'État va faire
un empereur.

Quand ils furent las de s'encenser, ils descendirent. Granoux partit à la recherche du conseil
municipal. Roudier dit à Rougon d'aller en avant ; il
le rejoindrait chez lui, après avoir donné les ordres
nécessaires pour la garde de la mairie. Le jour grandissait. Pierre gagna la rue de la Banne, en faisant
sonner militairement ses talons sur les trottoirs
encore déserts. Il tenait son chapeau à la main, malgré le froid vif ; des bouffées d'orgueil lui jetaient tout
le sang au visage.

Au bas de l'escalier, il trouva Cassoute. Le terrassier n'avait pas bougé, n'ayant vu rentrer personne. Il
était là, sur la première marche, sa grosse tête entre
les mains, regardant fixement devant lui, avec le
regard vide et l'entêtement muet d'un chien fidèle.

« Vous m'attendiez, n'est-ce pas ? lui dit Pierre,
qui comprit tout en l'apercevant. Eh bien ! allez dire à
M. Macquart que je suis rentré. Demandez-le à la
mairie. »

Cassoute se leva et se retira, en saluant gauche-
ment. Il alla se faire arrêter comme un mouton, pour
la grande réjouissance de Pierre, qui riait tout seul
en montant l'escalier, surpris de lui-même, ayant
vaguement cette pensée :

« J'ai du courage, aurais-je de l'esprit ? »

Félicité ne s'était pas couchée. Il la trouva endi-
manchée, avec son bonnet à rubans citron, comme
une femme qui attend du monde. Elle était vainement
restée à la fenêtre, elle n'avait rien entendu ; elle se
mourait de curiosité.

« Eh bien ? » demanda-t-elle, en se précipitant au-devant de son mari.

Celui-ci, soufflant, entra dans le salon jaune, où elle le suivit, en fermant soigneusement les portes derrière elle. Il se laissa aller dans un fauteuil, il dit d'une voix étranglée :

« C'est fait, nous serons receveur particulier. »

Elle lui sauta au cou ; elle l'embrassa.

« Vrai ? vrai ? cria-t-elle. Mais je n'ai rien entendu. Ô mon petit homme, raconte-moi ça, raconte-moi tout. »

Elle avait quinze ans, elle se faisait chatte, elle tourbillonnait, avec ses vols brusques de cigale ivre de lumière et de chaleur. Et Pierre, dans l'effusion de sa victoire, vida son cœur. Il n'omit pas un détail. Il expliqua même ses projets futurs, oubliant que, selon lui, les femmes n'étaient bonnes à rien, et que la sienne devait tout ignorer, s'il voulait rester le maître. Félicité, penchée, buvait ses paroles. Elle lui fit recommencer certaines parties du récit, disant qu'elle n'avait pas entendu ; en effet, la joie faisait un tel vacarme dans sa tête que, par moments, elle devenait comme sourde, l'esprit perdu en pleine jouissance. Quand Pierre raconta l'affaire de la mairie, elle fut prise de rires, elle changea trois fois de fauteuil, roulant les meubles, ne pouvant tenir en place. Après quarante années d'efforts continus, la fortune se laissait enfin prendre à la gorge. Elle en devenait folle, à ce point qu'elle oublia elle-même toute prudence.

« Hein ! c'est à moi que tu dois tout cela ! s'écria-t-elle avec une explosion de triomphe. Si je t'avais laissé agir, tu te serais fait bêtement pincer par les insurgés. Nigaud, c'était le Garçonnet, le Sicardot et les autres, qu'il fallait jeter à ces bêtes féroces. »

Et, montrant ses dents branlantes de vieille, elle ajouta avec un rire de gamine :

« Eh ! vive la République ! elle a fait place nette. »

Mais Pierre était devenu maussade.

« Toi, toi, murmura-t-il, tu crois toujours avoir tout prévu. C'est moi qui ai eu l'idée de me cacher. Avec cela que les femmes entendent quelque chose à la politique ! Va, ma pauvre vieille, si tu conduisais la barque, nous ferions vite naufrage. »

Félicité pinça les lèvres. Elle s'était trop avancée, elle avait oublié son rôle de bonne fée muette. Mais il lui vint une de ces rages sourdes, qu'elle éprouvait quand son mari l'écrasait de sa supériorité. Elle se promit de nouveau, lorsque l'heure serait venue, quelque vengeance exquise qui lui livrerait le bonhomme pieds et poings liés.

« Ah ! j'oubliais, reprit Rougon, M. Peirotte est de la danse. Granoux l'a vu qui se débattait entre les mains des insurgés. »

Félicité eut un tressaillement. Elle était justement à la fenêtre, qui regardait avec amour les croisées du receveur particulier. Elle venait d'éprouver le besoin de les revoir, car l'idée du triomphe se confondait en elle avec l'envie de ce bel appartement, dont elle usait les meubles du regard, depuis si longtemps.

Elle se retourna, et, d'une voix étrange :

« M. Peirotte est arrêté ? » dit-elle.

Elle sourit complaisamment ; puis une vive rougeur lui marbra la face. Elle venait, au fond d'elle, de faire ce souhait brutal : « Si les insurgés pouvaient le massacrer ! » Pierre lut sans doute cette pensée dans ses yeux.

« Ma foi ! s'il attrapait quelque balle, murmura-t-il, ça arrangerait nos affaires... On ne serait pas obligé de le déplacer, n'est-ce pas ? et il n'y aurait rien de notre faute. »

Mais Félicité, plus nerveuse, frissonnait. Il lui semblait qu'elle venait de condamner un homme à mort. Maintenant, si M. Peirotte était tué, elle le reverrait la nuit, il viendrait lui tirer les pieds. Elle ne jeta plus sur les fenêtres d'en face que des coups d'œil sournois, pleins d'une horreur voluptueuse. Et il y eut, dès lors, dans ses jouissances, une pointe d'épouvante criminelle qui les rendit plus aiguës.

D'ailleurs, Pierre, le cœur vidé, voyait à présent le mauvais côté de la situation. Il parla de Macquart. Comment se débarrasser de ce chenapan ? Mais Félicité, reprise par la fièvre du succès, s'écria :

« On ne peut pas tout faire à la fois. Nous le bâillonnerons, parbleu ! Nous trouverons bien quelque moyen... »

Elle allait et venait, rangeant les fauteuils, époussetant les dossiers. Brusquement, elle s'arrêta au milieu de la pièce et, jetant un long regard sur le mobilier fané :

« Bon Dieu ! dit-elle, que c'est laid ici ! Et tout ce monde qui va venir !

— Baste ! répondit Pierre avec une superbe indifférence, nous changerons tout cela. »

Lui qui, la veille, avait un respect religieux pour les fauteuils et le canapé, il serait monté dessus à pieds joints. Félicité, éprouvant le même dédain, alla jusqu'à bousculer un fauteuil dont une roulette manquait et qui ne lui obéissait pas assez vite.

Ce fut à ce moment que Roudier entra. Il sembla à la vieille femme qu'il était d'une bien plus grande politesse. Les « monsieur », les « madame » roulaient, avec une musique délicieuse. D'ailleurs, les habitués arrivaient à la file, le salon s'emplissait. Personne ne connaissait encore, dans leurs détails, les événements de la nuit, et tous accouraient, les yeux hors de la tête, le sourire aux lèvres, poussés par les rumeurs qui commençaient à courir la ville. Ces messieurs qui, la veille au soir, avaient quitté si précipitamment le salon jaune, à la nouvelle de l'approche des insurgés, revenaient, bourdonnants, curieux et importuns, comme un essaim de mouches qu'aurait dispersé un coup de vent. Certains n'avaient pas même pris le temps de mettre leurs bretelles. Leur impatience était grande, mais il était visible que Rougon attendait quelqu'un pour parler. À chaque minute, il tournait vers la porte un regard anxieux. Pendant une heure, ce furent des poignées de main expressives, des félicitations vagues, des chuchotements admiratifs, une joie contenue, sans cause certaine, et qui ne demandait qu'un mot pour devenir de l'enthousiasme.

Enfin Granoux parut. Il s'arrêta un instant sur le seuil, la main droite dans sa redingote boutonnée ; sa grosse face blême, qui jubilait, essayait vainement de cacher son émotion sous un grand air de dignité. À son apparition, il se fit un silence ; on sentit qu'une chose extraordinaire allait se passer. Ce fut au milieu d'une haie que Granoux marcha droit vers Rougon. Il lui tendit la main.

« Mon ami, lui dit-il, je vous apporte l'hommage du conseil municipal. Il vous appelle à sa tête, en attendant que notre maire nous soit rendu. Vous avez sauvé Plassans. Il faut, dans l'époque abominable que nous traversons, des hommes qui allient votre intelligence à votre courage. Venez... »

Granoux, qui récitait là un petit discours qu'il avait préparé avec grand-peine, de la mairie à la rue de la Banne, sentit sa mémoire se troubler. Mais Rougon, gagné par l'émotion, l'interrompit, en lui serrant les mains, en répétant :

« Merci, mon cher Granoux, je vous remercie bien. »

Il ne trouva rien autre chose. Alors il y eut une explosion de voix assourdissante. Chacun se précipita, lui tendit la main, le couvrit d'éloges et de compliments, le questionna avec âpreté. Mais lui, digne déjà comme un magistrat, demanda quelques minutes pour conférer avec MM. Granoux et Roudier. Les affaires avant tout. La ville se trouvait dans une situation si critique ! Ils se retirèrent tous trois dans un coin du salon, et là, à voix basse, ils se partagèrent le pouvoir, tandis que les habitués, éloignés de quelques pas, et jouant la discrétion, leur jetaient à la dérobée des coups d'œil où l'admiration se mêlait à la curiosité. Rougon prendrait le titre de président de la commission municipale ; Granoux serait secrétaire ; quant à Roudier, il devenait commandant en chef de la garde nationale réorganisée. Ces messieurs se jurèrent un appui mutuel, d'une solidité à toute épreuve.

Félicité, qui s'était approchée d'eux, leur demanda brusquement :

« Et Vuillet ? »

Ils se regardèrent. Personne n'avait aperçu Vuillet. Rougon eut une légère grimace d'inquiétude.

« Peut-être qu'on l'a emmené avec les autres... », dit-il pour se tranquilliser.

Mais Félicité secoua la tête. Vuillet n'était pas un homme à se laisser prendre. Du moment qu'on ne

le voyait pas, qu'on ne l'entendait pas, c'est qu'il faisait quelque chose de mal.

La porte s'ouvrit, Vuillet entra. Il salua humblement, avec son clignement de paupières, son sourire pincé de sacristain. Puis il vint tendre sa main
humide à Rougon et aux deux autres. Vuillet avait
fait ses petites affaires tout seul. Il s'était taillé lui-
même sa part du gâteau, comme aurait dit Félicité.
Il avait vu, par le soupirail de sa cave, les insurgés
venir arrêter le directeur des postes, dont les bureaux
étaient voisins de sa librairie. Aussi, dès le matin, à
l'heure même où Rougon s'asseyait dans le fauteuil
du maire, était-il allé s'installer tranquillement dans
le cabinet du directeur. Il connaissait les employés ;
il les avait reçus à leur arrivée, en leur disant qu'il
remplacerait leur chef jusqu'à son retour, et qu'ils
n'eussent à s'inquiéter de rien. Puis il avait fouillé le
courrier du matin avec une curiosité mal dissimulée ; il flairait les lettres ; il semblait en chercher
une particulièrement. Sans doute sa situation nouvelle répondait à un de ses plans secrets, car il alla,
dans son contentement, jusqu'à donner à un de ses
employés un exemplaire des *Œuvres badines* de Piron.
Vuillet avait un fonds très assorti de livres obscènes,
qu'il cachait dans un grand tiroir, sous une couche de
chapelets et d'images saintes ; c'était lui qui inon-
dait la ville de photographies et de gravures honteuses, sans que cela nuisît le moins du monde à la
vente des paroissiens. Cependant il dut s'effrayer,
dans la matinée, de la façon cavalière dont il s'était
emparé de l'hôtel des postes. Il songea à faire ratifier
son usurpation. Et c'est pourquoi il accourait chez
Rougon, qui devenait décidément un puissant personnage.

« Où êtes-vous donc passé ? » lui demanda Félicité d'un air méfiant.

Alors il conta son histoire, qu'il enjoliva. Selon lui, il avait sauvé l'hôtel des postes du pillage.

« Eh bien ! c'est entendu, restez-y ! dit Pierre après avoir réfléchi un moment. Rendez-vous utile. »

Cette dernière phrase indiquait la grande terreur des Rougon ; ils avaient peur qu'on ne se rendît trop utile, qu'on ne sauvât la ville plus qu'eux. Mais Pierre n'avait trouvé aucun péril sérieux à laisser Vuillet directeur intérimaire des postes ; c'était même une façon de s'en débarrasser. Félicité eut un vif mouvement de contrariété.

Le conciliabule terminé, ces messieurs revinrent se mêler aux groupes qui emplissaient le salon. Ils durent enfin satisfaire la curiosité générale. Il leur fallut détailler par le menu les événements de la matinée. Rougon fut magnifique. Il amplifia encore, orna et dramatisa le récit qu'il avait conté à sa femme. La distribution des fusils et des cartouches fit haleter tout le monde. Mais ce fut la marche dans les rues désertes et la prise de la mairie qui foudroyèrent ces bourgeois de stupeur. À chaque nouveau détail, une interruption partait.

« Et vous n'étiez que quarante et un, c'est prodigieux !

— Ah bien ! merci, il devait faire diablement noir.

— Non, je l'avoue, jamais je n'aurais osé cela !

— Alors, vous l'avez pris, comme ça, à la gorge !

— Et les insurgés, qu'est-ce qu'ils ont dit ? »

Mais ces courtes phrases ne faisaient que fouetter la verve de Rougon. Il répondait à tout le monde. Il mimait l'action. Ce gros homme, dans l'admiration de ses propres exploits, retrouvait des souplesses d'écolier, il revenait, se répétait, au milieu des paroles croisées, des cris de surprise, des conversations particulières qui s'établissaient brusquement pour la discussion d'un détail ; et il allait ainsi en s'agrandissant, emporté par un souffle épique. D'ailleurs, Granoux et Roudier étaient là qui lui soufflaient des faits, de petits faits imperceptibles qu'il omettait. Ils brûlaient, eux aussi, de placer un mot, de conter un épisode, et parfois ils lui volaient la parole. Ou bien ils parlaient tous les trois ensemble. Mais lorsque, pour garder comme dénouement, comme bouquet, l'épisode homérique de la glace cassée, Rougon voulut dire ce qui s'était passé en bas dans la cour, lors de l'arrestation du poste, Roudier l'accusa de nuire au récit en changeant l'ordre des événements. Et ils se disputèrent un instant avec quelque aigreur. Puis Roudier, voyant l'occasion bonne pour lui, s'écria d'une voix prompte :

« Eh bien, soit ! Mais vous n'y étiez pas... Laissez-moi dire... »

Alors il expliqua longuement comment les insurgés s'étaient réveillés et comment on les avait mis en joue pour les réduire à l'impuissance. Il ajouta que le sang n'avait pas coulé, heureusement. Cette dernière phrase désappointa l'auditoire qui comptait sur son cadavre.

« Mais vous avez tiré, je crois, interrompit Félicité, voyant que le drame était pauvre.

— Oui, oui, trois coups de feu, reprit l'ancien bonnetier. C'est le charcutier Dubruel, M. Liévin et M. Massicot qui ont déchargé leurs armes avec une vivacité coupable. »

Et, comme il y eut quelques murmures :

« Coupable, je maintiens le mot, reprit-il. La guerre
a déjà de bien cruelles nécessités, sans qu'on y verse
du sang inutile. J'aurais voulu vous voir à ma place…
D'ailleurs, ces messieurs m'ont juré que ce n'était
pas leur faute ; ils ne s'expliquent pas comment leurs
fusils sont partis… Et pourtant il y a eu une balle
perdue qui, après avoir ricoché, est allée faire un
bleu sur la joue d'un insurgé… »

Ce bleu, cette blessure inespérée satisfit l'auditoire. Sur quelle joue le bleu se trouvait-il, et comment une balle, même perdue, peut-elle frapper une
joue sans la trouer ? Cela donna sujet à de longs
commentaires.

« En haut, continua Rougon de sa voix la plus forte,
sans laisser à l'agitation le temps de se calmer, en
haut, nous avions fort à faire. La lutte a été rude… »

Et il décrivit l'arrestation de son frère et des quatre autres insurgés, très largement, sans nommer
Macquart, qu'il appelait « le chef ». Les mots : « Le
cabinet de M. le maire, le fauteuil, le bureau de
M. le maire », revenaient à chaque instant dans sa
bouche et donnaient, pour les auditeurs, une grandeur merveilleuse à cette terrible scène. Ce n'était
plus chez le portier, mais chez le premier magistrat
de la ville qu'on se battait. Roudier était enfoncé. Rougon arriva enfin à l'épisode qu'il préparait depuis le
commencement, et qui devait décidément le poser
en héros.

« Alors, dit-il, un insurgé se précipite sur moi.
J'écarte le fauteuil de M. le maire, je prends mon
homme à la gorge. Et je le serre, vous pensez ! Mais
mon fusil me gênait. Je ne voulais pas le lâcher, on
ne lâche jamais son fusil. Je le tenais, comme cela,
sous le bras gauche. Brusquement, le coup part… »

Tout l'auditoire était pendu aux lèvres de Rougon. Granoux, qui allongeait les lèvres, avec une démangeaison féroce de parler, s'écria :

« Non, non ce n'est pas cela... Vous n'avez pu voir, mon ami ; vous vous battiez comme un lion... Mais moi qui aidais à garrotter un des prisonniers, j'ai tout vu... L'homme a voulu vous assassiner ; c'est lui qui a fait partir le coup de fusil ; j'ai parfaitement aperçu ses doigts noirs qu'il glissait sous votre bras...

— Vous croyez ? » dit Rougon devenu blême.

Il ne savait pas qu'il eût couru un pareil danger, et le récit de l'ancien marchand d'amandes le glaçait d'effroi. Granoux ne mentait pas d'ordinaire ; seulement, un jour de bataille, il est bien permis de voir les choses dramatiquement.

« Quand je vous le dis, l'homme a voulu vous assassiner, répéta-t-il avec conviction.

— C'est donc cela, dit Rougon, d'une voix éteinte, que j'ai entendu la balle siffler à mon oreille. »

Il y eut une violente émotion ; l'auditoire parut frappé de respect devant ce héros. Il avait entendu siffler une balle à son oreille ! Certes, aucun des bourgeois qui étaient là n'aurait pu en dire autant. Félicité crut devoir se jeter dans les bras de son mari, pour mettre l'attendrissement de l'assemblée à son comble. Mais Rougon se dégagea tout d'un coup et termina son récit par cette phrase héroïque qui est restée célèbre à Plassans :

« Le coup part, j'entends siffler la balle à mon oreille, et, paf ! la balle va casser la glace de M. le maire. »

Ce fut une consternation. Une si belle glace ! incroyable, vraiment ! Le malheur arrivé à la glace

balança dans la sympathie de ces messieurs
l'héroïsme de Rougon. Cette glace devenait une
personne, et l'on parla d'elle pendant un quart d'heure
avec des exclamations, des apitoiements, des effusions de regret, comme si elle eût été blessée au cœur.
C'était le bouquet tel que Pierre l'avait ménagé, le
dénouement de cette odyssée prodigieuse. Un grand
murmure de voix remplit le salon jaune. On refai-
sait entre soi le récit qu'on venait d'entendre, et, de
temps à autre, un monsieur se détachait d'un groupe
pour aller demander aux trois héros la version exacte
de quelque fait contesté. Les héros rectifiaient le fait
avec une minutie scrupuleuse ; ils sentaient qu'ils
parlaient pour l'histoire.

Cependant Rougon et ses deux lieutenants dirent
qu'ils étaient attendus à la mairie. Il se fit un silence
respectueux ; on se salua avec des sourires graves.
Granoux crevait d'importance ; lui seul avait vu
l'insurgé presser la détente et casser la glace ; cela le
grandissait, le faisait éclater dans sa peau. En quittant le salon, il prit le bras de Roudier, d'un air de
grand capitaine brisé de fatigue, en murmurant :

« Il y a trente-six heures que je suis debout, et Dieu
sait quand je me coucherai. »

Rougon, en s'en allant, prit Vuillet à part et lui dit
que le parti de l'ordre comptait plus que jamais sur
lui et sur *la Gazette*. Il fallait qu'il publiât un bel article
pour rassurer la population et traiter comme elle le
méritait cette bande de scélérats qui avait traversé
Plassans.

« Soyez tranquille ! répondit Vuillet. *La Gazette* ne
devait paraître que demain matin, mais je vais la
lancer dès ce soir. »

Quand ils furent sortis, les habitués du salon jaune restèrent encore un instant, bavards comme des commères qu'un serin envolé réunit sur un trottoir. Ces négociants retirés, ces marchands d'huile, ces fabricants de chapeaux nageaient en plein drame féerique. Jamais pareille secousse ne les avait remués. Ils ne revenaient pas de ce qu'il se fût révélé, parmi eux, des héros tels que Rougon, Granoux et Roudier. Puis, étouffant dans le salon, las de se raconter entre eux la même histoire, ils éprouvèrent une vive démangeaison d'aller publier la grande nouvelle ; ils disparurent un à un, piqués chacun par l'ambition d'être le premier à tout savoir, à tout dire ; et Félicité, restée seule, penchée à la fenêtre, les vit qui se dispersaient dans la rue de la Banne, effarouchés, battant des bras comme de grands oiseaux maigres, soufflant l'émotion aux quatre coins de la ville.

Il était dix heures. Plassans, éveillé, courait les rues, ahuri de la rumeur qui montait. Ceux qui avaient vu ou entendu la bande insurrectionnelle racontaient des histoires à dormir debout, se contredisaient, avançaient des suppositions atroces. Mais le plus grand nombre ne savait même pas ce dont il s'agissait ; ceux-là demeuraient aux extrémités de la ville, et ils écoutaient, bouche béante, comme un conte de nourrice, cette histoire de plusieurs milliers de bandits envahissant les rues et disparaissant avant le jour, ainsi qu'une armée de fantômes. Les plus sceptiques disaient : « Allons donc ! » Cependant certains détails étaient précis. Plassans finit par être convaincu qu'un épouvantable malheur avait passé sur lui pendant son sommeil, sans le toucher. Cette catastrophe mal définie empruntait aux ombres de la nuit, aux contradictions des divers renseignements, un caractère vague, une horreur insondable qui faisaient frissonner les plus braves. Qui donc avait détourné la foudre ? Cela tenait du prodige. On parlait de sauveurs inconnus, d'une petite bande d'hommes qui avaient coupé la tête de l'hydre, mais sans détails, comme d'une chose à peine croyable, lorsque les habitués du salon jaune se répandirent dans les rues, semant les nouvelles, refaisant devant chaque porte le même récit.

Ce fut une traînée de poudre. En quelques minutes, d'un bout à l'autre de la ville, l'histoire courut. Le nom de Rougon vola de bouche en bouche, avec des exclamations de surprise dans la ville neuve, des cris d'éloge dans le vieux quartier. L'idée qu'ils étaient sans sous-préfet, sans maire, sans directeur des postes, sans receveur particulier, sans autorités d'aucune sorte, consterna d'abord les habitants. Ils restaient stupéfaits d'avoir pu achever leur somme et de s'être réveillés comme à l'ordinaire, en dehors de tout gouvernement établi. La première stupeur passée, ils se jetèrent avec abandon dans les bras des libérateurs. Les quelques républicains haussaient les épaules ; mais les petits détaillants, les petits rentiers, les conservateurs de toute espèce bénissaient ces héros modestes dont les ténèbres avaient caché les exploits. Quand on sut que Rougon avait arrêté son propre frère, l'admiration ne connut plus de bornes ; on parla de Brutus ; cette indiscrétion qu'il redoutait tourna à sa gloire. À cette heure d'effroi mal dissipé, la reconnaissance fut unanime. On acceptait le sauveur Rougon sans le discuter.

« Songez donc ! disaient les poltrons, ils n'étaient que quarante et un ! »

Ce chiffre de quarante et un bouleversa la ville. C'est ainsi que naquit à Plassans la légende des quarante et un bourgeois faisant mordre la poussière à trois mille insurgés. Il n'y eut que quelques esprits envieux de la ville neuve, des avocats sans causes, d'anciens militaires, honteux d'avoir dormi cette nuit-là, qui élevèrent certains doutes. En somme, les insurgés étaient peut-être partis tout seuls. Il n'y avait aucune preuve de combat, ni cadavres, ni taches de sang. Vraiment ces messieurs avaient eu la besogne facile.

« Mais la glace, la glace ! répétaient les fanatiques. Vous ne pouvez pas nier que la glace de M. le maire soit cassée. Allez donc la voir. »

Et, en effet, jusqu'à la nuit, il y eut une procession d'individus qui, sous mille prétextes, pénétrèrent dans le cabinet, dont Rougon laissait, d'ailleurs, la porte grande ouverte ; ils se plantaient devant la glace, dans laquelle la balle avait fait un trou rond, d'où partaient de larges cassures ; puis tous murmuraient la même phrase :

« Fichtre ! la balle avait une fière force ! »

Et ils s'en allaient, convaincus.

Félicité, à sa fenêtre, humait avec délices ces bruits, ces voix élogieuses et reconnaissantes qui montaient de la ville. Tout Plassans, à cette heure, s'occupait de son mari ; elle sentait les deux quartiers, sous elle, qui frémissaient, qui lui envoyaient l'espérance d'un prochain triomphe. Ah ! comme elle allait écraser cette ville qu'elle mettait si tard sous ses talons ! Tous ses griefs lui revinrent, ses amertumes passées redoublèrent ses appétits de jouissance immédiate.

Elle quitta la fenêtre, elle fit lentement le tour du salon. C'était là que, tout à l'heure, les mains se tendaient vers eux. Ils avaient vaincu, la bourgeoisie était à leurs pieds. Le salon jaune lui parut sanctifié. Les meubles éclopés, le velours éraillé, le lustre noir de chiures, toutes ces ruines prirent à ses yeux un aspect de débris glorieux traînant sur un champ de bataille. La plaine d'Austerlitz ne lui eût pas causé une émotion aussi profonde.

Comme elle se remettait à la fenêtre, elle aperçut Aristide qui rôdait sur la place de la Sous-Préfecture, le nez en l'air. Elle lui fit signe de monter. Il semblait n'attendre que cet appel.

« Entre donc, lui dit sa mère sur le palier en voyant qu'il hésitait. Ton père n'est pas là. »

Aristide avait l'air gauche d'un enfant prodigue. Depuis près de quatre ans, il n'était plus entré dans le salon jaune. Il tenait encore son bras en écharpe.

« Ta main te fait toujours souffrir ? » lui demanda railleusement Félicité.

Il rougit, il répondit avec embarras :

« Oh ! ça va beaucoup mieux, c'est presque guéri. »

Puis il resta là, tournant, ne sachant que dire. Félicité vint à son secours.

« Tu as entendu parler de la belle conduite de ton père ? » reprit-elle.

Il dit que toute la ville en causait. Mais son aplomb revenait ; il rendit à sa mère sa raillerie ; il la regarda en face, en ajoutant :

« J'étais venu voir si papa n'était pas blessé.

— Tiens, ne fais pas la bête ! s'écria Félicité, avec sa pétulance. Moi, à ta place, j'agirais très carrément. Tu t'es trompé, là, avoue-le, en t'enrôlant avec tes gueux de républicains. Aujourd'hui tu ne serais pas fâché de les lâcher et de revenir avec nous, qui sommes les plus forts. Hé ! la maison t'est ouverte ! »

Mais Aristide protesta. La République était une grande idée. Puis les insurgés pouvaient l'emporter.

« Laisse-moi donc tranquille ! continua la vieille femme irritée. Tu as peur que ton père te reçoive mal. Je me charge de l'affaire... Écoute-moi : tu vas aller à ton journal, tu rédigeras d'ici à demain un numéro très favorable au coup d'État, et demain soir, quand ce numéro aura paru, tu reviendras ici, tu seras accueilli à bras ouverts. »

Et, comme le jeune homme restait silencieux :

« Entends-tu ? poursuivit-elle d'une voix plus basse et plus ardente ; c'est de notre fortune, c'est de la tienne, qu'il s'agit. Ne va pas recommencer tes bêtises. Tu es déjà assez compromis comme cela. »

Le jeune homme fit un geste, le geste de César passant le Rubicon. De cette façon, il ne prenait aucun engagement verbal. Comme il allait se retirer, sa mère ajouta, en cherchant le nœud de son écharpe :

« Et d'abord, il faut m'ôter ce chiffon-là. Ça devient ridicule, tu sais ! »

Aristide la laissa faire. Quand le foulard fut dénoué, il le plia proprement et le mit dans sa poche. Puis il embrassa sa mère en disant :

« À demain ! »

Pendant ce temps, Rougon prenait officiellement possession de la mairie. Il n'était resté que huit conseillers municipaux ; les autres se trouvaient entre les mains des insurgés, ainsi que le maire et les deux adjoints. Ces huit messieurs, de la force de Granoux, eurent des sueurs d'angoisse, lorsque ce dernier leur expliqua la situation critique de la ville. Pour comprendre avec quel effarement ils vinrent se jeter dans les bras de Rougon, il faudrait connaître les bons-

hommes dont sont composés les conseils municipaux de certaines petites villes. À Plassans, le maire
avait sous la main d'incroyables buses, de purs instru-
ments d'une complaisance passive. Aussi, M. Garçonnet n'étant plus là, la machine municipale devait
se détraquer et appartenir à quiconque saurait en res-
saisir les ressorts. À cette heure, le sous-préfet ayant
quitté le pays, Rougon se trouvait naturellement, par
la force des circonstances, le maître unique et absolu
de la ville ; crise étonnante, qui mettait le pouvoir
entre les mains d'un homme taré, auquel, la veille,
pas un de ses concitoyens n'aurait prêté cent francs.

Le premier acte de Pierre fut de déclarer en permanence la commission provisoire. Puis il s'occupa
de la réorganisation de la garde nationale, et réussit
à mettre sur pied trois cents hommes ; les cent neuf
fusils restés dans le hangar furent distribués, ce qui
porta à cent cinquante le nombre des hommes armés
par la réaction ; les cent cinquante autres gardes
nationaux étaient des bourgeois de bonne volonté et
des soldats à Sicardot. Quand le commandant Roudier passa la petite armée en revue sur la place de
l'Hôtel-de-Ville, il fut désolé de voir que les marchands de légumes riaient en dessous ; tous n'avaient
pas d'uniforme, et certains se tenaient bien drôle-
ment, avec leur chapeau noir, leur redingote et leur
fusil. Mais, au fond, l'intention était bonne. Un poste
fut laissé à la mairie. Le reste de la petite armée fut
dispersé, par pelotons, aux différentes portes de la
ville. Roudier se réserva le commandement du poste
de la Grand-Porte, la plus menacée.

Rougon, qui se sentait très fort en ce moment,
alla lui-même rue Canquoin, pour prier les gendarmes
de rester chez eux, de ne se mêler de rien. Il fit,

d'ailleurs, ouvrir les portes de la gendarmerie, dont les insurgés avaient emporté les clefs. Mais il voulait triompher seul, il n'entendait pas que les gendarmes pussent lui voler une part de sa gloire. S'il avait absolument besoin d'eux, il les appellerait. Et il leur expliqua que leur présence, en irritant peut-être les ouvriers, ne ferait qu'aggraver la situation. Le brigadier le complimenta beaucoup sur sa prudence. Lorsqu'il apprit qu'il y avait un homme blessé dans la caserne, Rougon voulut se rendre populaire, il demanda à le voir. Il trouva Rengade couché, l'œil couvert d'un bandeau, avec ses grosses moustaches qui passaient sous le linge. Il réconforta, par de belles paroles sur le devoir, le borgne jurant et soufflant, exaspéré de sa blessure, qui allait le forcer à quitter le service. Il promit de lui envoyer un médecin.

« Je vous remercie bien, monsieur, répondit Rengade ; mais, voyez-vous, ce qui me soulagerait mieux que tous les remèdes, ce serait de tordre le cou au misérable qui m'a crevé l'œil. Oh ! je le reconnaîtrai ; c'est un petit maigre, pâlot, tout jeune... »

Pierre se souvint du sang qui couvrait les mains de Silvère. Il eut un léger mouvement de recul, comme s'il eût craint que Rengade ne lui sautât à la gorge, en disant : « C'est ton neveu qui m'a éborgné ; attends, tu vas payer pour lui ! » Et, tandis qu'il maudissait tout bas son indigne famille, il déclara solennellement que, si le coupable était retrouvé, il serait puni avec toute la rigueur des lois.

« Non, non, ce n'est pas la peine, répondit le borgne ; je lui tordrai le cou. »

Rougon s'empressa de regagner la mairie. L'après-midi fut employé à prendre diverses mesures. La proclamation, affichée vers une heure, produisit une

impression excellente. Elle se terminait par un appel
au bon esprit des citoyens, et donnait la ferme assurance que l'ordre ne serait plus troublé. Jusqu'au
crépuscule, les rues, en effet, offrirent l'image d'un
soulagement général, d'une confiance entière. Sur les
trottoirs, les groupes qui lisaient la proclamation
disaient :

« C'est fini, nous allons voir passer les troupes
envoyées à la poursuite des insurgés. »

Cette croyance que des soldats approchaient devint
telle, que les oisifs du cours Sauvaire se portèrent sur
la route de Nice pour aller au-devant de la musique.
Ils revinrent, à la nuit, désappointés, n'ayant rien
vu. Alors, une inquiétude sourde courut la ville.

À la mairie, la commission provisoire avait tant
parlé pour ne rien dire, que les membres, le ventre
vide, effarés par leurs propres bavardages, sentaient
la peur les reprendre. Rougon les envoya dîner, en les
convoquant de nouveau pour neuf heures du soir. Il
allait lui-même quitter le cabinet, lorsque Macquart
s'éveilla et frappa violemment à la porte de sa prison.
Il déclara qu'il avait faim, puis il demanda l'heure, et
quand son frère lui eut dit qu'il était cinq heures, il
murmura, avec une méchanceté diabolique, en feignant un vif étonnement, que les insurgés lui avaient
promis de revenir plus tôt et qu'ils tardaient bien à le
délivrer. Rougon, après lui avoir fait servir à manger,
descendit, agacé par cette insistance de Macquart à
parler du retour de la bande insurrectionnelle.

Dans les rues, il éprouva un malaise. La ville lui
parut changée. Elle prenait un air singulier ; des
ombres filaient rapidement le long des trottoirs, le
vide et le silence se faisaient, et, sur les maisons mornes, semblait tomber, avec le crépuscule, une peur

grise, lente et opiniâtre comme une pluie fine. La confiance bavarde de la journée aboutissait fatalement à cette panique sans cause, à cet effroi de la nuit naissante ; les habitants étaient las, rassasiés de leur triomphe, à ce point qu'il ne leur restait des forces que pour rêver des représailles terribles de la part des insurgés. Rougon frissonna dans ce courant d'effroi. Il hâta le pas, la gorge serrée. En passant devant un café de la place des Récollets, qui venait d'allumer ses lampes, et où se réunissaient les petits rentiers de la ville neuve, il entendit un bout de conversation très effrayant.

« Eh bien ! monsieur Picou, disait une voix grasse, vous savez la nouvelle ? le régiment qu'on attendait n'est pas arrivé.

— Mais on n'attendait pas de régiment, monsieur Touche, répondait une voix aigre.

— Faites excuse. Vous n'avez donc pas lu la proclamation ?

— C'est vrai, les affiches promettent que l'ordre sera maintenu par la force, s'il est nécessaire.

— Vous voyez bien ; il y a la force ; la force armée, cela s'entend.

— Et que dit-on ?

— Mais, vous comprenez, on a peur, on dit que ce retard des soldats n'est pas naturel, et que les insurgés pourraient bien les avoir massacrés. »

Il y eut un cri d'horreur dans le café. Rougon eut envie d'entrer pour dire à ces bourgeois que jamais la proclamation n'avait annoncé l'arrivée d'un régiment, qu'il ne fallait pas forcer les textes à ce point ni colporter de pareils bavardages. Mais lui-même, dans le trouble qui s'emparait de lui, n'était pas bien sûr de ne pas avoir compté sur un envoi de troupes, et il en venait à trouver étonnant, en effet, que pas un soldat n'eût paru. Il rentra chez lui très inquiet. Félicité, toute pétulante et pleine de courage, s'emporta, en le voyant bouleversé par de telles niaiseries. Au dessert, elle le réconforta.

« Eh ! grande bête, dit-elle, tant mieux, si le préfet nous oublie ! Nous sauverons la ville à nous tout seuls. Moi je voudrais voir revenir les insurgés, pour les recevoir à coups de fusil et nous couvrir de gloire... Écoute, tu vas fermer les portes de la ville, puis tu ne te coucheras pas ; tu te donneras beaucoup de mouvement toute la nuit ; ça te sera compté plus tard. »

Pierre retourna à la mairie, un peu ragaillardi. Il lui fallut du courage pour rester ferme au milieu des doléances de ses collègues. Les membres de la commission provisoire rapportaient dans leurs vêtements la panique, comme on rapporte avec soi une odeur de pluie, par les temps d'orage. Tous prétendaient avoir compté sur l'envoi d'un régiment, et ils s'exclamaient, en disant qu'on n'abandonnait pas de la sorte de braves citoyens aux fureurs de la démagogie. Pierre, pour avoir la paix, leur promit presque leur régiment pour le lendemain. Puis il déclara avec solennité qu'il allait faire fermer les portes. Ce fut un soulagement. Des gardes nationaux durent se rendre immédiatement à chaque porte, avec ordre de donner un double tour aux serrures. Quand ils furent de retour, plusieurs membres avouèrent qu'ils étaient vraiment plus tranquilles ; et lorsque Pierre eut dit que la situation critique de la ville leur faisait un devoir de rester à leur poste, il y en eut qui prirent leurs petites dispositions pour passer la nuit dans un fauteuil. Granoux mit une calotte de soie noire, qu'il avait apportée par précaution. Vers onze heures, la moitié de ces messieurs dormaient autour du bureau de M. Garçonnet. Ceux qui tenaient encore les yeux ouverts faisaient le rêve, en écoutant les pas cadencés des gardes nationaux, sonnant dans la cour, qu'ils étaient des braves et qu'on les décorait. Une grande lampe, posée sur le bureau, éclairait cette étrange veillée d'armes. Rougon, qui semblait sommeiller, se leva brusquement et envoya chercher Vuillet. Il venait de se rappeler qu'il n'avait point reçu *la Gazette*.

Le libraire se montra rogue, de très méchante humeur.

« Eh bien ! lui demanda Rougon en le prenant à part, et l'article que vous m'aviez promis ? je n'ai pas vu le journal.

— C'est pour cela que vous me dérangez ? répondit Vuillet avec colère. Parbleu ! *la Gazette* n'a pas paru ; je n'ai pas envie de me faire massacrer demain, si les insurgés reviennent. »

Rougon s'efforça de sourire, en disant que, Dieu merci ! on ne massacrerait personne. C'était justement parce que des bruits faux et inquiétants couraient, que l'article en question aurait rendu un grand service à la bonne cause.

« Possible, reprit Vuillet, mais la meilleure des causes, en ce moment, est de garder sa tête sur les épaules. »

Et il ajouta, avec une méchanceté aiguë :

« Moi qui croyais que vous aviez tué tous les insurgés ! Vous en avez trop laissé, pour que je me risque. »

Rougon, resté seul, s'étonna de cette révolte d'un homme si humble, si plat d'ordinaire. La conduite de Vuillet lui parut louche. Mais il n'eut pas le temps de chercher une explication. Il s'était à peine allongé de nouveau dans son fauteuil, que Roudier entra, en faisant sonner terriblement, sur sa cuisse, un grand sabre qu'il avait attaché à sa ceinture. Les dormeurs se réveillèrent effarés. Granoux crut à un appel aux armes.

« Hein ? quoi ? qu'est-ce qu'il y a ? demanda-t-il, en remettant précipitamment sa calotte de soie noire dans la poche.

— Messieurs, dit Roudier essoufflé, sans songer à prendre aucune précaution oratoire, je crois qu'une bande d'insurgés s'approche de la ville. »

Ces mots furent accueillis par un silence épouvanté. Rougon seul eut la force de dire :

« Vous les avez vus ?

— Non, répondit l'ancien bonnetier ; mais nous entendons d'étranges bruits dans la campagne ; un de mes hommes m'a affirmé qu'il avait aperçu des feux courant sur la pente des Garrigues. »

Et, comme tous ces messieurs se regardaient avec des visages blancs et muets :

« Je retourne à mon poste, reprit-il ; j'ai peur de quelque attaque. Avisez de votre côté. »

Rougon voulut courir après lui, avoir d'autres renseignements ; mais il était déjà loin. Certes, la commission n'eut pas envie de se rendormir. Des bruits étranges ! des feux ! une attaque ! et cela, au milieu de la nuit ! Aviser, c'était facile à dire, mais que faire ? Granoux faillit conseiller la même tactique qui leur avait réussi la veille : se cacher, attendre que les insurgés eussent traversé Plassans, et triompher ensuite dans les rues désertes. Pierre, heureusement, se souvenant des conseils de sa femme, dit que Roudier avait pu se tromper, et que le mieux était d'aller voir. Certains membres firent la grimace ; mais quand il fut convenu qu'une escorte armée accompagnerait la commission, tous descendirent avec un grand courage. En bas, ils ne laissèrent que quelques hommes ; ils se firent entourer par une trentaine de gardes nationaux ; puis ils s'aventurèrent dans la ville endormie. La lune seule, glissant au ras des toits, allongeait ses ombres lentes. Ils allèrent vainement le long des remparts, de porte en porte, l'horizon muré, ne voyant rien, n'entendant rien. Les gardes nationaux des différents postes leur dirent bien que des souffles particuliers leur venaient de la campagne, par-dessus les portails fermés ; ils tendirent l'oreille sans saisir autre chose qu'un bruissement lointain, que Granoux prétendit reconnaître pour la clameur de la Viorne.

Cependant, ils restaient inquiets ; ils allaient rentrer à la mairie très préoccupés, tout en feignant de hausser les épaules et tout en traitant Roudier de poltron et de visionnaire, lorsque Rougon, qui avait à cœur de rassurer pleinement ses amis, eut l'idée de leur offrir le spectacle de la plaine, à plusieurs lieues. Il conduisit la petite troupe dans le quartier Saint-Marc et vint frapper à l'hôtel Valqueyras.

Le comte, dès les premiers troubles, était parti pour son château de Corbière. Il n'y avait à l'hôtel que le marquis de Carnavant. Depuis la veille, il s'était prudemment tenu à l'écart, non pas qu'il eût peur, mais parce qu'il lui répugnait d'être vu, tripotant avec les Rougon, à l'heure décisive. Au fond, la curiosité le brûlait ; il avait dû s'enfermer, pour ne pas courir se donner l'étonnant spectacle des intrigues du salon jaune. Quand un valet de chambre vint lui dire, au milieu de la nuit, qu'il y avait en bas des messieurs

qui le demandaient, il ne put rester sage plus longtemps, il se leva et descendit en toute hâte.

« Mon cher marquis, dit Rougon en lui présen-
tant les membres de la commission municipale, nous
avons un service à vous demander. Pourriez-vous
nous faire conduire dans le jardin de l'hôtel ?

— Certes, répondit le marquis étonné, je vais vous y
mener moi-même. »

Et, chemin faisant, il se fit conter le cas. Le jardin
se terminait par une terrasse qui dominait la plaine ;
en cet endroit, un large pan des remparts s'était
écroulé, l'horizon s'étendait sans bornes. Rougon
avait compris que ce serait là un excellent poste
d'observation. Les gardes nationaux étaient restés à
la porte. Tout en causant, les membres de la commission vinrent s'accouder sur le parapet de la terrasse. L'étrange spectacle qui se déroula alors devant
eux les rendit muets. Au loin, dans la vallée de la
Viorne, dans ce creux immense qui s'enfonçait, au
couchant, entre la chaîne des Garrigues et les montagnes de la Seille, les lueurs de la lune coulaient
comme un fleuve de lumière pâle. Les bouquets
d'arbres, les rochers sombres faisaient, de place en
place, des îlots, des langues de terre, émergeant de
la mer lumineuse. Et l'on distinguait, selon les coudes de la Viorne, des bouts, des tronçons de rivière,
qui se montraient, avec des reflets d'armures, dans la
fine poussière d'argent qui tombait du ciel. C'était un
océan, un monde, que la nuit, le froid, la peur secrète,
élargissaient à l'infini. Ces messieurs n'entendirent,
ne virent d'abord rien. Il y avait dans le ciel un frisson de lumière et de voix lointaines qui les assour-
dissait et les aveuglait. Granoux, peu poète de sa

nature, murmura cependant, gagné par la paix
sereine de cette nuit d'hiver :

« La belle nuit, messieurs !

— Décidément, Roudier a rêvé », dit Rougon avec
quelque dédain.

Mais le marquis tendait ses oreilles fines.

« Eh ! dit-il de sa voix nette, j'entends le tocsin. »

Tous se penchèrent sur le parapet, retenant leur
souffle. Et, légers, avec des puretés de cristal, les tintements éloignés d'une cloche montèrent de la plaine.
Ces messieurs ne purent nier. C'était bien le tocsin.
Rougon prétendit reconnaître la cloche du Béage, un
village situé à une grande lieue de Plassans. Il disait
cela pour rassurer ses collègues.

« Écoutez, écoutez, interrompit le marquis. Cette
fois, c'est la cloche de Saint-Maur. »

Et il leur désignait un autre point de l'horizon. En
effet, une seconde cloche pleurait dans la nuit claire.
Puis bientôt ce furent dix cloches, vingt cloches, dont,
leurs oreilles, accoutumées au large frémissement
de l'ombre, entendirent les tintements désespérés. Des
appels sinistres montaient de toutes parts, affaiblis,
pareils à des râles d'agonisant. La plaine entière sanglota bientôt. Ces messieurs ne plaisantaient plus
Roudier. Le marquis, qui prenait une joie méchante
à les effrayer, voulut bien leur expliquer la cause de
toutes ces sonneries :

« Ce sont, dit-il, les villages voisins qui se réunissent
pour venir attaquer Plassans au point du jour. »

Granoux écarquillait les yeux.

« Vous n'avez rien vu, là-bas ? » demanda-t-il tout
à coup.

Personne ne regardait. Ces messieurs fermaient les
yeux pour mieux entendre.

« Ah ! tenez ! reprit-il au bout d'un silence. Au-delà de la Viorne, près de cette masse noire.

— Oui, je vois, répondit Rougon, désespéré ; c'est un feu qu'on allume. »

Un autre feu fut allumé presque immédiatement en face du premier, puis un troisième, puis un quatrième. Des taches rouges apparurent ainsi sur toute la longueur de la vallée, à des distances presque égales, pareilles aux lanternes de quelque avenue gigantesque. La lune, qui les éteignait à demi, les faisait s'étaler comme des mares de sang. Cette illumination sinistre acheva de consterner la commission municipale.

« Pardieu ! murmurait le marquis, avec son ricanement le plus aigu, ces brigands se font des signaux. »

Et il compta complaisamment les feux, pour savoir, disait-il, à combien d'hommes environ aurait affaire « la brave garde nationale de Plassans ». Rougon voulut élever des doutes, dire que les villages prenaient les armes pour aller rejoindre l'armée des insurgés, et non pour venir attaquer la ville. Ces messieurs, par leur silence consterné, montrèrent que leur opinion était faite et qu'ils refusaient toute consolation.

« Voilà maintenant que j'entends *la Marseillaise* », dit Granoux d'une voix éteinte.

C'était encore vrai. Une bande devait suivre la Viorne et passer, à ce moment, au bas même de la ville ; le cri : « Aux armes, citoyens ! formez vos bataillons ! » arrivait, par bouffées, avec une netteté vibrante. Ce fut une nuit atroce. Ces messieurs la passèrent, accoudés sur le parapet de la terrasse, glacés par le terrible froid qu'il faisait, ne pouvant s'arracher au spectacle de cette plaine toute secouée par le tocsin et *la Marseillaise*, tout enflammée par l'illumination des signaux. Ils s'emplirent les yeux de cette mer lumineuse, piquée de flammes sanglantes ; ils se firent sonner les oreilles, à écouter cette clameur vague ; au point que leurs sens se faussaient, qu'ils voyaient et entendaient d'effrayantes choses. Pour rien au monde ils n'auraient quitté la place ; s'ils avaient tourné le dos, ils se seraient imaginé qu'une armée était à leurs trousses. Comme certains poltrons, ils voulaient voir venir le danger, sans doute pour prendre la fuite au bon moment. Aussi, vers le matin, quand la lune fut couchée, et qu'ils n'eurent plus devant eux qu'un abîme noir, ils éprouvèrent des transes horribles. Ils se croyaient entourés d'ennemis invisibles qui rampaient dans l'ombre, prêts à leur sauter à la gorge. Au moindre bruit, c'étaient des hommes qui se consultaient au bas de la terrasse, avant de l'escalader. Et rien, rien que du noir, dans lequel ils fixaient éperdument leurs regards. Le marquis, comme pour les consoler, leur disait de sa voix ironique :

« Ne vous inquiétez donc pas ! Ils attendront le point du jour. »

Rougon maugréait. Il sentait la peur le reprendre. Les cheveux de Granoux achevèrent de blanchir. L'aube parut enfin avec des lenteurs mortelles. Ce fut encore un bien mauvais moment. Ces messieurs, au premier rayon, s'attendaient à voir une armée rangée en bataille devant la ville. Justement, ce matin-là, le jour avait des paresses, se traînait au bord de l'horizon. Le cou tendu, l'œil en arrêt, ils interrogeaient les blancheurs vagues. Et, dans l'ombre indécise, ils entrevoyaient des profils monstrueux, la plaine se changeait en lac de sang, les rochers en cadavres flottant à la surface, les bouquets d'arbres

en bataillons encore menaçants et debout. Puis, lorsque les clartés croissantes eurent effacé ces fantômes,
le jour se leva, si pâle, si triste, avec des mélancolies
telles, que le marquis lui-même eut le cœur serré. On
n'apercevait point d'insurgés, les routes étaient libres ;
mais la vallée, toute grise, avait un aspect désert et
morne de coupe-gorge. Les feux étaient éteints, les
cloches sonnaient encore. Vers huit heures, Rougon
distingua seulement une bande de quelques hommes qui s'éloignaient le long de la Viorne.

Ces messieurs étaient morts de froid et de fatigue. Ne voyant aucun péril immédiat, ils se décidèrent à aller prendre quelques heures de repos.
Un garde national fut laissé sur la terrasse en sentinelle, avec ordre de courir prévenir Roudier, s'il
apercevait au loin quelque bande. Granoux et Rougon, brisés par les émotions de la nuit, regagnèrent
leurs demeures, qui étaient voisines, en se soutenant
mutuellement.

Félicité coucha son mari avec toutes sortes de
précautions. Elle l'appelait « pauvre chat » ; elle lui
répétait qu'il ne devait pas se frapper l'imagination
comme cela, et que tout finirait bien. Mais lui
secouait la tête ; il avait des craintes sérieuses. Elle
le laissa dormir jusqu'à onze heures. Puis, quand il
eut mangé, elle le mit doucement dehors, en lui faisant entendre qu'il fallait aller jusqu'au bout. À la
mairie, Rougon ne trouva que quatre membres de la
commission ; les autres se firent excuser ; ils étaient
réellement malades. La panique, depuis le matin,
soufflait sur la ville avec une violence plus âpre. Ces
messieurs n'avaient pu garder pour eux le récit de
la nuit mémorable passée sur la terrasse de l'hôtel
Valqueyras. Leurs bonnes s'étaient empressées d'en

répandre la nouvelle, en l'enjolivant de détails dramatiques. À cette heure, c'était chose acquise à l'histoire, qu'on avait vu dans la campagne, des hauteurs de Plassans, des danses de cannibales dévorant leurs prisonniers, des rondes de sorcières tournant autour de leurs marmites où bouillaient des enfants, d'interminables défilés de bandits dont les armes luisaient au clair de lune. Et l'on parlait des cloches qui sonnaient d'elles-mêmes le tocsin dans l'air désolé, et l'on affirmait que les insurgés avaient mis le feu aux forêts des environs, et que tout le pays flambait.

On était au mardi, jour de marché à Plassans ; Roudier avait cru devoir faire ouvrir les portes toutes grandes pour laisser entrer les quelques paysannes qui apportaient des légumes, du beurre et des œufs. Dès qu'elle fut assemblée, la commission municipale, qui ne se composait plus que de cinq membres, en comptant le président, déclara que c'était là une imprudence impardonnable. Bien que la sentinelle laissée à l'hôtel Valqueyras n'eût rien vu, il fallait tenir la ville close. Alors Rougon décida que le crieur public, accompagné d'un tambour, irait par les rues proclamer la ville en état de siège et annoncer aux habitants que quiconque sortirait ne pourrait plus rentrer. Les portes furent officiellement fermées, en plein midi. Cette mesure, prise pour rassurer la population, porta l'épouvante à son comble. Et rien ne fut plus curieux que cette cité qui se cadenassait, qui poussait les verrous, sous le clair soleil, au beau milieu du dix-neuvième siècle.

Quand Plassans eut bouclé et serré autour de lui la ceinture usée de ses remparts, quand il se fut verrouillé comme une forteresse assiégée aux approches d'un assaut, une angoisse mortelle passa sur les mai-

sons mornes. À chaque heure, du centre de la ville,
on croyait entendre des fusillades éclater dans les
faubourgs. On ne savait plus rien, on était au fond
d'une cave, d'un trou muré, dans l'attente anxieuse
de la délivrance ou du coup de grâce. Depuis deux
jours, les bandes d'insurgés qui battaient la campagne, avaient interrompu toutes les communications.
Plassans, acculé dans l'impasse où il est bâti, se trouvait séparé du reste de la France. Il se sentait en
plein pays de rébellion ; autour de lui, le tocsin sonnait, *la Marseillaise* grondait, avec des clameurs de
fleuve débordé. La ville, abandonnée et frissonnante,
était comme une proie promise aux vainqueurs, et
les promeneurs du cours passaient, à chaque minute,
de la terreur à l'espérance, en croyant apercevoir à
la Grand-Porte, tantôt des blouses d'insurgés et tantôt des uniformes de soldats. Jamais sous-préfecture,
dans son cachot de murs croulants, n'eut une agonie plus douloureuse.

Vers deux heures, le bruit se répandit que le coup
d'État avait manqué ; le prince-président était au don-
jon de Vincennes ; Paris se trouvait entre les mains de
la démagogie la plus avancée ; Marseille, Toulon, Draguignan, tout le Midi appartenait à l'armée insurrectionnelle victorieuse. Les insurgés devaient arriver le
soir et massacrer Plassans.

Une députation se rendit alors à la mairie pour
reprocher à la commission municipale la fermeture
des portes, bonne seulement à irriter les insurgés.
Rougon, qui perdait la tête, défendit son ordonnance
avec ses dernières énergies ; ce double tour donné
aux serrures lui semblait un des actes les plus ingé-
nieux de son administration ; il trouva pour le justifier
des paroles convaincues. Mais on l'embarrassait, on

lui demandait où étaient les soldats, le régiment qu'il avait promis. Alors il mentit, il dit très carrément qu'il n'avait rien promis du tout. L'absence de ce régiment légendaire, que les habitants désiraient au point d'en avoir rêvé l'approche, était la grande cause de la panique. Les gens bien informés citaient l'endroit exact de la route où les soldats avaient été égorgés.

À quatre heures, Rougon, suivi de Granoux, se rendit à l'hôtel Valqueyras. De petites bandes, qui rejoignaient les insurgés, à Orchères, passaient toujours au loin, dans la vallée de la Viorne. Toute la journée, des gamins avaient grimpé sur les remparts, des bourgeois étaient venus regarder par les meurtrières. Ces sentinelles volontaires entretenaient l'épouvante de la ville, en comptant tout haut les bandes, qui étaient prises pour autant de forts bataillons. Ce peuple poltron croyait assister, des créneaux, aux préparatifs de quelque massacre universel. Au crépuscule, comme la veille, la panique souffla, plus froide.

En rentrant à la mairie, Rougon et l'inséparable Granoux comprirent que la situation devenait intolérable. Pendant leur absence, un nouveau membre de la commission avait disparu. Ils n'étaient plus que quatre. Ils se sentirent ridicules, la face blême, à se regarder, pendant des heures, sans rien dire. Puis ils avaient une peur atroce de passer une seconde nuit sur là terrasse de l'hôtel Valqueyras.

Rougon déclara gravement que, l'état des choses demeurant le même, il n'y avait pas lieu de rester en permanence. Si quelque événement grave se produisait, on irait les prévenir. Et, par une décision, dûment prise en conseil, il se déchargea sur Rou-

dier des soins de son administration. Le pauvre Roudier, qui se souvenait d'avoir été garde national à
Paris, sous Louis-Philippe, veillait à la Grand-Porte,
avec conviction.

Pierre rentra l'oreille basse, se coulant dans l'ombre
des maisons. Il sentait autour de lui Plassans lui
devenir hostile. Il entendait, dans les groupes, courir son nom, avec des paroles de colère et de mépris.
Ce fut en chancelant et la sueur aux tempes, qu'il
monta l'escalier. Félicité le reçut, silencieuse, la
mine consternée. Elle aussi commençait à désespé-
rer. Tout leur rêve croulait. Ils se tinrent là, dans le
salon jaune, face à face. Le jour tombait, un jour sale
d'hiver qui donnait des teintes boueuses au papier
orange à grands ramages ; jamais la pièce n'avait paru
plus fanée, plus sordide, plus honteuse. Et, à cette
heure, ils étaient seuls ; ils n'avaient plus, comme la
veille, un peuple de courtisans qui les félicitaient.
Une journée venait de suffire pour les vaincre, au
moment où ils chantaient victoire. Si le lendemain
la situation ne changeait pas, la partie était perdue.
Félicité qui, la veille, songeait aux plaines d'Austerlitz, en regardant les ruines du salon jaune, pensait
maintenant, à le voir si morne et si désert, aux
champs maudits de Waterloo.

Puis, comme son mari ne disait rien, elle alla
machinalement à la fenêtre, à cette fenêtre où elle
avait humé avec délice l'encens de toute une sous-
préfecture. Elle aperçut des groupes nombreux en
bas, sur la place ; elle ferma les persiennes, voyant des
têtes se tourner vers leur maison, et craignant d'être
huée. On parlait d'eux ; elle en eut le pressentiment.

Des voix montaient dans le crépuscule. Un avocat
clabaudait du ton d'un plaideur qui triomphe.

« Je l'avais bien dit, les insurgés sont partis tout seuls, et ils ne demanderont pas la permission des quarante et un pour revenir. Les quarante et un ! quelle bonne farce ! Moi je crois qu'ils étaient au moins deux cents.

— Mais non, dit un gros négociant, marchand d'huile et grand politique, ils n'étaient peut-être pas dix. Car, enfin, ils ne se sont pas battus ; on aurait bien vu le sang, le matin. Moi qui vous parle, je suis allé à la mairie, pour voir ; la cour était propre comme ma main. »

Un ouvrier qui se glissait timidement dans le groupe, ajouta :

« Il ne fallait pas être malin pour prendre la mairie. La porte n'était pas même fermée. »

Des rires accueillirent cette phrase, et l'ouvrier, se voyant encouragé, reprit.

« Les Rougon, c'est connu, c'est des pas grand-chose. »

Cette insulte alla frapper Félicité au cœur. L'ingratitude de ce peuple la navrait, car elle finissait elle-même par croire à la mission des Rougon. Elle appela son mari ; elle voulut qu'il prît une leçon sur l'instabilité des foules.

« C'est comme leur glace, continua l'avocat ; ont-ils fait assez de bruit avec cette malheureuse glace cassée ! Vous savez que ce Rougon est capable d'avoir tiré un coup de fusil dedans, pour faire croire à une bataille. »

Pierre retint un cri de douleur. On ne croyait même plus à sa glace. Bientôt on irait jusqu'à prétendre qu'il n'avait pas entendu siffler une balle à son oreille. La légende des Rougon s'effacerait, il ne resterait rien de leur gloire. Mais il n'était pas au bout de son calvaire. Les groupes s'acharnaient aussi vertement qu'ils avaient applaudi la veille. Un ancien fabricant de chapeaux, vieillard de soixante-dix ans, dont la fabrique se trouvait jadis dans le faubourg, fouilla le passé des Rougon. Il parla vaguement, avec les hésitations d'une mémoire qui se perd, de l'enclos des Fouque, d'Adélaïde, de ses amours avec un contrebandier. Il en dit assez pour donner aux commérages un nouvel élan. Les causeurs se rapprochèrent ; les mots de canailles, de voleurs, d'intrigants éhontés, montaient jusqu'à la persienne derrière laquelle Pierre et Félicité suaient la peur et la colère. On en vint sur la place à plaindre Macquart. Ce fut le dernier coup. Hier Rougon était un Brutus, une âme stoïque qui sacrifiait ses affections à la patrie ; aujourd'hui Rougon n'était plus qu'un vil ambitieux qui passait sur le ventre de son pauvre frère, et s'en servait comme d'un marchepied pour monter à la fortune.

« Tu entends, tu entends, murmurait Pierre d'une voix étranglée. Ah ! les gredins, ils nous tuent ; jamais nous ne nous en relèverons. »

Félicité, furieuse, tambourinait sur la persienne du bout de ses doigts crispés, et elle répondait :

« Laisse-les dire, va. Si nous redevenons les plus forts, ils verront de quel bois je me chauffe. Je sais d'où vient le coup. La ville neuve nous en veut. »

Elle devinait juste. L'impopularité brusque des Rougon était l'œuvre d'un groupe d'avocats qui se trouvaient très vexés de l'importance qu'avait prise un ancien marchand d'huile, illettré, et dont la maison avait risqué la faillite. Le quartier Saint-Marc, depuis deux jours, était comme mort. Le vieux quartier et la ville neuve restaient seuls en présence.

Cette dernière avait profité de la panique pour perdre le salon jaune dans l'esprit des commerçants et des ouvriers. Roudier et Granoux étaient d'excellents hommes, d'honorables citoyens, que ces intrigants de Rougon trompaient. On leur ouvrirait les yeux. À la place de ce gros ventru, de ce gueux qui n'avait pas le sou, M. Isidore Granoux n'aurait-il pas dû s'asseoir dans le fauteuil du maire ? Les envieux partaient de là pour reprocher à Rougon tous les actes de son administration qui ne datait que de la veille. Il n'aurait pas dû garder l'ancien conseil municipal ; il avait commis une sottise grave en faisant fermer les portes ; c'était par sa bêtise que cinq membres avaient pris une fluxion de poitrine sur la terrasse de l'hôtel Valqueyras. Et ils ne tarissaient pas. Les républicains, eux aussi, relevaient la tête. On parlait d'un coup de main possible, tenté sur la mairie par les ouvriers du faubourg. La réaction râlait.

Pierre, dans cet écroulement de toutes ses espérances, songea aux quelques soutiens, sur lesquels, à l'occasion, il pourrait encore compter.

« Est-ce qu'Aristide, demanda-t-il, ne devait pas venir ce soir pour faire la paix ?

— Oui, répondit Félicité. Il m'avait promis un bel article. *L'Indépendant* n'a pas paru... »

Mais son mari l'interrompit en disant :

« Eh ! n'est-ce pas lui qui sort de la sous-préfecture ? »

La vieille femme ne jeta qu'un regard.

« Il a remis son écharpe ! » cria-t-elle.

Aristide, en effet, cachait de nouveau sa main dans son foulard. L'Empire se gâtait, sans que la République triomphât, et il avait jugé prudent de reprendre son rôle de mutilé. Il traversa sournoisement la place, sans lever la tête ; puis, comme il entendit sans doute dans les groupes des paroles dangereuses et compromettantes, il se hâta de disparaître au coude de la rue de la Banne.

« Va, il ne montera pas, dit amèrement Félicité. Nous sommes à terre... Jusqu'à nos enfants qui nous abandonnent ! »

Elle ferma violemment la fenêtre, pour ne plus voir, pour ne plus entendre. Et quand elle eut allumé la lampe, ils dînèrent, découragés, sans faim, laissant les morceaux sur leur assiette. Ils n'avaient que quelques heures pour prendre un parti. Il fallait qu'au réveil ils tinssent Plassans sous leurs talons et qu'ils lui fissent demander grâce, s'ils ne voulaient renoncer à la fortune rêvée. Le manque absolu de nouvelles certaines était l'unique cause de leur indécision anxieuse. Félicité, avec sa netteté d'esprit, comprit vite cela. S'ils avaient pu connaître le résultat du coup d'État, ils auraient payé d'audace et continué quand même leur rôle de sauveurs, ou ils se seraient hâtés de faire oublier le plus possible leur campagne malheureuse. Mais ils ne savaient rien de précis, ils perdaient la tête, ils avaient des sueurs froides, à jouer ainsi leur fortune, sur un coup de dés, en pleine ignorance des événements.

« Et ce diable d'Eugène qui ne m'écrit pas ! » s'écria Rougon dans un élan de désespoir, sans songer qu'il livrait à sa femme le secret de sa correspondance.

Mais Félicité feignit de ne pas avoir entendu. Le cri de son mari l'avait profondément frappée. En effet, pourquoi Eugène n'écrivait-il pas à son père ? Après l'avoir tenu si fidèlement au courant des succès de la cause bonapartiste, il aurait dû s'empresser de lui annoncer le triomphe ou la défaite du prince Louis. La simple prudence lui conseillait la communication de cette nouvelle. S'il se taisait, c'était que la République victorieuse l'avait envoyé rejoindre le prétendant dans les cachots de Vincennes. Félicité se sentit glacée ; le silence de son fils tuait ses dernières espérances.

À ce moment, on apporta *la Gazette*, encore toute fraîche.

« Comment ! dit Pierre très surpris, Vuillet a fait paraître son journal ? »

Il déchira la bande, il lut l'article de tête et l'acheva, pâle comme un linge, fléchissant sur sa chaise.

« Tiens, lis », reprit-il, en tendant le journal à Félicité.

C'était un superbe article, d'une violence inouïe contre les insurgés. Jamais tant de fiel, tant de mensonges, tant d'ordures dévotes n'avaient coulé d'une plume. Vuillet commençait par faire le récit de l'entrée de la bande dans Plassans. Un pur chef-d'œuvre. On y voyait « ces bandits, ces faces patibulaires, cette écume des bagnes », envahissant la ville, « ivres d'eau-de-vie, de luxure et de pillage » ; puis il les montrait « étalant leur cynisme dans les rues, épouvantant la population par des cris sauvages, ne cherchant que le viol et l'assassinat ». Plus loin, la scène de l'Hôtel-de-Ville et l'arrestation des autorités devenaient tout un drame atroce : « Alors, ils ont pris à la gorge les hommes les plus respectables ; et, comme Jésus, le maire, le brave commandant de la garde nationale, le directeur des postes, ce fonctionnaire si bienveillant, ont été couronnés d'épines par ces misérables, et ont reçu leurs crachats au visage. » L'alinéa consacré à Miette et à sa pelisse rouge

montait en plein lyrisme. Vuillet avait vu dix, vingt
filles sanglantes : « Et qui n'a pas aperçu, au milieu
de ces monstres, des créatures infâmes vêtues de
rouge, et qui devaient s'être roulées dans le sang des
martyrs que ces brigands ont assassinés le long
des routes ? Elles brandissaient des drapeaux, elles
s'abandonnaient, en pleins carrefours, aux caresses
ignobles de la horde tout entière. » Et Vuillet ajoutait avec une emphase biblique : « La République ne
marche jamais qu'entre la prostitution et le meurtre. » Ce n'était là que la première partie de l'article ; le récit terminé, dans une péroraison virulente,
le libraire demandait si le pays souffrirait plus longtemps « la honte de ces bêtes fauves qui ne respec-
taient ni les propriétés ni les personnes » ; il faisait un
appel à tous les valeureux citoyens en disant qu'une
plus longue tolérance serait un encouragement, et
qu'alors les insurgés viendraient prendre « la fille
dans les bras de la mère, l'épouse dans les bras de
l'époux » ; enfin, après une phrase dévote dans
laquelle il déclarait que Dieu voulait l'extermination
des méchants, il terminait par ce coup de trompette :
« On affirme que ces misérables sont de nouveau à
nos portes ; eh bien ! que chacun de nous prenne
un fusil et qu'on les tue comme des chiens ; on me
verra au premier rang, heureux de débarrasser la
terre d'une pareille vermine. »

Cet article, où la lourdeur du journalisme de
province enfilait des périphrases ordurières, avait
consterné Rougon, qui murmura, lorsque Félicité
posa *la Gazette* sur la table :

« Ah ! le malheureux ! il nous donne le dernier
coup ; on croira que c'est moi qui ai inspiré cette
diatribe.

— Mais, dit sa femme, songeuse, ne m'as-tu pas annoncé ce matin qu'il refusait absolument d'attaquer les républicains ? Les nouvelles l'avaient terrifié, et tu prétendais qu'il était pâle comme un mort.

— Eh ! oui, je n'y comprends rien. Comme j'insistais, il est allé jusqu'à me reprocher de ne pas avoir tué tous les insurgés... C'était hier qu'il aurait dû écrire son article ; aujourd'hui, il va nous faire massacrer. »

Félicité se perdait en plein étonnement. Quelle mouche avait donc piqué Vuillet ? L'image de ce bedeau manqué, un fusil à la main, faisant le coup de feu sur les remparts de Plassans, lui semblait une des choses les plus bouffonnes qu'on pût imaginer. Il y avait certainement là-dessous quelque cause déterminante qui lui échappait. Vuillet avait l'injure trop impudente et le courage trop facile, pour que la bande insurrectionnelle fût réellement si voisine des portes de la ville.

« C'est un méchant homme, je l'ai toujours dit, reprit Rougon qui venait de relire l'article. Il n'a peut-être voulu que nous faire du tort. J'ai été bien bon enfant de lui laisser la direction des postes. »

Ce fut un trait de lumière. Félicité se leva vivement, comme éclairée par une pensée subite ; elle mit un bonnet, jeta un châle sur ses épaules.

« Où vas-tu donc ? demanda son mari étonné. Il est plus de neuf heures.

— Toi, tu vas te coucher, répondit-elle avec quelque rudesse. Tu es souffrant, tu te reposeras. Dors en m'attendant ; je te réveillerai s'il le faut, et nous causerons. »

Elle sortit, avec ses allures lestes, et courut à l'hôtel des postes. Elle entra brusquement dans le cabinet où Vuillet travaillait encore. Il eut, à sa vue, un vif mouvement de contrariété.

Jamais Vuillet n'avait été plus heureux. Depuis qu'il pouvait glisser ses doigts minces dans les courriers, il goûtait des voluptés profondes, des voluptés de prêtre curieux, s'apprêtant à savourer les aveux de ses pénitentes. Toutes les indiscrétions sournoises, tous les bavardages vagues des sacristies chantaient à ses oreilles. Il approchait son long nez blême des lettres, il regardait amoureusement les suscriptions de ses yeux louches, il auscultait les enveloppes, comme les petits abbés fouillent l'âme des vierges. C'étaient des jouissances infinies, des tentations pleines de chatouillements. Les mille secrets de Plassans étaient là ; il touchait à l'honneur des femmes, à la fortune des hommes, et il n'avait qu'à briser les cachets, pour en savoir aussi long que le grand vicaire de la cathédrale, le confident des personnes comme il faut de la ville. Vuillet était une de ces terribles commères, froides, aiguës, qui savent tout, se font tout dire, et ne répètent les bruits que pour en assassiner les gens. Aussi avait-il fait souvent le rêve d'enfoncer son bras jusqu'à l'épaule dans la boîte aux lettres. Pour lui, depuis la veille, le cabinet du directeur des postes était un grand confessionnal plein d'une ombre et d'un mystère religieux, dans lequel il se pâmait en humant les murmures voilés, les aveux frissonnants qui s'exhalaient des correspondances. D'ailleurs, le libraire faisait sa petite besogne avec une impudence parfaite. La crise que traversait le pays lui assurait l'impunité. Si les lettres éprouvaient quelque retard, si d'autres s'égaraient même complètement, ce serait la faute de ces gueux de républicains, qui couraient la campagne et interrompaient les communications. La fermeture des portes l'avait un instant contrarié ; mais il s'était entendu avec Roudier pour que les courriers pussent entrer et lui fussent apportés directement, sans passer par la mairie.

Il n'avait, à la vérité, décacheté que quelques lettres, les bonnes, celles que son flair de sacristain lui avait désignées comme contenant des nouvelles utiles à connaître avant tout le monde. Il s'était ensuite contenté de garder dans un tiroir, pour être distribuées plus tard, celles qui pourraient donner l'éveil et lui enlever le mérite d'avoir du courage, quand la ville entière tremblait. Le dévot personnage, en choisissant la direction des postes, avait singulièrement compris la situation.

Lorsque Mme Rougon entra, il faisait son choix dans un tas énorme de lettres et de journaux, sous prétexte sans doute de les classer. Il se leva, avec son sourire humble, avançant une chaise ; ses paupières rougies battaient d'une façon inquiète. Mais Félicité ne s'assit pas ; elle dit brutalement :

« Je veux la lettre. »

Vuillet écarquilla les yeux, d'un air de grande innocence.

« Quelle lettre, chère dame ? demanda-t-il.

— La lettre que vous avez reçue ce matin pour mon mari... Voyons, monsieur Vuillet, je suis pressée. »

Et comme il bégayait qu'il ne savait pas, qu'il n'avait rien vu, que c'était bien étonnant, Félicité reprit, avec une sourde menace dans la voix :

« Une lettre de Paris, de mon fils Eugène, vous savez bien ce que je veux dire, n'est-ce pas ?... Je vais chercher moi-même. »

Elle fit mine de mettre la main dans les divers paquets qui encombraient le bureau. Alors il s'empressa, il dit qu'il allait voir. Le service était forcément si mal fait ! Peut-être bien qu'il y avait une lettre, en effet. Dans ce cas, on la retrouverait. Mais, quant à lui, il jurait qu'il ne l'avait pas vue. En parlant, il tournait dans le cabinet, il bouleversait tous les papiers. Puis, il ouvrit les tiroirs, les cartons. Félicité attendait impassible.

« Ma foi, vous avez raison, voici une lettre pour vous, s'écria-t-il enfin, en tirant quelques papiers d'un carton. Ah ! ces diables d'employés, ils profitent de la situation pour ne rien faire comme il faut ! »

Félicité prit la lettre et en examina le cachet attentivement, sans paraître s'inquiéter le moins du monde de ce qu'un pareil examen pouvait avoir de blessant pour Vuillet. Elle vit clairement qu'on avait dû ouvrir l'enveloppe ; le libraire, maladroit encore, s'était servi d'une cire plus foncée pour recoller le cachet. Elle eut soin de fendre l'enveloppe en gardant intact le cachet, qui devait être, à l'occasion, une preuve. Eugène annonçait, en quelques mots, le succès complet du coup d'État ; il chantait victoire, Paris était dompté, la province ne bougeait pas, et il conseillait à ses parents une attitude très ferme en face de l'insurrection partielle qui soulevait le Midi. Il leur disait, en terminant, que leur fortune était fondée, s'ils ne faiblissaient pas.

Mme Rougon mit la lettre dans sa poche, et, lentement, elle s'assit, en regardant Vuillet en face. Celui-ci, comme très occupé, avait fiévreusement repris son triage.

« Écoutez-moi, monsieur Vuillet », lui dit-elle.

Et, quand il eut relevé la tête :

« Jouons cartes sur table, n'est-ce pas ? Vous avez tort de trahir, il pourrait vous arriver malheur. Si, au lieu de décacheter nos lettres... »

Il se récria, se prétendit offensé. Mais elle, avec tranquillité :

« Je sais, je connais votre école, vous n'avouerez jamais... Voyons, pas de paroles inutiles, quel intérêt avez-vous à servir le coup d'État ? »

Et, comme il parlait encore de sa parfaite honnêteté, elle finit par perdre patience.

« Vous me prenez donc pour une bête ! s'écriat-elle. J'ai lu votre article... Vous feriez mieux de vous entendre avec nous. »

Alors, sans rien avouer, il confessa carrément qu'il voulait avoir la clientèle du collège. Autrefois, c'était lui qui fournissait l'établissement de livres classiques. Mais on avait appris qu'il vendait, sous le manteau, des pornographies aux élèves, en si grande quantité, que les pupitres débordaient de gravures et d'œuvres obscènes. À cette occasion, il avait même failli passer en police correctionnelle. Depuis cette époque, il rêvait de rentrer en grâce auprès de l'administration, avec des rages jalouses.

Félicité parut étonnée de la modestie de son ambition. Elle le lui fit même entendre. Violer des lettres, risquer le bagne, pour vendre quelques dictionnaires !

« Eh ! dit-il d'une voix aigre, c'est une vente assurée de quatre à cinq mille francs par an. Je ne rêve pas l'impossible, comme certaines personnes. »

Elle ne releva pas le mot. Il ne fut plus question des lettres décachetées. Un traité d'alliance fut conclu, par lequel Vuillet s'engageait à n'ébruiter aucune nouvelle et à ne pas se mettre en avant, à la condition que les Rougon lui feraient avoir la clientèle du collège. En le quittant, Félicité l'engagea à ne pas se compromettre davantage. Il suffisait qu'il gardât les lettres et ne les distribuât que le surlendemain.

« Quel coquin ! » murmura-t-elle, quand elle fut dans la rue, sans songer qu'elle-même venait de mettre un interdit sur les courriers.

Elle revint à pas lents, songeuse. Elle fit même un détour, passa par le cours Sauvaire, comme pour réfléchir plus longuement et plus à l'aise, avant de rentrer chez elle. Sous les arbres de la promenade, elle rencontra M. de Carnavant, qui profitait de la nuit pour fureter dans la ville sans se compromettre. Le clergé de Plassans, auquel répugnait l'action, gardait, depuis l'annonce du coup d'État, la neutralité la plus absolue. Pour lui, l'Empire était fait, il attendait l'heure de reprendre, dans une direction nouvelle, ses intrigues séculaires. Le marquis, agent désormais inutile, n'avait plus qu'une curiosité : savoir comment la bagarre finirait et de quelle façon les Rougon iraient jusqu'au bout de leur rôle.

« C'est toi, petite, dit-il en reconnaissant Félicité. Je voulais aller te voir. Tes affaires s'embrouillent.

— Mais non, tout va bien, répondit-elle, préoccupée.

— Tant mieux, tu me conteras cela, n'est-ce pas ? Ah ! je dois me confesser, j'ai fait une peur affreuse, l'autre nuit, à ton mari et à ses collègues. Si tu avais vu comme ils étaient drôles sur la terrasse, pendant que je leur faisais voir une bande d'insurgés dans chaque bouquet de la vallée !... Tu me pardonnes ?

— Je vous remercie, dit vivement Félicité. Vous auriez dû les faire crever de terreur. Mon mari est un gros sournois. Venez donc un de ces matins, lorsque je serai seule. »

Elle s'échappa, marchant à pas rapides, comme décidée par la rencontre du marquis. Toute sa petite personne exprimait une volonté implacable. Elle allait enfin se venger des cachotteries de Pierre, le tenir sous ses pieds, assurer pour jamais sa toute-puissance au logis. C'était un coup de scène nécessaire, une comédie dont elle goûtait à l'avance les railleries profondes, et dont elle mûrissait le plan avec des raffinements de femme blessée.

Elle trouva Pierre couché, dormant d'un sommeil lourd ; elle approcha un instant la bougie, et regarda, d'un air de pitié, son visage épais, où couraient par moments de légers frissons ; puis elle s'assit au chevet du lit, ôta son bonnet, s'échevela, se donna la mine d'une personne désespérée, et se mit à sangloter très haut.

« Hein ! qu'est-ce que tu as, pourquoi pleures-tu ? » demanda Pierre brusquement réveillé.

Elle ne répondit pas, elle pleura plus amèrement.

« Par grâce, réponds, reprit son mari que ce muet désespoir épouvantait. Où es-tu allée ? Tu as vu les insurgés ? »

Elle fit signe que non ; puis, d'une voix éteinte :

« Je viens de l'hôtel Valqueyras, murmura-t-elle. Je voulais demander conseil à M. de Carnavant. Ah ! mon pauvre ami, tout est perdu. »

Pierre se mit sur son séant, très pâle. Son cou de taureau que montrait sa chemise déboutonnée, sa chair molle était toute gonflée par la peur. Et, au milieu du lit défait, il s'affaissait comme un magot chinois, blême et pleurard.

« Le marquis, continua Félicité, croit que le prince Louis a succombé ; nous sommes ruinés, nous n'aurons jamais un sou. »

Alors, comme il arrive aux poltrons, Pierre s'emporta. C'était la faute du marquis, la faute de sa femme, la faute de toute sa famille. Est-ce qu'il pensait à la politique, lui, quand M. de Carnavant et Félicité l'avaient jeté dans ces bêtises-là !

« Moi, je m'en lave les mains, cria-t-il. C'est vous deux qui avez fait la sottise. Est-ce qu'il n'était pas plus sage de manger tranquillement nos petites rentes ? Toi, tu as toujours voulu dominer. Tu vois où cela nous a conduits. »

Il perdait la tête, il ne se rappelait plus qu'il s'était montré aussi âpre que sa femme. Il n'éprouvait qu'un immense désir, celui de soulager sa colère en accusant les autres de sa défaite.

« Et, d'ailleurs, continua-t-il, est-ce que nous pouvions réussir avec des enfants comme les nôtres ! Eugène nous lâche à l'instant décisif ; Aristide nous a traînés dans la boue, et il n'y a pas jusqu'à ce grand innocent de Pascal qui ne nous compromette, en faisant de la philanthropie à la suite des insurgés... Et dire que nous nous sommes mis sur la paille pour leur faire faire leurs humanités ! »

Il employait, dans son exaspération, des mots dont il n'usait jamais. Félicité, voyant qu'il reprenait haleine, lui dit doucement :

« Tu oublies Macquart.

—Ah ! oui, je l'oublie ! reprit-il avec plus de violence, en voilà encore un dont la pensée me met hors de moi !... Mais ce n'est pas tout ; tu sais, le petit Silvère, je l'ai vu chez ma mère, l'autre soir, les mains pleines de sang ; il a crevé un œil à un gendarme. Je ne t'en ai pas parlé, pour ne point t'effrayer. Vois-tu un de mes neveux en cour d'assises ? Ah ! quelle famille !... Quant à Macquart, il nous a gênés, au point que j'ai eu l'envie de lui casser la tête, l'autre jour, quand j'avais un fusil. Oui, j'ai eu cette envie... »

Félicité laissait passer le flot. Elle avait reçu les reproches de son mari avec une douceur angélique, baissant la tête, comme une coupable, ce qui lui permettait de rayonner en dessous. Par son attitude, elle poussait Pierre, elle l'affolait. Quand la voix manqua au pauvre homme, elle eut de gros soupirs, feignant le repentir ; puis elle répéta d'une voix désolée :

« Qu'allons-nous faire, mon Dieu ! qu'allons-nous faire !... Nous sommes criblés de dettes.

— C'est ta faute ! » cria Pierre en mettant dans ce cri ses dernières forces.

Les Rougon, en effet, devaient de tous les côtés. L'espérance d'un succès prochain leur avait fait perdre toute prudence. Depuis le commencement de 1851, ils s'étaient laissés aller jusqu'à offrir, chaque soir, aux habitués du salon jaune, des verres de sirop et de punch, des petits gâteaux, des collations complètes, pendant lesquelles on buvait à la mort de la République. Pierre avait, de plus, mis un quart de son capital à la disposition de la réaction, pour contribuer à l'achat des fusils et des cartouches.

« La note du pâtissier est au moins de mille francs, reprit Félicité de son ton doucereux, et nous en devons peut-être le double au liquoriste. Puis il y a le boucher, le boulanger, le fruitier... »

Pierre agonisait. Félicité lui porta le dernier coup en ajoutant :

« Je ne parle pas des dix mille francs que tu as donnés pour les armes.

— Moi, moi ! balbutia-t-il, mais on m'a trompé, on m'a volé ! C'est cet imbécile de Sicardot qui m'a mis dedans, en me jurant que les Napoléon seraient vainqueurs. J'ai cru faire une avance. Mais il faudra bien que cette vieille ganache me rende mon argent.

— Eh ! on ne te rendra rien du tout, dit sa femme en haussant les épaules. Nous subirons le sort de la guerre. Quand nous aurons tout payé, il ne nous restera pas de quoi manger du pain. Ah ! c'est une jolie campagne !... Va, nous pouvons aller habiter quelque taudis du vieux quartier. »

Cette dernière phrase sonna lugubrement. C'était le glas de leur existence. Pierre vit le taudis du vieux quartier, dont sa femme évoquait le spectacle. C'était donc là qu'il irait mourir, sur un grabat, après avoir toute sa vie tendu vers les jouissances grasses et faciles. Il aurait vainement volé sa mère, mis la main dans les plus sales intrigues, menti pendant des années. L'Empire ne payerait pas ses dettes, cet Empire qui seul pouvait le sauver de la ruine. Il sauta du lit, en chemise, criant :

« Non, je prendrai un fusil, j'aime mieux que les insurgés me tuent.

— Ça, répondit Félicité avec une grande tranquillité, tu pourras le faire demain ou après-demain, car les républicains ne sont pas loin. C'est un moyen comme un autre d'en finir. »

Pierre fut glacé. Il lui sembla que, tout d'un coup, on lui versait un grand seau d'eau froide sur les épaules. Il se recoucha lentement, et quand il fut dans la tiédeur des draps, il se mit à pleurer. Ce gros homme fondait aisément en larmes, en larmes douces, intarissables, qui coulaient de ses yeux sans efforts. Il s'opérait en lui une réaction fatale. Toute sa colère le jetait à des abandons, à des lamentations d'enfant. Félicité, qui attendait cette crise, eut un éclair de joie, à le voir si mou, si vide, si aplati devant elle. Elle garda son attitude muette, son humilité désolée. Au bout d'un long silence, cette résignation, le spectacle de cette femme plongée dans un accablement silencieux, exaspéra les larmes de Pierre.

« Mais parle donc ! implora-t-il, cherchons ensemble. N'y a-t-il vraiment aucune planche de salut ?

— Aucune, tu le sais bien, répondit-elle ; tu exposais toi-même la situation tout à l'heure ; nous n'avons de secours à attendre de personne ; nos enfants eux-mêmes nous ont trahis.

— Fuyons, alors… Veux-tu que nous quittions Plassans cette nuit, tout de suite ?

— Fuir ! mais, mon pauvre ami, nous serions demain la fable de la ville… Tu ne te rappelles donc pas que tu as fait fermer les portes ? »

Pierre se débattait ; il donnait à son esprit une tension extraordinaire ; puis, comme vaincu, d'un ton suppliant, il murmura :

« Je t'en prie, trouve une idée, toi ; tu n'as encore rien dit. »

Félicité releva la tête, en jouant la surprise ; et, avec un geste de profonde impuissance :

« Je suis une sotte en ces matières, dit-elle ; je n'entends rien à la politique, tu me l'as répété cent fois. »

Et comme son mari se taisait, embarrassé, baissant les yeux, elle continua lentement, sans reproches :

« Tu ne m'as pas mise au courant de tes affaires, n'est-ce pas ? J'ignore tout, je ne puis pas même te donner un conseil… D'ailleurs, tu as bien fait, les femmes sont bavardes quelquefois, et il vaut cent fois mieux que les hommes conduisent la barque tout seuls. »

Elle disait cela avec une ironie si fine, que son mari ne sentit pas la cruauté de ses railleries. Il éprouva simplement un grand remords. Et, tout d'un coup, il se confessa. Il parla des lettres d'Eugène, il expliqua ses plans, sa conduite, avec la loquacité d'un homme qui fait son examen de conscience et qui implore un sauveur. À chaque instant, il s'interrompait pour demander : « Qu'aurais-tu fait, toi, à ma place ? » ou bien il s'écriait : « N'est-ce pas ? j'avais raison, je ne pouvais agir autrement. » Félicité ne daignait pas même faire un signe. Elle écoutait, avec la roideur rechignée d'un juge. Au fond, elle goûtait des jouissances exquises ; elle le tenait donc enfin, ce gros sournois ; elle en jouait comme une chatte joue d'une boule de papier ; et il tendait les mains pour qu'elle lui mît des menottes.

« Mais attends, dit-il en sautant vivement du lit, je vais te faire lire la correspondance d'Eugène. Tu jugeras mieux la situation. »

Elle essaya vainement de l'arrêter par un pan de sa chemise ; il étala les lettres sur la table de nuit, se recoucha, en lut des pages entières, la força à en parcourir elle-même. Elle retenait un sourire, elle commençait à avoir pitié du pauvre homme.

« Eh bien ! dit-il, anxieux, quand il eut fini, maintenant que tu sais tout, ne vois-tu pas une façon de nous sauver de la ruine ? »

Elle ne répondit encore pas. Elle paraissait réfléchir profondément.

« Tu es une femme intelligente, reprit-il pour la flatter ; j'ai eu tort de me cacher de toi, ça, je le reconnais...

— Ne parlons plus de ça, répondit-elle... Selon moi, si tu avais beaucoup de courage... »

Et, comme il la regardait d'un air avide, elle s'interrompit, elle dit, avec un sourire :

« Mais tu me promets bien de ne plus te méfier de moi ? tu me diras tout ? tu n'agiras pas sans me consulter ? »

Il jura, il accepta les conditions les plus dures. Alors Félicité se coucha à son tour ; elle avait pris froid, elle vint se mettre près de lui ; et, à voix basse, comme si l'on avait pu les entendre, elle lui expliqua longuement son plan de campagne. Selon elle, il fallait que la panique soufflât plus violente dans la ville, et que Pierre gardât une attitude de héros au milieu des habitants consternés. Un secret pressentiment, disait-elle, l'avertissait que les insurgés étaient encore loin. D'ailleurs, tôt ou tard, le parti de l'ordre l'emporterait, et les Rougon seraient récompensés. Après le rôle de sauveurs, le rôle de martyrs n'était pas à dédaigner. Elle fit si bien, elle parla avec tant de conviction, que son mari, surpris d'abord de la simplicité de son plan, qui consistait à payer d'audace, finit par y voir une tactique merveilleuse et par promettre de s'y conformer, en montrant tout le courage possible.

« Et n'oublie pas que c'est moi qui te sauve, murmura la vieille, d'une voix câline. Tu seras gentil ? »

Ils s'embrassèrent, ils se dirent bonsoir. Ce fut un renouveau, pour ces deux vieilles gens brûlés par la convoitise. Mais ni l'un ni l'autre ne s'endormirent ; au bout d'un quart d'heure, Pierre, qui regardait au plafond une tache ronde de la veilleuse, se tourna, et, à voix très basse, communiqua à sa femme une idée qui venait de pousser dans son cerveau.

« Oh ! non, non, murmura Félicité avec un frisson. Ce serait trop cruel.

— Dame ! reprit-il, tu veux que les habitants soient consternés !... On me prendrait au sérieux, si ce que je t'ai dit arrivait... »

Puis, son projet se complétant, il s'écria :

« On pourrait employer Macquart... Ce serait une façon de s'en débarrasser. »

Félicité parut frappée par cette idée. Elle réfléchit, elle hésita, et, d'une voix troublée, elle balbutia :

« Tu as peut-être raison. C'est à voir... Après tout, nous serions bien bêtes d'avoir des scrupules ; il s'agit pour nous d'une question de vie ou de mort... Laisse-moi faire, j'irai demain trouver Macquart, et je verrai si l'on peut s'entendre avec lui. Toi, tu te disputerais, tu gâterais tout... Bonsoir, dors bien, mon pauvre chéri... Va, nos peines finiront. »

Ils s'embrassèrent encore, ils s'endormirent. Et, au plafond, la tache de lumière s'arrondissait comme un œil terrifié, ouvert et fixé longuement sur le sommeil de ces bourgeois blêmes, suant le crime dans les draps, et qui voyaient en rêve tomber dans leur chambre une pluie de sang, dont les gouttes larges se changeaient en pièces d'or sur le carreau.

Le lendemain, avant le jour, Félicité alla à la mairie, munie des instructions de Pierre, pour pénétrer près de Macquart. Elle emportait, dans une serviette, l'uniforme de garde national de son mari. D'ailleurs, elle n'aperçut que quelques hommes dormant à poings fermés dans le poste. Le concierge, qui était chargé de nourrir le prisonnier, monta lui ouvrir le cabinet de toilette, transformé en cellule. Puis il redescendit tranquillement.

Macquart était enfermé dans le cabinet depuis deux jours et deux nuits. Il avait eu le temps d'y faire de longues réflexions. Lorsqu'il eut dormi, les premières heures furent données à la colère, à la rage impuissante. Il éprouvait des envies de briser la porte, à la pensée que son frère se carrait dans la pièce voisine. Et il se promettait de l'étrangler de ses propres mains lorsque les insurgés viendraient le délivrer. Mais le soir, au crépuscule, il se calma, il cessa de tourner furieusement dans l'étroit cabinet. Il y respirait une odeur douce, un sentiment de bien-être qui détendait ses nerfs. M. Garçonnet, fort riche, délicat et coquet, avait fait arranger ce réduit d'une très élégante façon ; le divan était moelleux et tiède ; des parfums, des pommades, des savons garnissaient le lavabo de marbre, et le jour pâlissant tombait du plafond avec des voluptés molles, pareil aux lueurs d'une lampe pendue dans une alcôve. Macquart, au milieu de cet air musqué, fade et assoupi, qui traîne dans les cabinets de toilette, s'endormit en pensant que ces diables de riches « étaient bien heureux tout de même ». Il s'était couvert d'une couverture qu'on lui avait donnée. Il se vautra jusqu'au matin, la tête, le dos, les bras appuyés sur les oreillers. Quand il ouvrit les yeux, un filet de soleil glissait par la baie. Il ne quitta pas le divan, il avait chaud, il songea en regardant autour de lui. Il se disait que jamais il n'aurait un pareil coin pour se débarbouiller. Le lavabo surtout l'intéressait ; ce n'était pas malin, pensait-il, de se tenir propre, avec tant de petits pots et tant de fioles. Cela le fit penser amèrement à sa vie manquée. L'idée lui vint qu'il avait peut-être fait fausse route ; on ne gagne rien à fréquenter les gueux ; il aurait dû ne pas faire le méchant et s'entendre avec les Rougon. Puis il rejeta cette pensée. Les Rougon étaient des scélérats qui l'avaient volé. Mais les tiédeurs, les souplesses du divan continuaient à l'adoucir, à lui donner un regret vague. Après tout, les insurgés l'abandonnaient, ils se faisaient battre comme des imbéciles. Il finit par conclure que la République était une duperie. Ces Rougon avaient de la chance. Et il se rappela ses méchancetés inutiles, sa guerre sourde ; personne, dans la famille, ne l'avait soutenu : ni Aristide, ni le frère de Silvère, ni Silvère lui-même, qui était un sot de s'enthousiasmer pour les républicains, et qui n'arriverait jamais à rien. Maintenant, sa femme était morte, ses enfants l'avaient quitté ; il crèverait seul, dans un coin, sans un sou, comme un chien. Décidément, il aurait dû se vendre à la réaction. En pensant cela, il lorgnait le lavabo, pris d'une grande envie d'aller se laver les mains avec une certaine poudre de savon contenue dans une boîte de cristal. Macquart, comme tous les fainéants qu'une femme ou leurs enfants nourrissent, avait des goûts de coiffeur. Bien qu'il portât des pantalons rapiécés, il aimait à s'inonder d'huile aromatique. Il passait des heures chez son barbier, où l'on parlait politique, et qui lui donnait un coup de peigne, entre deux discussions. La tentation devint trop forte ; Macquart s'installa devant le lavabo. Il se lava les mains, la figure ; il se coiffa, se parfuma, fit une toilette complète. Il usa de tous les flacons, de tous les savons, de toutes les poudres. Mais sa plus grande jouissance fut de s'essuyer avec les serviettes du maire ; elles étaient souples, épaisses. Il y plongea sa figure humide, y respira béatement toutes les senteurs de la richesse. Puis, quand il fut pommadé, quand il sentit bon de la tête aux pieds, il revint s'étendre sur le divan, rajeuni, porté aux idées conciliantes. Il éprouvait un mépris encore plus grand pour la République, depuis qu'il avait mis le nez

dans les fioles de M. Garçonnet. L'idée lui poussa
qu'il était peut-être encore temps de faire la paix
avec son frère. Il pesa ce qu'il pourrait demander
pour une trahison. Sa rancune contre les Rougon le
mordait toujours au cœur ; mais il en était à un de
ces moments où, couché sur le dos, dans le silence,
on se dit des vérités dures, on se gronde de ne s'être
pas creusé, même au prix de ses haines les plus
chères, un trou heureux, pour vautrer ses lâchetés
d'âme et de corps. Vers le soir, Antoine se décida à
faire appeler son frère le lendemain. Mais lorsque,
le lendemain matin, il vit entrer Félicité, il comprit
qu'on avait besoin de lui. Il se tint sur ses gardes.

La négociation fut longue, pleine de traîtrises,
menée avec un art infini. Ils échangèrent d'abord des
plaintes vagues. Félicité, surprise de trouver Antoine
presque poli, après la scène grossière qu'il avait
faite chez elle le dimanche soir, le prit avec lui sur un
ton de doux reproche. Elle déplora les haines qui
désunissent les familles. Mais, vraiment, il avait
calomnié et poursuivi son frère avec un acharnement qui avait mis ce pauvre Rougon hors de lui.

« Parbleu ! mon frère ne s'est jamais conduit en
frère avec moi, dit Macquart avec une violence contenue. Est-ce qu'il est venu à mon secours ? Il m'aurait
laissé crever dans mon taudis... Quand il a été gentil avec moi, vous vous rappelez, à l'époque des deux
cents francs, je crois qu'on ne peut pas me reprocher
d'avoir dit du mal de lui. Je répétais partout que
c'était un bon cœur. »

Ce qui signifiait clairement :

« Si vous aviez continué à me fournir de l'argent,
j'aurais été charmant pour vous, et je vous aurais

aidé, au lieu de vous combattre. C'est votre faute. Il fallait m'acheter. »

Félicité le comprit si bien, qu'elle répondit :

« Je sais, vous nous avez accusés de dureté, parce qu'on s'imagine que nous sommes à notre aise ; mais on se trompe, mon cher frère : nous sommes de pauvres gens ; nous n'avons jamais pu agir envers vous, comme notre cœur l'aurait désiré. »

Elle hésita un instant, puis continua :

« À la rigueur, dans une circonstance grave, nous pourrions faire un sacrifice ; mais, vrai, nous sommes si pauvres, si pauvres ! »

Macquart dressa l'oreille. « Je les tiens ! » pensa-t-il. Alors, sans paraître avoir entendu l'offre indirecte de sa belle-sœur, il étala sa misère d'une voix dolente, il raconta la mort de sa femme, la fuite de ses enfants. Félicité, de son côté, parla de la crise que le pays traversait ; elle prétendit que la République avait achevé de les ruiner. De parole en parole, elle en vint à maudire une époque qui forçait le frère à emprisonner le frère. Combien le cœur leur saignerait, si la justice ne voulait pas rendre sa proie ! Et elle lâcha le mot de galères.

« Ça, je vous en défie », dit tranquillement Macquart.

Mais elle se récria :

« Je rachèterais plutôt de mon sang l'honneur de la famille. Ce que je vous en dis, c'est pour vous montrer que nous ne vous abandonnerons pas... Je viens vous donner les moyens de fuir, mon cher Antoine. »

Ils se regardèrent un instant dans les yeux, se tâtant du regard avant d'engager la lutte.

« Sans condition ? demanda-t-il enfin.

— Sans condition aucune », répondit-elle.

Elle s'assit à côté de lui sur le divan, puis continua d'une voix décidée :

« Et même, avant de passer la frontière, si vous voulez gagner un billet de mille francs, je puis vous en fournir les moyens. »

Il y eut un nouveau silence.

« Si l'affaire est propre, murmura Antoine, qui avait l'air de réfléchir. Vous savez, je ne veux pas me fourrer dans vos manigances.

— Mais il n'y a pas de manigances, reprit Félicité, souriant des scrupules du vieux coquin. Rien de plus simple : vous allez sortir tout à l'heure de ce cabinet, vous irez vous cacher chez votre mère, et ce soir, vous réunirez vos amis, vous viendrez reprendre la mairie. »

Macquart ne put cacher une surprise profonde. Il ne comprenait pas.

« Je croyais, dit-il, que vous étiez victorieux.

— Oh ! je n'ai pas le temps de vous mettre au courant, répondit la vieille avec quelque impatience. Acceptez-vous ou n'acceptez-vous pas ?

— Eh bien ! non, je n'accepte pas... Je veux réfléchir. Pour mille francs, je serais bien bête de risquer peut-être une fortune. »

Félicité se leva.

« À votre aise, mon cher, dit-elle froidement. Vraiment, vous n'avez pas conscience de votre position. Vous êtes venu chez moi me traiter de vieille gueuse, et lorsque j'ai la bonté de vous tendre la main dans le trou où vous avez eu la sottise de tomber, vous faites des façons, vous ne voulez pas être sauvé. Eh bien ! restez ici, attendez que les autorités reviennent. Moi, je m'en lave les mains. »

Elle était à la porte.

« Mais, implora-t-il, donnez-moi quelques explications. Je ne puis pourtant pas conclure un marché avec vous sans savoir. Depuis deux jours, j'ignore ce qui se passe. Est-ce que je sais, moi, si vous ne me volez pas ?

— Tenez, vous êtes un niais, répondit Félicité, que ce cri du cœur poussé par Antoine fit revenir sur ses pas. Vous avez grand tort de ne pas vous mettre aveuglément de notre côté. Mille francs, c'est une jolie somme, et on ne la risque que pour une cause gagnée. Acceptez, je vous le conseille. »

Il hésitait toujours.

« Mais quand nous voudrons prendre la mairie, est-ce qu'on nous laissera entrer tranquillement ?

— Ça, je ne sais pas, dit-elle avec un sourire. Il y aura peut-être des coups de fusil. »

Il la regarda fixement.

« Eh ! dites donc, la petite mère, reprit-il d'une voix rauque, vous n'avez pas au moins l'intention de me faire loger une balle dans la tête ? »

Félicité rougit. Elle pensait justement, en effet, qu'une balle, pendant l'attaque de la mairie, leur rendrait un grand service en les débarrassant d'Antoine. Ce serait mille francs de gagnés. Aussi se fâcha-t-elle en murmurant :

« Quelle idée !... Vraiment, c'est atroce d'avoir des idées pareilles. »

Puis, subitement calmée :

« Acceptez-vous ?... Vous avez compris, n'est-ce pas ? »

Macquart avait parfaitement compris. C'était un guet-apens qu'on lui proposait. Il n'en voyait ni les raisons ni les conséquences ; ce qui le décida à marchander. Après avoir parlé de la République comme d'une maîtresse à lui qu'il était désespéré de ne plus aimer, il mit en avant les risques qu'il aurait à courir, et finit par demander deux mille francs. Mais Félicité tint bon. Et ils discutèrent jusqu'à ce qu'elle lui eût promis de lui procurer, à sa rentrée en France, une place où il n'aurait rien à faire, et qui lui rapporterait gros. Alors le marché fut conclu. Elle lui fit endosser l'uniforme de garde national qu'elle avait apporté. Il devait se retirer paisiblement chez tante Dide, puis amener vers minuit, sur la place de l'Hôtel-de-Ville, tous les républicains qu'il rencontrerait, en leur affirmant que la mairie était vide, qu'il suffirait d'en pousser la porte pour s'en emparer. Antoine demanda des arrhes, et reçut deux cents francs. Elle s'engagea à lui compter les huit cents autres francs le lendemain. Les Rougon risquaient là les derniers sous dont ils pouvaient disposer.

Quand Félicité fut descendue, elle resta un instant sur la place pour voir sortir Macquart. Il passa tranquillement devant le poste, en se mouchant. D'un coup de poing, dans le cabinet, il avait cassé la vitre du plafond, pour faire croire qu'il s'était sauvé par là.

« C'est entendu, dit Félicité à son mari, en rentrant chez elle. Ce sera pour minuit... Moi, ça ne me fait plus rien. Je voudrais les voir tous fusillés. Nous déchiraient-ils, hier, dans la rue !

— Tu étais bien bonne d'hésiter, répondit Pierre, qui se rasait. Tout le monde ferait comme nous à notre place. »

Ce matin-là — on était au mercredi — il soigna particulièrement sa toilette. Ce fut sa femme qui le peigna et noua sa cravate. Elle le tourna entre ses mains comme un enfant qui va à la distribution des prix. Puis, quand il fut prêt, elle le regarda, elle déclara qu'il était très convenable, et qu'il aurait très bonne figure au milieu des graves événements qui se préparaient. Sa grosse face pâle avait en effet une grande dignité et un air d'entêtement héroïque. Elle l'accompagna jusqu'au premier étage, en lui faisant ses dernières recommandations : il ne devait rien perdre de son attitude courageuse, quelle que fût la panique ; il fallait fermer les portes plus hermétiquement que jamais, laisser la ville agoniser de terreur dans ses remparts ; et cela serait excellent, s'il était le seul à vouloir mourir pour la cause de l'ordre.

Quelle journée ! Les Rougon en parlent encore, comme d'une bataille glorieuse et décisive. Pierre alla droit à la mairie, sans s'inquiéter des regards ni des paroles qu'il surprit au passage. Il s'y installa magistralement, en homme qui entend ne plus quitter la place. Il envoya simplement un mot à Roudier, pour l'avertir qu'il reprenait le pouvoir. « Veillez aux portes, disait-il, sachant que ces lignes pouvaient devenir publiques ; moi, je veillerai à l'intérieur, je ferai respecter les propriétés et les personnes. C'est au moment où les mauvaises passions renaissent et l'emportent, que les bons citoyens doivent chercher à les étouffer, au péril de leur vie. » Le style, les fautes d'orthographe rendaient plus héroïque ce billet, d'un laconisme antique. Pas un de ces messieurs de la commission provisoire ne parut. Les deux derniers fidèles, Granoux lui-même, se tinrent prudemment chez eux. De cette commission, dont les membres s'étaient évanouis, à mesure que la panique soufflait plus forte, il n'y avait que Rougon qui restât à son poste, sur son fauteuil de président. Il ne daigna pas même envoyer un ordre de convocation. Lui seul, et c'était assez. Sublime spectacle qu'un journal de la localité devait plus tard caractériser d'un mot : « le courage donnant la main au devoir ».

Pendant toute la matinée, on vit Pierre emplir la mairie de ses allées et venues. Il était absolument seul, dans ce grand bâtiment vide, dont les hautes salles retentissaient longuement du bruit de ses talons. D'ailleurs, toutes les portes étaient ouvertes. Il promenait au milieu de ce désert sa présidence sans conseil, d'un air si pénétré de sa mission, que le concierge, en le rencontrant deux ou trois fois dans les couloirs, le salua d'un air surpris et respectueux. On l'aperçut derrière chaque croisée, et, malgré le froid vif, il parut à plusieurs reprises sur le balcon, avec des liasses de papiers dans les mains, comme un homme affairé qui attend des messages importants.

Puis, vers midi, il courut la ville ; il visita les postes, parlant d'une attaque possible, donnant à entendre que les insurgés n'étaient pas loin ; mais il comptait, disait-il, sur le courage des braves gardes nationaux ; s'il le fallait, ils devaient se faire tuer jusqu'au dernier pour la défense de la bonne cause. Quand il revint de cette tournée, lentement, gravement, avec l'allure d'un héros qui a mis ordre aux affaires de sa patrie, et qui n'attend plus que la mort, il put constater une véritable stupeur sur son chemin ; les promeneurs du Cours, les petits rentiers incorrigibles qu'aucune catastrophe n'aurait pu empêcher de venir bayer au soleil, à certaines heures, le regardèrent passer d'un air ahuri, comme s'ils ne le reconnaissaient pas et qu'ils ne pussent croire qu'un des leurs, qu'un ancien marchand d'huile eût le front de tenir tête à toute une armée.

Dans la ville, l'anxiété était à son comble. D'un instant à l'autre, on attendait la bande insurrection-

nelle. Le bruit de l'évasion de Macquart fut commenté
d'une effrayante façon. On prétendit qu'il avait été
délivré par ses amis les rouges, et qu'il attendait la
nuit, dans quelque coin, pour se jeter sur les habitants et mettre le feu aux quatre coins de la ville.
Plassans, cloîtré, affolé, se dévorant lui-même dans
sa prison de murailles, ne savait plus qu'inventer
pour avoir peur. Les républicains, devant la fière attitude de Rougon, eurent une courte méfiance. Quant à
la ville neuve, aux avocats et aux commerçants retirés,
qui la veille déblatéraient contre le salon jaune, ils
furent si surpris, qu'ils n'osèrent plus attaquer ouvertement un homme d'un tel courage. Ils se contentè-
rent de dire qu'il y avait folie à braver ainsi des
insurgés victorieux et que cet héroïsme inutile allait
attirer sur Plassans les plus grands malheurs. Puis,
vers trois heures, ils organisèrent une députation.
Pierre, qui brûlait du désir d'afficher son dévouement devant ses concitoyens, n'osait cependant pas
compter sur une aussi belle occasion

Il eut des mots sublimes. Ce fut dans le cabinet du
maire que le président de la commission provisoire
reçut la députation de la ville neuve. Ces messieurs,
après avoir rendu hommage à son patriotisme, le
supplièrent de ne pas songer à la résistance. Mais
lui, d'une voix haute, parla du devoir, de la patrie,
de l'ordre, de la liberté, et d'autres choses encore.
D'ailleurs, il ne forçait personne à l'imiter ; il accomplissait simplement ce que sa conscience, son cœur
lui dictaient.

« Vous le voyez, messieurs, je suis seul, dit-il en
terminant. Je veux prendre toute la responsabilité
pour que nul autre que moi ne soit compromis. Et, s'il
faut une victime, je m'offre de bon cœur ; je désire

que le sacrifice de ma vie sauve celle des habitants. »

Un notaire, la forte tête de la bande, lui fit remarquer qu'il courait à une mort certaine.

« Je le sais, reprit-il gravement. Je suis prêt ! »

Ces messieurs se regardèrent. Ce « Je suis prêt ! »
les cloua d'admiration. Décidément, cet homme était
un brave. Le notaire le conjura d'appeler à lui les
gendarmes ; mais il répondit que le sang de ces soldats était précieux et qu'il ne le ferait couler qu'à la
dernière extrémité. La députation se retira lentement, très émue. Une heure après, Plassans traitait
Rougon de héros ; les plus poltrons l'appelaient « un
vieux fou ».

Vers le soir, Rougon fut très étonné de voir accourir
Granoux. L'ancien marchand d'amandes se jeta dans
ses bras, en l'appelant « grand homme », et en lui
disant qu'il voulait mourir avec lui. Le « Je suis
prêt ! » que sa bonne venait de lui rapporter de chez
la fruitière, l'avait réellement enthousiasmé. Au fond
de ce peureux, de ce grotesque, il y avait des naïvetés charmantes. Pierre le garda, pensant qu'il ne tirait
pas à conséquence. Il fut même touché du dévouement du pauvre homme ; il se promit de le faire complimenter publiquement par le préfet, ce qui ferait
crever de dépit les autres bourgeois, qui l'avaient si
lâchement abandonné. Et tous deux ils attendirent
la nuit dans la mairie déserte.

À la même heure, Aristide se promenait chez lui
d'un air profondément inquiet. L'article de Vuillet
l'avait surpris. L'attitude de son père le stupéfiait. Il
venait de l'apercevoir à une fenêtre, en cravate blanche, en redingote noire, si calme à l'approche du
danger, que toutes ses idées étaient bouleversées

dans sa pauvre tête. Pourtant les insurgés revenaient
victorieux, c'était la croyance de la ville entière.
Mais des doutes lui venaient, il flairait quelque farce
lugubre. N'osant plus se présenter chez ses parents,
il y avait envoyé sa femme. Quand Angèle revint,
elle lui dit de sa voix traînante :

« Ta mère t'attend : elle n'est pas en colère du
tout, mais elle a l'air de se moquer joliment de toi.
Elle m'a répété à plusieurs reprises que tu pouvais
remettre ton écharpe dans ta poche. »

Aristide fut horriblement vexé. D'ailleurs, il courut à la rue de la Banne, prêt aux plus humbles sou-
missions. Sa mère se contenta de l'accueillir avec
des rires de dédain.

« Ah ! mon pauvre garçon, lui dit-elle en l'apercevant, tu n'es décidément pas fort.

— Est-ce qu'on sait, dans un trou comme Plassans ! s'écria-t-il avec dépit. J'y deviens bête, ma
parole d'honneur. Pas une nouvelle, et l'on grelotte.
C'est d'être enfermé dans ces gredins de remparts...
Ah ! si j'avais pu suivre Eugène à Paris ! »

Puis, amèrement, voyant que Félicité continuait à
rire :

« Vous n'avez pas été gentille avec moi, ma mère.
Je sais bien des choses, allez... Mon frère vous tenait
au courant de ce qui se passait, et jamais vous ne
m'avez donné la moindre indication utile.

— Tu sais cela ? toi, dit Félicité devenue sérieuse
et méfiante. Eh bien, tu es alors moins bête que je
ne croyais. Est-ce que tu décachetterais les lettres,
comme quelqu'un de ma connaissance ?

— Non, mais j'écoute aux portes », répondit Aristide avec un grand aplomb.

Cette franchise ne déplut pas à la vieille femme. Elle se remit à sourire, et, plus douce :

« Alors, bêta, demanda-t-elle, comment se fait-il que tu ne te sois pas rallié plus tôt ?

— Ah ! voilà, dit le jeune homme, embarrassé. Je n'avais pas grande confiance en vous. Vous receviez de telles brutes : mon beau-père, Granoux et les autres !... Et puis je ne voulais pas trop m'avancer... »

Il hésitait. Il reprit d'une voix inquiète :

« Aujourd'hui, vous êtes bien sûre au moins du succès du coup d'État ?

— Moi ? s'écria Félicité, que les doutes de son fils blessaient, mais je ne suis sûre de rien.

— Vous m'avez pourtant fait dire d'ôter mon écharpe ?

— Oui, parce que tous ces messieurs se moquent de toi. »

Aristide resta planté sur ses pieds, le regard perdu, semblant contempler un des ramages du papier orange. Sa mère fut prise d'une brusque impatience à le voir ainsi hésitant.

« Tiens, dit-elle, j'en reviens à ma première opinion : tu n'es pas fort. Et tu aurais voulu qu'on te fît lire les lettres d'Eugène ! Mais, malheureux, avec tes continuelles incertitudes, tu aurais tout gâté. Tu es là à hésiter...

— Moi, j'hésite ? interrompit-il en jetant sur sa mère un regard clair et froid. Ah ! bien, vous ne me connaissez pas. Je mettrais le feu à la ville si j'avais envie de me chauffer les pieds. Mais comprenez donc que je ne veux pas faire fausse route ! Je suis las de manger mon pain dur, et j'entends tricher la fortune. Je ne jouerai qu'à coup sûr. »

Il avait prononcé ces paroles avec une telle âpreté, que sa mère, dans cet appétit brûlant du succès, reconnut le cri de son sang. Elle murmura :

« Ton père a bien du courage.

— Oui, je l'ai vu, reprit-il en ricanant. Il a une bonne tête. Il m'a rappelé Léonidas aux Thermopyles... Est-ce que c'est toi, mère, qui lui as fait cette figure-là ? »

Et, gaiement, avec un geste résolu :

« Tant pis ! s'écria-t-il, je suis bonapartiste !... Papa n'est pas un homme à se faire tuer sans que ça lui rapporte gros.

— Et tu as raison, dit sa mère ; je ne puis parler, mais tu verras demain. »

Il n'insista pas, il lui jura qu'elle serait bientôt glorieuse de lui, et il s'en alla, tandis que Félicité, sentant se réveiller ses anciennes préférences, se disait à la fenêtre, en le regardant s'éloigner, qu'il avait un esprit de tous les diables, et que jamais elle n'aurait eu le courage de le laisser partir sans le mettre enfin dans la bonne voie.

Pour la troisième fois, la nuit, la nuit pleine d'angoisse, tombait sur Plassans. La ville agonisante en était aux derniers râles. Les bourgeois rentraient rapidement chez eux, les portes se barricadaient avec un grand bruit de boulons et de barres de fer. Le sentiment général semblait être que Plassans n'existerait plus le lendemain, qu'il se serait abîmé sous terre ou évaporé dans le ciel. Quand Rougon rentra pour dîner, il trouva les rues absolument désertes. Cette solitude le rendit triste et mélancolique. Aussi, à la fin du repas, eut-il une faiblesse, et demanda-t-il à sa femme s'il était nécessaire de donner suite à l'insurrection que Macquart préparait.

« On ne clabaude plus, dit-il. Si tu avais vu ces
messieurs de la ville neuve, comme ils m'ont salué !
Ça ne me paraît guère utile maintenant de tuer du
monde. Hein ! qu'en penses-tu ? Nous ferons notre
pelote sans cela.

— Ah ! quel mollasse tu es ! s'écria Félicité avec
colère. C'est toi qui as eu l'idée, et voilà que tu recu-
les ! Je te dis que tu ne feras jamais rien sans moi !...
Va donc, va donc ton chemin. Est-ce que les républicains t'épargneraient s'ils te tenaient ? »

Rougon, de retour à la mairie, prépara le guet-
apens. Granoux lui fut d'une grande utilité. Il l'envoya
porter ses ordres aux différents postes qui gardaient
les remparts ; les gardes nationaux devaient se rendre
à l'Hôtel-de-Ville, par petits groupes, le plus secrètement possible. Roudier, ce bourgeois parisien égaré
en province, qui aurait pu gâter l'affaire en prêchant
l'humanité, ne fut pas même averti. Vers onze heures, la cour de la mairie était pleine de gardes nationaux. Rougon les épouvanta ; il leur dit que les
républicains restés à Plassans allaient tenter un
coup de main désespéré, et il se fit un mérite d'avoir
été prévenu à temps par sa police secrète. Puis, quand
il eut tracé un tableau sanglant du massacre de la
ville si ces misérables s'emparaient du pouvoir, il
donna l'ordre de ne plus prononcer une parole et
d'éteindre toutes les lumières. Lui-même prit un
fusil. Depuis le matin, il marchait comme dans un
rêve ; il ne se reconnaissait plus ; il sentait derrière
lui Félicité, aux mains de laquelle l'avait jeté la crise
de la nuit, et il se serait laissé pendre en disant : « Ça
ne fait rien, ma femme va venir me décrocher. » Pour
augmenter le tapage et secouer une plus longue épouvante sur la ville endormie, il pria Granoux de se

rendre à la cathédrale et de faire sonner le tocsin aux premiers coups de feu. Le nom du marquis devait lui ouvrir la porte du bedeau. Et, dans l'ombre, dans le silence noir de la cour, les gardes nationaux, que l'anxiété effarait, attendaient, les yeux fixés sur le porche, impatients de tirer, comme à l'affût d'une bande de loups.

Cependant Macquart avait passé la journée chez tante Dide. Il s'était allongé sur le vieux coffre, en regrettant le divan de M. Garçonnet. À plusieurs reprises, il eut une envie folle d'aller écorner ses deux cents francs dans quelque café voisin ; cet argent, qu'il avait mis dans une des poches de son gilet, lui brûlait le flanc ; il employa le temps à le dépenser en imagination. Sa mère, chez laquelle, depuis quelques jours, ses enfants accouraient, éperdus, la mine pâle, sans qu'elle sortît de son silence, sans que sa figure perdît son immobilité morte, tourna autour de lui, avec ses mouvements roides d'automate, ne paraissant même pas s'apercevoir de sa présence. Elle ignorait les peurs qui bouleversaient la ville close ; elle était à mille lieues de Plassans, montée dans cette continuelle idée fixe qui tenait ses yeux ouverts, vides de pensée. À cette heure, pourtant, une inquiétude, un souci humain faisait par instants battre ses paupières. Antoine, ne pouvant résister au désir de manger un bon morceau, l'envoya chercher un poulet rôti chez un traiteur du faubourg. Quand il fut attablé :

« Hein ? lui dit-il, tu n'en manges pas souvent, du poulet. C'est pour ceux qui travaillent et qui savent faire leurs affaires. Toi, tu as toujours tout gaspillé... Je parie que tu donnes tes économies à cette sainte nitouche de Silvère. Il a une maîtresse, le sournois.

Va, si tu as un magot caché dans quelque coin, il te le fera sauter joliment un jour. »

Il ricanait, il était tout brûlant d'une joie fauve. L'argent qu'il avait en poche, la trahison qu'il préparait, la certitude de s'être vendu un bon prix, l'emplissaient du contentement des gens mauvais qui redeviennent naturellement joyeux et railleurs dans le mal. Tante Dide n'entendit que le nom de Silvère.

« Tu l'as vu ? demanda-t-elle, ouvrant enfin les lèvres.

— Qui ? Silvère ? répondit Antoine. Il se promenait au milieu des insurgés avec une grande fille rouge au bras. S'il attrapait quelque prune, ça serait bien fait. »

L'aïeule le regarda fixement et, d'une voix grave :

« Pourquoi ? dit-elle simplement.

— Eh ! on n'est pas bête comme lui, reprit-il, embarrassé. Est-ce qu'on va risquer sa peau pour des idées ? Moi, j'ai arrangé mes petites affaires. Je ne suis pas un enfant. »

Mais tante Dide ne l'écoutait plus. Elle murmurait :

« Il avait déjà du sang plein les mains. On me le tuera comme l'autre ; ses oncles lui enverront les gendarmes.

— Qu'est-ce que vous marmottez donc là ? dit son fils, qui achevait la carcasse du poulet. Vous savez, j'aime qu'on m'accuse en face. Si j'ai quelquefois causé de la République avec le petit, c'était pour le ramener à des idées plus raisonnables. Il était toqué. Moi j'aime la liberté, mais il ne faut pas qu'elle dégénère en licence... Et quant à Rougon, il a mon estime. C'est un garçon de tête et de courage.

— Il avait le fusil, n'est-ce pas ? interrompit tante
Dide, dont l'esprit perdu semblait suivre au loin Silvère sur la route.

— Le fusil ? Ah ! oui, la carabine de Macquart,
reprit Antoine, après avoir jeté un coup d'œil sur le
manteau de la cheminée, où l'arme était pendue
d'ordinaire. Je crois la lui avoir vue entre les mains.
Un joli instrument, pour courir les champs avec
une fille au bras. Quel imbécile ! »

Et il crut devoir faire quelques plaisanteries grasses. Tante Dide s'était remise à tourner dans la pièce.
Elle ne prononça plus une parole. Vers le soir,
Antoine s'éloigna, après avoir mis une blouse et
enfoncé sur ses yeux une casquette profonde que sa
mère alla lui acheter. Il rentra dans la ville, comme
il en était sorti, en contant une histoire aux gardes
nationaux qui gardaient la porte de Rome. Puis il
gagna le vieux quartier où, mystérieusement, il se
glissa de porte en porte. Tous les républicains exal-
tés, tous les affiliés qui n'avaient pas suivi la bande,
se trouvèrent, vers neuf heures, réunis dans un café
borgne où Macquart leur avait donné rendez-vous.
Quand il y eut là une cinquantaine d'hommes, il leur
tint un discours où il parla d'une vengeance personnelle à satisfaire, de victoire à remporter, de joug
honteux à secouer, et finit en se faisant fort de leur
livrer la mairie en dix minutes. Il en sortait, elle était
vide ; le drapeau rouge y flotterait cette nuit même,
s'ils le voulaient. Les ouvriers se consultèrent : à cette
heure, la réaction agonisait, les insurgés étaient aux
portes, il serait honorable de ne pas les attendre
pour reprendre le pouvoir, ce qui permettrait de les
recevoir en frères, les portes grandes ouvertes, les
rues et les places pavoisées. D'ailleurs, personne ne

se défia de Macquart ; sa haine contre les Rougon, la vengeance personnelle dont il parlait, répondaient de sa loyauté. Il fut convenu que tous ceux qui étaient chasseurs et qui avaient chez eux un fusil iraient le chercher, et qu'à minuit, la bande se trouverait sur la place de l'Hôtel-de-Ville. Une question de détail faillit les arrêter, ils n'avaient pas de balles ; mais ils décidèrent qu'ils chargeraient leurs armes avec du plomb à perdrix, ce qui même était inutile, puisqu'ils ne devaient rencontrer aucune résistance.

Une fois encore, Plassans vit passer, dans le clair de lune muet de ses rues, des hommes armés qui filaient le long des maisons. Lorsque la bande se trouva réunie devant l'Hôtel-de-Ville, Macquart, tout en ayant l'œil au guet, s'avança hardiment. Il frappa, et quand le concierge, dont la leçon était faite, demanda ce qu'on voulait, il lui fit des menaces si épouvantables, que cet homme, feignant l'effroi, se hâta d'ouvrir. La porte tourna lentement, à deux battants. Le porche se creusa, vide et béant.

Alors Macquart cria d'une voix forte :

« Venez, mes amis ! »

C'était le signal. Lui se jeta vivement de côté. Et, tandis que les républicains se précipitaient, du noir de la cour sortirent un torrent de flammes, une grêle de balles, qui passèrent avec un roulement de tonnerre, sous le porche béant. La porte vomissait la mort. Les gardes nationaux, exaspérés par l'attente, pressés d'être délivrés du cauchemar qui pesait sur eux dans cette cour morne, avaient lâché leur feu tous à la fois, avec une hâte fébrile. L'éclair fut si vif, que Macquart aperçut distinctement, dans la lueur fauve de la poudre, Rougon qui cherchait à viser. Il crut voir le canon du fusil dirigé sur lui, il se rappela la rougeur de Félicité, et se sauva, en murmurant :

« Pas de bêtises ! Le coquin me tuerait. Il me doit huit cents francs. »

Cependant, un hurlement était monté dans la nuit. Les républicains surpris, criant à la trahison, avaient lâché leur feu à leur tour. Un garde national vint tomber sous le porche. Mais eux, ils laissaient trois morts. Ils prirent la fuite, se heurtant aux cadavres, affolés, répétant dans les ruelles silencieuses : « On assassine nos frères ! » d'une voix désespérée qui ne trouvait pas d'écho. Les défenseurs de l'ordre, ayant eu le temps de recharger leurs armes, se précipitèrent alors sur la place vide, comme des furieux, et envoyèrent des balles à tous les angles des rues, aux endroits où le noir d'une porte, l'ombre d'une lanterne, la saillie d'une borne, leur faisaient voir des insurgés. Ils restèrent là, dix minutes, à décharger leurs fusils dans le vide.

Le guet-apens avait éclaté comme un coup de foudre dans la ville endormie. Les habitants des rues voisines, réveillés par le bruit de cette fusillade infernale, s'étaient assis sur leur séant, les dents claquant de peur. Pour rien au monde, ils n'auraient mis le nez à la fenêtre. Et, lentement, dans l'air déchiré par les coups de feu, une cloche de la cathédrale sonna le tocsin, sur un rythme si irrégulier, si étrange, qu'on eût dit un martèlement d'enclume, un retentissement de chaudron colossal battu par le bras d'un enfant en colère. Cette cloche hurlante, que les bourgeois ne reconnurent pas, les terrifia plus encore que les détonations des fusils, et il y en eut qui crurent entendre les bruits d'une file interminable de canons roulant sur le pavé. Ils se recouchèrent, ils s'allongèrent sous leurs couvertures, comme s'ils eussent couru quelque danger à se tenir sur leur séant, au fond des alcôves, dans les chambres closes ; le drap au menton, la respiration coupée, ils se firent tout petits, tandis que les cornes de leurs foulards leur tombaient dans les yeux, et que leurs épouses, à leur côté, enfonçaient la tête dans l'oreiller en se pâmant.

Les gardes nationaux restés aux remparts avaient, eux aussi, entendu les coups de feu. Ils accoururent à la débandade, par groupes de cinq ou six, croyant que les insurgés étaient entrés au moyen de quelque souterrain, et troublant le silence des rues du tapage de leurs courses ahuries. Roudier arriva un des premiers. Mais Rougon les renvoya à leurs postes, en leur disant sévèrement qu'on n'abandonnait pas ainsi les portes d'une ville. Consternés de ce reproche — car, dans leur panique, ils avaient, en effet, laissé les portes sans un défenseur — ils reprirent leur galop, ils repassèrent dans les rues avec un fracas plus épouvantable encore. Pendant une heure, Plassans put croire qu'une armée affolée le traversait en tous sens. La fusillade, le tocsin, les marches et les contremarches des gardes nationaux, leurs armes qu'ils traînaient comme des gourdins, leurs appels effarés dans l'ombre, faisaient un vacarme assourdissant de ville prise d'assaut et livrée au pillage. Ce fut le coup de grâce pour les malheureux habitants, qui crurent tous à l'arrivée des insurgés ; ils avaient bien dit que ce serait leur nuit suprême, que Plassans, avant le jour, s'abîmerait sous terre ou s'évaporerait en fumée ; et, dans leur lit, ils attendaient la catastrophe, fous de terreur, s'imaginant par instants que leur maison remuait déjà.

Granoux sonnait toujours le tocsin. Quand le silence fut retombé sur la ville, le bruit de cette cloche devint lamentable. Rougon, que la fièvre brûlait, se sentit exaspéré par ces sanglots lointains. Il courut à la cathédrale, dont il trouva la petite porte ouverte. Le bedeau était sur le seuil.

« Eh ! il y en a assez ! cria-t-il à cet homme ; on dirait quelqu'un qui pleure, c'est énervant.

— Mais ce n'est pas moi, monsieur, répondit le bedeau, d'un air désolé. C'est M. Granoux, qui est monté dans le clocher... Il faut vous dire que j'avais retiré le battant de la cloche, par ordre de M. le curé, justement pour éviter qu'on sonnât le tocsin. M. Granoux n'a pas voulu entendre raison. Il a grimpé quand même. Je ne sais pas avec quoi diable il peut faire ce bruit. »

Rougon monta précipitamment l'escalier qui menait aux cloches, en criant :

« Assez ! assez ! Pour l'amour de Dieu, finissez donc ! »

Quand il fut en haut, il aperçut, dans un rayon de lune qui entrait par la dentelure d'une ogive, Granoux, sans chapeau, l'air furieux, tapant devant lui avec un gros marteau. Et qu'il y allait de bon cœur ! Il se renversait, prenait un élan, et tombait sur le bronze sonore, comme s'il eût voulu le fendre. Toute sa personne grasse se ramassait ; puis quand il s'était jeté sur la grosse cloche immobile, les vibrations le renvoyaient en arrière, et il revenait avec un nouvel emportement. On aurait dit un forgeron battant un fer chaud ; mais un forgeron en redingote, court et chauve, d'attitude maladroite et rageuse.

La surprise cloua un instant Rougon devant ce bourgeois endiablé, se battant avec une cloche, dans un rayon de lune. Alors il comprit les bruits de chaudron que cet étrange sonneur secouait sur la ville. Il lui cria de s'arrêter. L'autre n'entendit pas. Il dut le prendre par sa redingote, et Granoux, le reconnaissant :

« Hein ! dit-il, d'une voix triomphante, vous avez entendu ! J'ai essayé d'abord de taper sur la cloche avec les poings ; ça me faisait mal. Heureusement, j'ai trouvé ce marteau... Encore quelques coups, n'est-ce pas ? »

Mais Rougon l'emmena. Granoux était radieux. Il s'essuyait le front, il faisait promettre à son compagnon de bien dire le lendemain que c'était avec un simple marteau qu'il avait fait tout ce bruit-là. Quel exploit et quelle importance allait lui donner cette furieuse sonnerie !

Vers le matin, Rougon songea à rassurer Félicité. Par ses ordres, les gardes nationaux s'étaient enfermés dans la mairie ; il avait défendu qu'on relevât les morts, sous prétexte qu'il fallait un exemple au peuple du vieux quartier. Et, lorsque, pour courir à la rue de la Banne, il traversa la place, dont la lune s'était retirée, il posa le pied sur la main d'un des cadavres, crispée au bord d'un trottoir. Il faillit tomber. Cette main molle qui s'écrasait sous son talon lui causa une sensation indéfinissable de dégoût et d'horreur. Il suivit les rues désertes à grandes enjambées, croyant sentir derrière son dos un poing sanglant qui le poursuivait.

« Il y en a quatre par terre », dit-il en entrant.

Ils se regardèrent, comme étonnés eux-mêmes de leur crime. La lampe donnait à leur pâleur une teinte de cire jaune.

« Les as-tu laissés ? demanda Félicité ; il faut qu'on les trouve là.

— Parbleu ! je ne les ai pas ramassés. Ils sont sur le dos... J'ai marché sur quelque chose de mou... »

Il regarda son soulier. Le talon était plein de sang. Pendant qu'il mettait une autre paire de chaussures, Félicité reprit :

« Eh bien, tant mieux ! c'est fini... On ne dira plus que tu tires des coups de fusil dans les glaces. »

La fusillade, que les Rougon avaient imaginée pour se faire accepter définitivement comme les sauveurs de Plassans, jeta à leurs pieds la ville épouvantée et reconnaissante. Le jour grandit, morne, avec ces mélancolies grises des matinées d'hiver. Les habitants n'entendant plus rien, las de trembler dans leurs draps, se hasardèrent. Il en vint dix à quinze ; puis, le bruit courant que les insurgés avaient pris la fuite, en laissant des morts dans tous les ruisseaux, Plassans entier se leva, descendit sur la place de l'Hôtel-de-Ville. Pendant toute la matinée, les curieux défilèrent autour des quatre cadavres. Ils étaient horriblement mutilés, un surtout, qui avait trois balles dans la tête ; le crâne, soulevé, laissait voir la cervelle à nu. Mais le plus atroce des quatre était le garde national tombé sous le porche ; il avait reçu en pleine figure toute une charge de ce plomb à perdrix dont s'étaient servis les républicains, faute de balles ; sa face trouée, criblée, suait le sang. La foule s'emplit les yeux de cette horreur, longuement, avec cette avidité des poltrons pour les spectacles ignobles. On reconnut le garde national ; c'était le charcutier Dubruel, celui que Roudier accusait, le lundi matin, d'avoir tiré avec une vivacité coupable. Des trois autres morts, deux étaient des ouvriers chapeliers ; le troisième resta inconnu. Et, devant les mares rouges qui tachaient le pavé, des groupes béants frissonnaient, regardant derrière eux d'un air de méfiance, comme si cette justice sommaire qui avait, dans les ténèbres, rétabli l'ordre à coups de fusil, les guettait, épiait leurs gestes et leurs paroles, prête à les fusiller à leur tour, s'ils ne baisaient pas avec enthousiasme la main qui venait de les sauver de la démagogie.

La panique de la nuit grandit encore l'effet terrible causé, le matin, par la vue des quatre cadavres. Jamais l'histoire vraie de cette fusillade ne fut connue. Les coups de feu des combattants, les coups de marteau de Granoux, la débandade des gardes nationaux lâchés dans les rues, avaient empli les oreilles de bruits si terrifiants, que le plus grand nombre rêva toujours une bataille gigantesque, livrée à un nombre incalculable d'ennemis. Quand les vainqueurs, grossissant le chiffre de leurs adversaires par une vantardise instinctive, parlèrent d'environ cinq cents hommes, on se récria ; des bourgeois prétendirent s'être mis à la fenêtre et avoir vu passer, pendant plus d'une heure, le flot épais des fuyards. Tout le monde, d'ailleurs, avait entendu courir les bandits sous les croisées. Jamais cinq cents hommes n'auraient pu de la sorte éveiller une ville en sursaut. C'était une armée, une belle et bonne armée que la brave milice de Plassans avait fait rentrer sous terre. Ce mot que prononça Rougon : « Ils sont rentrés sous terre », parut d'une grande justesse, car les postes, chargés de défendre les remparts, jurèrent toujours leurs grands dieux que pas un homme n'était entré ni sorti ; ce qui ajouta au fait d'armes une pointe de mystère, une idée de diables cornus s'abîmant dans les flammes, qui acheva de détraquer les imaginations. Il est vrai que les postes évitèrent de raconter leurs galops furieux. Aussi, les gens les plus raisonnables s'arrêtèrent-ils à la pensée qu'une bande d'insurgés avait dû pénétrer par une brèche, par un trou quelconque. Plus tard, des bruits de trahison se répandirent, on parla d'un guet-apens ; sans doute, les hommes menés par Macquart à la tuerie, ne purent garder l'atroce vérité ; mais une telle terreur régnait encore, la vue du sang avait jeté à la réaction un tel nombre de poltrons, qu'on attribua ces bruits à la rage des républicains vaincus. On prétendit, d'autre part, que Macquart était prisonnier de Rougon, et que celui-ci le gardait dans un cachot humide, où il le laissait lentement mourir de faim. Cet horrible conte fit saluer Rougon jusqu'à terre.

Ce fut ainsi que ce grotesque, ce bourgeois ventru, mou et blême, devint, en une nuit, un terrible monsieur dont personne n'osa plus rire. Il avait mis un pied dans le sang[1]. Le peuple du vieux quartier resta muet d'effroi devant les morts. Mais, vers dix heures, quand les gens comme il faut de la ville neuve arrivèrent, la place s'emplit de conversations sourdes, d'exclamations étouffées. On parlait de l'autre attaque, de cette prise de la mairie, dans laquelle une glace seule avait été blessée ; et, cette fois, on ne plaisantait plus Rougon, on le nommait avec un respect effrayé : c'était vraiment un héros, un sauveur. Les cadavres, les yeux ouverts, regardaient ces messieurs, les avocats et les rentiers, qui frissonnaient en murmurant que la guerre civile a de bien tristes nécessités. Le notaire, le chef de la députation envoyée la veille à la mairie, allait de groupe en groupe, rappelant le « Je suis prêt ! » de l'homme énergique auquel on devait le salut de la ville. Ce fut un aplatissement général. Ceux qui avaient le plus cruellement raillé les quarante et un, ceux surtout qui avaient traité les Rougon d'intrigants et de lâches, tirant des coups de fusil en l'air, parlèrent les premiers de décerner une couronne de laurier « au grand citoyen dont Plassans serait éternellement glorieux ». Car les mares de sang séchaient sur le pavé ; les morts disaient par leurs blessures à quelle audace le parti du désordre, du pillage, du meurtre, en était venu, et quelle main de fer il avait fallu pour étouffer l'insurrection.

Et Granoux, dans la foule, recevait des félicitations et des poignées de main. On connaissait l'histoire du marteau. Seulement, par un mensonge innocent, dont il n'eut bientôt plus conscience lui-même, il prétendit qu'ayant vu les insurgés le premier, il s'était mis à taper sur la cloche, pour sonner l'alarme ; sans lui, les gardes nationaux se trouvaient massacrés. Cela doubla son importance. Son exploit fut déclaré prodigieux. On ne l'appela plus que : « Monsieur Isidore, vous savez ? le monsieur qui a sonné le tocsin avec un marteau ! » Bien que la phrase fût un peu longue, Granoux l'eût prise volontiers comme titre nobiliaire ; et l'on ne put désormais prononcer devant lui le mot « marteau », sans qu'il crût à une délicate flatterie.

Comme on enlevait les cadavres, Aristide vint les flairer. Il les regarda sur tous les sens, humant l'air, interrogeant les visages. Il avait la mine sèche, les yeux clairs. De sa main, la veille emmaillotée, libre à cette heure, il souleva la blouse d'un des morts, pour mieux voir sa blessure. Cet examen parut le convaincre, lui ôter un doute. Il serra les lèvres, resta là un moment sans dire un mot, puis se retira pour aller presser la distribution de *l'Indépendant*, dans lequel il avait mis un grand article. Le long des maisons, il se rappelait ce mot de sa mère : « Tu verras demain ! » Il avait vu, c'était très fort ; ça l'épouvantait même un peu.

Cependant, Rougon commençait à être embarrassé de sa victoire. Seul dans le cabinet de M. Garçonnet, écoutant les bruits sourds de la foule, il éprouvait un étrange sentiment qui l'empêchait de se montrer au balcon. Ce sang, dans lequel il avait marché, lui engourdissait les jambes. Il se demandait ce qu'il allait faire jusqu'au soir. Sa pauvre tête vide, détraquée par la crise de la nuit, cherchait avec désespoir une occupation, un ordre à donner, une mesure à prendre, qui pût le distraire. Mais il ne savait plus. Où donc Félicité le menait-elle ? Était-ce fini, allait-il falloir encore tuer du monde ? La peur le reprenait, il lui venait des doutes terribles, il voyait l'enceinte des remparts trouée de tous côtés par l'armée vengeresse des républicains, lorsqu'un grand cri : « Les insurgés ! les insurgés ! » éclata sous les fenêtres de la mairie. Il se leva d'un bond et, soulevant un rideau, il regarda la foule qui courait, éperdue sur la place. À ce coup de foudre, en moins d'une seconde, il se vit ruiné, pillé, assassiné ; il maudit sa femme, il maudit la ville entière. Et, comme il regardait derrière lui d'un air louche, cherchant une issue, il entendit la foule éclater en applaudissements, pousser des cris de joie, ébranler les vitres d'une allégresse folle. Il revint à la fenêtre : les femmes agitaient leurs mouchoirs, les hommes s'embrassaient ; il y en avait qui se prenaient par la main et qui dansaient. Stupide, il resta là, ne comprenant plus, sentant sa tête tourner. Autour de lui, la grande mairie, déserte et silencieuse, l'épouvantait.

Rougon, quand il se confessa à Félicité, ne put jamais dire combien de temps avait duré son supplice. Il se souvint seulement qu'un bruit de pas, éveillant les échos des vastes salles, l'avait tiré de sa stupeur. Il attendait des hommes en blouse, armés de faux et de gourdins, et ce fut la commission municipale qui entra, correcte, en habit noir, l'air radieux. Pas un membre ne manquait. Une heureuse nouvelle avait guéri tous ces messieurs à la fois. Granoux se jeta dans les bras de son cher président.

« Les soldats ! bégaya-t-il, les soldats ! »

Un régiment venait, en effet, d'arriver, sous les ordres du colonel Masson et de M. de Blériot, préfet du département. Les fusils aperçus des remparts, au loin dans la plaine, avaient d'abord fait croire à l'approche des insurgés. L'émotion de Rougon fut si forte, que deux grosses larmes coulèrent sur ses joues. Il pleurait, le grand citoyen ! La commission municipale regarda tomber ces larmes avec une admiration respectueuse. Mais Granoux se jeta de nouveau au cou de son ami, en criant :

« Ah ! que je suis heureux !... Vous savez, je suis un homme franc, moi. Eh bien, nous avions tous peur, tous, n'est-ce pas, Messieurs ? Vous seul étiez grand, courageux, sublime. Quelle énergie il a dû vous falloir ! Je le disais tout à l'heure à ma femme : Rougon est un grand homme, il mérite d'être décoré. »

Alors, ces messieurs parlèrent d'aller à la rencontre du préfet. Rougon, étourdi, suffoqué, ne pouvant croire à ce triomphe brusque, balbutiait comme un enfant. Il reprit haleine ; il descendit, calme, avec la dignité que réclamait cette solennelle occasion. Mais l'enthousiasme qui accueillit la commission et son président sur la place de l'Hôtel-de-Ville, faillit trou-

bler de nouveau sa gravité de magistrat. Son nom
circulait dans la foule, accompagné cette fois des
éloges les plus chauds. Il entendit tout un peuple
refaire l'aveu de Granoux, le traiter de héros resté
debout et inébranlable au milieu de la panique universelle. Et, jusqu'à la place de la Sous-Préfecture, où
la commission rencontra le préfet, il but sa popularité, sa gloire, avec des pâmoisons secrètes de
femme amoureuse dont les désirs sont enfin assouvis.

M. de Blériot et le colonel Masson entrèrent seuls
dans la ville, laissant la troupe campée sur la route
de Lyon. Ils avaient perdu un temps considérable,
trompés sur la marche des insurgés. D'ailleurs, ils
les savaient maintenant à Orchères ; ils ne devaient
s'arrêter qu'une heure à Plassans, le temps de rassurer la population et de publier les cruelles ordonnan-
ces qui décrétaient la mise sous séquestre des biens
des insurgés, et la mort pour tout individu surpris
les armes à la main. Le colonel Masson eut un sourire, lorsque le commandant de la garde nationale fit
tirer les verrous de la porte de Rome, avec un bruit
épouvantable de vieille ferraille. Le poste accompagna le préfet et le colonel, comme garde d'honneur.
Tout le long du cours Sauvaire, Roudier raconta à
ces messieurs l'épopée de Rougon, les trois jours de
panique, terminés par la victoire éclatante de la dernière nuit. Aussi, quand les deux cortèges se trouvèrent face à face, M. de Blériot s'avança-t-il vivement
vers le président de la commission, lui serrant les
mains, le félicitant, le priant de veiller encore sur la
ville jusqu'au retour des autorités ; et Rougon saluait,
tandis que le préfet, arrivé à la porte de la Sous-Préfecture, où il désirait se reposer un moment, disait

à voix haute qu'il n'oublierait pas dans son rapport
de faire connaître sa belle et courageuse conduite.

Cependant, malgré le froid vif, tout le monde se
trouvait aux fenêtres. Félicité, se penchant à la sienne,
au risque de tomber, était toute pâle de joie. Justement Aristide venait d'arriver avec un numéro de
l'Indépendant, dans lequel il s'était nettement déclaré
en faveur du coup d'État, qu'il accueillait « comme
l'aurore de la liberté dans l'ordre et de l'ordre dans
la liberté ». Et il avait fait aussi une délicate allusion au salon jaune, reconnaissant ses torts, disant
que « la jeunesse est présomptueuse », et que « les
grands citoyens se taisent, réfléchissent dans le
silence, et laissent passer les insultes, pour se dresser debout dans leur héroïsme au jour de lutte ». Il
était surtout content de cette phrase. Sa mère trouva
l'article supérieurement écrit. Elle embrassa le cher
enfant, le mit à sa droite. Le marquis de Carnavant,
qui était également venu la voir, las de se cloîtrer,
pris d'une curiosité furieuse, s'accouda à sa gauche,
sur la rampe de la fenêtre.

Quand M. de Blériot, sur la place, tendit la main
à Rougon, Félicité pleura.

« Oh ! vois, vois, dit-elle à Aristide. Il lui a serré la
main. Tiens, il la lui prend encore ! »

Et jetant un coup d'œil sur les fenêtres où les têtes
s'entassaient :

« Qu'ils doivent rager ! Regarde donc la femme à
M. Peirotte, elle mord son mouchoir. Et là-bas, les
filles du notaire, et Mme Massicot, et la famille Brunet,
quelles figures, hein ? comme leur nez s'allonge !...
Ah ! dame, c'est notre tour, maintenant. »

Elle suivit la scène qui se passait à la porte de la
Sous-Préfecture, avec des ravissements, des frétille-

ments qui secouaient son corps de cigale ardente. Elle interprétait les moindres gestes, elle inventait les paroles qu'elle ne pouvait saisir, elle disait que Pierre saluait très bien. Un moment, elle devint maussade, quand le préfet accorda un mot à ce pauvre Granoux qui tournait autour de lui, quêtant un éloge ; sans doute, M. de Blériot connaissait déjà l'histoire du marteau, car l'ancien marchand d'amandes rougit comme une jeune fille et parut dire qu'il n'avait fait que son devoir. Mais ce qui la fâcha plus encore, ce fut la trop grande bonté de son mari, qui présenta Vuillet à ces messieurs ; Vuillet, il est vrai, se coulait entre eux, et Rougon se trouva forcé de le nommer.

« Quel intrigant ! murmura Félicité. Il se fourre partout... Ce pauvre chéri doit être si troublé !... Voilà le colonel qui lui parle. Qu'est-ce qu'il peut bien lui dire ?

— Eh ! petite, répondit le marquis avec une fine ironie, il le complimente d'avoir si soigneusement fermé les portes.

— Mon père a sauvé la ville, dit Aristide d'une voix sèche. Avez-vous vu les cadavres, monsieur ? »

M. de Carnavant ne répondit pas. Il se retira même de la fenêtre, et alla s'asseoir dans un fauteuil en hochant la tête, d'un air légèrement dégoûté. À ce moment, le préfet ayant quitté la place, Rougon accourut, se jeta au cou de sa femme.

« Ah ! ma bonne ! » balbutia-t-il.

Il ne put en dire davantage. Félicité lui fit aussi embrasser Aristide, en lui parlant du superbe article de *l'Indépendant*. Pierre aurait également baisé le marquis sur les joues, tant il était ému. Mais sa femme le prit à part, et lui donna la lettre d'Eugène

qu'elle avait remise sous enveloppe. Elle prétendit
qu'on venait de l'apporter. Pierre, triomphant, la lui
tendit après l'avoir lue.

« Tu es une sorcière, lui dit-il en riant. Tu as tout
deviné. Ah ! quelle sottise j'allais faire sans toi ! Va,
nous ferons nos petites affaires ensemble. Embrasse-
moi, tu es une brave femme. »

Il la prit dans ses bras, tandis qu'elle échangeait
avec le marquis un discret sourire.

VII

Ce fut seulement le dimanche, le surlendemain de
la tuerie de Sainte-Roure, que les troupes repassèrent
par Plassans. Le préfet et le colonel que M. Garçonnet avait invités à dîner, entrèrent seuls dans la ville.
Les soldats firent le tour des remparts et allèrent
camper dans le faubourg, sur la route de Nice. La
nuit tombait ; le ciel, couvert depuis le matin, avait
d'étranges reflets jaunes qui éclairaient la ville d'une
clarté louche, pareille à ces lueurs cuivrées des temps
d'orage. L'accueil des habitants fut peureux ; ces
soldats, encore saignants, qui passaient, las et muets,
dans le crépuscule sale, dégoûtèrent les petits bourgeois propres du Cours, et ces messieurs, en se
reculant, se racontaient à l'oreille d'épouvantables histoires de fusillades, de représailles farouches, dont le
pays a conservé la mémoire. La terreur du coup
d'État commençait, terreur éperdue, écrasante, qui
tint le Midi frissonnant pendant de longs mois. Plassans, dans son effroi et sa haine des insurgés, avait

pu accueillir la troupe, à son premier passage, avec
des cris d'enthousiasme ; mais, à cette heure, devant
ce régiment sombre, qui tirait sur un mot de son
chef, les rentiers eux-mêmes et jusqu'aux notaires
de la ville neuve, s'interrogeaient avec anxiété, se
demandaient s'ils n'avaient pas commis quelques
peccadilles politiques méritant des coups de fusil.

Les autorités étaient revenues depuis la veille, dans
deux carrioles louées à Sainte-Roure. Leur entrée
imprévue n'avait rien eu de triomphal. Rougon rendit au maire son fauteuil sans grande tristesse. Le
tour était joué ; il attendait de Paris, avec fièvre, la
récompense de son civisme. Le dimanche — il ne
l'espérait que pour le lendemain — il reçut une lettre d'Eugène. Félicité avait eu soin, dès le jeudi,
d'envoyer à son fils les numéros de *la Gazette* et de
l'Indépendant, qui, dans une seconde édition, avaient
raconté la bataille de la nuit et l'arrivée du préfet.
Eugène répondait, courrier par courrier, que la nomination de son père à une recette particulière allait
être signée ; mais, disait-il, il voulait sur-le-champ
lui annoncer une bonne nouvelle : il venait d'obtenir
pour lui le ruban de la Légion d'honneur. Félicité
pleura. Son mari décoré ! son rêve d'orgueil n'était
jamais allé jusque-là. Rougon, pâle de joie, dit qu'il
fallait le soir même donner un grand dîner. Il ne
comptait plus, il aurait jeté au peuple, par les deux
fenêtres du salon jaune, ses dernières pièces de cent
sous pour célébrer ce beau jour.

« Écoute, dit-il à sa femme, tu inviteras Sicardot :
il y a assez longtemps qu'il m'ennuie avec sa rosette,
celui-là ! Puis Granoux et Roudier, auxquels je ne
suis pas fâché de faire sentir que ce n'est pas leurs
gros sous qui leur donneront jamais la croix. Vuillet

est un fesse-mathieu, mais le triomphe doit être complet ; préviens-le, ainsi que tout le fretin... J'oubliais,
tu iras en personne chercher le marquis ; nous le
mettrons à ta droite, il fera très bien à notre table.
Tu sais que M. Garçonnet traite le colonel et le préfet. C'est pour me faire comprendre que je ne suis
plus rien. Je me moque bien de sa mairie ; elle ne
lui rapporte pas un sou ! Il m'a invité, mais je dirai
que j'ai du monde, moi aussi. Tu les verras rire jaune
demain... Et mets les petits plats dans les grands.
Fais tout apporter de l'hôtel de Provence. Il faut
enfoncer le dîner du maire. »

Félicité se mit en campagne. Pierre, dans son ravissement, éprouvait encore une vague inquiétude. Le
coup d'État allait payer ses dettes, son fils Aristide
pleurait ses fautes, et il se débarrassait enfin de
Macquart ; mais il craignait quelque sottise de son
fils Pascal, il était surtout très inquiet sur le sort
réservé à Silvère, non pas qu'il le plaignît le moins
du monde : il redoutait simplement que l'affaire du
gendarme ne vînt devant les assises. Ah ! si une
balle intelligente avait pu le délivrer de ce petit scélérat ! Comme sa femme le lui faisait remarquer le
matin, les obstacles étaient tombés devant lui ; cette
famille qui le déshonorait avait, au dernier moment,
travaillé à son élévation ; ses fils, Eugène et Aristide,
ces mange-tout, dont il regrettait si amèrement les
mois de collège, payaient enfin les intérêts du capital dépensé pour leur instruction. Et il fallait que la
pensée de ce misérable Silvère troublât cette heure
de triomphe !

Pendant que Félicité courait pour le dîner du soir,
Pierre apprit l'arrivée de la troupe et se décida à
aller aux renseignements. Sicardot, qu'il avait inter-

rogé à son retour, ne savait rien : Pascal devait être resté pour soigner les blessés ; quant à Silvère, il n'avait pas même été vu du commandant, qui le connaissait peu. Rougon se rendit au faubourg, se promettant de remettre à Macquart, par la même occasion, les huit cents francs qu'il venait seulement de réaliser à grand-peine. Mais lorsqu'il fut dans la cohue du campement, qu'il vit de loin les prisonniers, assis en longues files sur les poutres de l'aire Saint-Mittre, et gardés par des soldats, le fusil au poing, il eut peur de se compromettre, il fila sournoisement chez sa mère, avec l'intention d'envoyer la vieille femme chercher des nouvelles.

Quand il entra dans la masure, la nuit était presque tombée. Il ne vit d'abord que Macquart, fumant et buvant des petits verres.

« C'est toi ? ce n'est pas malheureux, murmura Antoine, qui s'était remis à tutoyer son frère. Je me fais diablement vieux ici. As-tu l'argent ? »

Mais Pierre ne répondit pas. Il venait d'apercevoir son fils Pascal, penché au-dessus du lit. Il l'interrogea vivement. Le médecin, surpris de ses inquiétudes, qu'il attribua d'abord à ses tendresses de père, lui répondit avec tranquillité que les soldats l'avaient pris et qu'ils l'auraient fusillé, sans l'intervention d'un brave homme qu'il ne connaissait point. Sauvé par son titre de docteur, il était revenu avec la troupe. Ce fut un grand soulagement pour Rougon. Encore un qui ne le compromettrait pas. Il témoignait sa joie par des poignées de main répétées, lorsque Pascal termina, en disant d'une voix triste :

« Ne vous réjouissez pas. Je viens de trouver ma pauvre grand-mère au plus mal. Je lui rapportais cette carabine, à laquelle elle tient ; et, voyez, elle était là, elle n'a plus bougé. »

Les yeux de Pierre s'habituaient à l'obscurité. Alors, dans les dernières lueurs qui traînaient, il vit tante Dide, roide, morte, sur le lit. Ce pauvre corps, que des névroses détraquaient depuis le berceau, était vaincu par une crise suprême. Les nerfs avaient comme mangé le sang ; le sourd travail de cette chair ardente, s'épuisant, se dévorant elle-même dans une tardive chasteté, s'achevait, faisait de la malheureuse un cadavre que des secousses électriques seules galvanisaient encore. À cette heure, une douleur atroce semblait avoir hâté la lente décomposition de son être. Sa pâleur de nonne, de femme amollie par l'ombre et les renoncements du cloître, se tachait de plaques rouges. Le visage convulsé, les yeux horriblement ouverts, les mains retournées et tordues, elle s'allongeait dans ses jupes, qui dessinaient en lignes sèches les maigreurs de ses membres. Et, serrant les lèvres, elle mettait, au fond de la pièce noire, l'horreur d'une agonie muette.

Rougon eut un geste d'humeur. Ce spectacle navrant lui fut très désagréable ; il avait du monde à dîner le soir, il aurait été désolé d'être triste. Sa mère ne savait qu'inventer pour le mettre dans l'embarras. Elle pouvait bien choisir un autre jour. Aussi prit-il un air tout à fait rassuré, en disant :

« Bah ! ça ne sera rien. Je l'ai vue cent fois comme cela. Il faut la laisser reposer, c'est le seul remède. »

Pascal hocha la tête.

« Non, cette crise ne ressemble pas aux autres, murmura-t-il. Je l'ai souvent étudiée, et jamais je n'ai remarqué de tels symptômes. Regardez donc ses yeux : ils ont une fluidité particulière, des clartés

pâles très inquiétantes. Et le masque ! quelle épouvantable torsion de tous les muscles ! »

Puis, se penchant davantage, étudiant les traits de
plus près, il continua à voix basse, comme se parlant
à lui-même.

« Je n'ai vu des visages pareils qu'aux gens assassinés, morts dans l'épouvante... Elle doit avoir eu
quelque émotion terrible.

— Mais comment la crise est-elle venue ? »
demanda Rougon impatienté, ne sachant plus de
quelle façon quitter la chambre.

Pascal ne savait pas. Macquart, en se versant un
nouveau petit verre, raconta qu'ayant eu l'envie de
boire un peu de cognac, il l'avait envoyée en chercher
une bouteille. Elle était restée fort peu de temps
dehors. Puis, en rentrant, elle était tombée roide par
terre, sans dire un mot. Macquart avait dû la porter
sur le lit.

« Ce qui m'étonne, dit-il en manière de conclusion,
c'est qu'elle n'ait pas cassé la bouteille. »

Le jeune médecin réfléchissait. Il reprit au bout
d'un silence :

« J'ai entendu deux coups de feu en venant ici.
Peut-être ces misérables ont-ils encore fusillé quelques prisonniers. Si elle a traversé les rangs des soldats à ce moment, la vue du sang a pu la jeter dans
cette crise... Il faut qu'elle ait horriblement souffert. »

Il avait heureusement la petite boîte de secours
qu'il portait sur lui, depuis le départ des insurgés. Il
essaya d'introduire entre les dents serrées de tante
Dide quelques gouttes d'une liqueur rosâtre. Pendant ce temps, Macquart demanda de nouveau à
son frère :

« As-tu l'argent ?

— Oui, je l'apporte, nous allons terminer », répondit Rougon, heureux de cette diversion.

Alors Macquart, voyant qu'il allait être payé, se mit à geindre. Il avait compris trop tard les conséquences de sa trahison ; sans cela, il aurait exigé une somme deux et trois fois plus forte. Et il se plaignait. Vraiment, mille francs, ce n'était pas assez. Ses enfants l'avaient abandonné, il se trouvait seul au monde, obligé de quitter la France. Peu s'en fallut qu'il ne pleurât en parlant de son exil.

« Voyons, voulez-vous les huit cents francs ? dit Rougon, qui avait hâte de s'en aller.

— Non, vrai, double la somme. Ta femme m'a filouté. Si elle m'avait carrément dit ce qu'elle attendait de moi, jamais je ne me serais compromis de la sorte pour si peu de chose. »

Rougon aligna les huit cents francs en or sur la table.

« Je vous jure que je n'ai pas davantage, reprit-il. Je songerai à vous plus tard. Mais, par grâce, partez dès ce soir. »

Macquart, maugréant, mâchant des lamentations sourdes, porta la table devant la fenêtre, et se mit à compter les pièces d'or, à la lueur mourante du crépuscule. Il faisait tomber de haut les pièces, qui lui chatouillaient délicieusement le bout des doigts, et dont le tintement emplissait l'ombre d'une musique claire. Il s'interrompit un instant pour dire :

« Tu m'as fait promettre une place, souviens-toi. Je veux rentrer en France... Une place de garde champêtre ne me déplairait pas, dans un bon pays que je choisirais...

— Oui, oui, c'est convenu, répondit Rougon. Avez-vous bien huit cents francs ? »

Macquart se remit à compter. Les derniers louis tintaient, lorsqu'un éclat de rire strident leur fit tourner la tête. Tante Dide était debout devant le lit, délacée, avec ses cheveux blancs dénoués, sa face pâle tachée de rouge. Pascal avait vainement essayé de la retenir. Les bras tendus, secouée par un grand frisson, elle hochait la tête, elle délirait.

« Le prix du sang, le prix du sang ! dit-elle, à plusieurs reprises. J'ai entendu l'or... Et ce sont eux, eux, qui l'ont vendu. Ah ! les assassins ! Ce sont des loups. »

Elle écartait ses cheveux, elle passait les mains sur son front, comme pour lire en elle. Puis elle continua :

« Je le voyais depuis longtemps, le front troué d'une balle. Il y avait toujours des gens, dans ma tête, qui le guettaient avec des fusils. Ils me faisaient signe qu'ils allaient tirer... C'est affreux, je les sens qui me brisent les os et me vident le crâne. Oh ! grâce, grâce !... Je vous en supplie, il ne la verra plus, il ne l'aimera plus, jamais, jamais ! Je l'enfermerai, je l'empêcherai d'aller dans ses jupes. Non, grâce ! ne tirez pas... Ce n'est pas ma faute... Si vous saviez... »

Elle s'était presque mise à genoux, pleurant, suppliant, tendant ses pauvres mains tremblantes à quelque vision lamentable qu'elle apercevait dans l'ombre. Et, brusquement, elle se redressa, ses yeux s'agrandirent encore, sa gorge convulsée laissa échapper un cri terrible, comme si quelque spectacle, qu'elle seule voyait, l'eût emplie d'une terreur folle.

« Oh ! le gendarme ! » dit-elle, étranglant, reculant, venant retomber sur le lit, où elle se roula avec de longs éclats de rire qui sonnaient furieusement.

Pascal suivait la crise d'un œil attentif. Les deux frères, très effrayés, ne saisissant que des phrases décousues, s'étaient réfugiés dans un coin de la pièce. Quand Rougon entendit le mot de gendarme, il crut comprendre ; depuis le meurtre de son amant à la frontière, tante Dide nourrissait une haine profonde contre les gendarmes et les douaniers, qu'elle confondait dans une même pensée de vengeance.

« Mais c'est l'histoire du braconnier qu'elle nous raconte là », murmura-t-il.

Pascal lui fit signe de se taire. La moribonde se relevait péniblement. Elle regarda autour d'elle, d'un air de stupeur. Elle resta un instant muette, cherchant à reconnaître les objets, comme si elle se fût trouvée dans un lieu inconnu. Puis, avec une inquiétude subite :

« Où est le fusil ? » demanda-t-elle.

Le médecin lui mit la carabine entre les mains. Elle poussa un léger cri de joie, elle la regarda longuement, en disant à voix basse, d'une voix chantante de petite fille :

« C'est elle, oh ! je la reconnais… Elle est toute tachée de sang. Aujourd'hui, les taches sont fraîches… Ses mains rouges ont laissé sur la crosse des barres saignantes… Ah ! pauvre, pauvre tante Dide ! »

Sa tête malade tourna de nouveau. Elle devint pensive.

« Le gendarme était mort, murmura-t-elle, et je l'ai vu, il est revenu… Ça ne meurt jamais, ces gredins ! »

Et, reprise par une fureur sombre, agitant la carabine, elle s'avança vers ses deux fils, acculés, muets d'horreur. Ses jupes dénouées traînaient, son corps tordu se redressait, demi-nu, affreusement creusé par la vieillesse.

« C'est vous qui avez tiré ! cria-t-elle. J'ai entendu l'or... Malheureuse ! je n'ai fait que des loups... toute une famille, toute une portée de loups... Il n'y avait qu'un pauvre enfant, et ils l'ont mangé ; chacun a donné son coup de dent ; ils ont encore du sang plein les lèvres... Ah ! les maudits ! ils ont volé, ils ont tué. Et ils vivent comme des messieurs. Maudits ! maudits ! maudits ! »

Elle chantait, elle riait, elle criait et répétait : Maudits ! sur une étrange phrase musicale, pareille au bruit déchirant d'une fusillade. Pascal, les larmes aux yeux, la prit entre ses bras, la recoucha. Elle se laissa faire, comme une enfant. Elle continua sa chanson, accélérant le rythme, battant la mesure sur le drap, de ses mains sèches.

« Voilà ce que je craignais, dit le médecin, elle est folle. Le coup a été trop rude pour un pauvre être prédestiné comme elle aux névroses aiguës. Elle mourra dans une maison de fous, ainsi que son père.

— Mais qu'a-t-elle pu voir ? demanda Rougon, en se décidant à quitter l'angle où il s'était caché.

— J'ai un doute affreux, répondit Pascal. Je voulais vous parler de Silvère, quand vous êtes entré. Il est prisonnier. Il faut agir auprès du préfet, le sauver, s'il en est temps encore. »

L'ancien marchand d'huile regarda son fils en pâlissant. Puis, d'une voix rapide :

« Écoute, veille sur elle. Moi, je suis trop occupé ce soir. Nous verrons demain à la faire transporter à la maison d'aliénés des Tulettes. Vous, Macquart, il faut partir cette nuit même. Vous me le jurez ! Je vais aller trouver M. de Blériot. »

Il balbutiait, il brûlait d'être dehors, dans le froid de la rue. Pascal fixait un regard pénétrant sur la

folle, sur son père, sur son oncle ; l'égoïsme du savant
l'emportait ; il étudiait cette mère et ces fils, avec
l'attention d'un naturaliste surprenant les métamor-
phoses d'un insecte. Et il songeait à ces poussées
d'une famille, d'une souche qui jette des branches
diverses, et dont la sève âcre charrie les mêmes ger-
mes dans les tiges les plus lointaines, différemment
tordues, selon les milieux d'ombre et de soleil. Il
crut entrevoir un instant, comme au milieu d'un
éclair, l'avenir des Rougon-Macquart, une meute
d'appétits lâchés et assouvis, dans un flamboiement
d'or et de sang.

Cependant, au nom de Silvère, tante Dide avait
cessé de chanter. Elle écouta un instant, anxieuse.
Puis, elle se mit à pousser des hurlements affreux.
La nuit était entièrement tombée ; la pièce, toute
noire, se creusait, lamentable. Les cris de la folle,
qu'on ne voyait plus, sortaient des ténèbres, comme
d'une tombe fermée. Rougon, la tête perdue, s'enfuit,
poursuivi par ces ricanements qui sanglotaient plus
cruels dans l'ombre.

Comme il sortait de l'impasse Saint-Mittre, hésitant, se demandant s'il n'était pas dangereux de sol-
liciter du préfet la grâce de Silvère, il vit Aristide
qui rôdait autour du champ de poutres. Ce dernier,
ayant reconnu son père, accourut, la mine inquiète,
et lui dit quelques mots à l'oreille. Pierre devint
blême ; il jeta un regard effaré au fond de l'aire, dans
ces ténèbres qu'un feu de bohémiens tachait seul
d'une clarté rouge. Et tous deux disparurent par la
rue de Rome, hâtant le pas, comme s'ils avaient tué,
et relevant le collet de leur paletot, pour ne pas être
vus.

« Ça m'évite une course, murmura Rougon. Allons dîner. On nous attend. »

Lorsqu'ils arrivèrent, le salon jaune resplendissait. Félicité s'était multipliée. Tout le monde se trouvait là, Sicardot, Granoux, Roudier, Vuillet, les marchands d'huile, les marchands d'amandes, la bande entière. Seul, le marquis avait prétexté ses rhumatismes ; il partait, d'ailleurs, pour un petit voyage. Ces bourgeois tachés de sang blessaient ses délicatesses, et son parent, le comte de Valqueyras, devait l'avoir prié d'aller se faire oublier quelque temps dans son domaine de Corbière. Le refus de M. de Carnavant vexa les Rougon. Mais Félicité se consola en se promettant d'étaler un plus grand luxe ; elle loua deux candélabres, elle commanda deux entrées et deux entremets de plus, afin de remplacer le marquis. La table, pour plus de solennité, fut dressée dans le salon. L'hôtel de Provence avait fourni l'argenterie, la porcelaine, les cristaux. Dès cinq heures, le couvert se trouva mis, pour que les invités, en arrivant, pussent jouir du coup d'œil. Et il y avait, aux deux bouts, sur la nappe blanche, deux bouquets de roses artificielles, dans des vases de porcelaine dorée, à fleurs peintes.

La société habituelle du salon, quand elle fut réunie, ne put cacher l'admiration que lui causa un pareil spectacle. Ces messieurs souriaient d'un air embarrassé, en échangeant des regards sournois qui signifiaient clairement : « Ces Rougon sont fous, ils jettent leur argent par la fenêtre. » La vérité était que Félicité, en allant faire les invitations, n'avait pu retenir sa langue. Tout le monde savait que Pierre était décoré et qu'on allait le nommer quelque chose ; ce qui allongeait les nez singulièrement, selon l'expression de la vieille femme. Puis, disait Roudier : « Cette noiraude se gonflait par trop. » Au jour des récompenses, la bande de ces bourgeois qui s'étaient rués sur la République expirante, en s'observant les uns les autres, en se faisant gloire chacun de donner un coup de dent plus bruyant que celui du voisin, trouvaient mauvais que leurs hôtes eussent tous les lauriers de la bataille. Ceux mêmes qui avaient hurlé par tempérament, sans rien demander à l'Empire naissant, étaient profondément vexés de voir que, grâce à eux, le plus pauvre, le plus taré de tous allait avoir le ruban rouge à la boutonnière. Encore si l'on avait décoré tout le salon !

« Ce n'est pas que je tienne à la décoration, dit Roudier à Granoux, qu'il avait entraîné dans l'embrasure d'une fenêtre. Je l'ai refusée du temps de Louis-Philippe, lorsque j'étais fournisseur de la cour. Ah ! Louis-Philippe était un bon roi, la France n'en trouvera jamais un pareil ! »

Roudier redevenait orléaniste. Puis il ajouta avec l'hypocrisie matoise d'un ancien bonnetier de la rue Saint-Honoré :

« Mais vous, mon cher Granoux, croyez-vous que le ruban ne ferait pas bien à votre boutonnière ? Après tout, vous avez sauvé la ville autant que Rougon. Hier, chez des personnes très distinguées, on n'a jamais voulu croire que vous ayez pu faire autant de bruit avec un marteau. »

Granoux balbutia un remerciement, et, rougissant comme une vierge à son premier aveu d'amour, il se pencha à l'oreille de Roudier, en murmurant :

« N'en dites rien, mais j'ai lieu de penser que Rougon demandera le ruban pour moi. C'est un bon garçon. »

L'ancien bonnetier devint grave et se montra dès
lors d'une grande politesse. Vuillet étant venu causer avec lui de la récompense méritée que venait de
recevoir leur ami, il répondit très haut, de façon à
être entendu de Félicité, assise à quelques pas, que
des hommes comme Rougon « honoraient la Légion
d'honneur ». Le libraire fit chorus ; on lui avait, le
matin, donné l'assurance formelle que la clientèle
du collège lui était rendue. Quant à Sicardot, il
éprouva d'abord un léger ennui à n'être plus le seul
homme décoré de la bande. Selon lui, il n'y avait que
les militaires qui eussent droit au ruban. Le courage
de Pierre le surprenait. Mais, bonhomme au fond, il
s'échauffa et finit par crier que les Napoléon savaient
distinguer les hommes de cœur et d'énergie.

Aussi Rougon et Aristide furent-ils reçus avec
enthousiasme ; toutes les mains se tendirent vers
eux. On alla jusqu'à s'embrasser. Angèle était sur le
canapé, à côté de sa belle-mère, heureuse, regardant la table avec l'étonnement d'une grosse man-
geuse qui n'avait jamais vu autant de plats à la fois.
Aristide s'approcha, et Sicardot vint complimenter
son gendre du superbe article de *l'Indépendant*. Il
lui rendait son amitié. Le jeune homme, aux questions paternelles qu'il lui adressait, répondit que
son désir était de partir avec tout son petit monde
pour Paris, où son frère Eugène le pousserait ; mais
il lui manquait cinq cents francs. Sicardot les promit, en voyant déjà sa fille reçue aux Tuileries par
Napoléon III.

Cependant Félicité avait fait un signe à son mari.
Pierre, très entouré, questionné affectueusement sur
sa pâleur, ne réussit qu'à s'échapper une minute. Il
put murmurer à l'oreille de sa femme qu'il avait

retrouvé Pascal et que Macquart partait dans la
nuit. Il baissa encore la voix pour lui apprendre la
folie de sa mère, en mettant un doigt sur sa bouche,
comme pour dire : « Pas un mot, ça gâterait notre
soirée. » Félicité pinça les lèvres. Ils échangèrent un
regard où ils lurent leur commune pensée : maintenant la vieille ne les gênerait plus ; on raserait la
masure du braconnier, comme on avait rasé les
murs de l'enclos des Fouque, et ils auraient à jamais
le respect et la considération de Plassans.

Mais les invités regardaient la table. Félicité fit
asseoir ces messieurs. Ce fut une béatitude. Comme
chacun prenait sa cuiller, Sicardot, d'un geste,
demanda un moment de répit. Il se leva, et gravement :

« Messieurs, dit-il, je veux, au nom de la société,
dire à notre hôte combien nous sommes heureux
des récompenses que lui ont values son courage et
son patriotisme. Je reconnais que Rougon a eu une
inspiration du ciel en restant à Plassans, tandis que
ces gueux nous traînaient sur les grandes routes.
Aussi j'applaudis des deux mains aux décisions du
gouvernement... Laissez-moi achever... vous féli-
citerez ensuite notre ami... Sachez donc que notre
ami, fait chevalier de la Légion d'honneur, va en
outre être nommé à une recette particulière. »

Il y eut un cri de surprise. On s'attendait à une
petite place. Quelques-uns grimacèrent un sourire ;
mais, la vue de la table aidant, les compliments
recommencèrent de plus belle.

Sicardot réclama de nouveau le silence.

« Attendez donc, reprit-il, je n'ai pas fini... Rien
qu'un mot... Il est à croire que nous garderons

notre ami parmi nous, grâce à la mort de M. Peirotte. »

Tandis que les convives s'exclamaient, Félicité
éprouva un élancement au cœur. Sicardot lui avait
déjà conté la mort du receveur particulier ; mais,
rappelée au début de ce dîner triomphal, cette mort
subite et affreuse lui fit passer un petit souffle froid
sur le visage. Elle se rappela son souhait ; c'était elle
qui avait tué cet homme. Et, avec la musique claire
de l'argenterie, les convives fêtaient le repas. En
province, on mange beaucoup et bruyamment. Dès
le relevé, ces messieurs parlaient tous à la fois ; ils
donnaient le coup de pied de l'âne aux vaincus, se
jetaient des flatteries à la tête, faisaient des commentaires désobligeants sur l'absence du marquis ; les
nobles étaient d'un commerce impossible ; Roudier
finit même par laisser entendre que le marquis s'était
fait excuser, parce que la peur des insurgés lui avait
donné la jaunisse. Au second service, ce fut une curée.
Les marchands d'huile, les marchands d'amandes,
sauvaient la France. On trinqua à la gloire des Rougon. Granoux, très rouge, commençait à balbutier,
et Vuillet, très pâle, était complètement gris ; mais
Sicardot versait toujours, tandis qu'Angèle, qui avait
déjà trop mangé, se faisait des verres d'eau sucrée. La
joie d'être sauvés, de ne plus trembler, de se retrouver
dans ce salon jaune, autour d'une bonne table, sous
la clarté vive des deux candélabres et du lustre, qu'ils
voyaient pour la première fois sans son étui piqué
de chiures noires, donnait à ces messieurs un épanouissement de sottise, une plénitude de jouissance
large et épaisse. Dans l'air chaud, leurs voix montaient
grasses, plus louangeuses à chaque plat, s'embarras-
sant au milieu des compliments, allant jusqu'à dire

— ce fut un ancien maître tanneur retiré qui trouva ce joli mot — que le dîner « était un vrai festin de Lucullus ».

Pierre rayonnait, sa grosse face pâle suait le triomphe. Félicité, aguerrie, disait qu'ils loueraient sans doute le logement de ce pauvre M. Peirotte, en attendant qu'ils pussent acheter une petite maison dans la ville neuve ; et elle distribuait déjà son mobilier futur dans les pièces du receveur. Elle entrait dans ses Tuileries. À un moment, comme le bruit des voix devenait assourdissant, elle parut prise d'un souvenir subit ; elle se leva et vint se pencher à l'oreille d'Aristide :

« Et Silvère ? » lui demanda-t-elle.

Le jeune homme, surpris par cette question, tressaillit.

« Il est mort, répondit-il à voix basse. J'étais là quand le gendarme lui a cassé la tête d'un coup de pistolet. »

Félicité eut à son tour un léger frisson. Elle ouvrait la bouche pour demander à son fils pourquoi il n'avait pas empêché ce meurtre, en réclamant l'enfant ; mais elle ne dit rien, elle resta là, interdite. Aristide, qui avait lu sa question sur ses lèvres tremblantes, murmura :

« Vous comprenez, je n'ai rien dit... Tant pis pour lui, aussi ! J'ai bien fait. C'est un bon débarras. »

Cette franchise brutale déplut à Félicité. Aristide, comme son père, comme sa mère, avait son cadavre. Sûrement, il n'aurait pas avoué avec une telle carrure qu'il flânait au faubourg et qu'il avait laissé casser la tête à son cousin, si les vins de l'hôtel de Provence et les rêves qu'il bâtissait sur sa prochaine arrivée à Paris ne l'eussent fait sortir de sa sournoi-

serie habituelle. La phrase lâchée, il se dandina sur
sa chaise. Pierre, qui de loin suivait la conversation
de sa femme et de son fils, comprit, échangea avec
eux un regard de complice implorant le silence. Ce
fut comme un dernier souffle d'effroi qui courut entre
les Rougon, au milieu des éclats et des chaudes
gaietés de la table. En venant reprendre sa place,
Félicité aperçut de l'autre côté de la rue, derrière
une vitre, un cierge qui brûlait ; on veillait le corps
de M. Peirotte, rapporté le matin de Sainte-Roure.
Elle s'assit, en sentant, derrière elle, ce cierge lui
chauffer le dos. Mais les rires montaient, le salon
jaune s'emplit d'un cri de ravissement, lorsque le
dessert parut.

Et, à cette heure, le faubourg était encore tout frissonnant du drame qui venait d'ensanglanter l'aire
Saint-Mittre. Le retour des troupes, après le carnage
de la plaine des Nores, fut marqué par d'atroces
représailles. Des hommes furent assommés à coups
de crosse derrière un pan de mur, d'autres eurent la
tête cassée au fond d'un ravin par le pistolet d'un
gendarme. Pour que l'horreur fermât les lèvres, les
soldats semaient les morts sur la route. On les eût
suivis à la trace rouge qu'ils laissaient. Ce fut un long
égorgement. À chaque étape, on massacrait quelques insurgés. On en tua deux à Sainte-Roure, trois
à Orchères, un au Béage. Quand la troupe eut campé
à Plassans, sur la route de Nice, il fut décidé qu'on
fusillerait encore un des prisonniers, le plus compromis. Les vainqueurs jugeaient bon de laisser
derrière eux ce nouveau cadavre, afin d'inspirer à la
ville le respect de l'Empire naissant. Mais les soldats étaient las de tuer ; aucun ne se présenta pour
la sinistre besogne. Les prisonniers, jetés sur les

poutres du chantier comme sur un lit de camp, liés par les poings, deux à deux, écoutaient, attendaient, dans une stupeur lasse et résignée.

À ce moment, le gendarme Rengade écarta brusquement la foule des curieux. Dès qu'il avait appris que la troupe revenait avec plusieurs centaines d'insurgés, il s'était levé, grelottant de fièvre, risquant sa vie dans ce froid noir de décembre. Dehors, sa blessure se rouvrit, le bandeau qui cachait son orbite vide se tacha de sang ; il y eut des filets rouges qui coulèrent sur sa joue et sur sa moustache. Effrayant, avec sa colère muette, sa tête pâle enveloppée d'un linge ensanglanté, il courut regarder chaque prisonnier au visage, longuement. Il suivit ainsi les poutres, se baissant, allant et revenant, faisant tressaillir les plus stoïques par sa brusque apparition. Et, tout d'un coup :

« Ah ! le bandit, je le tiens ! » cria-t-il.

Il venait de mettre la main sur l'épaule de Silvère. Silvère, accroupi sur une poutre, la face morte, regardait au loin, devant lui, dans le crépuscule blafard, d'un air doux et stupide. Depuis son départ de Sainte-Roure, il avait eu ce regard vide. Le long de la route, pendant les longues lieues, lorsque les soldats activaient la marche du convoi à coups de crosse, il s'était montré d'une douceur d'enfant. Couvert de poussière, mourant de soif et de fatigue, il marchait toujours, sans une parole, comme une de ces bêtes dociles qui vont en troupeaux sous le fouet des vachers. Il songeait à Miette. Il la voyait étendue dans le drapeau, sous les arbres, les yeux en l'air. Depuis trois jours, il ne voyait qu'elle. À cette heure, au fond de l'ombre croissante, il la voyait encore.

Rengade se tourna vers l'officier, qui n'avait pu trouver parmi les soldats les hommes nécessaires à une exécution.

« Ce gredin m'a crevé l'œil, lui dit-il en montrant Silvère. Donnez-le-moi... Ce sera autant de fait pour vous. »

L'officier, sans répondre, se retira d'un air indifférent, en faisant un geste vague. Le gendarme comprit qu'on lui donnait son homme.

« Allons, lève-toi ! » reprit-il en le secouant.

Silvère, comme tous les autres prisonniers, avait un compagnon de chaîne. Il était attaché par un bras à un paysan de Poujols, un nommé Mourgue, homme de cinquante ans, dont les grands soleils et le dur métier de la terre avaient fait une brute. Déjà voûté, les mains roidies, la face plate, il clignait les yeux, hébété, avec cette expression entêtée et méfiante des animaux battus. Il était parti, armé d'une fourche, parce que tout son village partait ; mais il n'aurait jamais pu expliquer ce qui le jetait ainsi sur les grandes routes. Depuis qu'on l'avait fait prisonnier, il comprenait encore moins. Il croyait vaguement qu'on le ramenait chez lui. L'étonnement de se voir attaché, la vue de tout ce monde qui le regardait, l'ahurissaient, l'abêtissaient davantage. Comme il ne parlait et n'entendait que le patois, il ne put deviner ce que voulait le gendarme. Il levait vers lui sa face épaisse, faisant effort ; puis, s'imaginant qu'on lui demandait le nom de son pays, il dit de sa voix rauque :

« Je suis de Poujols. »

Un éclat de rire courut dans la foule, et des voix crièrent :

« Détachez le paysan.

— Bah ! répondit Rengade ; plus on en écrasera, de cette vermine, mieux ça vaudra. Puisqu'ils sont ensemble, ils y passeront tous les deux. »

Il y eut un murmure.

Le gendarme se retourna, avec son terrible visage taché de sang, et les curieux s'écartèrent. Un petit bourgeois propret se retira, en déclarant que s'il restait davantage, ça l'empêcherait de dîner. Des gamins, ayant reconnu Silvère, parlèrent de la fille rouge. Alors le petit bourgeois revint sur ses pas, pour mieux voir l'amant de la femme au drapeau, de cette créature dont avait parlé *la Gazette*.

Silvère ne voyait, n'entendait rien ; il fallut que Rengade le prît au collet. Alors il se leva, forçant Mourgue à se lever aussi.

« Venez, dit le gendarme. Ça ne sera pas long. »

Et Silvère reconnut le borgne. Il sourit. Il dut comprendre. Puis il détourna la tête. La vue du borgne, de ces moustaches que le sang figé roidissait d'un givre sinistre, lui causa un regret immense. Il aurait voulu mourir dans une douceur infinie. Il évita de rencontrer l'œil unique de Rengade, qui brillait sous la pâleur du linge. Ce fut le jeune homme qui, de lui-même, gagna le fond de l'aire Saint-Mittre, l'allée étroite cachée par les tas de planches. Mourgue suivait.

L'aire s'étendait, désolée, sous le ciel jaune. La clarté des nuages cuivrés traînait en reflets louches. Jamais le champ nu, le chantier où les poutres dormaient, comme raidies par le froid, n'avait eu les mélancolies d'un crépuscule si lent, si navré. Au bord de la route, les prisonniers, les soldats, la foule disparaissaient dans le noir des arbres. Seuls le terrain, les madriers, les tas de planches pâlissaient

dans les clartés mourantes, avec des teintes limoneu-
ses, un aspect vague de torrent desséché. Les tréteaux
des scieurs de long, profilant dans un coin leur char-
pente maigre, ébauchaient des angles de potence,
des montants de guillotine. Et il n'y avait de vivant
que trois bohémiens montrant leurs têtes effarées à
la porte de leur voiture, un vieux et une vieille, et une
grande fille aux cheveux crépus, dont les yeux luisaient comme des yeux de loup.

Avant d'atteindre l'allée, Silvère regarda. Il se souvint d'un dimanche lointain où, par un beau clair de
lune, il avait traversé le chantier. Quelle douceur
attendrie ! comme les rayons pâles coulaient lentement le long des madriers ! Du ciel glacé tombait
un silence souverain. Et, dans ce silence, la bohémienne aux cheveux crépus chantait à voix basse
dans une langue inconnue. Puis, Silvère se rappela
que ce dimanche lointain datait de huit jours. Il y
avait huit jours qu'il était venu dire adieu à Miette.
Que cela était loin ! Il lui semblait qu'il n'avait plus
mis les pieds dans le chantier depuis des années. Mais
quand il entra dans l'allée étroite, son cœur défaillit. Il
reconnaissait l'odeur des herbes, les ombres des
planches, les trous de la muraille. Une voix éplorée
monta de toutes ces choses. L'allée s'allongeait, triste,
vide ; elle lui parut plus longue ; il y sentit souffler
un vent froid. Ce coin avait cruellement vieilli. Il vit
le mur rongé de mousse, le tapis d'herbe brûlé par
la gelée, les tas de planches pourries par les eaux.
C'était une désolation. Le crépuscule jaune tombait
comme une boue fine sur les ruines de ses chères
tendresses. Il dut fermer les yeux, et il revit l'allée
verte, les saisons heureuses se déroulèrent. Il faisait
tiède, il courait dans l'air chaud, avec Miette. Puis

les pluies de décembre tombaient, rudes, sans fin ; ils venaient toujours, ils se cachaient au fond des planches, ils écoutaient, ravis, le grand ruissellement de l'averse. Ce fut, dans un éclair, toute sa vie, toute sa joie qui passa. Miette sautait son mur, elle accourait, secouée de rires sonores. Elle était là, il voyait sa blancheur dans l'ombre, avec son casque vivant, sa chevelure d'encre. Elle parlait des nids de pies, qui sont si difficiles à dénicher, et elle l'entraînait. Alors, il entendit au loin les murmures adoucis de la Viorne, le chant des cigales attardées, le vent qui soufflait dans les peupliers des prés Sainte-Claire. Comme ils avaient couru pourtant ! Il se souvenait bien. Elle avait appris à nager en quinze jours. C'était une brave enfant. Elle n'avait qu'un gros défaut : elle maraudait. Mais il l'aurait corrigée. La pensée de leurs premières caresses le ramena à l'allée étroite. Toujours ils étaient revenus dans ce trou. Il crut saisir le chant mourant de la bohémienne, le claquement des derniers volets, l'heure grave qui tombait des horloges. Puis le moment de la séparation sonnait, Miette remontait sur son mur. Elle lui envoyait des baisers. Et il ne la voyait plus. Une émotion terrible le prit à la gorge : il ne la verrait plus jamais, jamais.

« À ton aise, ricana le borgne ; va, choisis ta place. »

Silvère fit encore quelques pas. Il approchait du fond de l'allée, il n'apercevait plus qu'une bande de ciel où se mourait le jour couleur de rouille. Là, pendant deux ans, avait tenu sa vie. La lente approche de la mort, dans ce sentier où depuis si longtemps il promenait son cœur, était d'une douceur ineffable. Il s'attardait, il jouissait longuement de ses adieux à tout ce qu'il aimait, les herbes, les pièces de bois, les pierres du vieux mur, ces choses que Miette avait faites vivantes. Et sa pensée s'égarait de nouveau. Ils attendaient d'avoir l'âge pour se marier. Tante Dide serait restée avec eux. Ah ! s'ils avaient fui loin, bien loin, au fond de quelque village inconnu, où les vauriens du faubourg ne seraient plus venus jeter au visage de la Chantegreil le crime de son père ! Quelle paix heureuse ! Il aurait ouvert un atelier de charron, sur le bord d'une grande route. Certes, il faisait bon marché de ses ambitions d'ouvrier ; il n'enviait plus la carrosserie, les calèches aux larges panneaux vernis, luisants comme des miroirs. Dans la stupeur de son désespoir, il ne put se rappeler pourquoi son rêve de félicité ne se réaliserait jamais. Que ne s'en allait-il, avec Miette et tante Dide ? La mémoire tendue, il écoutait un bruit aigre de fusillade, il voyait un drapeau tomber devant lui, la hampe cassée, l'étoffe pendante, comme l'aile d'un oiseau abattu d'un coup de feu. C'était la République qui dormait avec Miette, dans un pan du drapeau rouge. Ah ! misère, elles étaient mortes toutes les deux ! elles avaient un trou saignant à la poitrine, et voilà ce qui lui barrait la vie maintenant, les cadavres de ses deux tendresses. Il n'avait plus rien, il pouvait mourir. Depuis Sainte-Roure, c'était là ce qui lui avait donné cette douceur d'enfant, vague et stupide. On l'aurait battu sans qu'il le sentît. Il n'était plus dans sa chair, il était resté agenouillé auprès de ses mortes bien-aimées, sous les arbres, dans la fumée âcre de la poudre.

Mais le borgne s'impatientait ; il poussa Mourgue, qui se faisait traîner, il gronda :

« Allez donc, je ne veux pas coucher ici. »

Silvère trébucha. Il regarda à ses pieds. Un fragment de crâne blanchissait dans l'herbe. Il crut
entendre l'allée étroite s'emplir de voix. Les morts
l'appelaient, les vieux morts, dont les haleines chaudes, pendant les soirées de juillet, les troublaient si
étrangement, lui et son amoureuse. Il reconnaissait
bien leurs murmures discrets. Ils étaient joyeux, ils
lui disaient de venir, ils promettaient de lui rendre
Miette dans la terre, dans une retraite encore plus
cachée que ce bout de sentier. Le cimetière, qui avait
soufflé au cœur des enfants, par ses odeurs grasses,
par sa végétation noire, les âpres désirs, étalant
avec complaisance son lit d'herbes folles, sans pouvoir les jeter aux bras l'un de l'autre, rêvait, à cette
heure, de boire le sang chaud de Silvère. Depuis
deux étés, il attendait les jeunes époux.

« Est-ce là ? » demanda le borgne.

Le jeune homme regarda devant lui. Il était arrivé
au bout de l'allée. Il aperçut la pierre tombale, et il eut
un tressaillement. Miette avait raison, cette pierre
était pour elle. *Cygist… Marie… morte.* Elle était
morte, le bloc avait roulé sur elle. Alors, défaillant,
il s'appuya sur la pierre glacée. Comme elle était tiède
autrefois, lorsqu'ils jasaient, assis dans un coin, pendant les longues soirées ! Elle venait par là, elle
avait usé un coin du bloc à poser les pieds, quand
elle descendait du mur. Il restait un peu d'elle, de
son corps souple, dans cette empreinte. Et lui pensait que toutes ces choses étaient fatales, que cette
pierre se trouvait à cette place pour qu'il pût y venir
mourir, après y avoir aimé.

Le borgne arma ses pistolets.

Mourir, mourir, cette pensée ravissait Silvère.
C'était donc là qu'on l'amenait, par cette longue

route blanche qui descend de Sainte-Roure à Plassans. S'il avait su, il se serait hâté davantage. Mourir sur cette pierre, mourir au fond de l'allée étroite,
mourir dans cet air, où il croyait sentir encore
l'haleine de Miette, jamais il n'aurait espéré une
pareille consolation dans sa douleur. Le ciel était
bon. Il attendit avec un sourire vague.

Cependant Mourgue avait vu les pistolets. Jusque-
là, il s'était laissé traîner stupidement. Mais l'épouvante le saisit. Il répéta d'une voix éperdue :

« Je suis de Poujols, je suis de Poujols ! »

Il se jeta à terre, il se vautra aux pieds du gendarme,
suppliant, s'imaginant sans doute qu'on le prenait
pour un autre.

« Qu'est-ce que ça me fait que tu sois de Poujols ? »
murmura Rengade.

Et comme le misérable, grelottant, pleurant de
terreur, ne comprenant pas pourquoi il allait mourir, tendait ses mains tremblantes, ses pauvres mains
de travailleur déformées et durcies, en disant dans
son patois qu'il n'avait rien fait, qu'il fallait lui pardonner, le borgne s'impatienta de ne pouvoir lui
appliquer la gueule du pistolet sur la tempe, tant il
remuait.

« Te tairas-tu ! » cria-t-il.

Alors Mourgue, fou d'épouvante, ne voulant pas
mourir, se mit à pousser des hurlements de bête, de
cochon qu'on égorge.

« Te tairas-tu, gredin ! » répéta le gendarme.

Et il lui cassa la tête. Le paysan roula comme une
masse. Son cadavre alla rebondir au pied d'un tas de
planches, où il resta plié sur lui-même. La violence
de la secousse avait rompu la corde qui l'attachait à

son compagnon. Silvère tomba à genoux devant la pierre tombale.

Rengade avait mis un raffinement de vengeance à tuer Mourgue le premier. Il jouait avec son second pistolet, il le levait lentement, goûtant l'agonie de Silvère. Celui-ci, tranquille, le regarda. La vue du borgne, dont l'œil farouche le brûlait, lui causa un malaise. Il détourna le regard, ayant peur de mourir lâchement, s'il continuait à voir cet homme frissonnant de fièvre, avec son bandeau maculé et sa moustache saignante. Mais comme il levait les yeux, il aperçut la tête de Justin au ras du mur, à l'endroit où Miette sautait.

Justin se trouvait à la porte de Rome, dans la foule, lorsque le gendarme avait emmené les deux prisonniers. Il s'était mis à courir à toutes jambes, faisant le tour par le Jas-Meiffren, ne voulant pas manquer le spectacle de l'exécution. La pensée que, seul des vauriens du faubourg, il verrait le drame à l'aise, comme du haut d'un balcon, lui donnait une telle hâte, qu'il tomba à deux reprises. Malgré sa course folle, il arriva trop tard pour le premier coup de pistolet. Désespéré, il grimpa sur le mûrier. En voyant que Sylvère restait, il eut un sourire. Les soldats lui avaient appris la mort de sa cousine, l'assassinat du charron achevait de le mettre en joie. Il attendit le coup de feu avec cette volupté qu'il prenait à la souffrance des autres, mais décuplée par l'horreur de la scène, mêlée d'une épouvante exquise.

Silvère, en reconnaissant cette tête, seule au ras du mur, cet immonde galopin, la face blême et ravie, les cheveux légèrement dressés sur le front, éprouva une rage sourde, un besoin de vivre. Ce fut la dernière révolte de son sang, une rébellion d'une seconde. Il

retomba à genoux, il regarda devant lui. Dans le crépuscule mélancolique, une vision suprême passa.
Au bout de l'allée, à l'entrée de l'impasse Saint-Mittre, il crut apercevoir tante Dide, debout, blanche et
roide comme une sainte de pierre, qui de loin voyait
son agonie.

À ce moment, il sentit sur sa tempe le froid du
pistolet. La tête blafarde de Justin riait. Silvère, fermant les yeux, entendit les vieux morts l'appeler
furieusement. Dans le noir, il ne voyait plus que
Miette, sous les arbres, couverte du drapeau, les yeux
en l'air. Puis le borgne tira, et ce fut tout ; le crâne
de l'enfant éclata comme une grenade mûre ; sa face
retomba sur le bloc, les lèvres collées à l'endroit usé
par les pieds de Miette, à cette place tiède où l'amoureuse avait laissé un peu de son corps.

Et, chez les Rougon, le soir, au dessert, des rires
montaient dans la buée de la table, toute chaude
encore des débris du dîner. Enfin, ils mordaient
aux plaisirs des riches ! Leurs appétits, aiguisés par
trente ans de désirs contenus, montraient des dents
féroces. Ces grands inassouvis, ces fauves maigres, à
peine lâchés de la veille dans les jouissances, accla-
maient l'Empire naissant, le règne de la curée
ardente. Comme il avait relevé la fortune des Bonaparte, le coup d'État fondait la fortune des Rougon.

Pierre se mit debout, tendit son verre, en criant :
« Je bois au prince Louis, à l'empereur ! »

Ces messieurs, qui avaient noyé leur jalousie dans
le champagne, se levèrent tous, trinquèrent avec des
exclamations assourdissantes. Ce fut un beau spectacle. Les bourgeois de Plassans, Roudier, Granoux,
Vuillet et les autres, pleuraient, s'embrassaient, sur
le cadavre à peine refroidi de la République. Mais

Sicardot eut une idée triomphante. Il prit, dans les cheveux de Félicité, un nœud de satin rose qu'elle s'était collé par gentillesse au-dessus de l'oreille droite, coupa un bout du satin avec son couteau à dessert, et vint le passer solennellement à la boutonnière de Rougon. Celui-ci fit le modeste. Il se débattit, la face radieuse, en murmurant :

« Non, je vous en prie, c'est trop tôt. Il faut attendre que le décret ait paru. »

« Sacrebleu ! s'écria Sicardot, voulez-vous bien garder ça ! c'est un vieux soldat de Napoléon qui vous décore ! »

Tout le salon jaune éclata en applaudissements. Félicité se pâma. Granoux le muet, dans son enthousiasme, monta sur une chaise, en agitant sa serviette et en prononçant un discours qui se perdit au milieu du vacarme. Le salon jaune triomphait, délirait.

Mais le chiffon de satin rose, passé à la boutonnière de Pierre, n'était pas la seule tache rouge dans le triomphe des Rougon. Oublié sous le lit de la pièce voisine, se trouvait encore un soulier au talon sanglant. Le cierge qui brûlait auprès de M. Peirotte, de l'autre côté de la rue, saignait dans l'ombre comme une blessure ouverte. Et, au loin, au fond de l'aire Saint-Mittre, sur la pierre tombale, une mare de sang se caillait.

DOSSIER

tique des grands travaux. Il touche au succès, lorsque la maladie l'abat. Le 27 mars 1847, il meurt à Marseille d'une pneumonie contractée sur le chantier du barrage. C'est le malheur et la ruine pour la famille. Émilie Zola, spoliée par d'habiles spéculateurs, lutte sans succès, dans d'interminables litiges, pour sauver quelque argent. Les Zola, appauvris, doivent emprunter pour vivre ; ils changent plusieurs fois de domicile ; certains créanciers oubliés relanceront l'écrivain vingt ans plus tard, lorsqu'il aura atteint la célébrité.

Émilie Zola et sa mère veulent cependant donner à l'enfant une éducation de bonne famille. Il reçoit une instruction religieuse : en 1848, il est élève de la pension Notre-Dame, où il a pour camarades Marius Roux et Philippe Solari. Le premier devenu journaliste et le second sculpteur, ils resteront ses amis jusqu'à la fin du siècle. Les Zola traversent sans dommage les événements politiques de la période 1848-1851. En octobre 1852, Zola entre en huitième au collège Bourbon, comme pensionnaire. En 1853, il saute une classe et devient élève demi-pensionnaire de sixième. C'est au collège Bourbon que Zola fait la connaissance d'un autre duo de camarades : Jean-Baptistin Baille, fils d'un aubergiste, et Paul Cézanne, fils d'un banquier, tous deux plus avancés que lui d'un an et d'une classe. En 1854, ils assistent au défilé des troupes partant pour la Crimée. Dans les *Nouveaux Contes à Ninon*, vingt ans plus tard, Zola racontera les souvenirs de sa vie de collégien provençal. Au collège, en quatrième, puis en troisième (section latin-sciences), il remporte des succès. Il joue de la clarinette dans la fanfare du collège, assiste aux cérémonies de la Fête-Dieu, s'enthousiasme pour Hugo et Musset, va applaudir au théâtre les drames romantiques, et, l'été venu, nage et chasse dans la campagne provençale avec Baille et Cézanne. Il se lie avec d'autres jeunes gens de la bourgeoisie d'Aix, Marguery, de Julienne d'Arc, Marquezi, Houchard. De toute cette jeunesse, lui, le plus pauvre, sera le seul à quitter la Provence pour « monter » à Paris. Déjà, il accumule les manuscrits : des vers, surtout, mais aussi un roman sur les croisades, et une comé-

die de potache en trois actes et en vers, *Enfoncé, le pion !*
La plupart de ces premiers écrits ont disparu. Ils portaient sans doute la marque du lyrisme romantique. De la
littérature contemporaine, Leconte de Lisle, Gautier, Ner-
val, Baudelaire, Balzac, Zola ne sait encore à peu près
rien.

Le 16 novembre 1857, sa grand-mère, Henriette Aubert,
meurt. Émilie Zola part pour Paris, à la recherche de soutiens. Quelques semaines plus tard, en février 1858, Zola
la rejoint, avec son grand-père Louis Aubert. C'est l'adieu
à la Provence — et à l'insouciance. La famille loue un
petit appartement dans un quartier alors très modeste, au
63 de la rue Monsieur-le-Prince. Le 1er mars, Émile entre
en seconde au lycée Saint-Louis, sur la recommandation
d'un ami de son père, avocat au Conseil d'État, Alexandre
Labot.

II. LA VIE DE BOHÈME
1858-1862

Alors commence une longue et riche correspondance
entre Zola et ses amis aixois. Seules ont été conservées ses
lettres à Baille, le polytechnicien, et à Cézanne, le peintre.
Les résultats scolaires de Zola deviennent décevants. Il
garde la nostalgie de la Provence. Il ne s'intéresse vraiment
qu'à la littérature française, enseignée par Pierre Levas-
seur, futur historien de renom. Dans le courant de l'été
1858, il passe plusieurs semaines à Aix. De retour en octobre, il tombe gravement malade : peut-être la fièvre
typhoïde. Les souvenirs de cette maladie lui inspireront
quinze ans plus tard une partie de *La Faute de l'abbé
Mouret*. Guéri, il retourne au lycée Saint-Louis, en rhétorique. En janvier 1859, les Zola habitent 241 rue Saint-
Jacques, encore plus près de la banlieue sud. Émile Zola
compose des vers en hommage à son père, qui paraissent
dans *La Provence* (17 février 1859). Il découvre, au Carna-

val, la fête nocturne dans Paris, le bal de l'Opéra. En juin, c'est l'effervescence des batailles contre l'Autriche, l'enthousiasme pour la cause italienne. Zola ne parvient ni à l'application de certains de ses condisciples, déjà préparés pour les carrières que l'Empire offre aux fils de la bourgeoisie parisienne, ni à la futilité des autres, qui serviront plus ou moins de modèles au jeune Maxime, dans *La Curée*. Pauvre, à demi étranger, déraciné, poète, idéaliste dans un monde qu'il juge cynique, il n'est pas heureux. Le 4 août 1859, il échoue au baccalauréat. Après des vacances à Aix (et des amours platoniques avec une jeune fille qu'il baptise l'Aérienne), c'est un nouvel échec, à Marseille, en novembre. Il abandonne ses études.

En 1860, son grand-père, Louis Aubert, meurt. Zola cherche du travail. La protection d'Alexandre Labot lui vaut une place d'employé à l'administration des Docks de Paris. Il y reste deux mois. Il échappe à l'ennui de la semaine par de longues randonnées dominicales, dans les villages de la banlieue, à Saint-Cloud, à Vincennes, à Vitry. Les Zola demeurent 35 rue Saint-Victor, où il a, pour lui seul, une mansarde au septième étage. Là, il reçoit de nouveaux amis, le peintre Chaillan, Georges Pajot, et des Provençaux installés comme lui à Paris. Poèmes (*Paolo*), proverbes (*Perrette*), nouvelles (*Un coup de vent*), lettres à Baille et à Cézanne : il écrit, lit les classiques, Michelet, George Sand, Shakespeare, admire Jean Goujon et Greuze. L'été venu, il quitte les Docks, se retrouve sans travail, et sans ressources. Il doit renoncer à l'idée d'aller passer à Aix les premières semaines de l'automne.

L'hiver 1860-1861 lui est très dur. On ne sait pas grand-chose de ces six mois. Zola s'enfonce dans le spleen. Il a une liaison malheureuse avec une fille galante, Berthe (qu'il transposera dans *La Confession de Claude*, commencée dès 1862 et publié en 1865). En février, il habite au 24 de la rue Neuve-Saint-Étienne-du-Mont, dans un hôtel garni. Cézanne, tant attendu, le rejoint en avril 1861. Ensemble, ils visitent le Salon de Peinture, les académies où travaillent les rapins. Zola cherche toujours un emploi, en vain, avec une amertume et un désarroi croissants. Il lit Molière et

Montaigne, mais aussi Victor de Laprade. Il mène apparemment la vie de bohème. C'est la fin des soliloques idéalistes, le début des regards sur la grande ville et sur les paysages de plein air — à la manière de ses amis peintres qui cherchent le « motif ». Mais l'œuvre a toujours un temps de retard sur l'expérience : il écrit encore des vers, sans plus guère croire à son talent poétique (*L'Aérienne*). La fin de l'enfance approche. L'attente durera encore tout un hiver, dans le froid, l'oisiveté, le malaise. Le 7 décembre 1861, à la mairie du Ve arrondissement, il réclame, en qualité de fils d'étranger, né en France, la nationalité française. Bénéficiant d'un tirage au sort favorable, il est libéré du service militaire.

III. L'ÉDITION
1862-1865

Le 1er mars 1862, Émile Zola entre à la librairie Hachette, à 100 francs par mois, comme employé au bureau des expéditions, où il fait des paquets, puis au bureau de la publicité. Il découvre le monde du livre, de l'intérieur. Il habite alors 11 rue Soufflot. En avril, on le trouve 7 impasse Saint-Dominique. Se détournant désormais de la poésie, il écrit trois contes en août-septembre (trois des futurs *Contes à Ninon*). Louis Hachette s'intéresse à lui, et lui confie les tâches de ce qu'on appellerait aujourd'hui un attaché de presse. Le 31 octobre, il est naturalisé français. Nouveau déménagement : le voilà, à la fin de l'année, au 62 rue de la Pépinière, près de la barrière d'Enfer (aujourd'hui rue Daguerre). En juillet 1863, il habite avec sa mère un appartement de trois pièces 7 rue des Feuillantines.

Il s'enhardit. Ses fonctions le font entrer en contact avec les journaux et les revues, avec les écrivains liés à la librairie Hachette. L'année 1863 est celle de ses véritables premiers pas dans la presse : un proverbe en vers, *Perrette*, est refusé par la *Revue des Deux Mondes*, en février, mais deux contes paraissent dans la *Revue du Mois*, à Lille, en avril et en octobre ; en décembre, il collabore au *Journal populaire de Lille*. Conteur, chroniqueur, critique : ce sera sa marque propre, dans le journalisme de la fin du Second Empire.

Son départ, dans la double carrière de l'édition et des lettres, semble bien pris. En juin 1864, devenu chef de la publicité à la librairie Hachette, à 200 francs par mois, Zola s'installe avec sa mère 278 rue Saint-Jacques. Il lit Stendhal et Flaubert, fait le compte rendu, pour la *Revue de l'Instruction publique*, des conférences de la rue de la Paix sur Le Sage, Shakespeare, Aristophane, La Bruyère, Molière. Ces conférences sont un foyer de l'opposition libérale à l'Empire. Il affirme sa sympathie littéraire pour le réalisme. Il collabore au *Journal populaire de Lille*, à *L'Écho du Nord*, à *La Nouvelle Revue de Paris*, à *L'Entracte*. Le cercle de ses relations littéraires s'élargit. Il remporte « sa première victoire » avec la publication des *Contes à Ninon*, en décembre, chez Albert Lacroix, l'éditeur de Hugo. Un mois plus tard, il va demeurer 142 boulevard du Montparnasse.

L'année 1865 accentue ce mouvement. Il est désormais chroniqueur régulier du *Petit Journal*, du *Salut public de Lyon*. On trouve sa signature dans *La Vie parisienne*, *La Revue française*, *Le Figaro*, *Le Grand Journal*, etc. En novembre, paraît son premier roman, *La Confession de Claude*. Il écrit deux pièces de théâtre, *La Laide* et *Madeleine*. Il a pris de l'assurance et de la confiance. Il a su exploiter à fond ses fonctions dans l'édition. Il travaille avec acharnement ; c'est au-delà de ses dix heures quotidiennes chez Hachette qu'il doit trouver le temps d'écrire. Ses articles, à eux seuls, lui rapportent 200 francs par mois. Ce n'est plus tout à fait la pauvreté. Il a rencontré Gabrielle-Alexandrine Meley, qui est devenue sa maîtresse en mars et dont il ne se séparera plus. Il va prendre tous ses risques, en abandonnant la librairie pour ne plus vivre que de sa plume.

IV. LE JOURNALISME LITTÉRAIRE
1866-1868

Le 31 janvier 1866, Zola quitte la librairie Hachette.
Depuis trois mois, son nom commençait à faire quelque
tapage : *La Confession de Claude* a déclenché une enquête
du procureur de la République ; une aigre polémique a
opposé Zola à Barbey d'Aurevilly et au journal *Le Nain
jaune*. Le successeur de Louis Hachette (mort en juillet
1864) a besoin d'un chef de publicité plus discret. Zola, de
son côté, pense que le moment est venu de conquérir une
complète disponibilité. La librairie Hachette lui commande
trois ouvrages (qu'il n'écrira pas) ; la séparation semble se
faire à l'amiable. Zola, le 1er février, devient courriériste
littéraire de *L'Événement*, journal fondé par Hippolyte de
Villemessant. Il conserve sa collaboration au *Salut public
de Lyon*. Il écrit un roman-feuilleton pour *L'Événement* :
Le Vœu d'une morte ; il donne une grande étude sur Taine
à *La Revue contemporaine*, des contes à *L'Illustration*. Il
proclame son admiration pour les Goncourt, pour Balzac,
pour Flaubert. Son *Salon* dans *L'Événement* fait scandale : il loue Manet et Courbet, et éreinte la peinture académique. Il publie coup sur coup *Mon Salon* (juin), *Mes
Haines*, recueil des principales études littéraires du *Salut
public*, *Le Vœu d'une morte* (novembre). Avec Cézanne, le
peintre Guillemet, et quelques autres, il découvre Bennecourt, sur les bords de la Seine, au-delà de Mantes, et y
fait plusieurs séjours. À Paris, il habite avec Alexandrine
Meley, rue de l'École-de-Médecine, puis 10 rue de Vaugi-
rard. Il écrit des lettres sereines, optimistes.

Mais l'année, fort bien commencée, se termine dans la
gêne. L'année 1867 n'est pas plus favorable. *L'Événement* a
été supprimé le 15 novembre ; *Le Salut public*, après novembre, se passe des services de Zola ; *Le Figaro*, devenu quotidien pour se substituer à *L'Événement*, ne publie que de
loin en loin, en 1867, des textes de Zola : des portraits littéraires, des tableaux parisiens, des études critiques. En

janvier 1867, Zola affirme encore une fois hautement son estime pour Manet, dans *La Revue du XIXe siècle*. Il rencontre au Café Guerbois, grande-rue des Batignolles, les peintres de la nouvelle école (les futurs impressionnistes) : Manet, Pissarro, Monet, bientôt Renoir, Fantin-Latour, Bazille, avec l'écrivain Duranty. Quelques textes ici et là (dans *La Situation*, et dans *La Rue* de Vallès) ne le préservent pas du manque d'argent. Alexandrine fait des bandes pour la librairie Hachette. C'est une année noire. Mais c'est aussi l'année où Zola écrit son premier chef-d'œuvre, *Thérèse Raquin*, qui paraît en décembre. En même temps, il publie un roman-feuilleton dans *Le Messager de Provence* : *Les Mystères de Marseille*. Une adaptation de ce roman pour la scène, due à Zola et à Roux, sera jouée à Marseille en octobre.

En avril 1867, les Zola se sont installés sur la rive droite, 1 rue Moncey (aujourd'hui rue Dautancourt), aux Batignolles. En avril 1868, ils vont habiter 23 rue Truffaut. Zola écrit *Madeleine Férat*, qui paraîtra en feuilleton dans *L'Événement illustré*, où il a également publié un nouveau *Salon* et de nombreuses chroniques. Il connaît encore des périodes difficiles. À partir de juin, il collabore à *La Tribune*, un des journaux de l'opposition républicaine nés de la loi du 11 mai 1868 sur la libéralisation de la presse. En novembre, il noue des relations amicales avec les Goncourt. Il correspond avec Taine, avec Sainte-Beuve. C'est l'époque où il lit des ouvrages sur l'hérédité, sur la physiologie, et où il jette les premières idées, les premiers projets de *l'Histoire d'une famille*, en dix volumes. Il cherche à s'engager pour un long terme chez un éditeur, qui assurerait sa sécurité matérielle et lui permettrait de construire à loisir une grande œuvre, conforme à ses intuitions « naturalistes » : l'analyse, psychologique, physiologique et sociale, est pour lui la forme moderne du roman.

V. LE JOURNALISME POLITIQUE
1869-1871

L'opposition à l'Empire s'enhardit. Zola multiplie les causeries polémiques dans *La Tribune*, puis dans *Le Rappel*, journal fondé par les proches de Victor Hugo. En même temps, il donne un courrier bibliographique au *Gaulois*. *L'Histoire d'une famille* commencera au coup d'État du 2 décembre 1851, et sera pour une part la peinture satirique des groupes sociaux qui ont trouvé profit dans le régime de Napoléon III. Zola écrit le premier roman du cycle, *La Fortune des Rougon*, et prépare le second, *La Curée*, cependant qu'éclatent des troubles en province (chez les mineurs de La Ricamarie et d'Aubin) et à Paris (juin-octobre 1869). Zola s'est installé 14 rue de La Condamine, toujours dans le quartier des Batignolles. Il y accueille un jeune Aixois, Paul Alexis, qui deviendra son plus fidèle ami. L'éditeur Albert Lacroix accepte le plan des *Rougon-Macquart*, avec un contrat de cinq cents francs par mois pour l'auteur.

1870 compromet cette sécurité retrouvée. Le 31 mai, Zola a épousé Alexandrine Meley. Il continue à fréquenter Bennecourt, et à publier de vigoureux pamphlets contre l'Empire. Il collabore au *Rappel* (qui se passera de ses services après un article jugé par trop élogieux pour Balzac, le 13 mai) et à *La Cloche*, autre journal républicain. Mais le 19 juillet éclate la guerre entre la France et la Prusse. Le 4 septembre, deux jours après la défaite de Sedan, l'Empire s'effondre. L'événement sauve Zola des poursuites judiciaires que lui valait son article du 5 août, plus antibonapartiste que jamais. La publication de *La Fortune des Rougon*, qui paraissait depuis le 28 juin dans *Le Siècle*, est interrompue depuis le 10 août. Le 7 septembre, les Zola quittent Paris pour Marseille, afin d'échapper au siège.

Zola espère du gouvernement de la Défense nationale un poste de sous-préfet, récompensant son passage dans les journaux républicains. Il échoue, malgré l'appui —

assez mou — des amis politiques de Gambetta. À Marseille, il fonde avec Marius Roux un journal éphémère, _La Marseillaise_. Le 11 décembre, il part seul pour Bordeaux, où siège une Délégation du Gouvernement. Un membre de la Délégation, Glais-Bizoin, le prend comme secrétaire. Sa femme et sa mère le rejoignent. Après l'armistice du 28 janvier 1871, une Assemblée nationale est élue (le 8 février). Elle siège à Bordeaux. Zola propose à _La Cloche_, et obtient, de devenir son chroniqueur parlementaire ; il fera le même travail pour _Le Sémaphore de Marseille_. Le voilà aux avant-postes de l'observation politique. Le 14 mars, il rentre à Paris, car l'Assemblée siège désormais à Versailles. Pendant la Commune, du 18 mars au 28 mai, il réside d'abord à Paris, puis, à partir du 10 mai, à Bennecourt : sa collaboration à _La Cloche_, journal républicain modéré, suspendu à partir du 19 avril, l'a rendu suspect à la Commune. De retour à Paris, il assiste avec consternation à la répression versaillaise, à l'instauration de « l'ordre moral ». La publication de _La Curée_, qui paraît en feuilleton dans _La Cloche_, est interrompue le 5 novembre sur intervention du Parquet. Après avoir été éloigné par la Commune, Zola est désormais surveillé par la république conservatrice.

VI. LA CONQUÊTE DU SUCCÈS
1872-1877

Zola se partage entre ses chroniques parlementaires et son œuvre littéraire. Il quitte _La Cloche_ à la fin de 1872, mais conserve sa collaboration régulière au _Sémaphore de Marseille_ jusqu'en février 1877, y publiant surtout, après 1872, des articles sur l'actualité parisienne. Un article vivement polémique contre la majorité monarchiste, dans _Le Corsaire_, en décembre, lui interdit la presse parisienne jusqu'en 1876 (sauf une brève série de critiques dramatiques dans _L'Avenir national_, en 1873). Il noue en 1872 des relations amicales avec Flaubert, Daudet, Tourgueniev.

L'éditeur Georges Charpentier réédite *La Curée* et *La Fortune des Rougon*, et prend le relais de Lacroix, avec les mêmes conditions : un versement mensuel de cinq cents francs. *Le Ventre de Paris* paraît en 1873, l'année où Mac-Mahon est élu président de la République, évinçant Thiers. En juillet 1873, Zola tente sa chance au théâtre, avec *Thérèse Raquin* : échec. En 1874, il en va de même pour *Les Héritiers Rabourdin*, tandis que paraissent *La Conquête de Plassans* et les *Nouveaux Contes à Ninon*. Les Zola vont habiter au 21 rue Saint-Georges (aujourd'hui rue des Apennins). Par Manet, Zola noue amitié avec Mallarmé, par Flaubert avec Maupassant. Il suit avec sympathie les expositions impressionnistes, en 1874, 1876, 1877. Après *La Faute de l'abbé Mouret*, en 1875, il reçoit la visite admirative de J.-K. Huysmans, de Henry Céard, puis de Léon Hennique. L'éditeur Charpentier lui assure désormais des droits proportionnels aux ventes. Cette année, les Zola prennent leurs vacances à la mer (à Saint-Aubin, en Normandie).

Zola collabore maintenant à une revue mensuelle de Saint-Pétersbourg, *Le Messager de l'Europe*. *Son Excellence Eugène Rougon* paraît en 1876. À partir d'avril 1876, *Le Bien public*, journal républicain, lui ouvre une revue dramatique et littéraire hebdomadaire, et publie en feuilleton *L'Assommoir*. La publication fait scandale ; elle devra s'achever dans une revue, *La République des Lettres*. Le roman, en janvier 1877, fait enfin de Zola l'écrivain le plus lu et le plus discuté de Paris. Il amplifie son succès avec ses campagnes en faveur du naturalisme, et ses éreintements de pièces à la mode : théâtre académique, drames historiques et pièces de boulevard. Les Zola, maintenant à l'aise, s'installent en avril 23 rue de Boulogne (aujourd'hui rue Ballu), et passent près de six mois (de mai à octobre) dans un village de pêcheurs près de Marseille, à l'Estaque. En octobre 1877, Mac-Mahon ayant dissous une assemblée où les républicains étaient majoritaires depuis un an, ceux-ci remportent les élections qui suivent. Trois mois plus tard, Mac-Mahon se soumet. La république parlementaire est enfin solidement instaurée. Et de même, la fortune privée et littéraire de Zola. Coïncidence significative, où se lit l'émergence politique, idéologique, esthétique, d'une nouvelle bourgeoisie.

VII. LE CHEF D'ÉCOLE :
DE « L'ASSOMMOIR » À « GERMINAL »
1877-1885

Le 28 mai 1878, avec les droits d'auteur de *L'Assommoir*, Zola acquiert une maison à Médan, au bord de la Seine, à une quarantaine de kilomètres à l'ouest de Paris (pour 9 000 francs). Il y passera chaque année l'été et l'automne et fera agrandir la demeure dès 1880. Maupassant lui apporte un bateau, baptisé *Nana*, du nom de l'héroïne du roman que prépare Zola. En avril, a paru *Une page d'amour*. En juillet, *Le Voltaire* se substitue au *Bien public*, mais Zola y conserve sa chronique hebdomadaire. Il envoie au *Messager de l'Europe* de longs articles de reportages (sur l'Exposition universelle), de souvenirs, d'analyses sociales, de théorie littéraire. En mai, il fait jouer *Le Bouton de Rose*, un vaudeville, au Palais-Royal : c'est un four. Mais une adaptation de *L'Assommoir*, en 1879, fait les beaux soirs de l'Ambigu. On commente, on discute, on chansonne et on caricature ses sujets, ses personnages et ses thèses naturalistes. Celles-ci culminent dans la publication, en 1880, du *Roman expérimental*. Par ce titre, Zola rattache délibérément son inspiration idéologique au courant de la pensée scientiste et positiviste, tandis que son œuvre puise dans des thèmes mythiques permanents : thèmes de vie, la nature et l'homme en travail, le rut, la gésine, la germination, la fécondité ; thèmes de mort, l'écroulement, la dissolution, le meurtre, la bêtise, la stérilité, l'agonie, l'absurdité, avec leurs fantasmes : la machine, la bête, le sang, l'or, l'alcool, la fournaise, l'enfant qu'on tue, la femme-refuge et la femme-gouffre. Ainsi Nana, la « Mouche d'Or », dont Flaubert dit en 1880 qu'« elle tourne au mythe sans cesser d'être une femme ».

La critique académique est ahurie et scandalisée. Zola, en réponse, l'étrille dans ses articles du *Voltaire*, puis du *Figaro* (1880-1881). *Les Soirées de Médan*, en avril 1880 (avec Alexis, Céard, Huysmans, Hennique et Maupassant), font de Médan le symbole du naturalisme. Puis Zola abandonne le journalisme. En 1880, il a perdu deux amis : Duranty et Flaubert, et, le 17 octobre, sa mère. Ces disparitions lui causent un profond ébranlement affectif, dont *La Joie de vivre*, en 1884, porte la trace. Il passe mal la quarantaine. L'œuvre continue, cependant, comme une drogue ; en 1881, trois recueils critiques (*Les Romanciers naturalistes, Le Naturalisme au théâtre, Documents littéraires*) ; en 1882, *Une campagne*, recueil des articles du *Figaro*, et un roman au vitriol sur les mœurs de la bourgeoisie, *Pot-Bouille* ; en 1883, *Au Bonheur des Dames*. À Paris et à Médan, les Zola reçoivent leurs amis, Daudet, Goncourt, Charpentier, Céard, Alexis, Huysmans, Cézanne. Ils passent l'été au bord de la mer, à Grand-Camp en 1881, à Bénodet en 1883. Du 23 février au 3 mars 1884, Zola enquête à Anzin, dans les mines de charbon, en pleine grève, pour son « roman ouvrier » : *Germinal* paraît en 1885, cinq ans après le retour des Communards exilés, trois ans après la formation du parti ouvrier de Jules Guesde, un an après la législation des syndicats. C'est le sommet des *Rougon-Macquart*, une œuvre où convergent le génie narratif et la puissance prophétique, et à laquelle aucun roman contemporain ne peut se mesurer. Zola rejoint Balzac, Stendhal, Flaubert. Il faudra, désormais, attendre Proust.

VIII. LA FIN DES ROUGON
DE « L'ŒUVRE » AU « DOCTEUR PASCAL »
1886-1893

Rentré d'un séjour au Mont-Dore (août 1885), Zola mène campagne contre la censure, qui a interdit l'adaptation de *Germinal* au théâtre (septembre-octobre 1885). La pièce

ne sera jouée qu'en avril 1888, au Châtelet : trop longue,
elle échouera. L'Œuvre, roman sur les peintres et sur la
création artistique, est achevé en février 1886. Cézanne,
qui croit s'être reconnu dans le personnage de Claude
Lantier, cesse toute relation suivie avec Zola. La demeure
de Médan s'agrandit ; Zola est un propriétaire heureux et
gourmand ; il prend de l'embonpoint. Du 3 au 11 mai 1886,
il voyage en Beauce pour préparer La Terre, dont il voudrait
faire pour les paysans ce que Germinal a été pour les
ouvriers. La Terre, achevé en août 1887, soulève de nouvelles polémiques. Anatole France parle des « géorgiques de
l'ordure » ; cinq jeunes écrivains de l'entourage de Goncourt
(Bonnetain, Descaves, Rosny, etc.) publient un manifeste
où ils affirment renier le naturalisme de Zola. Celui-ci
passe des vacances paisibles à Royan et, malicieusement,
commence à préparer un roman mystique et faussement
« convenable », Le Rêve.

Il lui reste quatre romans à écrire pour clore le cycle
des Rougon. Il n'en sera même pas détourné par la révolution qui bouleverse sa vie privée en 1888. Il s'éprend d'une
jeune lingère bourguignonne engagée par Alexandrine Zola,
et en fait sa maîtresse, en décembre. Jeanne Rozerot lui
donnera deux enfants, Denise, en 1889, et Jacques en
1891. Ce sont pour lui, dorénavant, les contraintes d'une
double vie, qu'il réussit à vivre dans la dignité et à préserver des ragots, et qu'Alexandrine, après une crise douloureuse, acceptera. Il mincit, découvre à cinquante ans les
joies de la paternité, retrouve l'énergie fougueuse de sa
jeunesse. La Bête humaine (1890) n'en est pas moins un
roman noir, hanté par des visions de violence. En septembre 1889, les Zola s'installent dans leur dernier domicile, 21
bis rue de Bruxelles, près de la place Clichy, que Zola, un
peu plus tard, photographiera sous tous les angles, avec
beaucoup d'autres paysages parisiens. La photographie le
passionne ; il devient un excellent preneur de vues et un
très bon technicien.

Le 1er mai 1890, il pose pour la première fois sa candidature à l'Académie française. Il échouera toujours, en dépit
de sa persévérance ; il ne sera jamais que président de la

Société des gens de lettres (1891), où il travaillera sérieusement à la protection des droits des écrivains. En 1891, paraît *L'Argent*, roman sur la Bourse et les grandes affaires. En avril 1891, Zola refait, de Châlons à Sedan, le chemin qu'avait suivi en 1870 l'armée de Châlons, avant d'être écrasée à Sedan. En juin, on joue à l'Opéra-Comique *Le Rêve*, sur une musique d'Alfred Bruneau. Zola se tourne vers le théâtre lyrique et écrit des livrets originaux, que Bruneau, devenu un fidèle de Médan, met en musique : *L'Attaque du moulin* (1893), *Lazare* (1894), *Messidor* (1897), etc. *La Débâcle* paraît en 1892. En août-septembre, les Zola voyagent à Lourdes, en Provence, en Italie : premier contact avec l'univers des *Trois Villes*. La dernière ligne du *Docteur Pascal* est écrite le 15 mai 1893. Le 21 juin, un grand banquet littéraire célèbre l'achèvement des *Rougon-Macquart* ; le 13 juillet, Zola, chevalier depuis 1888, est fait officier de la Légion d'honneur. En septembre, il est l'invité d'honneur du congrès international de la Presse, à Londres. Mais l'Académie française lui préfère José Maria de Heredia. Heureusement pour son visage futur, il n'a pas tout à fait conquis tous les honneurs...

IX. DE L'« HISTOIRE D'UNE FAMILLE »
AU CYCLE DE LA CITÉ
« LES TROIS VILLES »
1894-1898

Pendant que Zola terminait *Les Rougon-Macquart*, c'était, à Lourdes le grand marché des miracles, à Rome l'encyclique de Léon XIII sur les conflits sociaux, et à Paris, mêlés, le ralliement catholique à la république modérée de Jules Méline, le scandale de Panama, les attentats anarchistes. Une fin de siècle travaillée par l'inquiétude sociale, le nationalisme, le renouveau mystique, le malaise des foules... Zola reprend partiellement le schéma qui lui a réussi dans *Les Rougon-Macquart* : une même famille suivie de

roman en roman (mais sans les multiples ramifications
des Rougon-Macquart). Le prêtre Pierre Froment sera successivement le héros de *Lourdes* (1894), de *Rome* (1896) et
de *Paris* (1898). Les Zola ont séjourné à Rome en 1894.
Zola a été fasciné par les contrastes entre les ruines du
monde antique, le baroque, la toute-puissance de la Rome
papale, et la fièvre de spéculations et de plaisirs de la capitale civile. Il s'est retrouvé dans Michel-Ange. Il n'a pas
rendu visite à ses lointains cousins de Vénétie...

En 1895-1896, il reprend sa plume de journaliste, pour
une *Nouvelle Campagne* dans *Le Figaro* : dix-huit articles,
parmi lesquels un article malheureux sur l'art moderne,
et un article prémonitoire sur l'antisémitisme. *Paris*, en
1898, tentera d'interpréter les tares de la république parlementaire, l'inhumanité de la cité moderne, l'exaltation
anarchiste.

X. DE L'AFFAIRE DREYFUS
AUX « QUATRE ÉVANGILES »
1898-1902

Le capitaine Alfred Dreyfus a été condamné en décembre 1894 à la déportation perpétuelle à l'île du Diable, pour
avoir prétendument livré des renseignements à l'Allema-
gne. En 1896, le colonel Picquart a découvert le vrai coupable (le commandant Esterhazy). Mais ce n'est qu'à la fin
de 1897 que Zola, convaincu par Leblois, Bernard Lazare,
Scheurer-Kestner, de l'innocence de Dreyfus, va mettre
son nom et son talent au service du condamné. *J'accuse*
(Lettre au président de la République), publié le 13 janvier
1898 dans *L'Aurore*, journal de Clemenceau, enflamme l'opinion. L'affaire Dreyfus est désormais au centre du débat
politique, contre le vœu des pouvoirs et du parlement. Elle
oppose le courant nationaliste et militariste à la gauche
radicale et socialiste, la libre pensée à l'intégrisme catholique, les partisans du droit à ceux de l'ordre et de la rai-

son d'État. Zola, injurié de toutes les manières par les ligues d'extrême droite, inculpé de diffamation à l'égard des officiers qu'il a dénoncés pour forfaiture, est jugé par la cour d'assises de Paris du 7 au 23 février 1898 et condamné à un an de prison et 3 000 francs d'amende. Le jugement, cassé le 2 avril, est confirmé par la cour de Versailles le 18 juillet 1898, par défaut. Sur le conseil de ses défenseurs (Labori, Albert Clemenceau) et de ses amis (l'éditeur Fasquelle, Alfred Bruneau, Fernand Desmoulins, Octave Mirbeau), Zola s'exile en Angleterre. C'est un nouveau bouleversement dans sa vie. L'écrivain paisible, honoré, fortuné, est devenu un combattant traqué, clandestin. D'Angleterre, il écrit des lettres à la fois attristées et confiantes à Alexandrine, à Jeanne Rozerot, à ses amis. Son action a déclenché un mouvement irréversible. Le 31 août 1898, le commandant Henry, principal accusateur de Dreyfus, est convaincu de faux et se suicide. Le dossier d'Alfred Dreyfus est porté devant la Cour de cassation, qui, le 3 juin, rend un arrêt de révision du procès de 1894. Les défenseurs de Dreyfus triomphent. Zola, le 5 juin, rentre en France, affrontant ouvertement le gouvernement, qui renonce à le faire poursuivre. En septembre 1899, Dreyfus, ramené en France, est de nouveau jugé, de nouveau condamné par des officiers qui se refusent à perdre la face, et aussitôt gracié. Il sera réhabilité et réintégré dans l'armée en 1906. La défaite des adversaires de Dreyfus et de Zola, en dépit de la politique d'apaisement menée par Waldeck-Rousseau, entraînera la victoire de la gauche radicale aux élections de 1902, et une diminution sensible du rôle des congrégations religieuses et des ligues nationalistes.

En Angleterre, Zola a écrit *Fécondité*, qui paraît en 1899. C'est le premier des *Quatre Évangiles*, son dernier cycle, où il cherche à deviner, à travers le destin de la lignée issue de Pierre Froment, ce que sera la société du siècle à venir ; romans longs et touffus, où passent les rêves et les mythes laïques, scientistes et socialisants de 1900. *Travail* paraît en 1901 ; *Vérité*, directement inspiré par l'Affaire, sera publié en 1903, après la mort de Zola. *Justice* est resté à l'état de notes préparatoires.

Après son retour, Zola intervient plusieurs fois dans *L'Aurore* pour hâter la réhabilitation d'Alfred Dreyfus. En 1900, il réalise un reportage photographique de l'Exposition universelle. Pour le reste, c'est de nouveau une vie familiale doublement partagée, entre Alexandrine et Jeanne, entre Paris et Médan. De nombreuses photos le montrent entouré de ses amis à Médan, ou de ses enfants dans la demeure de Jeanne à Verneuil, ou en cycliste sur les routes de campagne. Il s'est retiré à l'écart du mouvement politique et esthétique. Son vieil ami Paul Alexis meurt en 1901. Maupassant est mort en 1893, Goncourt en 1896, Daudet en 1897. Il est le dernier survivant des dîners naturalistes.

Pas pour longtemps. Dans la nuit du 28 au 29 septembre 1902, au retour de Médan, Alexandrine et Émile Zola sont asphyxiés par une cheminée qui tire mal. Seule Alexandrine est ranimée. Accident ? Malveillance ? Zola recevait souvent des menaces de mort. L'enquête conclut à l'accident, sans certitude. Cinquante ans plus tard, un entrepreneur, sans laisser publier son nom, avouera à un journaliste avoir bouché la cheminée de Zola, « pour lui faire une farce ». Zola mort pour la Justice, titre de sa dernière œuvre ? Ce n'est pas invraisemblable.

Le 5 octobre 1902, le peuple de Paris, auquel s'est jointe une délégation des mineurs de Denain, lui fait un cortège de funérailles comme on n'en avait pas vu depuis la mort de Victor Hugo. Le 4 juin 1908, son corps sera porté au Panthéon. Plus tard, selon les vicissitudes politiques et idéologiques, l'État l'honorera ou l'oubliera. Il reste une figure plus aimée à gauche qu'à droite. Le peuple n'a jamais cessé de le lire. La critique moderne a découvert son œuvre, qu'on étudie maintenant à l'égal des classiques.

HENRI MITTERAND.

NOTICE

LES ORIGINES :
AUX SOURCES DES *ROUGON-MACQUART*

Hérédité et roman

Zola avait achevé *Madeleine Férat* le 3 novembre 1868. Mais il n'avait pas attendu ce moment pour jeter les bases du grand cycle romanesque qu'il méditait sur l'histoire d'une famille, et qui n'avait pas encore son titre : *Les Rougon-Macquart*.

On trouve à la Bibliothèque nationale, classés dans les Manuscrits 10.345 et 10.303 des Nouvelles acquisitions françaises, toute une série de documents préparatoires qui sont difficiles à dater : une liste d'ouvrages de physiologie, des notes tirées de la *Physiologie des passions*, de Charles Letourneau (1868), des notes tirées du *Traité de l'hérédité naturelle*, de Prosper Lucas (1847-1850), des notes sur la « détermination générale » du cycle, des « notes générales sur la marche de l'œuvre », des « notes générales sur la nature de l'œuvre », enfin deux plans (« Histoire naturelle et sociale d'une famille au XIXᵉ siècle ») et les arbres généalogiques. Aucun de ces documents n'est daté. On peut penser qu'ils ont été pour la plupart rédigés dans la seconde moitié de l'année 1868, et pour certains — notamment les plans — au début de 1869, mais il est probable aussi qu'au moins les lectures « physiologiques » de Zola, et sa toute première idée d'un roman construit sur le principe familial et héréditaire, remontent à la fin de 1867 et au début de 1868.

Il avait lu *La Comédie humaine* en 1866-1867 et avait pu y trouver (ne serait-ce que dans le prologue à *La Fille aux yeux d'or*) la vision d'une société divisée en classes, en « mondes » comme il le dira lui-même — le prolétaire, le petit boutiquier, le négociant, le magistrat, l'artiste, le grand propriétaire, etc. —, chaque famille inscrite dans une classe donnée s'efforçant de faire passer ses enfants dans la classe immédiatement supérieure, selon une poussée commune vers « l'or et le plaisir ». D'instinct, ses premières gammes faites, ayant éprouvé sa ténacité, la régularité productive de son effort, son sens — encore un peu crispé — de la construction narrative, il se sentait capable, seul de toute sa génération, d'égaler la performance balzacienne : proposer, dans une unique et longue coulée de romans, une représentation globale et contrastée de la société contemporaine. Pari audacieux, redoutable, mais qu'à vingt-huit ans il fallait tenir ou abandonner à tout jamais. Qui sait si l'image idéalisée de son père, l'ingénieur François Zola, l'architecte, le constructeur de fortifications et de barrages, ne lui a pas donné à ce moment-là la force de cette audace ? François Zola, exact contemporain de Balzac, mort comme lui à la cinquantaine, et si proche, par les aléas de sa destinée, des réalités et des mythes balzaciens...

Il avait aussi mérité la lettre que lui avait envoyée Taine après avoir lu *Thérèse Raquin* : « Un livre, écrivait l'auteur des *Essais de critique et d'histoire*, doit être toujours, plus ou moins, un portrait de l'ensemble, un miroir de la société entière. Il faut, à droite, à gauche, des biographies, des personnages, des indices qui montrent le grand complément, les antithèses de toute sorte, les compensations, bref, l'au-delà de notre sujet (...) Vous avez besoin d'élargir votre cadre et de balancer vos effets. À cet égard, Balzac et Shakespeare sont les grands maîtres. Il y a dans l'artiste accompli une sorte de philosophe encyclopédiste à grandes vues complexes (...) Vous avez fait une œuvre puissante, pleine d'imagination, de logique et très morale. Il vous reste à en faire une autre qui embrasse plus d'objets et ouvre plus d'horizons. » Ce texte parle de lui-même : sa leçon et ses encouragements dessinaient le rêve d'une nouvelle « encyclopédie » romanesque du siècle. Cependant, à supposer que Zola ait déjà imaginé ce projet, ce n'est pas seulement la lettre de Taine qui le portait à tenter sa chance dans la direction de l'enquête sociologique autant que de l'enquête physiologique. C'était, au fond, tout le discours, explicite ou implicite, d'une époque effectivement possédée par l'encyclopédisme, par le dessein d'exposer tout le savoir humain dans des œuvres à la fois amples, closes et accessibles à un large public, comme l'étaient les dictionnaires de Pierre Larousse et d'Émile Littré, la « Bibliothèque des Merveilles » de Louis Hachette, ou les « Voyages extraordinaires » de Jules Verne. Enfermer les sources des *Rougon-Macquart* dans la lecture de l'*Hérédité naturelle* du docteur Lucas est un grossier contresens, hélas répandu par les vulgarisations académiques et scolaires. Le projet zolien baigne dans un courant de besoins intellectuels — et socio-économiques — et d'utopies culturelles autrement vaste et autrement profond. Mais ce serait la matière d'un livre, qui reste à écrire.

On n'est pas mieux renseigné sur les informateurs de Zola que sur la date exacte de ses lectures. Je suggérerais volontiers, comme Colette Becker, le nom de Fortuné Marion (1846-1880), aixois, préparateur d'histoire naturelle à la Faculté des sciences de Marseille, ami de Zola et de Cézanne dès 1865, futur professeur titulaire d'une chaire spéciale de zoologie. Il approuvait l'hypothèse de l'imprégnation, sur laquelle était fondée l'intrigue de *Madeleine Férat*, et l'orientation scientifique du plan des *Rougon-Macquart*. Peut-être n'est-il pas étranger à la constitution de cette bibliographie de physiologie animale et humaine qui figure sur les folios 142, 143, 155 et 156 du Manuscrit 10.345. Cela dit, Zola, qui ne manquait pas de relations dans les journaux et l'édition, pouvait chercher des informations de diverses manières. On sait qu'il fréquenta la Bibliothèque impériale. Le caractère disparate de ses références dénoterait assez bien une glane faite au hasard des catalogues.

Toujours est-il qu'en 1868, le voilà en train de lire et de résumer avec application la *Physiologie des passions*, de Letourneau, et le *Traité philosophique et physiologique de l'hérédité naturelle*, de Lucas. Son résumé du premier (Ms. 10.345, f°s 27, 36 à 47, 28 à 34) relève l'importance du besoin, « *tendance organique sentie qui se formule cérébralement en désirs* » : besoin de respiration, besoin de digestion, « *besoin voluptueux, violent, aussi analysable* » que les autres. « *Besoins moraux, peu nécessaires ; besoins intellectuels, absolument nécessaires ?* » Dans ce livre audacieux pour l'époque, qui étudie les « passions » selon une optique matérialiste, sensualiste et rationaliste, Zola puise un savoir qui conforte et spécialise l'héritage déterministe acquis de Taine, et qui est bien précieux pour un romancier. Letourneau ne lui fournit rien de moins qu'une théorie de la perception, du plaisir et de la douleur, du désir. Et cette théorie affirme la puissance, sinon la toute-puissance des pulsions venues du corps, la dépendance de la volonté par rapport au désir, l'inexistence du libre-arbitre. Voilà qui peut nous aider à mieux comprendre l'ancrage philosophique des *Rougon-Macquart*. Au reste, Zola, qui pratique rarement la lecture désintéressée, imagine déjà, dans les marges de Letourneau, des personnages de romans. En voici deux dont on reconnaîtra aisément la descendance : « *Après les besoins nutritifs, comme violence, vient le besoin voluptueux. (Imaginer un homme qui veut refréner ce besoin, il survient des maladies nerveuses.) — Dans les besoins sensitifs visuels, auditifs, etc., le désir est peu violent (Imaginer cependant un artiste qui a besoin de contenter ses nerfs, sous peine de dommage et de malaise).* »

Les notes de lecture sur l'*Hérédité naturelle* sont beaucoup plus abondantes (Ms. 10.345, f°s 57 à 115). Ce qui, visiblement, séduit Zola, c'est moins l'argumentation scientifique que l'insistance de Lucas à affirmer que « l'hérédité est une loi, une force, et un fait ». Il en va ici comme pour les notions de besoin et de désir. La lecture de Zola sélectionne et privilégie instinctivement les données qui correspondent à son tempérament et à son intuition de romancier, de narrateur : le personnage, comme le dira Étienne Souriau beaucoup plus tard, est une « force orientée » ; il n'est point de bon récit sans poussée, sans dynamique perturbatrice et transformatrice des situations et des êtres. Si le discours de la science moderne n'est plus tourné vers l'exaltation de la volonté libre, comme dans les morales du Grand Siècle, mais au contraire vers la reconnaissance effarée des puissances qui viennent à l'homme de son sang et de ses nerfs, qu'importe ; c'est là que Zola nourrira sa compétence de conteur et de créateur, d'autant plus volontiers qu'il s'est affranchi depuis longtemps de toute philosophie religieuse.

Il est tout de même très attentif à l'enseignement complexe de Lucas sur les deux concepts contradictoires d'innéité et d'hérédité. Leur validité scientifique, l'authenticité des observations à l'appui, ce n'est pas exactement son problème. Mais quelle extraordinaire mine d'idées romanesques ! Lucas fournit à Zola les racines d'un arbre généalogique, une image concrète, et en même temps rationalisée, de la succession des générations. De plus et surtout, il ouvre à son imagination une extraordinaire multiplicité de *cas*, de types psychophysiologiques, de situations, de combinaisons. On a eu raison, dans le passé, de montrer que Zola a assez rapidement desserré le carcan qu'aurait constitué une stricte détermination héréditaire du physique et du caractère de ses personnages. On ne doit pas pour autant sous-estimer l'influence qu'a exercée le livre de Lucas sur l'élargissement et l'assouplissement de ses curiosités romanesques. La mécanique de *Thérèse Raquin* et de *Madeleine Férat*, attachée pour une part aux théories abstraites de Taine, avait quelque chose de limité, de clos : elle procédait d'une grammaire narrative vite épuisée, parce que la théorie des tempéraments et celle de l'imprégnation ne peuvent engendrer qu'un nombre restreint de combinaisons. Lucas fait sauter ces verrous, et offre à son lecteur, qui en l'occurrence est avisé et pragmatique, une combinatoire infiniment plus productive. On devine, à lire le résumé qu'il en a tiré, la jubilation de

Zola faisant son miel de toute cette « *diversité individuelle des êtres dans l'unité d'espèce* ». L'innéité, qui n'est rien d'autre pour Zola, dans la vie et la procréation, que le nom scientifique de « l'invention », lui fournit des cas de dissemblance des enfants par rapport aux parents. « *À Rome*, note-t-il, *les plus belles courtisanes sortent du peuple* » : n'est-ce pas la lointaine préfiguration de Nana ? Des enfants intelligents surgissent chez des parents bornés ; à l'inverse « *l'idiotie, de parents intelligents* » : ce sera Désirée Mouret, dans *La Conquête de Plassans* et *La Faute de l'abbé Mouret*. L'hérédité, au contraire, seconde loi primordiale dans la procréation, est à l'innéité ce que l'imitation est à l'invention : elle crée les ressemblances, elle transmet un ou plusieurs traits physiques, intellectuels ou moraux, d'une génération à l'autre. « *Ce métissage*, relève Zola, *fournit de mauvais effets* », et il complète aussitôt, en soulignant : « *On pourrait montrer dans l'adultère le métissage* » : tout le cycle, au fond, est issu de cette petite phrase ; c'est l'histoire de la branche Macquart, issue des amours adultères de tante Dide et du contrebandier Macquart ; c'est le thème fondateur du roman des origines, *La Fortune des Rougon* — on n'a peut-être pas assez remarqué qu'aux assises mêmes de l'œuvre, en son cœur profond, se trouvaient ainsi inscrites, somme toute, l'idéologie de la ségrégation, la hantise de la mésalliance.

Zola continue de résumer Lucas, et par là même il dessine en pointillé ses motifs à venir. « *L'hérédité régit la disposition à toutes les passions. Hérédité du penchant à l'ivrognerie : amenant la folie. Hérédité de la passion sexuelle (...) Hérédité des propensions aux crimes (...) Hérédité du penchant au viol (...) Un roman à faire (roman criminaliste).* » Déjà apparaissent en filigrane les ombres de Gervaise, de Coupeau, de Jacques Lantier, de Victor Saccard... Le résumé s'attarde longuement sur l'action des deux sexes dans la transmission des caractères, avec les trois cas que distingue Lucas : l'hérédité par élection, c'est-à-dire par ressemblance exclusive du père ou de la mère ; l'hérédité par mélange, c'est-à-dire par représentation mixte et simultanée du père et de la mère ; l'hérédité par combinaison, c'est-à-dire par « *dissolution des deux auteurs dans le produit, et substitution d'un nouveau caractère à ceux des facteurs* ». Ce sont là les trois formules des « *mille variations de l'hérédité* ». À quoi s'ajoutent, pour chacun des procréateurs, les conditions d'âge, de santé, de bien-être, de gaieté, voire « *d'exaltation au moment du coït* ». « *L'énergie momentanée d'un des facteurs va jusqu'à reproduire parfois dans le produit les étapes de la vie des facteurs à l'instant du coït.* » Voilà l'explication de la boiterie de Gervaise, la « Banban » : « *Conçue dans l'ivresse, sans doute pendant une de ces nuits honteuses où les époux s'assommaient, elle avait la cuisse droite déviée et amaigrie, étrange reproduction héréditaire des brutalités que sa mère avait eu à endurer dans une heure de lutte et de soûlerie furieuse* » (*La Fortune des Rougon*, p. 191). Cela dit, « *il arrive souvent que les lois d'élection, de mélange et de combinaison sont entièrement violées* », ce qui laisse toutes ses chances à l'indétermination des caractères — et à la liberté du romancier. Néanmoins, sur tous les arbres généalogiques dessinés par Zola pour la famille des Rougon-Macquart, du premier de 1869 au dernier de 1893, chaque personnage se voit défini non seulement par son nom, son âge, sa condition sociale et sa situation familiale, mais aussi par son étiquetage héréditaire. Exemples, sur le premier arbre de 1869 : « *Eugène Rougon* (ex-Alfred Richaud) (...) *mélange fusion avec prépondérance morale de la mère* (...) » ; « *Pascal Rougon* (ex-Charles Richaud) (...) *innéité, pas de ressemblance morale avec ses parents. Ressemblance physique avec la mère dans le bas âge et s'effaçant plus tard* » (voir ci-après p. 529).

Après avoir établi un résumé de l'ouvrage de Lucas, Zola rédigea un résumé de ses premières notes (Ms. 10.345, f⁰ˢ 108-115). C'est là que l'on mesure à quel point le *Traité de l'hérédité naturelle* lui a servi de dictionnaire ou de répertoire des personnages et des situations romanesques, plus encore que d'instrument de formation scientifique ; de source d'inspiration inventive plus que de source de documentation : curieux transfert, d'un texte scientifique et didactique, ou se voulant tel, en un programme de fictions.

Zola relit ses notes, et au fur et à mesure il les traduit du langage de la science dans celui du roman. En voici seulement quelques illustrations significatives, qui montrent d'ailleurs (par l'emploi de certains possessifs, type : « *ma lorette* ») que la recherche des personnages a commencé dès avant ou pendant la lecture de Lucas : « *Dans le roman où il y aura des nobles, parler de l'hérédité de caste et de l'affaiblissement de la race (...) Dans le roman ouvrier, ou autre, faire naître une belle courtisane (...) Un roman où l'on montrerait le métissage dans l'adultère (...) Dans mon artiste, ou un autre, dire qu'étant enfant, il aimait voler (...) Ma lorette peut être voleuse. Il pourrait y avoir une branche de la famille qui resterait stationnaire à l'état de brute ou qui s'en détacherait par brusquerie nerveuse vers le mal : ouvrier, militaire, lorette, meurtrier.* » On reconnaît dans ces dernières lignes toute la branche des Macquart — l'illégitime, la « métissée », la descendance du contrebandier.

Quelques feuillets du Manuscrit 10.345 (f°s 17 à 25) reprennent encore et resserrent les enseignements de Lucas, de manière plus nettement programmatique, en prévision du système familial qui servira de base aux romans. La première personne du soliloque se mêle plus souvent à la troisième personne — en réalité la non-personne, comme diraient les linguistes — du résumé : « *Il me faut encore :*
Distribuer les combinaisons, mélanges et élections
(...) Mettre chaque personnage dans son milieu
(...) Créer les habitudes, les professions, les divergences acquises
(...) Trouver les romans » (f° 19).

Et voici enfin le coup d'envoi de l'Histoire naturelle et sociale d'une famille, avec ces deux fiches, dont l'une (f° 24) dessine un dispositif fondé sur les « lois » de l'hérédité, tandis que l'autre (f°s 22-23) rappellerait plutôt la distribution balzacienne, plus sociologisante. La dernière s'achève par la toute première liste constitutive du cycle, qui ne semble comporter à cette date que dix romans :

Famille lâchée dans l'assouvissement moderne
Un roman où serait un métis de l'adultère.

Ma lorette, mon artiste peuvent être voleurs
Ouvrier, militaire, lorette, meurtrier d'une souche
Spéculateur, fils de parvenus, prêtre, artiste, fonc-
tionnaire d'une autre souche
Ma première souche braconnier plus difficile à
civiliser.

Il y a quatre mondes

(roman initial)

Peuple { ouvrier
         { militaire

Commerçants { Spéculateur sur les démolitions
            { et haut commerce (industrie)

Bourgeoisie { fils de parvenus.

Grand monde { fonctionnaires officiels avec
            { personnages du grand monde,
            { *politique* —

Et un monde à part { putain
                   { meurtrier
                   { prêtre *(religion)*
                   { artiste — *(art)*

Les sciences doivent être représentées quelque part,
— souvent, comme une voix générale de l'œuvre.
Le roman initial pourrait résumer les symptômes
de la fièvre d'appétit. Éducation des enfants au collège. L'éducation serait antérieure au coup d'État,
l'action ne commencerait que là.

Un roman sur les prêtres (Province)
Un roman militaire (Italie)
Un roman sur l'art (Paris)
Un roman sur les grandes démolitions de Paris.
Un roman judiciaire (Province)
Un roman ouvrier (Paris)
Un roman dans le grand monde (Paris)
Un roman sur la femme d'intrigue dans le commerce (Degon) Paris

Un roman sur la famille d'un parvenu (effet de l'influence de la brusque fortune d'un père sur ses filles et garçons) Paris
Roman initial, province

« *Différences entre Balzac et moi* »

Si Balzac est le devancier et le maître incontesté — il n'y a même pas vingt ans qu'il est mort — Zola n'entend pas pour autant apparaître comme un pâle épigone. De là, ce titre ambitieux et orgueilleux, donné à deux pages apparemment contemporaines de ses toutes premières lectures : « Différences entre Balzac et moi » (Ms. 10.345, f°s 14-15). Zola commence par résumer l'avant-propos à *La Comédie humaine* : la comparaison des espèces sociales aux espèces animales, le projet de réaliser une peinture complète des types, des mœurs, des professions et des choses, l'espoir d'influer sur les conduites sociales et politiques. Puis il trace les différences : le cadre de son œuvre sera plus restreint, il s'en tiendra à l'histoire d'« *une seule famille, en montrant le jeu de la race modifiée par les milieux* ». « *Ma grande affaire est d'être purement naturaliste, purement physiologiste. Au lieu d'avoir des principes (la royauté, le catholicisme) j'aurai des lois (l'hérédité, l'énéité* [sic]*).* » Pas besoin de personnages reparaissants. Ne pas chercher à « *avoir une décision sur les affaires des hommes* ». « *Un simple exposé des affaires d'une famille, en montrant le mécanisme intérieur qui la fait agir.* »

Cette Note sur « Balzac et moi », peut-être antérieure à

la lecture de Lucas (comme semblerait le montrer la faute
sur le mot *innéité)*, semble emprisonner le dessein dans
un cadre encore étroit et dogmatique : « *Mon œuvre sera
moins sociale que scientifique.* » C'est pourquoi nous pen-
sons que les *Notes générales sur la marche de l'œuvre* lui
sont postérieures. Il vaut la peine de les publier intégrale-
ment. Les premières (Ms. 10.345, f°s 9 à 13) définissent,
malgré leur titre, un modèle dynamique du roman, insis-
tant sur les notions de puissance, de lutte, de force, de
souffle, de masse, de logique, de poussée, et se proposant
de chercher la vérité dans le type exceptionnel « *profondément creusé* », plutôt que dans le type général :

Notes générales
sur la nature de l'œuvre

Notes

Comprendre chaque roman ainsi : poser d'abord
un cas humain (physiologique) ; mettre en présence deux, trois puissances (tempéraments) ; établir une lutte entre ces puissances ; puis mener les
personnages au dénouement par la logique de leur
être particulier, une puissance absorbant l'autre ou
les autres.

Avoir surtout la logique de la déduction. Il est
indifférent que le fait générateur soit reconnu comme
absolument vrai ; ce fait sera surtout une hypothèse
scientifique, emprunté aux traités médicaux. Mais
lorsque ce fait sera posé, lorsque je l'aurai accepté
comme un axiome, en déduire mathématiquement
tout le volume, et être alors d'une absolue vérité.

En outre, avoir la passion. Garder dans mes livres
un souffle un et fort qui, s'élevant de la première
page, emporte le lecteur jusqu'à la dernière. Conserver mes nervosités. — Taine dit cependant : Faites
fort et général. Faire général ne m'est pas permis, par
la constitution même de mes livres. Mais je puis faire
fort le plus possible, surtout dans certains types.

Prendre garde surtout à remettre trop souvent en

scène le même bonhomme nerveux (Claude, Daniel, Guillaume). Trouver des tempéraments divers.

Écrire le roman par larges chapitres, logiquement construits : c'est-à-dire offrant par leur succession même une idée des phases du livre. Chaque chapitre, chaque masse doit être comme une force distincte qui pousse au dénouement. Voir ainsi un sujet par quelques grands tableaux, quelques grands chapitres (12 ou 15) ; au lieu de trop multiplier les scènes, en choisir un nombre restreint et les étudier à fond et avec étendue (comme dans *Madeleine Férat*). Au lieu de l'analyse courante de Balzac, établir douze, quinze puissantes masses, où l'analyse pourra ensuite être faite pas à pas, mais toujours de haut. Tout le monde réussit en ce moment l'analyse de détail ; il faut réagir par *la construction solide des masses*, des chapitres ; par *la logique, la poussée de ces chapitres*, se succédant comme des blocs superposés, se mordant l'un l'autre ; par le *souffle de passion* animant le tout, courant d'un bout à l'autre de l'œuvre.

Il y a deux genres de personnages, *Emma* et *Germinie*, la créature vraie observée par Flaubert, et la créature grandie créée par les de Goncourt. Dans l'une l'analyse est faite à froid, le type se généralise. Dans l'autre, il semble que les auteurs aient torturé la vérité, le type devient exceptionnel. Ma *Thérèse* et ma *Madeleine* sont exceptionnelles. Dans les études que je veux faire, je ne puis guère sortir de l'exception ; ces créations particulières sont d'ailleurs plus d'un artiste, ce mot étant pris dans le sens moderne. Il semble aussi qu'en sortant du général, l'œuvre devient supérieure (*Julien Sorel*) ; il y a création d'homme, effort d'artiste ; l'œuvre gagne en intérêt humain, ce qu'elle perd en réalité courante. Il faudrait donc faire exceptionnel comme Stendhal, éviter les trop grandes monstruosités, mais prendre des cas particuliers de cerveau et de chair. Quand Taine conseille de faire général et qu'il approuve Flaubert de faire général, il est l'homme de sa théorie des milieux ; d'ailleurs il a dit de Stendhal qu'il était « un homme supérieur » et Stendhal a pourtant créé des êtres exceptionnels, résumant une époque ou un pays, si l'on veut, mais à coup sûr hors de la foule.

Prendre avant tout une tendance philosophique, non pour l'étaler, mais pour donner une unité à mes livres. La meilleure serait peut-être le matérialisme, je veux dire la croyance en des forces sur lesquelles je n'aurai jamais le besoin de m'expliquer. Le mot force ne compromet pas. Mais il ne faut plus user du mot fatalité qui serait ridicule dans dix volumes. Le fatalisme est un vieil outil. D'ailleurs, ne pas écrire en philosophe ni en moraliste. Étudier les hommes comme de simples puissances et constater les heurts. On a dit qu'il n'y avait pas un grand romancier qui ne contînt un philosophe : oui, une philosophie absurde, à la façon de Balzac. Je préfère être seulement romancier.

Ne pas oublier qu'un drame prend le public à la gorge. Il se fâche, mais n'oublie plus. Lui donner toujours, sinon des cauchemars, du moins des livres excessifs qui restent dans sa mémoire. Il est inutile d'ailleurs de s'attacher sans cesse aux drames de la chair. Je trouverai autre chose, — d'aussi poignant.

Veiller au style. Plus d'épithètes. Une carrure magistrale. Mais toujours de la chaleur et de la passion. Un torrent grondant, mais large, et d'une marche majestueuse.

Peu de personnages : deux, trois figures principales, profondément creusées, puis deux, trois figures secondaires se rattachant le plus possible aux héros, servant de compléments ou de repoussoirs. J'échapperai ainsi à l'imitation de Balzac qui a tout un monde dans ses livres — Mes livres seront de simples procès-verbaux. Les de Goncourt seront si bien écrasés par la masse (par la longueur des chapitres, l'haleine de passion et la marche logique) qu'on n'osera m'accuser de les imiter.

Plus de descriptions, ou le moins possible. Le paysage (la Source) dans *Madeleine Férat* est déjà long. Le laboratoire, quoique long, est bon. Une continuelle analyse coupée seulement par le drame.

Les *Notes générales sur la marche de l'œuvre* (Ms. 10.345, f°s 2 à 7) détaillent le schéma familial, ainsi que les principes physiologiques et sociologiques de l'œuvre :

Notes générales
sur la marche de l'œuvre

Notes sur la marche générale de l'œuvre

Une famille centrale sur laquelle agissent au moins deux familles. Épanouissement de cette famille dans le monde moderne, dans toutes les classes. Marche de cette famille vers tout ce qu'il y a de plus exquis dans la sensation et l'intelligence. Drame dans la famille par l'effet héréditaire lui-même (fils contre père, fille contre mère). Épuisement de l'intelligence par la rapidité de l'élan vers les hauteurs de la sensation et de la pensée. Retour à l'abrutissement. Influence du milieu fiévreux moderne sur les impatiences ambitieuses des personnages. Les milieux proprement dits, milieu de lieu et milieu de société détermine (*sic*) la classe du personnage (ouvrier, artiste, bourgeois ; — moi et mes oncles, Paul et son père).

La caractéristique du mouvement moderne est la bousculade de toutes les ambitions, l'élan démocratique, l'avènement de toutes les classes (de là la familiarité des pères et des fils, le mélange et le côtoiement de tous les individus). Mon roman eût été impossible avant 89. Je le base donc sur une vérité du temps : la bousculade des ambitions et des appétits. J'étudie les ambitions et les appétits d'une famille lancée à travers le monde moderne, faisant des efforts surhumains, n'arrivant pas à cause de sa propre nature et des influences, touchant au succès pour retomber, finissant par produire de véritables monstruosités morales (le prêtre, le meurtrier, l'artiste). Le moment est trouble. C'est le trouble du moment que je peins. Il faut *absolument* remarquer ceci : je ne nie pas la grandeur de l'effort de l'élan moderne, je ne nie pas que nous puissions aller plus ou moins à la liberté, à la justice. Seulement ma croyance est que les hommes seront toujours des hommes, des animaux bons ou mauvais selon les circonstances. Si mes personnages n'arrivent pas au bien, c'est que nous débutons dans la *perfectibilité*. Les hommes modernes sont d'autant plus faillibles qu'ils sont plus nerveux et plus impatients. C'est pour cela qu'ils sont plus curieux à étudier. Pour résumer mon œuvre en une phrase : je veux peindre, au début d'un siècle de liberté et de vérité, une famille qui s'élance vers les biens prochains, et qui roule détraquée par son élan lui-même, justement à cause des lueurs troubles du moment, des convulsions fatales de l'enfantement d'un monde.

Donc deux éléments : 1° l'élément purement humain, l'élément physiologique, l'étude scientifique d'une famille avec les enchaînements et les fatalités de la descendance ; 2° effet du moment moderne sur cette famille, son détraquement par les fièvres de l'époque, action sociale et physique des milieux.

C'est dire que cette famille née dans un autre temps, dans un autre milieu, ne se serait pas comportée de la même façon.

J'ai dit qu'il y avait un élan vers la liberté et la justice. Je crois que cet élan sera long à aboutir, tout en admettant qu'il peut conduire à un *mieux*. Mais je crois plutôt à une marche constante vers la *vérité*. C'est de la connaissance seule de la vérité que pourra naître un état social meilleur.

Il est bien entendu que je mets à part la discussion de l'état politique, de la meilleure façon de gouverner les hommes, religieusement et politiquement. Je ne veux pas établir ou défendre une politique ou une religion. Mon étude est un simple coin d'analyse du monde tel qu'il est. Je constate purement. C'est une étude de l'homme placé dans un milieu social, sans sermon. Si mon roman doit avoir un résultat, il aura celui-ci : dire la *vérité humaine*, démonter notre machine, en montrer les secrets ressorts par l'hérédité, et faire voir le jeu des milieux. Libre ensuite aux législateurs et aux moralistes de prendre mon œuvre, d'en tirer des conséquences et de songer à panser les plaies que je montrerai. C'est ainsi que les médecins, P. Lucas, pourront parler de croiser les familles, etc.

Mon roman doit être simple. Une seule famille, avec quelques membres. Tous les cas d'hérédité pourront être appliqués soit sur les membres de cette famille, soit sur les personnages secondaires.

L'empire a déchaîné les appétits et les ambitions. Orgie d'appétits et d'ambition. Soif de jouir, et de jouir par la pensée surmenée, et par le corps surmené. Pour le corps, poussée du commerce, folie de l'agio et de la spéculation ; pour l'esprit, éréthisme de la pensée conduite près de la folie (le prêtre pourra rêver comme Fourrier (*sic*)). Fatigue et chute : la famille brûlera comme une matière se dévorant elle-même, elle s'épuisera presque dans une génération parce qu'elle vivra trop vite.

Luttes intestines produites par l'action fatale de l'hérédité. Pourquoi l'ouvrier, pourquoi le bourgeois et l'homme officiel, pourquoi le riche et le pauvre.

L'élément *femme* pondéré avec l'élément *homme*.
Le *noir* pondéré avec le *blanc*, la *province* avec
Paris.

Croisement de race (italien et français) dans le
roman militaire.

Il fallait que j'applique la force *hérédité* sur une
direction. Cette direction est trouvée : la famille ira
au contentement de l'appétit *fortune* ou *gloire*, et au
contentement de l'appétit *pensée*. Le moment social
est celui-ci : tous désire (*sic*) jouir, monter aux jouissances physiques et intellectuelles. De là l'éducation
des enfants, le peuple mêlé des collèges.

On discerne dans ces Notes, pêle-mêle, l'influence du
discours sur l'hérédité, l'influence du déterminisme social
de Taine, une vision quasi darwinienne de la société contemporaine (« *la bousculade des ambitions et des appétits* »), le tout couronné par un optimisme qui affirme, au-
delà des folies et des dégénérescences du moment, la puissance de « *l'élan vers la liberté et la justice* », de la « *marche
vers la vérité* ». Foisonnement d'écarts ou de contradictions idéologiques, qui tient à la diversité, sinon à la disparate, des enseignements reçus ici et là par Zola, et qui
dessine déjà ce que sera, jusqu'à la fin des *Rougon-Macquart* au moins, son partage, sa fracture intérieure, si typique du malaise intellectuel de la fin du siècle : d'un côté
une pensée étroitement déterministe, traduisant peut-être,
sur le mode d'un fantasme pseudo-scientifique, l'anxiété
de la bourgeoisie devant les risques de gaspillage, d'épuisement de son patrimoine vital, économique, politique, et
sa terreur des barbares — les prolétaires, les « monstruosités » sociales — dont la foule grossit dans l'ombre ; de
l'autre, une confiance tout aussi intuitive, voire mystique,
dans la vie, le progrès, l'élan, dans tout ce qui travaille et
produit, dans l'issue heureuse des conflits, dans la fécondité naturelle de la société humaine, et dans un sens positivement orienté de l'histoire.

Il peut sembler étonnant que ces textes préparatoires et fondateurs (les seuls qui subsistent d'un dossier peut-être plus riche à l'origine) ne portent pas davantage la marque de l'engagement de Zola aux côtés de l'opposition républicaine, dans les deux dernières années du second Empire. Une seule phrase, au demeurant abstraite : « *L'empire a déchaîné les appétits et les ambitions.* » Ce thème sera largement orchestré dans les préfaces de *La Fortune des Rougon* et de *La Curée*, et il sera au fondement même de ces deux romans. Mais ces *Notes sur la nature et sur la marche de l'œuvre* sont curieusement discrètes sur l'actualité politique, que Zola commentera hebdomadairement — en moraliste, il est vrai, plus qu'en technicien de la polémique politique — dans *La Tribune*, à partir de mai 1868, puis, beaucoup plus irrégulièrement, dans *Le Rappel* en 1869 et dans *La Cloche* en 1870. Ce silence pourrait suggérer que les *Notes* sont antérieures à maijuin 1868, et à la découverte que fera alors Zola des grands thèmes de la polémique antibonapartiste : la répression sanglante de décembre 1851, la corruption, les gaspillages financiers, l'immoralité, la crise sociale, etc. Soulignons néanmoins que la philosophie politique sous-jacente aux premiers projets des *Rougon-Macquart* porte moins sur la conjoncture, sur les institutions du moment, que sur la permanence du jeu des ambitions et des fièvres. « *Il est bien entendu que je mets à part la discussion de l'état politique (...) Je ne veux pas établir ou défendre une politique ou une religion.* » Au surplus, sans mettre en question la sincérité républicaine de Zola en 1868, ni son mépris profond du pouvoir impérial, de ses hommes et de ses formes, on se souviendra que sa collaboration avec des journalistes qui entreront pour la plupart dans le personnel politique républicain après la chute de Napoléon III était d'abord pour lui une manière de gagner sa vie par sa plume, et qu'il eut toujours souci, dans ses *Causeries*, de préserver son indépendance intellectuelle, et de conserver à la sympathie qu'il portait aux « démocrates » et à leurs idées un caractère relativement distant : c'est qu'il se défiait de leur propension à l'idéalisme romantique, et de leurs propres ambitions. Il en ira un peu autrement à partir du moment où Zola construira l'intrigue du premier roman, *La Fortune des Rougon* : car il utilisera alors les données du livre d'un historien républicain, Eugène Tenot, sur *La Province en décembre 1851*, dont les épisodes n'ont cessé de nourrir les articles républicains dénonçant en 1868-1869 les atrocités du coup d'État bonapartiste. En tout état de cause, les « causeries » du journaliste qu'est devenu Zola, et les réflexions du romancier — non destinées à la publication — se situent sur des niveaux différents.

LA PRÉPARATION DE *LA FORTUNE DES ROUGON*

Lequel a précédé l'autre, du *1er plan remis à Lacroix* (plan général de la série, Ms. 10.303, f°s 74 à 77), et du premier plan du roman que Zola n'appelle encore que « *le roman initial* » ? C'est bien difficile à déterminer. De même, fait-il ou non joindre (comme je l'ai fait pour l'édition de la Bibliothèque de la Pléiade, au tome V) au document général remis à Lacroix, le deuxième plan de *La Fortune des Rougon* et les résumés des romans qui suivront ? J'aurais tendance à penser que le premier plan de *La Fortune des Rougon* est le plus ancien de ces trois textes : car on y trouve, pour le choix des noms de famille, une étape antérieure à celle où Zola s'est arrêté sur le double nom des Rougon-Machard (devenus un peu plus tard Rougon-Macquart). Reste que le travail sur *La Fortune des Rougon*, la préparation d'un plan général de la série et les négociations avec l'éditeur Albert Lacroix se sont déroulés dans le même temps, sans doute au cours des tout premiers mois de 1869.

Le premier schéma de La Fortune des Rougon

Pour respecter cette hypothèse de chronologie relative, voici donc, selon les propres termes de Zola, les premiers

« *éléments du roman initial* », qui met en lutte mutuelle deux familles alliées par une filiation adultérine : les Richaud (futurs Rougon), les David (futurs Macquart), et, rattachés aux Richaud, les Camoin (futurs Mouret). Comme l'a montré Martin Kanes, il se peut que ce patron central et fondateur soit emprunté à une œuvre de Balzac, *Pierrette*. L'analogie est en effet frappante entre l'histoire des Rogron-Auffray, chez Balzac, et celle des Richaud-David, chez Zola : dans les deux cas, une branche de la famille ruine l'autre, en province, à l'approche d'un bouleversement politique (1830, dans *Pierrette)*, et sous l'action d'une femme dominatrice. Le thème balzacien de la rivalité familiale fournissait à la structure généalogique recherchée et adoptée par Zola l'argument conflictuel indispensable à l'intérêt du récit :

Les éléments du roman initial sont :

Pierre Richaud, marié à Marguerite, 60 ans, — fils de paysan, petit bourgeois d'une petite ville.

Il a trois fils Alfred, Charles et Auguste, — un avocat sans cause, un notaire, et un employé, — et deux filles, Rose et Sophie, qui vont de 40 à 30 ans. Ces personnages ont des enfants de 10 ans.

Et une seconde famille, — Antoine David, frère adultérin de Pierre, marié à Charlotte, 55 ans, ayant deux enfants Marie (40 ans) et Paul (21 ans), Marie a trois enfants en bas âge (de 10 à 3 ans). Cette famille est mal famée ; elle vit dans un faubourg, ayant une occupation peu avouable.

Enfin l'ancêtre de toute cette famille Henriette David, âgée de 81 ans, folle innocente, qui loge avec son fils adultérin Antoine (?)

Une lutte entre les deux branches de la famille, ayant pour cadre le coup d'état. — Un meurtre, une rixe, entre Pierre, conservateur espérant jouir, et Antoine libéral par envie et pauvreté. Retentissement de cette lutte dans la famille.

La question d'hérédité (cas des bâtards) rend cette lutte plus âpre.

Le roman roule surtout entre Pierre et Antoine ; quelques détails seulement sur leur descendance qui doit servir pour les autres romans. Faire voir simplement la famille entière.

Dresser entre les deux frères la figure de la mère folle.

Tâcher de trouver un coin d'idylle.

Puis voici les bases psychologiques et idéologiques du roman. Des personnages se détachent, chacun avec ses traits de caractère, sa situation sociale, ses préférences politiques, ses manigances (Ms. 10.303, f⁰ˢ 66-69) :

La grand'mère Henriette vit avec son petit-fils Victor, dont la mère Adélaïde et le père sont morts (la mère phtisique). Ils habitent à une petite distance de la ville. La grand'mère a recueilli son petit-fils malgré sa pauvreté ; Pierre et ses enfants lui font une pension alimentaire, qui n'est pas régulièrement payée. Henriette est presque épileptique, étrange et bizarre. Il y a eu des fous dans son ascendance. Enfance de Victor auprès de la vieille femme ; Victor doit tenir un tiers du volume. Il représente la foi, l'enthousiasme physiologique (Karl Sand) passion morale de Letourneau. Il aime une fille du voisinage (idylle dans la nature provençale). Un de ses cousins (par Henriette) l'a pris par charité dans son étude d'avoué comme clerc. Ses souffrances d'enfant. Sans éducation suivie, il a une teinte générale ; la lecture d'un Plutarque l'a exalté. Jeune républicain. Son frère Octave est un gros plein de soupe qui tient de leur père commerçant ; à 23 ans il a épousé Sophie Richaud que Pierre lui a donnée pour se débarrasser et parce qu'Octave avait déjà su se créer un petit commerce : Octave lit *le Siècle* est anticlérical, mais très conservateur (type que j'ai vu à esquisser seulement).

Henriette est mal vue de toute la branche légitime. C'est par une exception que Camoin a pu épouser une Richaud qui en était folle ; Pierre a dit : « Si Octave s'était appelé Lorin, jamais je ne lui aurais donné ma fille. » Aussi Victor qui habite avec sa grand'mère, souffre-t-il de la position qui lui est faite. *Déchéance* dans une famille d'une aïeule qui a failli, et *logique* [*terrible*] de la nature qui a mis un peu du sang de cette aïeule dans les veines de tous les membres ; si elle souffre par eux, plus tard ils souffriront par elle. Cette grande souche de l'aïeule doit être largement posée. Victor souffre de certains airs de son petit cousin Philippe Richaud (le crevé de l'avenir). Ce Philippe est au collège avec Lucien Camoin (le prêtre de l'avenir) auquel il donne des coups. On peut faire assister Victor à une de ces batailles d'enfant.

Victor est mis dedans par son oncle Antoine qui est vannier. Sa fille Marie s'est mariée et sauvée ; son fils a été travailler dans la ville voisine. Un père Solari, grognant quand il y a des pommes de terre, se faisant nourrir par ses enfants, puis par sa femme, une grande gaillarde dont il faudra trouver l'occupation. Antoine est vannier, il fait une corbeille tous les jours, et en a volé souvent l'osier. Il boit sa femme aussi, brutal, ivrogne, etc. Victor naïf va écouter ses déblatérations contre les riches. Séance, etc.

Du côté des Richaud. Pierre Richaud et sa femme Marguerite, petite bourgeoise, petites rentes gagnées à grand'peine. Grands appétits. Leurs rentes ont été gagnées dans un commerce quelconque. Marguerite qui est très ambitieuse a fait donner de l'éducation à ses trois fils, bien que son mari Pierre soit complètement illettré et qu'elle-même ne sache pas grand'chose. Alfred est un avocat de province sans cause, un peu avant 51 il est venu à Paris flairant les événements. De là, il écrit à son père et le dirige.

Charles Richaud est médecin (l'inné) lui donner un type. Auguste joue un rôle actif lors du Coup d'état. Il est le type de l'ambitieux de province qui viendra plus tard faire fortune à Paris (il a essayé un peu de tous les états et a fini par entrer comme piqueur dans les ponts et chaussées). Rose Richaud est à Paris.

Donc la bataille a lieu entre

1° Pierre Richaud ambitieux qui convoite la mairie, — Alfred Richaud qui de Paris prépare son élection en rendant des services à Napoléon, — Auguste Richaud qui flaire les temps et sent venir l'occasion de contenter ses appétits.

2° Victor, poussé par son oncle Antoine.

3° Charles Richaud, spectateur intelligent, et le ménage Camoin qui sera à peine effleuré.

Les Richaud représentent les gens bondissant à la curée, plus ou moins noblement. Réactionnaires bonapartistes par calcul.

Victor, la jeune république enthousiaste.

Antoine, la démocratie bête et sale. L'ouvrier qui crie par envie.

Il y a une haine entre les deux branches. Le sens moral manque assez aux Richaud, et s'il repousse (*sic*) Antoine c'est parce qu'il n'est pas riche. Le petit Philippe (le futur crevé) blesse sa grand'mère quand elle va le voir au collège. Il faut qu'il y ait sous la haine de Pierre et d'Antoine une cause d'hérédité. Quelques milliers de francs au plus qui sont allés à Pierre comme à un héritier légitime, et dont Antoine parle toujours, à son neveu Victor.

Enfin, l'insertion de l'intrigue dans l'histoire du coup d'État se précise. C'est ici qu'apparaissent pour la première fois les traces d'une documentation empruntée aux récits des historiens et aux témoignages des hommes qui avaient vécu l'événement. Il n'est pas encore question de situer l'action dans le Var. Zola recherche des « *scènes grandio-*

ses », des personnages symboliques (la jeune fille qui marche avec le drapeau), des confrontations dramatiques, des combinaisons politiques significatives (Ms. 10.303, f°s 69-71).

Le père Richaud se défie de son fils Auguste et lui cache les nouvelles d'Alfred, de crainte qu'il n'aille les vendre aux républicains. On peut faire de cet Auguste une belle canaille. Il peut renvoyer sa femme à son beau-père, après chaque faute de la dame, pour se faire donner de l'argent. Il peut être cause de la mort de Victor —

La jeune fille qu'aime Victor, Ursule, peut embrasser les idées républicaines et marcher avec le drapeau (Me Ferrier, p. 136). Victor peut aller se joindre à la bande qui menace la ville. Victor peut empêcher de piller. Arrestations illégales des Richaud —

Pierre Richaud a rendu un service à Napoléon Ier, lors du retour de l'île d'Elbe. Il compte sur la dynastie des Bonaparte pour arriver. — Il n'a jamais gagné une grande fortune. Marié à la fille de son patron, marchand d'huile, il a joint les deux bouts ; sa femme, très vaine, a mangé avec lui les gains au fur et à mesure, dépensant pour ses enfants sur lesquels elle compte pour plus tard. Quand le coup d'état arrive, prévenu par son fils Alfred qui a couru à Paris, il se prépare à rendre des services, espérant en être récompensé. Sa maison devient un foyer de réaction. Autour de lui se groupent des légitimistes, des orléanistes (peu de bonapartistes dans la ville) qui se réunissent contre les républicains, les ennemis communs. On attend le coup d'état. Les autorités sont suspectes à ce groupe. Le maire est entaché de républicanisme ; le juge de paix aussi ; — bien que faibles tous deux, et qu'on ne les craigne pas. Le groupe de réactionnaires se promettent (*sic*) de les surveiller et de les renverser — Pierre vise à la place du juge de paix, qui est rétribuée.

Quand les bandes d'insurgés arrivent, elles emmènent prisonniers le juge de paix et le maire, hommes prudents qui n'osent pas encore se déclarer. Richaud qui s'est caché reprend possession de la ville, il fait désarmer par traîtrise les [quelques] hommes laissés par les bandes, les fait jeter en prison et gouverne avec quelques amis et quelques gendarmes. C'est là que se passe l'épisode entre lui son frère bâtard Antoine et l'aïeule Henriette. Antoine qui ne tenait pas à aller se battre s'est fait laisser pour garder la ville. Pierre le fait jeter en prison, comme il cherche à entraîner ses hommes au pillage. Les deux frères face à face et l'aïeule venant leur demander Victor. Une scène grandiose. Henriette retient les gendarmes qui veulent fusiller Antoine. — Quand la troupe arrive, Pierre est complimenté de son attitude, il donne des renseignements.

Quant à Victor il est parti avec les bandes. Mina porte le drapeau. Récit de ses courses. Quand les insurgés sont défaits il est pris aux portes de la ville et fusillé presque sous les yeux de sa grand'mère qui maudit ses enfants.

Le rôle d'Auguste Goiraud sera très effacé. On peut le montrer hésitant entre les deux partis, il va partir avec les républicains, lorsqu'il apprend que Paris est pacifié et que des troupes marchent contre les insurgés. Il se met alors du côté de son père. Il voit lorsqu'on va exécuter Victor. Mais il n'empêche pas l'exécution.

D'entrée de jeu, le sujet et la structure du roman étaient en place. N'allaient plus changer que les noms des protagonistes et des lieux, la profession de quelques-uns des personnages, et le groupement des épisodes. Une toute première ébauche prévoit cinq chapitres (Ms. 10.303, f° 71) :

I. Entrée des insurgés dans Limès. [Arrestations, etc.]. Le camp des Richaud. Explication de ce qu'était ce camp. Pierre qui s'est caché, est cherché par Antoine. Faire connaître les deux frères en entier. Un mot seulement de la grand'mère. Victor arrive. Une scène où il paraît.

II. Ce qu'était Victor. Sa vie auprès de sa grand' mère. Ses souffrances d'enfant et ses enthousiasmes de jeune homme. Son oncle Antoine l'a mis dans la république (une conversation de la veille). Ses amours.

III. La bande part. Adieux, etc. Dès que la bande est partie, Richaud reparaît, et fait son petit coup d'état. Scène entre les deux frères la grand'mère. Elle cherche Victor.

IV. Marche de la bande. Enthousiasme de Victor (rien que ses impressions mêlées au récit. Les premiers coups de feu, etc.).

V. Retour des bandes défaites. Victor fusillé.

L'action se passe donc à Limès : c'est le nom, avec une orthographe différente, de Limetz, un village de la région de Bonnières, au bord de la Seine, près de Mantes — région que Zola connaît bien pour y avoir passé de fréquentes villégiatures depuis 1866. Mais cela ne préjuge en rien la géographie du roman : il est possible que Zola songe déjà aux républicains du Var, et qu'il se contente d'utiliser les toponymes qui lui sont momentanément le plus familiers. Car le nom de Rolleboise, qui remplacera celui de Limès dans le plan remis à Lacroix, est également celui d'une localité du Mantois, et pourtant, à ce stade, Zola a choisi de mêler la fortune des Rougon à l'insurrection du Var.

Le second plan de La Fortune des Rougon

Du projet primitif en cinq chapitres, modifié et enrichi, Zola va tirer un plan de deux pages (Ms. 10.303, f°s 72-73), avec, cette fois, onze chapitres. Il conserve le nom de Limès, mais donne à la jeune amie de Victor le nom de Mina. Le statut des personnages secondaires n'est pas encore défini. Mais les épisodes sont imaginés à peu près tels qu'ils se succéderont dans le modèle définitif :

I. Victor et Mina dans la campagne. Ils sont sortis encapuchonnés. Ils parlent d'amour le long d'une route. Enthousiasme des vingt ans. Une bande insurrectionnelle arrive. Ils s'y joignent. Mina porte le drapeau. Antithèse entre la scène d'amour et la scène de guerre civile. (Chapitre PITTORESQUE, ouvrant le livre.)

II. La ville de Limès. Son état. Les Richaud et leur groupe. Préparatifs du Coup d'état. Le maire, le juge de paix. Toute l'histoire des Richaud. Il s'était caché chez l'aïeule (Tout à Pierre Richaud et sa famille). [Un mot de Charles et de Auguste.]

III. Antoine, à la première nouvelle de l'insurrection, à la tête d'un contingent veut arrêter les autorités, les personnes suspectes. Il entend commencer par son frère. Il ne peut le trouver. Ce qu'était Antoine. [(tout à Antoine)].

IV. Entrée de la bande insurrectionnelle. Arrestation des autorités, détails. Combat avec les gendarmes. Victor aide à les désarmer, et en blesse un à l'œil sans le vouloir. Auguste Richaud et Charles Richaud jouent un bout de rôle. Victor avant de partir court chez sa grand'mère. Il a encore aux mains des taches du sang du gendarme. Courte scène [(*faits*, à la fin scène entre l'aïeule, Pierre et Victor]

V. L'aïeule Henriette. Son petit-fils loge avec elle [Octave Camoin] Enfance de Victor. [Ses rapports avec sa grand' mère. L'aïeule.] Ses souffrances d'enfant et des enthousiasmes de jeune homme. (Tout à Victor.)

VI. Amours de Victor avec Mina. Son oncle le trompant et le mettant dans la démocratie. Société secrète. [(tout à Victor, Mina et Antoine)].

VII. Départ de la bande, qui emmène l'ancien maire et les autorités. Antoine reste pour garder la ville et pour pincer son frère qu'il sent caché quelque part. Mais il est pris lui-même et va être fusillé lorsque l'aïeule va prévenir Richaud, qu'elle a caché chez elle, et qui vient délivrer Antoine, tout en le gardant en prison. (Scène entre l'aïeule et ses deux fils.)

VIII. Pierre organise la ville. État de Limès ne sachant encore. Études humaines. Va-et-vient d'Auguste. Enfin on sait, le Coup d'état est fait. Des troupes passent. Pierre se rend utile. Trouver assez de détails. — Octave Camoin. (Pierre à l'œuvre.)

IX. Marche des bandes. Impressions de Victor. Dans la nuit. Le tocsin, etc. (Victor). [Charles a suivi la bande.]

X. Une bataille. Mina et Victor. Mina tuée [examinée par Charles]. Les bandes en fuite (Victor).

XI. Limès pacifié, le colonel et le préfet félicitant Pierre. Une troupe en retard emmène les prisonniers et veut faire un exemple. Le gendarme que Victor a blessé à l'œil sans le vouloir, le désigne. On le fusille. Auguste qui voit l'exécution et qui pourrait l'empêcher ne le fait pas. Douleur de l'aïeule, etc. (Dénouement.)

Le plan des Rougon-Machard

Le moment était venu d'intéresser un éditeur à l'ensemble du projet. Zola songea tout naturellement à Albert Lacroix, qui dirigeait avec Verboeckhoven la Librairie Internationale, et avait édité *Les Contes à Ninon*, *La Confession de Claude*, *Thérèse Raquin* et *Madeleine Férat*. Il le sollicita vraisemblablement en mars 1869, lui soumettant le plan qu'on va lire. Le 8 avril, les éditeurs écrivent à Zola : « Nous avons l'honneur (...) de vous relater ce qui a été convenu entre vous et nous : nous vous avons avancé une somme de cinq cents francs sur un roman que vous venez de commencer et que nous publierons après qu'il aura passé dans un journal (...) Vous nous cédez l'édition de votre roman aux mêmes conditions que *Madeleine Férat*. » Cela revenait à dire que la première édition compterait 1 500 exemplaires avec quadruple passe et 150 exemplaires de publicité ; Zola recevrait des droits d'auteur de 10 % (30 centimes par volume) ; il abandonnerait le droit de reproduction dans les journaux et partagerait les droits pour les traductions ; en cas de non-réimpression au bout de six mois, il rentrerait en possession de l'œuvre.

Le texte que nous conservons, sous le titre 1er *plan remis à Lacroix* (Ms. 10.303, f°s 74 à 77), et qui date donc au plus tard de mars 1869, n'est visiblement qu'un brouillon, car il porte de nombreuses corrections, et en particulier la substitution du double patronyme Rougon-Machard au patronyme Goiraud-Bergasse (qui a remplacé Goiraud-Mourlière, lui-même postérieur au Richaud-David du premier plan de *La Fortune des Rougon*[*]). Comme le même type de substitution a été effectué sur le troisième plan dont nous disposons pour *La Fortune des Rougon*, nous en déduisons que ce dernier (Ms. 10.303, f°s 37 à 52) a été composé en même temps que la présentation générale de la série, et pour fournir un synopsis détaillé du premier roman (plus développé que le second plan, qu'on vient de lire), destiné à emporter l'intérêt de l'éditeur.

[*] Le f° 134 du Ms. 10.345, isolé, porte une série de doubles patronymes qui attestent plusieurs essais simultanés de Zola avant son choix presque définitif : les Rougon-Chantegreil, les Rougon-Malassigne, les Rougon-Lapeyre, les Rougon-Vialat, les Rougon-Buvat, les Rougon-Sardat, les Rougon-Machart.

Le nom des Rougon, sur cette palette, est le seul élément invariant. C'était bien un nom de la région aixoise : une famille Rougon était installée à Flassans sur la route d'Aix à Fréjus, entre Brignoles et Le Luc. Zola a connu un Rougon, de Flassans, au collège Bourbon d'Aix-en-Provence. C'est peut-être le nom de Rougon, qui, par ricochet, a entraîné un peu plus tard le choix du toponyme Plassans, si proche de celui de Flassans. Car Rougon, dans les plans, apparaît antérieurement à Plassans.

La version du plan remise à Lacroix fut publiée beaucoup plus tard, en 1885, dans le *Dictionnaire Universel illustré de la France contemporaine*, de Jules Lermina. Elle diffère du texte que nous publions ici par quelques variantes peu importantes. On peut la lire dans l'édition des *Œuvres complètes* de Zola publiée au Cercle du Livre Précieux (t. II, p. 287 à 297).

La partie générale (f°s 74 à 77) maintient le chiffre de dix « épisodes ». Elle assoit l'œuvre, de manière beaucoup plus nette et plus équilibrée que toutes les notes de travail antérieures, sur deux piliers, « *l'étude physiologique* » (« *les questions de sang et de milieux* ») et « *l'étude sociale* » (« *tout le Second Empire* ») :

1er plan remis à Lacroix.

Les Rougon-Machard (histoire d'une famille sous le Second Empire), grand roman de mœurs et d'analyse humaine, en dix épisodes. Chaque épisode fournira la matière d'un volume. Ces épisodes, pris à part, formeront des histoires distinctes, complètes, ayant chacune leur dénoûment propre ; mais ils seront en outre reliés les uns aux autres par un lien puissant qui en fera un seul et vaste ensemble.

Le roman sera basé sur deux idées.

1° Étudier dans une famille les questions de sang et de milieux. Suivre pas à pas le travail secret qui donne aux enfants d'un même père des passions et des caractères différents, à la suite des croisements et des façons particulières de vivre. Fouiller en un mot au vif même du drame humain, dans ces profondeurs de la vie où s'élaborent les grandes vertus et les grands crimes, et y fouiller d'une façon méthodique, conduit par le fil des nouvelles découvertes physiologiques.

2° Étudier tout le second Empire, depuis le coup d'État jusqu'à nos jours. Incarner dans des types la société contemporaine, les scélérats et les héros. Peindre ainsi tout un âge social, dans les faits et dans les sentiments, et peindre cet âge par les mille détails des mœurs et des événements.

Le roman basé sur ces deux études, — l'étude physiologique et l'étude sociale, — étudierait donc l'homme de nos jours en entier. D'un côté, je montrerais les ressorts cachés, les fils qui font mouvoir le pantin humain ; de l'autre je raconterais les faits et gestes de ce pantin. Le cœur et le cerveau mis à nu, je démontrerais aisément comment et pourquoi le cœur et le cerveau ont agi de certaines façons déterminées, et n'ont pu agir autrement.

Par exemple, j'étudie la double famille Rougon-Macbard. Il se produit des rejetons divers, bons ou mauvais. Je cherche [surtout] dans les questions d'hérédité la raison de ces tempéraments semblables ou opposés. C'est dire que j'étudie l'humanité elle-même, dans ses plus intimes rouages ; j'explique cette apparente confusion des caractères, je montre comment un petit groupe d'êtres, une famille se comporte en s'épanouissant pour donner naissance à dix, à vingt individus qui semblent au premier coup d'œil profondément étrangers, [mais que l'analyse scientifique montre intimement attachés l'un à l'autre]. La société ne s'est pas formée d'une autre façon. Par l'observation, par les nouvelles méthodes scientifiques, j'arrive à débrouiller le fil qui conduit mathématiquement d'un homme à un autre. Et quand je tiens tous les fils, quand j'ai entre les mains tout un groupe social, je fais voir ce groupe à l'œuvre, je le crée agissant dans la complexité de ses efforts, allant au bien ou au mal ; j'étudie à la fois la somme de volonté de chacun de ses membres et la poussée générale de l'ensemble. C'est alors que je choisis le second empire pour cadre ; mes personnages s'y développent, selon la logique de leur caractère, liés les uns aux autres et ayant pourtant chacun leur personnalité. Ils deviennent des acteurs typiques qui résument l'époque. Je fais de la haute analyse humaine et je fais de l'histoire.

Ne voulant donner ici que les grandes lignes de l'idée générale, je ne descends pas dans les détails de chaque épisode. La famille dont je conterai l'histoire, représentera le vaste soulèvement démocratique de notre temps ; partie du peuple, elle montera aux classes cultivées, aux premiers postes de l'État, à l'infamie comme au talent. Cet assaut des hauteurs de la société par ceux qu'on appelait au siècle dernier les gens de rien, est une des grandes évolutions de notre âge. L'œuvre offrira par là même une étude de la bourgeoisie contemporaine. D'ailleurs cette marche ascendante sera notée d'une façon scientifique, sans parti pris démocratique, de manière à montrer certains résultats [déplorables] de cette bousculade des ambitions. Je n'entends pas être socialiste, mais simplement observateur et artiste. Je ferai, à un point de vue plus méthodique, pour le second Empire, ce que Balzac a fait pour le règne de Louis-Philippe.

Il ne faudrait pas croire, d'après ce plan, que l'œuvre sera dure et rigide comme un traité de physiologie ou d'économie sociale. Je la vois vivante, et très vivante. Tout ce que je viens de dire s'applique à la carcasse intime de l'ouvrage. Chaque épisode, chaque volume contiendra une action dramatique sous laquelle les penseurs pourront retrouver la grande idée de l'ensemble, mais qui aura un intérêt poignant pour tout le monde. Je compte écrire des drames comme *Thérèse Raquin* et *Madeleine Férat*, le côté sensuel enlevé.

Je désire publier deux épisodes chaque année, de façon à terminer l'œuvre en cinq ans.

Le premier épisode aura pour cadre historique le coup d'État dans une ville de province, sans doute une ville du Var.

La prospective de Zola s'est décantée. Il expose son propos avec la certitude vigoureuse qu'il sait propre à inspirer confiance à un éditeur. Mais, de plus, il s'exprime véritablement en visionnaire, ou du moins en observateur et en artiste qui a désormais unifié sur le mode épique son interprétation des vingt années écoulées de l'histoire française. Et quelle assurance, quelle hauteur de vues, quelle sérénité, quelle carrure de style ! On en sourirait, si l'on ne savait que ce programme, qui pouvait sembler utopique aux esprits lucides, a été exactement réalisé au niveau de sens et de valeur où son auteur prétendait le situer. « Être Chateaubriand ou rien », s'était écrié en son temps Victor Hugo. Et voilà l'écho superbe que lui renvoie, un demi-siècle plus tard, la voix de Zola : « *Je ferai, pour le Second Empire, ce que Balzac a fait pour le règne de Louis-Philippe.* »

Le troisième plan de La Fortune des Rougon

Les dernières lignes de ce grand et précieux texte, qu'il faut considérer un peu comme l'homologue de l'Avant-propos à *La Comédie humaine* (à cette différence près que Balzac, lui, écrivit sa préface après coup), montrent qu'à ce stade, entre le deuxième et le troisième plan de la *Fortune*, Zola a explicitement choisi le cadre historique de l'insurrection du Var contre le coup d'État de Napoléon III. C'est ce que confirment, dans le troisième plan, des allusions aux livres d'Eugène Tenot (*La Province en décembre 1851*, Paris, Le Chevalier, 1868) et d'Hippolyte Maquan (*Insurrection de décembre 1851 dans le Var. Trois jours au pouvoir des insurgés*, Draguignan, 1853).

Pourquoi ce choix géographique, alors que la répression armée, au lendemain du 2 décembre, s'était abattue à Paris, dans la Nièvre, et ailleurs, partout où les républicains faisaient mine de résister ?

En 1851, Zola habitait Aix-en-Provence, avec sa mère et ses grands-parents maternels. Il avait onze ans. Dans *La Tribune* du 24 août 1869, il confiera qu'il se rappelait « *avec émotion une visite faite, à cette époque, dans la prison d'Aix, à un des bons amis de son enfance* ». Il était resté aixois jusqu'en 1858. S'il voulait donner une origine provinciale à la montée de la famille Rougon vers les honneurs et les richesses, aucune autre ville qu'Aix ne pouvait lui fournir une expérience directe, vécue, de la petite bourgeoisie provinciale. Il fallait bien partir de la Provence, en inventant une ville qui porterait les traits de la capitale du roi René. Mais Aix-en-Provence, en 1851, s'était tenue tranquille. Il suffisait donc d'amalgamer les souvenirs aixois et les troubles qui avaient secoué les campagnes du Var, à quelques dizaines de kilomètres de là.

Or ceux-ci étaient bien connus de Zola depuis plusieurs mois, et en raison même de ses fonctions dans la presse d'opposition. Une polémique avait surgi dans *La Tribune* (23 et 30 août, 6 et 13 septembre 1868) entre l'ancien préfet du Var en 1851, Pastoureau, et plusieurs journalistes républicains, parmi lesquels Jules Claretie et Camille Pelletan, qui accusaient l'ancien préfet d'avoir fait fusiller deux fois de suite un insurgé prisonnier, Martin Bidauré. Pastoureau niait toute responsabilité dans cette exécution, se retranchant derrière l'état de siège décrété dans le Var le 6 décembre 1851, qui donnait tous les pouvoirs à l'autorité militaire. Cette affaire du Var, resurgie après dix-sept ans, était devenue un cheval de bataille de l'opposition. On rapportait d'autres épisodes de la répression : entre autres, l'exécution de quatre prisonniers par un gendarme éborgné qui avait cru reconnaître parmi eux les auteurs de sa blessure ; on rappelait le massacre, à Aups, non seulement des insurgés, mais de plusieurs de leurs propres captifs. La presse puisait sa documentation dans le livre d'Eugène Tenot, publié trois ans auparavant. Selon le témoignage de Claretie, la consultation du livre de Maquan était devenue impossible à la Bibliothèque impériale depuis le déclenchement de la campagne de presse. Mais Zola pouvait en connaître le contenu par les références qu'y faisait Tenot. Enfin, quelques mois plus tard, il lut, et commenta dans *La Tribune* (24 août 1869) une *Histoire de l'insurrection du Var en décembre 1851*, écrite par un avocat toulonnais, Noël Blache, et qui à vrai dire ne lui apprit rien de plus que Tenot.

C'est donc l'actualité politique, l'audace croissante des campagnes de la gauche contre le régime impérial, le développement à visage découvert des thèmes qui avaient inspiré quinze ans plus tôt *Les Châtiments*, qui avaient progressivement, mais de manière assez rapide, donné à l'œuvre en préparation une dimension inconnue des romans antérieurs, et même des bases primitives du cycle : celle du roman historique et politique. Ce n'était d'ailleurs pas seulement affaire de thèmes, mais aussi de ton et de style : à lire les chroniques de *La Tribune*, puis du *Rappel*, on s'aperçoit qu'en 1868-1869 Zola se découvre une plume de satiriste, voire d'imprécateur. Il cite volontiers Juvénal. Tout se passe comme si peu à peu, à la faveur des événements, la rhétorique de l'engagement — bien que Zola se défende de vouloir faire autre chose que « *de la haute analyse humaine* » — venait bousculer et féconder un discours jusque-là confiné dans les limites appliquées de l'objectivité « naturaliste ». Les répercussions de ce bouleversement vont bien au-delà de la satire politique : *La Fortune des Rougon* est le premier des romans de Zola où se libèrent les puissances de la poésie, du rêve, et du mythe. Ceci se manifeste dès la toute première phrase par laquelle le troisième plan du roman — celui qui est remis à Lacroix en mars 1869 — annonce le premier chapitre : « *Deux enfants amoureux sortent un soir de la petite ville de Rolleboise.* » N'est-ce pas comme une musique nouvelle sous la plume de Zola ? Qu'on songe aux étreintes torturées de Thérèse Raquin et de Laurent, de Madeleine Férat et de Guillaume...

Ce plan commence par une déclaration générale :

La Fortune des Rougon.

Ce roman, qui est le premier de la série, sert en quelque sorte d'introduction à l'œuvre entière. Il montre certains membres de la famille, dont je veux écrire l'histoire, au début de leur carrière. La fortune de cette famille naît du coup d'État. Elle se mêle à l'insurrection du Var, comptant sur l'Empire qu'elle prévoit pour contenter ses appétits de richesse et de jouissance.

Le premier roman a surtout quatre grandes figures qui ne reparaîtront plus dans les autres épisodes : l'aïeule, tante Dide, la souche dont sont issus les principaux personnages de la série ; ses deux fils, un légitime, Pierre Rougon, l'autre illégitime, Antoine Machard ; et un de ses petits-fils, Silvère. L'aïeule est la [haute] personnification d'un tempérament, d'un état physiologique particulier se propageant et se distribuant dans toute une famille. Les trois autres héros, outre leurs caractères héréditaires, offrent trois états de l'idée politique : Pierre Goiraud est le conservateur qui cherche surtout à tirer des événements un profit personnel et qui ne recule devant aucun moyen pour baser sa fortune et celle de ses enfants sur le nouvel Empire ; Antoine Bergasse est le fainéant, l'envieux que sa paresse jalouse et impuissante a jeté dans une fausse et honteuse démocratie ; Silvère, au contraire, l'énergique enfant de dix-sept ans, la belle et ardente figure de tous les enthousiasmes de la jeunesse, est l'âme même de la République, l'âme de l'amour et de la liberté.

Je plierai le cadre historique à ma fantaisie, mais tous les faits que je grouperai seront pris dans l'histoire (livres de Tenot Maquan, journaux de l'époque, etc.). Je prendrai de la très curieuse insurrection du Var les détails les plus caractéristiques et je m'en servirai selon les besoins de mon récit.

Puis Zola expose « *la marche du roman chapitre par chapitre* », sur une quinzaine de feuillets : là aussi, le document qui est conservé à la Bibliothèque nationale (Ms. 10.303, f°s 38 à 52) n'est qu'un brouillon ; l'original remis à Lacroix, est perdu. Zola n'a pas pris la peine de corriger au début Goiraud en Rougon, ni Bergasse en Machard. Le scénario se répartit toujours sur onze chapitres. Le premier décrit la promenade nocturne de Silvère et de Miette (anciennement Victor et Mina) « *sur la grand'route* », et l'arrivée du corps d'insurgés qui marche sur Rolleboise (ancien Limès et futur Plassans). Les deux jeunes gens se joignent à eux. Miette, fille d'un condamné politique contumace, « *prend le drapeau et marche au milieu des hommes* ». « *Ce chapitre est un pur tableau pittoresque qui ouvre l'œuvre.* » Nulle mention de ce qui sera dans le texte achevé l'aire Saint-Mittre, le vieux cimetière désaffecté. Le chapitre II expose la « *situation des esprits* » dans Rolleboise : « *tableau d'une ville de province au moment du coup d'État* », avec les intrigues du clan Goiraud : Pierre et deux de ses fils, Auguste, « *véritable cheva-*

lier d'industrie », et Alfred, devenu à Paris un agent du « *prince-président* » et « *qui dirige de loin la conduite de son père* » ; le troisième, Charles, est médecin, et se tient à l'écart. À l'annonce du coup d'État attendu, Pierre se réfugie chez sa mère, « *Tante Dide* », pour éviter d'être arrêté par les insurgés. Le chapitre III raconte l'histoire de Tante Dide et de ses trois enfants : l'un, Pierre Goiraud, né du mari ; les deux autres, nés de l'amant qu'elle a pris une fois devenue veuve : un fils, Antoine Bergasse, qui « *a fort mal tourné* », « *irrité de sa misère volontaire et, méritée, se jetant dans le communisme le plus intéressé* », et une fille, Adélaïde, morte en laissant un garçon, Silvère. Ce sont là les racines de l'arbre généalogique. Au soir de la nouvelle du coup d'État, tandis que Pierre se cache, Antoine « *parcourt les rues de la petite ville, appelant le peuple aux armes* ». Il cherche à arrêter lui-même Pierre, mais trouve la maison vide. Le chapitre IV nous ramène aux insurgés des campagnes, à Silvère et à Miette. La ville est occupée. Silvère, en cherchant à désarmer un gendarme, lui crève un œil. Il revient chez sa grand-mère, tante Dide, pour lui annoncer son départ et y trouve Pierre Goiraud, son oncle.

Nouveau retour en arrière avec le chapitre V, « *consacré au récit de l'enfance de Silvère au côté de tante Dide* », sur laquelle il veille pendant ses accès de maladie nerveuse : « *drame intime et profond entre cette vieille femme et cet enfant* » — peut-être faut-il entendre là un écho, dramatisé, des relations affectives qui ont uni Zola et sa grand-mère Henriette Aubert, morte en 1857 alors qu'il avait dix-sept ans, après avoir veillé sur lui, aux côtés de sa mère, pendant toute son enfance... Mais la sollicitude de Silvère auprès de tante Dide épuisée par ses crises n'est pas sans rappeler aussi l'attitude du jeune fils de Mme Gervaisais auprès de sa mère frappée de délires extatiques : Zola venait de donner, dans *Le Gaulois* du 18 janvier 1869, une étude élogieuse sur le roman des frères Goncourt, *Madame Gervaisais*, et il en avait publié trois chapitres, précisément consacrés aux détraquements de l'héroïne, dans *Le Gaulois* du 20 janvier.

Dans le même mouvement, le chapitre VI évoque les

« *amours de Silvère et de Miette* ». « *L'amour de Miette conduit Silvère à l'amour de la liberté.* » Ses lectures ont fait de lui un républicain. Comme plus tard dans *Germinal*, avec le double désir d'Étienne Lantier pour Catherine Maheu et pour la justice sociale, déjà la jeune femme aimée et la liberté pour le héros sont la métaphore l'une de l'autre.

Au chapitre VII, les insurgés se remettent en marche, avec Silvère et Miette, emmenant le maire, le juge de paix, le receveur des contributions. Les gendarmes font une sortie, désarment les républicains restés pour garder la ville, et arrêtent Antoine. Sur les supplications de tante Dide, Pierre réapparaît, et, rassuré sur la situation, enlève son demi-frère aux gendarmes, mais le fait conduire en prison. Maître de Rolleboise (chapitre VIII), « *il accepte le titre de maire provisoire* ». Mais Rolleboise reste sans nouvelles du dehors. « *Tous suent la peur.* » Pierre « *joue désespérément toute sa fortune* » sur le succès du coup d'État. Une lettre d'Alfred lui apprend la victoire du Prince-Président ; pendant toute une journée, Pierre, cachant « *les bonnes nouvelles* », « *parle de mourir pour la cause* ». Il en retirera d'autant plus de gloire à l'arrivée des forces de l'ordre. Le chapitre IX revient en arrière, et, par un effet de montage alterné, reprend les insurgés à leur sortie de Rolleboise : chants, tocsin, lassitude de Silvère et de Miette. Éphémères illusions : « *des bruits alarmants se répandent* » (chapitre X), « *les insurgés se croient trahis* », « *ils vont se débander* », quand la troupe se présente à Orchères, où ils sont postés. C'est le massacre. Même le receveur des contributions, prisonnier des révoltés, est tué. L'épisode principal du chapitre est la mort de Miette qu'une balle perdue frappe en pleine poitrine. « *Silvère, désespéré, est arrêté.* » À Rolleboise (chapitre XI), « *Pierre Gouraud triomphe* ». Il facilite la fuite d'Antoine. Le gendarme éborgné reconnaît Silvère, ramené par les soldats, et lui fracasse la tête d'un coup de pistolet. Auguste Goiraud a assisté à la scène mais n'a rien fait pour sauver son cousin. Tante Dide voit tomber son petit-fils : elle a une de ces crises nerveuses qui la rendent presque folle, elle maudit ses fils, et dit à Pierre, dans une exaltation pro·

phétique : « *Le sang de cet enfant retombera sur toute ma descendance.* » Elle meurt quelques jours plus tard (ceci sera ultérieurement modifié, comme on le sait par *La Conquête de Plassans* et *Le Docteur Pascal*), Pierre Goiraud hérite de la place du receveur, et Auguste part chercher fortune à Paris.

La descendance de tante Dide

En même temps qu'il avait composé ce plan détaillé, si proche de l'intrigue définitive, Zola avait établi « *le cadre et les personnages* » des neuf romans suivants : c'est le troisième volet du brouillon du document remis à Albert Lacroix. En raison de sa place dans la chronologie de ces opérations successives, mieux vaut en donner le texte dès maintenant, avant de revenir aux dernières phases de la préparation de *La Fortune des Rougon*. On y reconnaît à la fois le modèle généalogique, le modèle des « mondes », et le modèle de la fiction d'histoire contemporaine ; curieuse et efficace association de Lucas, de Balzac et de Napoléon III :

> Dans les romans qui suivront, la descendance de tante Dide se séparera en deux branches, les enfants de Pierre Goiraud et les enfants d'Antoine Bergasse. Les uns se lanceront dans les fortunes rapides et peu scrupuleuses du Second Empire, ils contenteront leurs appétits, grâce au luxe effréné du temps, à l'étalage des jouissances, et finiront par le rachitisme du cerveau et du cœur ; les autres, gardant leur misère, souffriront du mal de l'époque, dans leur intelligence et dans leur corps. En outre, à un point déterminé les deux branches s'uniront et produiront un cas humain particulier.
>
> Voici rapidement l'indication du cadre et des personnages de chaque roman.
>
> Un roman qui aura pour cadre la vie sotte et élégamment crapuleuse de notre jeunesse dorée, et pour héros le fils d'Auguste Goiraud, Philippe, un

de ces avortons, que l'on a nommés avec énergie
« des petits crevés ». Ces misérables pantins sont bien
la caractéristique de l'époque. Éducation de Philippe,
sa tête et son cœur vides. Il est un produit des appétits de son père et de cette fortune rapide et volée qui
le met à même, dès quinze ans, de se vautrer dans
toutes les jouissances. Il y a là un monde à peindre et
à marquer d'un fer rouge. Dans l'œuvre entière, Philippe représente le produit chétif et malsain d'une
famille qui a vécu trop vite et trop gorgée d'argent.

Le père est puni par le fils.

Un roman qui aura pour cadre les spéculations
véreuses et effrénées du Second Empire, et, pour
héros Aristide Rougon, l'homme de Plassans, qui
flairait la fortune et qui a laissé assassiner Silvère
afin de débarrasser la famille d'un garçon compro-
mettant. Venu à Paris, après la proclamation de
l'empire, il se mêle au grand mouvement d'achat et
de vente de terrains, déterminé par les démolitions
et les constructions de M. Haussmann. L'œuvre sera
le poème, ou plutôt la terrible comédie des vols
contemporains. Aristide réalise en quelques années
une immense fortune. Remarié à une poupée parisienne, il souffre par sa femme. Peinture d'un
ménage parisien, dans la haute sphère des parvenus.

Un roman qui aura pour cadre le monde officiel et
pour héros Alfred Goiraud, l'homme qui a aidé au
coup d'État. Je puis en faire soit un ministre, soit un
grand fonctionnaire. L'ambition d'Alfred est plus
haute que celle des autres membres de sa famille. Il
a moins soif d'argent que de puissance. Mais le sens
de la justice lui manque, il est un digne soutien de
l'empire. D'ailleurs c'est un homme de talent. Un
Morny au petit pied. Il épousera la fille d'un comte
quelconque, rallié à l'empire, ce qui introduira dans
l'œuvre des types affaiblis de notre noblesse agonisante.

Un roman qui aura pour cadre les fièvres religieuses du moment, et pour héros Lucien, le fils d'Octave Camoin, frère de Silvère, et d'une demoiselle Goiraud, Sophie. C'est dans ce Lucien que les deux branches de la famille se mêlent. Le produit est un prêtre. J'étudierai dans Lucien la grande lutte de la nature et de la religion. Le prêtre amoureux n'a jamais, selon moi, été étudié humainement. Il y a là un fort beau sujet de drame, surtout en plaçant le prêtre sous des influences héréditaires.

Un roman qui aura pour cadre le monde militaire et pour héros Paul, fils de Bergasse. Un épisode de la guerre d'Italie. La guerre telle qu'elle est. Rapports de l'Empire avec l'armée. Ce que je désire surtout, c'est montrer de vrais champs de bataille, sans chauvinisme, et faire connaître les vraies souffrances du soldat. Un roman militaire est de toute nécessité dans la série.

Un roman qui aura pour cadre le monde ouvrier et pour héros Louis Duval, marié à Laure, fille de Bergasse. Peinture d'un ménage d'ouvriers à notre époque. Drame intime et profond de la déchéance du travailleur parisien sous la déplorable influence du milieu des barrières et des cabarets. La sincérité seule des peintures pourra donner une grande allure à ce roman. On nous a montré jusqu'ici les ouvriers comme les soldats, sous un jour complètement faux. Ce serait faire œuvre de courage que de dire la vérité et de réclamer, par l'exposition franche des faits, de l'air, de la lumière et de l'instruction pour les basses classes.

Un roman qui a pour cadre le monde galant et pour héroïne Louise Duval, la fille du ménage d'ouvriers. De même que le produit des Goiraud, gens enfoncés dans la jouissance, est un avorton social, de même le produit des Bergasse, gens gangrenés par les vices de la misère, est une créature pourrie et nuisible à la société. Outre les effets héréditaires, il y a dans les deux cas une influence fatale du milieu contemporain. Louise est ce qu'on appelle « une biche de haute volée ». Peinture du monde où vivent ces filles. Drame poignant d'une existence de femme perdue par l'appétit du luxe et des jouissances faciles.

Un roman qui aura pour cadre le monde artistique et pour héros Claude Dulac, autre enfant du ménage ouvrier. Effet singulier de l'hérédité transmettant le génie à un fils de parents illettrés. Influence nerveuse de la mère. Claude a des appétits intellectuels, irrésistibles et effrénés, comme certains membres de sa famille ont des appétits physiques. La violence qu'il met à satisfaire les passions de son cerveau le frappe d'impuissance. Tableau de la fièvre d'art de l'époque, de ce qu'on nomme la décadence et qui n'est qu'un produit de l'activité folle des esprits. Physiologie poignante d'un tempérament d'artiste à notre époque et drame terrible d'une intelligence qui se dévore elle-même.

Un roman qui aura pour cadre le monde judiciaire, et pour héros Étienne Dulac, troisième enfant du ménage d'ouvriers. Michelet a dit : « Il faudrait que le juge fût médecin. » Étienne est un des cas étranges de criminel par hérédité qui, sans être fou, tue un jour dans une crise morbide, poussé par un instinct de bête. De même que ses parents, misérables et devenus vicieux, lèguent le génie à son frère Claude, ils lui lèguent le meurtre. Il y a des cas très saisissants de pareils faits. Je désire surtout écrire un roman de cour d'assises, comme je comprends ce genre abandonné aux fournisseurs brevetés de feuilletons, et dont on pourrait tirer une œuvre hautement littéraire et profondément émouvante.

Les derniers plans. La réalité et la fiction

La dernière étape de la préparation de *La Fortune des Rougon* peut être située vers avril 1869. La trace nous en reste sous la forme de deux plans en exacte correspondance l'un avec l'autre : un plan schématique d'une page, résumant la chronologie des événements, chapitre par chapitre, du dimanche soir 7 décembre au jeudi matin 11 décembre 1851 (Ms. 10.303, f° 33), et un plan détaillé d'une vingtaine de pages (Ms. 10.303, f°s 4-24).

Zola conserve tout d'abord onze chapitres. Pierre Goiraud est enfin devenu Pierre Rougon, ancien commerçant en huiles ; ses trois fils, Aristide, Eugène et Pascal, sont respectivement employé, avocat et médecin. Son demi-frère s'appelle Antoine Machard. Silvère n'est plus clerc d'avoué, mais charron : « *Il faudra décidément que Silvère soit un ouvrier.* » Miette, qui avait quinze ans dans le plan remis à Lacroix, n'en a plus que treize. Zola dessine rapidement les personnages secondaires : le maire, le marquis de Carnavant (dont Félicité Rougon sera la fille naturelle), un journaliste, un vieux colonel d'Empire, etc.

Mais ce qui est surprenant, et qui conduirait à supposer qu'un tout dernier plan intermédiaire a été perdu, c'est que le texte du roman réduit à sept les onze chapitres jusque-là prévus et réorganise le montage. Le chapitre II a été coupé et Zola en a fait glisser la fin dans le chapitre III définitif.

Les chapitres III et IV des plans, ainsi qu'une partie du chapitre V, relative à l'enfance de Silvère, ont été regroupés dans le chapitre IV du livre. Le chapitre V définitif regroupe la matière des anciens chapitres VI, XI et X. Le nouveau chapitre VI correspond, avec quelques modifications, aux chapitres VII et VIII des plans. Enfin le chapitre VII reprend l'ancien chapitre XI. Ainsi l'histoire de Silvère et de Miette se trouve réunifiée en un seul chapitre d'amour et de mort : c'est un changement thématique d'importance, qui mériterait à soi seul une étude. De même, Zola transforme le rôle de tante Dide : il l'enferme totalement dans sa névrose et on ne la verra sortir de chez elle qu'une seule fois, pour

assister à la mise à mort de l'enfant qui la protégeait. Sur
un autre plan, le côté politique du roman, le chapitre VI et
le chapitre VII fournissent désormais un récit continu des
opérations de Rougon et de ses acolytes, jusqu'au triomphe : leur alternance d'inquiétudes, de bravades et de traîtrises sanglantes, dans la ville vidée des insurgés et sans
nouvelles du dehors, apparaît d'autant plus dérisoire et
méprisable au lecteur, que celui-ci sait maintenant, pour
l'avoir lu à la fin du chapitre V, que l'armée a défait et mas-
sacré les républicains à Sainte-Roure. Cet effet de dérision
se trouvait moins bien assuré dans le dispositif originel. Au
passage, pour accentuer le côté marionnette de Pierre Rougon, Zola a renforcé le rôle de sa femme, Félicité, qui
devient le cerveau manipulateur de l'entreprise.

　Avant d'écrire, Zola relira attentivement le livre d'Eugène
Tenot, pour préciser la trame historique et la géographie
du roman. Celui-ci rapporte de manière assez fidèle les

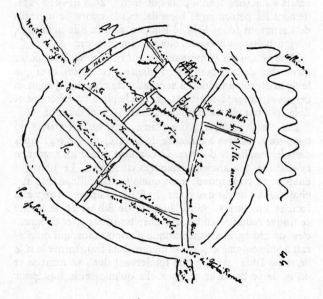

événements qui agitèrent et ensanglantèrent le Var entre le 6 et le 10 décembre. À l'annonce du coup d'État, les grandes villes du Midi étaient restées paisibles. Mais les hommes des Maures — paysans, forestiers et ouvriers bouchonniers de La Garde-Freinet et du Luc — avaient pris la route de Vidauban, sous la conduite d'un journaliste marseillais, Camille Duteil. Évitant Draguignan, ils traversèrent Lorgues le 7, et arrivèrent dans la nuit à Salernes. Cependant, ils étaient menacés par l'avance de deux colonnes de l'armée : l'une venait de Marseille et passait par Brignoles ; l'autre, commandée par le colonel Trauers et accompagnée par le nouveau préfet du Var, Pastoureau, venait de Toulon, par Lorgues et Draguignan, en direction d'Aups. Le 10, les insurgés, qui avaient eux-mêmes fait mouvement vers Aups dans la journée du 9, y furent attaqués par la colonne Trauers, et abattus, dispersés ou faits prisonniers. Duteil, avec quelques-uns de ses hommes, parvint à se réfugier dans le Piémont.

La ville où se passe l'action, et qui ne finira par s'appeler Plassans qu'à l'étape ultime du dossier préparatoire, tient à la fois d'Aix-en-Provence par sa topographie et sa distribution en trois quartiers distincts (le plan dessiné par Zola, avec les grands axes et les portes, et conservé dans le manuscrit 10.280 f° 44, est visiblement calqué sur celui d'Aix), et de Lorgues par l'intrusion qu'y ont faite les paysans républicains en armes, neutralisant et capturant les notables conservateurs.

Zola a un vieux compte à régler avec Aix-en-Provence, Aix l'ingrate, qui n'a jamais bien accepté l'ingénieur italien François Zola, qui n'a rendu hommage que du bout des lèvres à son œuvre — la construction du barrage et du canal Zola, sur le chantier desquels l'ingénieur a contracté en 1847 une maladie mortelle —, et qui a laissé s'enfoncer dans la gêne, des années durant, la jeune veuve et son fils. Il ne lui déplaît pas que les Aixois se reconnaissent dans ces petits-bourgeois cupides, craintifs, combinards, prêts à trahir la République pour les prébendes du Prince-Président. Le maire de la ville, en 1851, a rapidement tourné sa veste : il s'appelait Rigaud, et cela s'apparente aussi bien à Richaud, le nom primitif de la redoutable famille issue de tante Dide, qu'à Rougon, sa dernière variante patronymique. Dans un cas, c'est un jeu de voyelles (*i-au*), sur une même initiale, dans l'autre c'est un jeu de consonnes (*r-g*), sur une même famille de voyelles, *ou-au-on*. Zola a gardé longtemps rancune aux bourgeois d'Aix-en-Provence. Parmi les souvenirs d'enfance qui innervent le texte de *La Fortune*, celui-là n'est pas le moindre.

Il y en a d'autres : l'enfance de Silvère, et sa faim de lectures, les passages de bohémiens, les promenades sur la route de Nice, les baignades dans l'Arc, avec les complices d'escapades Paul Cézanne et Jean-Baptistin Baille — et peut-être, au cours des dernières années, en 1855, 1856, 1857, avec quelques compagnes, telle la très jeune Louise Solari, sœur de son ami Philippe Solari, expressément évoquée dans le dossier comme modèle physique de Miette. Le puits mitoyen, aussi : il y en avait un semblable dans l'impasse Sylvacanne, où les Zola ont habité ; Zola en a revu un autre dans la cour de l'auberge de Gloton, tout près de Bennecourt, où il a passé de nombreuses fins de semaine depuis 1866. C'est à la source de ces souvenirs, et sans doute de beaucoup d'autres plus difficiles à repérer, que prennent substance et respiration les plus belles pages de ce roman, le seul où Zola ait pu, de manière si intense, faire parler son enfance.

L'intertexte des lectures relaie, modifie, transpose le monologue des réminiscences, et redouble leur écho. Lectures récentes : j'ai cité déjà *Madame Gervaisais* (mais il y a d'autres femmes névrosées dans la galerie des Goncourt, à commencer par Germinie Lacerteux, à laquelle Zola s'est longuement et passionnément intéressé en 1865) ; le 29 avril et le 4 mai 1869, Zola a présenté aux lecteurs du *Gaulois L'Homme qui rit*, de Victor Hugo, et publié précisément les pages de ce roman qui dépeignent les amours adolescentes inconsciemment sensuelles de Gwynplaine et de Dea, au sein d'une nature complice et provocante, et qui comparent les deux jeunes gens aux couples des anciens contes grecs. Daphnis et Chloé, oui, mais aussi, pourquoi pas, Orphée et Eurydice. Comme Orphée, Silvère tente d'arracher Miette à l'Univers des morts, à l'attirance des pierres tombales de l'aire Saint-Mittre, sur lesquelles elle découvre son propre nom — mais au milieu du voyage la mort reprendra sa proie. Coup d'envoi des *Rougon-Macquart*, *La Fortune des Rougon* est aussi le premier roman de Zola où, dans les profondeurs du motif passionnel, social ou historique, viennent s'installer des archétypes mythiques, ou allégoriques, dont le temps et les significations ne sont pas, n'ont jamais été ceux de l'histoire. Aucune de ces structures, d'ailleurs, n'est à isoler, ni à figer, ni à poser comme une évidence. Si Miette figure la jeune vierge promise à la mort dans le temps même où elle devrait espérer une autre sorte d'assomption, elle figure aussi la jeune fille combattante d'une cause sacrée : Maurice Agulhon cite à son propos l'Éponine des *Misérables*, qui elle aussi meurt sur une barricade d'insurgés républicains, aux pieds de celui qu'elle aime. Mais de combien d'héroïnes de cette sorte, réelles ou imaginaires, toutes les cultures nationales — et notamment la nôtre — ne sont-elles pas riches ? Le succès narratif d'un tel « rôle » lui est assuré par sa définition oxymorique : l'alliance des fragilités de la féminité, de l'adolescence, de la tendresse, et d'une conduite héroïque qui caractérise traditionnellement l'expérience et la dureté viriles. Comme dans l'eau frémissante du puits mitoyen, le visage de Miette a bien pu prendre de multiples formes dans les rêveries de son créateur.

LA RÉDACTION ET LA PUBLICATION

Si l'on en croit Paul Alexis (*Émile Zola, Notes d'un ami*, 1882), Zola commença à rédiger *La Fortune des Rougon* en mai 1869. Il y travailla tout l'été, tout en lisant les livraisons de *La Comédie humaine*, qui paraissaient chez l'éditeur Michel Lévy depuis le début de l'année. En juin, se produisirent à Paris et en province de violentes manifestations contre le régime impérial. L'opposition rappelait sans relâche les origines illégales et meurtrières du Second

Empire. La pression des événements ne pouvait qu'accentuer les traits polémiques du roman.

Lorsque Alexis rendit visite pour la première fois à Zola, en compagnie d'un autre Aixois, Antony Valabrègue, vers le 16 septembre 1869, le roman était « sur le chantier ». *Le Siècle*, quotidien à grand tirage de la gauche modérée, avait accepté de le publier en feuilleton. Sur la foi de cet engagement, Lacroix avança à Zola deux mille francs pour le compte du *Siècle*. Mais d'autres feuilletons signés d'écrivains plus chevronnés dans le genre devaient passer avant *La Fortune des Rougon* : Alexandre de Lavergne, Champfleury, Erckmann-Chatrian, Alexandre Dumas, Louise Colet... C'est le 16 décembre seulement que Zola, enfin payé par le journal, put rembourser Lacroix*. Et son texte attendait toujours. Un roman de Dumas, *Création et Rédemption*, dura jusqu'au 22 mai 1870, suivi d'un feuilleton de Pierre Cœur, *Les Borgia*. Zola avait achevé la *Fortune*, et commencé le second roman du cycle, *La Curée*. Il avait rédigé pour la *Fortune* un brouillon de préface (Ms. 10.303, f°s 78-79) qu'on pourra comparer à la préface définitive :

> Je désire montrer comment une famille, un petit groupe d'êtres se comporte en s'épanouissant pour donner naissance à dix, à vingt individus, qui paraissent, au premier coup d'œil, profondément dissemblables, mais que l'analyse révèle comme intimement liés les uns aux autres. L'hérédité a ses lois, ainsi que la pesanteur.
>
> Je tâcherai de trouver et de suivre, en résolvant la question double des tempéraments et des milieux, le fil qui conduit mathématiquement d'un homme à un autre homme. Et, quand je tiendrai tous les fils, quand j'aurai entre les mains tout un groupe social, je ferai voir ce groupe à l'œuvre, je le créerai agissant dans la complexité de ses efforts, j'analyserai à

---

* D'après un reçu à en-tête de Lacroix et Verboeckhoven, conservé par le docteur François-Émile Zola.

la fois la somme de volonté de chacun de ses membres et la poussée générale de l'ensemble.

Les Rougon-Macquart, le groupe, la famille que je me propose d'étudier, a pour caractéristique les débordements des appétits, le large soulèvement de notre âge qui se rue aux jouissances. Partis du peuple, ils vont au pouvoir, au million, au génie et au crime, à l'héroïsme et à l'infamie. Ils s'irradient dans toutes les classes, ils racontent le Second Empire, depuis le guet-apens du coup d'État.

Cette étude, — étude physiologique et historique, — qui formera plusieurs épisodes, plusieurs volumes, est, en somme, *l'Histoire naturelle et sociale d'une famille sous le Second Empire*. Et le premier épisode, *La Fortune des Rougon*, doit s'appeler de son titre scientifique : *les Origines*.

Les colonnes du *Siècle* ne s'ouvrirent au roman que le 28 juin 1870. Plus des trois quarts avaient paru lorsque éclata la guerre franco-prussienne. Le journal en suspendit brusquement la publication le 11 août, « pour quelques jours », « à cause de la gravité des circonstances », et pour « réserver toute la place aux documents relatifs à la guerre ». La fin du chapitre VI et le chapitre VII restaient à paraître ; *Le Siècle* en conserva le manuscrit.

Zola jouait de malheur. Arrivèrent Sedan, le 4 septembre, l'investissement de Paris, le siège, la défaite. Il n'y avait plus de place dans la presse pour les feuilletons. Au demeurant, la chute de Napoléon III avait beaucoup diminué l'actualité polémique d'une œuvre qui dénonçait les origines du pouvoir impérial. Zola s'était installé à Marseille jusqu'en décembre, puis à Bordeaux, jusqu'au début de mars : il lui était bien difficile de talonner la direction du *Siècle*. De retour à Paris le 14 mars, il eut la joie de retrouver intact son manuscrit. La fin du roman fut publiée en quatre livraisons, les 18, 19, 20 et 21 mars, sous le titre *La Famille Rougon*. Il était tout juste temps : la Commune venait de s'installer à Paris ; et de nouveau la presse allait devoir faire la portion congrue à la littérature...

De même que la guerre, en 1870, avait compromis la publication de *La Fortune des Rougon* en feuilleton, de même les tragédies politiques du printemps 1871 en retardèrent la publication en volume. Le roman ne parut à la Librairie Internationale Lacroix et Verboeckhoven que le 14 octobre 1871. Cette édition originale reproduisait, à quelques variantes près, le texte du *Siècle*, et portait l'indication tome I, annonçant ainsi une suite. Il en alla de même pour la « 2ᵉ édition », mise en vente en 1872, et qui n'était en réalité qu'une partie de l'édition originale, non vendue. Mais lorsque Georges Charpentier, nouvel éditeur de Zola à partir de 1872, réédita le livre (mis en vente le 27 décembre 1872, mais millésimé de 1873), Zola fit subir au texte plus de cent soixante-dix modifications, qui touchaient des aspects importants de la structure.

C'est que près de quatre ans avaient passé depuis qu'il avait jeté les bases de l'*Histoire naturelle et sociale d'une famille sous le Second Empire*. La conception du cycle s'était agrandie. Parti en 1868 d'un projet de dix romans, il était passé à douze puis à dix-huit, comme le montre une liste qui semble avoir été dressée vers 1872 (Ms. 10.345, f° 129) :

Liste des romans[*]

La fortune des Rougon.

La Curée

Le Ventre. — Lisa

La /sottise/ faute de l'abbé Mouret. — Serge et Désirée Mouret.

Le roman politique (journaux.) — Eugène Rougon

Le roman d'art. — Claude Lantier.

Le roman sur la rente viagère. — Agathe Mouret.

Le roman populaire. — Gervaise Ledoux et ses enfants.

Le roman sur la guerre d'Italie. — Jean Macquart.

---

[*] Nous encadrons de deux barres obliques les fragments de texte biffés par Zola sur le manuscrit, et de deux crochets les additions.

Le roman sur le haut commerce (nouveautés). —
Octave Mouret.

[Retour sur les Mouret Serge et Désirée]
Le roman sur le demi-monde. — Anna Ledoux
Le roman judiciaire [chemin de fer]. — Étienne
Lantier.
Roman sur la débâcle [L'étude sur les journaux à
la fin de l'empire]. — Faire revenir Aristide, Eugène
et les autres.
Roman sur [la guerre] le siège et la Commune. —
Faire revenir Maxime et les enfants.
Roman scientifique. — Pascal, Clotilde, faire
revenir Pierre Rougon, Félicité, Macquard, etc.
Pascal en face des fils de Maxime.
(Un roman sans doute avec François Mouret et
/Anne/ Marthe Rougon).

[*La conquête de Plassans*]
Un 2e roman ouvrier. — Particulièrement politique. L'ouvrier de l'insurrection [outil révolution-
naire], de la Commune. Une photographie d'insurgé
tué en 48. Aboutissant à mai 71.

Plusieurs de ces romans allaient être fondus ensemble, ou
abandonnés : on voit mal ce qu'est devenu le « *roman sur la
rente viagère* » ; le roman sur la débâcle et le roman sur le
siège et la Commune se sont réunis l'un à l'autre. Mais en
tout cas le cycle était loin d'être clos. Pour les sujets nouveaux qui surgissaient, il fallait des personnages nouveaux, à
commencer par ceux du *Ventre de Paris* et de *La Conquête de
Plassans*, que ni la liste ni les arbres généalogiques de 1869
(voir ci-après, p. 528-533) n'avaient mentionnés. La double
famille des Rougon-Macquart s'élargissait, dans les mêmes
proportions que les différentes ambitions du romancier.
De là, une première série de modifications du texte de
la *Fortune*, entre l'édition originale et la troisième édition :
celle qui porte sur le nombre et la distribution des personnages. Le nombre des enfants Mouret-Macquart et des

enfants Macquart-Gavaudan passe de deux à trois, celui des enfants Mouret-Rougon de un à trois. À François et Silvère Mouret (fils de Mouret et d'Ursule Macquart) s'ajoute en 1873 Hélène Mouret, future héroïne *d'Une page d'amour*. À Gervaise et Jean Macquart (enfants d'Antoine Macquart et de Fine Gavaudan), s'ajoute Lisa, futur et tout proche personnage du *Ventre de Paris*. À Octave Mouret, fils de François Mouret et Marthe Rougon, s'ajoutent un second fils et une fille, Serge et Désirée Mouret, personnages de *La Conquête de Plassans* et de *La Faute de l'abbé Mouret*.

Zola modifia également les dates de naissance et/ou de mort de plusieurs personnages, comme le montre le tableau suivant :

Dans le texte de 1871.	*Dans le texte de la 3ᵉ édition.*
Adélaïde est née en 1770. Quand elle recueille Silvère Mouret, elle « a dépassé la soixantaine ».	Elle est née en 1768. Quand elle recueille Silvère, elle a « près de soixante-quinze ans ».
Félicité a trois ans de moins que son mari.	Elle a quatre ans de moins.
Antoine Macquart est rentré à Plassans en 1823. Il avait alors vingt-huit ans.	Il est rentré à Plassans « après la chute de Napoléon ». Son âge n'est plus indiqué.
Ursule Mouret, sa sœur, meurt en 1840.	Elle meurt en 1839.
Le premier fils d'Ursule Mouret, François, a « vingt et quelques années » à la mort de sa mère. Silvère a six ans.	À la mort d'Ursule, François Mouret a vingt-trois ans. Silvère a six ans (Zola a oublié de diminuer son âge d'un an, de même que pour François et Hélène).
Antoine Macquart s'est marié une dizaine d'années après son retour. Ses deux	Antoine Macquart s'est marié en 1826. Ses trois enfants sont nés en 1827,

enfants sont nés respecti-   1828 et 1831. Sa femme
vement un an et quatre ans   meurt au début de 1850.
plus tard. Sa femme, Fine,
meurt au début de 1851.

Enfin, la condition même des personnages est touchée.
Le séjour d'Aristide Rougon et de sa femme chez Pierre et
Félicité Rougon est réduit de dix ans à quatre ans ; le salaire
mensuel d'Aristide, à la sous-préfecture de Plassans, passe
de 100 francs à 150 francs. De même, le gain mensuel de
Gervaise passe de 50 à 60 francs. Zola supprime un passage indiquant qu'Antoine Macquart a songé un instant à
marier Gervaise à Silvère. *La Fortune des Rougon* est le
seul des *Rougon-Macquart* qui ait subi, d'une édition à
l'autre, de tels remaniements. Mais le texte ne changera
plus, même lorsque de nouveaux membres de la famille
viendront s'installer à leur tour sur l'arbre généalogique :
par exemple un troisième fils de Gervaise, Jacques Lantier,
qui surgira en 1889 pour les besoins de *La Bête humaine*.
    Les circonstances, pour le moins accidentées, de la pré-
publication de *La Fortune des Rougon*, lui portèrent grand
préjudice. La critique ne remarqua guère le roman avant
sa parution en librairie, bien qu'il tranchât sur la médiocrité des feuilletons dont se satisfaisait habituellement *Le
Siècle*. Au moins Zola eut-il la satisfaction de recevoir de
Gustave Flaubert une lettre fort chaleureuse :
    « Je viens de finir votre atroce et beau livre ! J'en suis
encore étourdi. C'est fort ! Très fort !
    « Je n'en blâme que la préface. Selon moi, elle gâte votre
œuvre qui est si impartiale et si haute. Vous y dites votre
secret, ce qui est trop candide, chose que dans ma poétique
(à moi) un romancier n'a pas le droit de faire.
    « Voilà *toutes* mes restrictions.
    « Mais vous avez un fier talent et vous êtes un brave
homme ! »
    Théophile Gautier, selon Émile Bergerat, qui rapporte
le fait dans ses *Souvenirs d'un enfant de Paris*, déclara :
« Il ne tient pas encore son style, qui est enchevêtré et plein

de lianes, mais c'est un maître qui nous vient, avec son Z. fatidique, comme Z. Marcas et Balzac lui-même. »

De nos jours, *La Fortune des Rougon*, en tête du cycle des *Rougon-Macquart*, pâtit un peu du succès considérable de plusieurs des romans postérieurs. André Gide, Henri Guillemin l'admirent. Les historiens lui accordent grand crédit : « La fidélité du récit de Zola, écrit Maurice Agulhon, est frappante, globalement, pour tout lecteur de *La Fortune des Rougon* qui a pu acquérir quelque familiarité avec cette époque. » La critique nouvelle, enfin, derrière René Girard, découvre, avec une curiosité ravie, au-delà ou en deçà de la chronique d'une époque, un mythe de fondation : fondation d'une famille, d'une fortune, d'un monde, et aussi fondation d'une écriture. Et, constatant que le socle de cette fondation est une pierre tombale, et aussi la pierre d'un meurtre, sur laquelle jaillit le sang de la tête fracassée de Silvère, sacrifié pour le succès de l'Empire, elle s'interroge sur l'extraordinaire intuition zolienne des corrélations qui unissent organiquement la fortune et la mort, l'institution et le sang, « la violence et le sacré ».

APPENDICE

Nous reproduisons aux pages 528-533 les tableaux généalogiques établis par Zola en 1869 :

1. Le premier est le tableau généalogique primitif (Ms. 10.345, f° 130). Il a été composé au début de 1869, lorsque la famille imaginée par Zola s'appelait Richaud-David. Nous portons en italiques les fragments biffés sur le manuscrit : le tableau a en effet été révisé un peu plus tard, de manière à faire apparaître les noms de Rougon et de Machard. L'italique non encadré de barres correspond à un passage souligné du manuscrit. Entre crochets et en romain maigre, apparaissent les additions antérieures à 1870 ; entre crochets et en romain gras, les additions postérieures à 1870-1871. Nous publions sur quatre pages,

deux à la verticale, deux à l'horizontale, un tableau qui, sous sa forme originale, se lit à l'horizontale (la branche légitime et la branche illégitime placées en face à face). On prendra garde au fait que les deux branches se réunissent à l'étage du mariage entre Anne Rougon et François Mouret, dont les enfants sont Octave, Serge et Désirée.

2. Le second est un deuxième état du tableau : c'est celui qui fut remis à Lacroix, au printemps de 1869, et que Jules Lermina publia en 1885 dans son *Dictionnaire universel illustré de la France contemporaine*.

Il y aura encore deux arbres généalogiques des *Rougon-Macquart* : celui que Zola publia en tête d'*Une page d'amour* et celui qu'il publia en tête du *Docteur Pascal*. Ils apparaîtront à leur place, dans l'édition Folio de ces deux romans.

LE TEXTE

Le manuscrit et le dossier préparatoire de La Fortune des Rougon

Manuscrit autographe : les quatre cinquièmes du manuscrit de *La Fortune des Rougon* (du début jusqu'au milieu du chapitre VI) se trouvent à la Bibliothèque nationale, département des Manuscrits, Nouvelles acquisitions françaises, n° 10.303, f°s 1-314. Le reste a été perdu.

Dossier préparatoire : la Bibliothèque nationale conserve également ce qui en reste. Département des Manuscrits, Nouvelles acquisitions françaises, n° 10.303, 2e série de feuillets, f°s 1-92 ; Ms. 10.280², f°s 43-54 ; Ms. 10.338, f°s 241-243 ; Ms. 10.345, f°s 49-55, 137-140. Voir également Ms. 10.338, f° 433 ; Ms. 10.345, f°s 139-141 ; Ms. 10.292, f°s 275-278.

Le dossier préparatoire des Rougon-Macquart

Les premières notes de lecture et de composition, concernant le projet général de l'*Histoire naturelle et sociale*

I. PREMIER ARBRE GÉNÉALOGIQUE
DES ROUGON-MACQUART, 1869 (Ms. 10345, f° 130)

|Henriette David| Adélaïde Fouque, dite tante Dide née en 70, se marie en 90 à |Théodore Richaud| Rougon, en a un enfant en 91 à l'âge de 21 ans, |et une fille un an après, en 92,| perd son mari en |92||93||94|92, a d'un amant en |93| |93| |93| Chantegreil Machard| Macquard un second enfant en |96|94, | meurt folle en 1820, à l'âge de 50 ans| et a encore une fille de cet amant en |96| 98, meurt folle.

BRANCHE LÉGITIME

En Provence

Du mariage |d'Henriette David| d'Adélaïde Fouque (Tante Dide) et de |Théodore David| Rougon naît un fils, Pierre |Richaud| Rougon. |Henriette| Tante Dide est détraquée, sa folie est de se croire [?] riche ; |Théodore| Rougon est un paysan épais, |n'ayant que| sanguin, n'ayant que l'amour de la terre. Leur fils Pierre est leur moyenne. Mélange équilibre. Ress. aussi. Né en 91, il a 60 ans en 1851. Il épouse une fille de bourgeois ruinés, |Marguerite| Félicité |Goiraud| Puech, femme assez instruite, ambitieuse, |ayant préféré un paysan à son aise et souffrant de sa condition|. Ils se marient Pierre à 20 ans, |Marguerite| Félicité à 18 ans. Ils ont trois fils et deux filles.

|Alfred Richaud| Eugène Rougon né en 1811, a 40 ans en 51. Fonctionnaire officiel. Ambition de la mère avec un peu de la lourdeur du père. Qualités remarquables. Soif d'honneurs. *Mélange fusion* avec prépondérance [de la mère] morale de la mère. Ressem- blance physique du père.

|Charles Richaud| Pascal Rougon né en 1813, a 38 ans en 51. *Innéité*, pas de ressemblance morale avec ses parents. Ressemblance physique avec la mère, dans le bas âge et s'effaçant plus tard. L'agriculteur intelligent. Homme doux, sain. En dehors complètement de la famille.

|Auguste Richaud| Aristide Rougon né en 1815 ; 35 ans en 51. Ambition de la mère, mais avec la soif de la propriété du père. Tripoteur d'affaires, ambition plus grossière que celle de Charles. *Mélange soudure* avec prépondérance morale du père. Ressemblance physique de la mère. — Il se remarie avec une poupée parisienne, Laure, fille de commerçants de hautes nouveautés, à 25 ans.
[*Aristide revient de*] Aristide revient de Paris à 22 ans il se marie à 23 ans et a Maxime à 25 ans en 1840.]
[Angèle mariée]
[Angèle épousée en 38 à 18 ans meurt en 54 à 34 ans.]
[Aristide se remarie en 54 à Renée qui a 19 ans. Renée meurt vers 67 à 32 ans.]

[[?] Richaud] Sidonie Rougon, née en 1818 a [en] 33 ans en 51. Intrigante allant jusqu'au vol. Election du père avec res-semblance physique du père. Mais un cerveau à demi [trouble] fou. Folle [méchante] lucide méchante.

|Sophie Richaud| Anne Rougon née en 1820, a 30 ans en 51. Elle est toquée comme sa grand-mère Henriette. *Hérédité en retour.* Elle épouse son cousin [Octave Richaud] François Mouret en 1840. Ressem- blance physique et morale avec sa grand-mère. Meurt phtisique.

(voir page 530)

[[?] Camoin [3]] né en 1840 a 11 ans en 51. Election de la mère. [?] avec ressemblance physique. Presque absolue.|

[Un fils aîné de Serge, Octave Mouret, né en 1840.]

|Philippe Richaud| Maxime Rougon né en 1840, a 11 ans en 1851. Petit crevé. *Mélange dissémination* |Moins bon que sa mère [?] |Moins bon que sa mère| (moins bon que la mère) avec prédominance du père (appétit de jouissance) et ress. physique de la mère (produit d'une jeune femelle). Il peut avoir un enfant naturel qui est la dernière expression du crétinisme. [(l'influence de l'assouvissance de ses parents |n| est [pas] produite sur lui qu'après la naissance. Tant pis!] **[A 17 ans en 57 Maxime séduit la femme de chambre et a un garçon.]**

|Josephine Richaud| Clotilde Rougon. Née en 1847 a 4 ans en 1851|jeune[?]|*

* *Les points d'interrogation en italique remplacent des mots rayés illisibles.*

BRANCHE

|*Adélaïde David*| Ursule |*Machard*| Macquard née illégitimement d' |*Henriette David*| Adélaïde Rougon et de |*Lorin* |Macquart en 1898, |*est une pauvre fille*|. |*Mari*| épouse un |*Camoin*| Mouret ouvrier |*en*| à l'âge de 18 ans en 1816, dont elle a un fils, Octave |*Camoin**| Mouret |*ouvrier*| |*en*|. *Mélange* soudure avec prédominance de la mère et ressemblance physique de la mère. Morte phtisique avant 51 [en 1840]. [Silvère a 6 ans en 1840. François a 23 ans en 1840.]

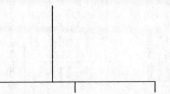

|*Octave Camoin*| François Mouret né en 1817, a 34 ans en 51. Il épouse sa cousine par sa grand-mère, Sophie |*Richaud*| Rougon, en 1840. Tempérament sanguin. Fait fortune. Anticlérical. Torture sa femme. Élection du père avec ressemblance physique de la mère. (Les 2 mariés se ressemblent par quelques traits.)

[Agathe Mouret née en 1824.]

|*Victor Camoin*| Silvère Mouret né en 1834 a 17 ans en 51. Élection de la mère, sans ressemblance physique. Délicat nerveux. Élevé par lui-même. Amoureux d'une jeune fille.

|*Lucien Camoin*| Serge Mouret né en |1840| 1841 |*a 9 ans en 51*| |*Élection du père, tempérament languissant. Ressemblance* [?] *au père.* [?] *absolu*| Cerveau du père troublé par l'influence morbide de la mère. Ressemblance physique de la mère |*Désespère son père*| plus caractérisée. Désespère son père par sa vocation.

|*Julie Camoin*| Désirée Mouret née après 1844. Idiote.

* On trouve ici Camoin *sans* s. *Ce nom porte le plus souvent un* s *dans les* plans.

ILLÉGITIME

En Provence

Antoine |*David*| |*Machard*| Macquard, né illégitimement de |*Henriette David*| Adélaïde Rougon et de |*Lorin*| Macquard en |*96*| 94.|*55*| 57 ans en 1851. |*Lorin*| Macquart est un ivrogne de père en fils. [Il part vers 19 ans.] |*Antoine tente de*| Antoine est un *mélange* avec prédominance du père (fusion) [ress. physique du père dominant]. Il vit presque en bandit ; caractère étrange, bizarre, fils de folle et d'ivrogne. |*Il revient du service en 1823 à 27 ans*|. Il se marie en 1826 avec |*Charlotte Lacroix*|. Fine, une maîtresse femme [qui a son âge]. Ils boivent tous deux. Il conquiert sa femme en la mutilant presque. |*Comme*| Il a Marie à 32 ans [en 1828], et Paul à 35 ans en 1831.

[Élisa Macquart née en 1827 a 32 ans |*en 60*| en 1859. |Paris.| La mère reproduction.]

[Pauline Quenu née en 52.]

[à Paris]

|*Marie*| |*Laurel*| Gervaise |*David*| Machard née en 1828 née *avant le mariage* a |*24*| 23 ans en 51. Souffreteuse. Presque mutilée. | *?*| Représentation de sa mère au moment de la conception. Conçue dans l'ivresse. Épouse à [?] 14 ans en 1841 un ouvrier ivrogne, |*Louis Dulac*| Denis Lantier

|*Paul David*| Jean Machard né en 1831 |*né après le mariage*| a 17 ans en 51. *Élection* de la mère, sans ressemblance physique. Toutes les bonnes qualités de la mère. Militaire.

[Illégitime]

Claude |*Camoin*| |*Dulac*| Lantier artiste né en |*1841*| 1842 a |*10*| 9 ans en 51 (17 ans en 59). Élection de la mère avec ressemblance physique de la mère. Drame domestique entre sa mère et lui.

[Illégitime]

Étienne |*Dulac*| Lantier né en | *1844*| 1846 a |*7*| 5 ans en 51. *Élection* de la mère avec ressemblance physique de la mère puis du père. Meurtrier. Hérédité de l'ivrognerie se tournant en folie.

|*Louise Dulac*| Anna Lantier née en 1851 (d'un autre lit) [?] Élection du père avec ressemblance physique de la mère, puis du père. Lorette. Hérédité du vice.

II. TABLEAU GÉNÉALOGIQUE DES
remis à Albert Lacroix et publié en 1885 dans le *Dictionnaire*

Adélaïde Fouque
Paysanne née en 1770. Elle a 81

Eugène Rougon, né en 1811, a 40 ans en 1851. *(Loi d'hérédité : mélange-fusion avec prépondérance morale de la mère et ressemblance physique du père.)* Fonctionnaire ambitieux de talent. Il se marie avec la fille du comte de Noilly, ce qui introduit la classe noble dans l'œuvre.

Pascal Rougon, né en 1813, a 38 ans en 1851. *(Loi : innéité, aucune ressemblance avec ses parents.)* Médecin. En dehors complètement des siens. L'homme digne et équilibré de l'œuvre.

Pierre Rougon, né en 1791, a 60 ans en 1851. *(Loi d'hérédité : moyenne physique et morale de la mère et du père.)* Pierre a la lourdeur du paysan avec un peu de la finesse nerveuse de tante Dide. Il épouse en 1811, à l'âge de 20 ans, une fille de bourgeois ruinés, Félicie Giraud, femme vaniteuse. Ils ont trois fils et deux filles.

Elle se marie en 1790 à Marius Rougon, paysan, et en a un enfant l'année suivante. Son mari meurt en 1792.

Aristide Rougon, né en 1815, a 36 ans en 1851. *(Loi d'hérédité : mélange-soudure avec prépondérance morale du père et ressemblance physique de la mère.)* Spéculateur sans scrupule. Il devient immensément riche. Il a d'une première femme un fils en 1840.
Il se remarie plus tard à Paris.

Maxime Rougon, né en 1840, a 11 ans en 1851. *(Mélange-dissémination avec prédominance morale du père et ressemblance physique de la mère.)* Un de ces imbéciles que l'on a nommés « petits crevés ».

Isidorine Rougon, née en 1818, a 33 ans en 1851. *(Élection du père avec ressemblance physique du frère.)* Intrigante.

Anne Rougon, née en 1820, a 31 ans en 1851. *(Hérédité en retour ; ressemblance avec sa grand-mère tante Dide.)* Elle épouse son cousin de la branche illégitime François Mouret et a de lui un garçon et une fille.
Elle meurt phtisique après 1851.

Serge Mouret, né en 1842, a 9 ans en 1851. *(Cerveau du père, troublé par l'influence morbide de la mère.)* Prêtre mys- tique et amoureux.

Désirée Mouret, née en 1852. Pauvre enfant à demi idiote.

ROUGON-MACHARD (1869, deuxième état)
universel illustré de la France contemporaine de Jules Lermina

(dite tante Dide)
ans en 1851. Elle meurt folle.

François Mouret, né en 1817, à 34 ans en 1851. *(Élection du père avec ressemblance physique de la mère.)* Il fait une petite fortune en province.
Il épouse sa cousine Anne Rougon en 1840.

Serge Mouret, né en 1842, à 9 ans en 1851. *(Cerveau du père, troublé par l'influence morbide de la mère.)* Prêtre mystique et amoureux.

Désirée Mouret, née en 1852. Pauvre enfant à demi idiote.

Ursule Machard, née en 1796. *(Loi d'hérédité : mélange-soudure avec prédo- minance morale et physique de la mère.)* Elle épouse en 1816 Firmin Mouret, un petit commerçant, et en a deux fils. Elle meurt phtisique en 1838.

Silvère Mouret, né en 1834, a 17 ans en 1851. *(Élection de la mère sans ressemblance physique.)* Jeune enthousiaste qui se fait fusiller pour la liberté, meurt en 1851.

Claude Lantier, né en 1842, a 9 ans en 1851. *(Élection de la mère avec ressemblance de la mère.)* Artiste nerveux, intelligence de génie qui se dévore elle-même.

Gervaise Machard, née en 1821, a 30 ans en 1857. *(Représentation de la mère, enfant souffreteuse de gens vicieux.)* Elle épouse à 20 ans, en 1841, un ouvrier parisien, Denis Lantier, qui peu à peu roule à l'ivrognerie. Ils ont deux fils et une fille.

Étienne Lantier, né en 1845, a 7 ans en 1851. *(Élection de la mère avec ressemblance de la mère, puis du père.)* Influence de l'ivrognerie des parents poussant un enfant au meurtre.

..h æ après la mort de son mari elle prend un amant, Eustache Machard, braconnier ivrogne, mauvais ; drôle. Elle en a un fils en 1794 et une fille en 1796.

Antoine Machard, né en 1794, a 57 ans en 1851. *(Loi d'hérédité : mélange-fusion avec prédominance physique et morale du père.)* Ivrogne, fainéant. Il épouse en 1820, à 26 ans, Charlotte Chantegreil et en a deux enfants, une fille en 1821 et un fils en 1830.

Louise Lantier, née en 1848, a 3 ans en 1851. *(Élection du père avec ressemblance physique de la mère, puis du père.)* Lorette. Hérédité des vices.

Jean Machard, né en 1830, a 17 ans en 1851. *(Élection de la mère sans ressemblance physique.)* Toutes les bonnes qualités de la mère. Soldat.

d'une famille au XIX⁰ *siècle* sont conservées à la Bibliothèque nationale, département des Manuscrits, Nouvelles
acquisitions françaises, dans le Ms. 10.345. En voici
l'essentiel :

F⁰ˢ 1 à 7 : « Notes générales sur la marche de l'œuvre. »

F⁰ˢ 9 à 13 : « Notes générales sur la nature de l'œuvre. »

F⁰ˢ 14-15 : « Différences entre Balzac et moi. »

F⁰ˢ 17 à 25 : « Détermination générale. »

F⁰ˢ 27 à 47 : Notes de lecture sur la *Physiologie des passions*, du docteur Charles Letourneau.

F⁰ˢ 57 à 111 : Notes de lecture sur le *Traité de l'hérédité
naturelle*, du docteur Prosper Lucas.

F⁰ 129 : Liste des romans.

F⁰ 130 : Tableau généalogique des Rougon-Machard.

F⁰ 134 : Liste de patronymes.

F⁰ˢ 142-143 : Liste d'ouvrages de physiologie.

F⁰ˢ 155-156 : Liste d'ouvrages de physiologie et d'histoire.

Les f⁰ˢ 1, 9, 17, 27, 49, 57, sont des pages de titres.
Beaucoup des f⁰ˢ du Ms. 10.345 sont en réalité des notes
qui appartiennent aux dossiers de plusieurs romans ulté-
rieurs, et qui ont été classées ici par erreur.

La publication en feuilleton de La Fortune des Rougon

La Fortune des Rougon parut dans *Le Siècle* du 28 juin
au 10 août 1870 et du 18 au 21 mars 1871. Les livraisons
découpées et collées sont conservées à la Bibliothèque
nationale, département des Manuscrits, Nouvelles acqui
sitions françaises, Ms. 10.304, f⁰ˢ 1-374

Les principales éditions

L'édition originale, 1 vol., in-18, couv. impr., Paris, Librairie internationale Lacroix, Verboeckhoven et Cie. Tome I.
14 octobre 1871 (Annonce dans la *Bibliographie de la France*
le 21 octobre 1871). — Ce texte diffère de celui du feuilleton
par la suppression de quelques dizaines de lignes et des

corrections stylistiques. Une partie de l'édition originale, non vendue, a été remise en vente en 1872, avec la mention : 2ᵉ édition.

La première édition Charpentier : *La Fortune des Rougon*, 3ᵉ édition, Paris, Charpentier et Cie, 1873, in-18, couv. impr., 389 p. Mise en vente le 27 décembre 1872, annoncée dans la *Bibliographie de la France* le 18 janvier 1873. Cette édition comporte plus de 170 variantes par rapport au texte de l'originale.

L'édition Bernouard, en 1928, avec des notes et commentaires de Maurice Le Blond.

L'édition de la Bibliothèque de la Pléiade (*Les Rougon-Macquart*, tome I, Paris, Éditions Gallimard, 1960), avec une étude et des notes d'Henri Mitterand. C'est le texte de la 1ʳᵉ édition Charpentier qui a servi de base à cette édition. Nous reprenons ici le texte de la Bibliothèque de la Pléiade, après révision sur le texte Charpentier.

L'édition du Cercle du livre précieux (*Œuvres complètes* de Zola, tome II, Paris, 1966, sous la direction d'Henri Mitterand), avec une préface d'Henri Guillemin.

L'édition de l'Intégrale (*Les Rougon-Macquart*, tome I, Paris, Éditions du Seuil, 1970), avec une introduction de Pierre Cogny.

L'édition Garnier-Flammarion (Paris, 1969), avec une introduction de Robert Ricatte.

HENRI MITTERAND.

NOTES

Page 33

1. Ces bohémiens réapparaissent dans les *Souvenirs* réunis par Zola pour les *Nouveaux Contes à Ninon*, publiés en 1874 : « *Dans la petite ville provençale où j'ai grandi, les Bohémiens sont tolérés (...) Ils arrivent avec leur maison roulante, s'installent dans le coin de quelque terrain abandonné des faubourgs. Certains coins, d'un bout de l'année à l'autre, sont habités par des tribus d'enfants déguenillés d'hommes et de femmes vautrés au soleil.* »

Page 36

1. L'idée de faire de ce terrain vague un ancien cimetière est venue à Zola au dernier moment. Dans les notes préparatoires, il n'est question que d'en faire un « magasin » pour les charrons du voisinage.

Page 37

1. Méger : fermier qui partage avec son propriétaire le fruit de la terre.

Page 39

1. En esquissant le portrait de Silvère dans ses dernières notes (Ms. 10.303, f⁰ˢ 5-7), Zola avait pensé à son ami le sculpteur Philippe Solari : « *Un Philippe Solari comme aspect, mais moins creusé* »

Page 42

1. Zola a donné à Plassans la position géographique de Lorgues, dans le département du Var. Plassans est situé sur une route qui joint La Palud et Saint-Martin-de-Vaulx à Orchères et Sainte-Roure, en passant par Alboise et Plassans. Dans la réalité, Lorgues est situé à mi-chemin, à vol d'oiseau, entre La Garde-Freinet, Le Luc et Vidauban, d'une part, Salernes et Aups, d'autre part. Aucune route directe ne relie Lorgues à chacun de ces deux groupes de localités. Zola a imaginé de relier Plassans aux localités voisines par la route de Nice.

Page 43

1. Zola définit ainsi son personnage, dans ses Notes (Ms. 10.303, f° 5) : « *Presque aussi grande que Silvère. Elle n'a que treize ans. L'ardeur du Midi l'a presque formée. Elle est entre la jeune fille et la femme (moment charmant et délicat à peindre). Son ardeur et ses virginités : son demi-état de paria l'a préservée du vice de sa classe. Le soleil l'a brunie, mais Silvère un jour a vu son cou blanc. Belle et forte : figure ronde, cheveux noirs et crépus plantés sur un front bas, lèvres un peu grasses et rouges. Vêtements de paysanne. (Louise Solari).* » — Louise Solari était la sœur de Philippe Solari.

Page 45

1. Ms. 10.303, f° 6 : « *L'idylle entre Miette et Silvère sera de la part de Miette : un amour charnel qui s'ignore, et de la part de Silvère un amour charnel également, mais mêlé à un enthousiasme. Cet amour rentre dans ma théorie que la chair est au fond des tendresses les plus innocentes. Peindre sans trop accentuer.* »

Page 46

1. Ce décor était dans la réalité celui de la route de Marseille, au sortir d'Aix.

Page 49

1. La Viorne : cette rivière n'est autre que l'Arc, qui contourne Aix-en-Provence. À la sortie de la ville, en direction de Marseille, la route descend jusqu'au pont qui enjambe l'Arc.

Page 57

1. Sur la Fête-Dieu en Provence, voir les _Nouveaux Contes à Ninon_ (1874) et _La Conquête de Plassans_ (1874, chap. XIV).

Page 61

1. La scène se passe le dimanche soir 7 décembre 1851. Une colonne, formée d'insurgés du Luc et de La Garde-Freinet, était passée à Vidauban dans la nuit du 6 au 7 (dans le roman : Saint-Martin-de-Vaulx, La Palud et Alboise). Là, s'était jointe à elle une colonne venue de Brignoles (dans le roman : Faverolles, voir p. 64), commandée par un rédacteur du _Peuple_, de Marseille, Camille Duteil. Selon Tenot, les colonnes venues de la région de Saint-Tropez et du Luc, et montant vers Draguignan, comptaient près de 3 000 hommes.

Derrière Orchères, il faut lire Salernes, et derrière les Tulettes, les Arcs, entre Vidauban et Draguignan, à l'est de Lorgues. On peut repérer ces lieux sur une carte du Var, en étudiant les transformations que Zola a fait subir à la géographie réelle, pour les besoins de la fiction.

Page 65

1. La plupart de ces noms de villages sont imaginaires. Zola les a construits sur divers types de toponymes provençaux. Il prend plaisir à jouer de leurs sonorités.

Page 68

1. Jas, en provençal : bergerie.

Page 72

1. Le décor de Plassans évoque celui d'Aix-en-Provence au milieu du XIXᵉ siècle : ses quartiers, ses monuments, ses remparts (démolis sous le Second Empire seulement), ses portes, ses hôtels des XVIIᵉ et XVIIIᵉ siècles, l'archaïsme politique et moral de ses habitants. On reconnaît, dans le cours Sauvaire, le cours Mirabeau. Plassans est seulement une plus petite ville que n'était Aix-en-Provence.

Page 75

1. Le receveur particulier, dans chaque arrondissement, dirigeait la perception et le recouvrement des contributions directes et des amendes. Il était rémunéré par un traitement fixe et par des commissions sur les recettes.

Page 77

1. Le père du peintre Paul Cézanne, Louis Cézanne, avant de devenir banquier, s'était enrichi dans la fabrication des chapeaux. — Zola avait pensé à emprunter certains de ses traits pour composer le personnage de Pierre Rougon. Le père de Louis Cézanne était étranger à Aix, où il était venu d'un village de montagne.

Page 78

1. Il existait des Fouque à Toulon en 1851.

Page 82

1. Primitivement, la vie de l'aïeule ne devait être contée qu'au début du chapitre III, le chapitre II étant réservé à la présentation des Rougon et de leurs amis politiques. Zola a finalement préféré exposer d'un seul trait la généalogie des Rougon-Macquart. On voit ainsi entrer en scène, les uns après les autres, les personnages qui se situeront sur les branches maîtresses de l'arbre généalogique (voir ci-dessus, pp. 528-533).

Page 87

1. Étisie : « État d'émaciation extrême, résultant de quelque maladie chronique » (Littré).

Page 92

1. C'est aussi un nom aixois. — Ce Mouret sera le père de Silvère, de François Mouret (*La Conquête de Plassans*) et d'Hélène Mouret (*Une page d'amour*).

Page 103

1 Ces cinq enfants sont Eugène, Pascal, Aristide, Sidonie et Marthe. Ils seront, dans l'ordre, les personnages de *Son Excellence Eugène Rougon*, *Le Docteur Pascal*, *La Curée* et *L'Argent*, *La Curée* et *La Conquête de Plassans*.

Page 104

1. Émile Zola, lui aussi, était entré au collège Bourbon, d'Aix, en huitième. Il y fut élève de 1852 à 1858.

Page 105

1. Zola avait projeté, s'il était reçu à son baccalauréat, de faire son droit et de devenir avocat. Cézanne, de son côté, suivit les cours de la faculté de droit d'Aix.

Page 110

1. Les lettres de jeunesse de Zola (à Cézanne et à Baille) font allusion à des jeunes gens de cette sorte, connus à Aix. Voir la *Correspondance* de Zola, Presses de l'Université de Montréal et Éditions du C.N.R.S., tome I, 1978.

Page 118

1. Il se peut que le « salon jaune » des Rougon provienne du *Curé de Tours*, de Balzac, que Zola qualifiait d'admirable étude dans *Le Gaulois* du 31 juillet 1869, à l'occasion de sa récente réédition chez Michel Lévy : le salon de Mlle Gamard y est en effet appelé « le salon jaune ».

Page 122

1. Le premier plan détaillé du roman l'avait placée au début du chapitre II. Le second plan détaillé la rejeta au début du chapitre III, en même temps que la présentation des comparses.

Page 123

1. Henri, comte de Chambord, né en 1820, petit-fils de Charles X, était devenu le chef du parti légitimiste, et le prétendant au trône, en qualité d'unique héritier de la branche aînée des Bourbons. Il mourut sans descendance en 1883. Ses partisans lui avaient donné le nom d'Henri V.

Page 129

1. Ce n'est qu'au moment de rédiger, que Zola imagina de faire épouser par Aristide Rougon la fille d'un personnage qu'il avait esquissé dans le dernier plan détaillé : « *un vieux colonel de l'empire retraité* » (Ms. 10.303, f° 13). De même, pour l'idée de laisser supposer que Félicité est la fille naturelle du marquis de Carnavant.

Page 132

1. L'Assemblée législative se réunit le 28 mai 1849. Les républicains y étaient minoritaires. Elle restreignit le suffrage universel, la liberté de la presse et la laïcité. Le coup d'État du 2 décembre 1851 mit fin à ses activités.

Page 136

1. Le catéchisme poissard, publié par Vadé en 1758, est un répertoire de trivialités recueillies auprès des femmes de la Halle, à Paris.

Page 144

1. Louis-Napoléon Bonaparte avait été élu président de la République, au suffrage universel, le 10 décembre 1848. — Le mouvement révolutionnaire de 1848 avait chassé de Rome le pape Pie IX. En mai 1849, un corps expéditionnaire français vint mettre le siège devant Rome : la ville

fut emportée le 3 juillet, et le pouvoir pontifical aussitôt restauré. Une division d'occupation française, pour le préserver, resta à Rome jusqu'en septembre 1870.

Page 163

1. À Brignoles, le sous-comité de résistance à la préparation du coup d'État avait été animé par un ancien souspréfet, nommé Constant.

Page 176

1. Son histoire devait prendre place dans le chapitre III, selon les plans. La division ultérieure du chapitre II en deux chapitres distincts renvoya Macquart au chapitre IV.

Page 194

1. Jean Macquart sera le héros de *La Terre*, puis de *La Débâcle* : Gervaise l'héroïne de *L'Assommoir*. Les deux enfants de Gervaise ici évoqués seront Claude Lantier (*Le Ventre de Paris* et *L'Œuvre*) et Étienne Lantier (*Germinal*). Beaucoup plus tard, au moment d'écrire *La Bête humaine*, en 1889, Zola lui en donnera rétrospectivement un troisième, Jacques Lantier. Dans *L'Assommoir*, d'autre part, Gervaise aura de Coupeau une fille, Nana.

Page 195

1. Breuvage composé de café, de sucre et de rhum.

Page 204

1. Octave (*Pot-Bouille*), Serge et Désirée (*La Faute de l'abbé Mouret*).

Page 207

1. Le mot pouvait s'appliquer à Adélaïde Fouque dans l'édition originale, mais non plus dans le texte définitif de 1872, qui donne à la vieille femme soixante-quinze ans (voir ci-dessus p. 205). Zola a omis d'effectuer la correction nécessaire. — De même, il aurait dû écrire : « Il crut

découvrir le complice qu'il cherchait dans le troisième fils Mouret » (voir ci-dessus également, p. 205).

Page 227

1. Cette image annonce le titre du roman suivant : *La Curée*.

Page 242

1. Cette dernière partie du chapitre IV (l'entrée des insurgés dans la ville) constituait à elle seule le chapitre IV des plans. — L'épisode du gendarme Rengade (qui s'appelle Delmas dans le feuilleton du *Siècle*) a été emprunté à l'ouvrage de Tenot ; de même pour l'arrestation des notables. Ce dernier épisode doit également sa documentation à un témoignage vécu, mais déformé par la rancune et la haine anti-républicaine, celui du journaliste royaliste Hippolyte Maquan.

Quant à la jeune fille porte-drapeau, elle vient également pour une part du récit d'Eugène Tenot : « Cette colonne, écrit l'historien, était conduite par le citoyen Ferrier, que les insurgés avaient nommé la veille maire de Grimaud. Mme Ferrier, belle jeune femme enthousiaste de la liberté, avait suivi son mari. Elle marchait en tête des insurgés, portant le drapeau rouge, drapée dans un manteau bleu doublé d'écarlate, le bonnet phrygien sur la tête. Lorsqu'elle entra, ainsi vêtue, à Vidauban, cette foule provençale, amoureuse de tout ce qui est excentrique, pompeux et théâtral, applaudit à outrance la nouvelle déesse de la liberté » (*op. cit.*, p. 136, cité par Maurice Agulhon, art. cit., p. 164).

Cela dit, Miette, jeune orpheline, ouvrière agricole, qui trouvera la mort dans l'insurrection, est très différente de Césarine Ferrier. Celle-ci, en réalité, épouse d'un petit notable de village (charron à Grimaud), n'avait pas voulu se séparer de son mari. Elle porta, non pas un drapeau rouge, mais une écharpe rouge, insigne de commandement qui lui avait été remis par un chef républicain, dirigeant du parti démocratique dans le Var, pour qu'elle encourageât les autres femmes, et notamment les ouvrières en liège de La Garde-Freinet. Tenot a oublié cet aspect féministe de la démocratie ouvrière de 1848-1851, pour ne retenir que l'aspect dramatisé de la femme en rouge. « Dans la réalité, écrit Maurice Agulhon (art. cité, p. 166), une militante ; chez les historiens de l'époque, un manne-quin ; chez Zola, un symbole. » — Césarine Ferrier échappa à la mort et à la prison, et put s'exiler en Amérique avec son mari.

Page 254

1. Zola, dès 1866, préparant un essai sur le roman, s'était intéressé aux romans grecs de l'Antiquité, en particulier à *Daphnis et Chloé*, attribué à Longus : Daphnis et Chloé, deux enfants trouvés par des bergers, ont grandi ensem-ble. Daphnis devient amoureux de Chloé en la regardant se baigner. Après enlèvement et intrigues diverses, les deux jeunes gens sont retrouvés par leurs parents, qui les marient.

Page 255

1. Ce détail et l'histoire de l'enfance malheureuse de Miette n'apparaissent que dans le dernier des plans détaillés du roman (Ms. 10.303, f° 5).

Page 261

1. Ces détails ont été fournis à Zola par son ami Paul Cézanne, qui les tenait de sa sœur Marie.

Page 310

1. Maurice Agulhon indique qu'un médecin de La Garde-Freinet, le docteur Adrien Martel, devenu le médecin des ouvriers bouchonniers des Maures, a suivi la colonne des insurgés de bout en bout, sans autre souci que de soigner les malades. Pascal Rougon, qui ne s'intéresse pas à la politique, mais se veut le médecin des pauvres, ressemble assez à cette figure généreuse, solidaire des ouvriers pour des raisons simplement humanitaires. Mais Zola en fait, en plus, un savant, ce qui n'était pas le cas d'Adrien Martel.

Celui-ci fut poursuivi par contumace. Les livres de Tenot, de Marquan et de Blache ne citent pas son nom. Il est probable que Zola, en plus de ses lectures, disposait d'informations dues à la tradition orale (voir Maurice Agulhon, art. cité, p. 163-167).

Page 312

1. Il s'agissait dans la réalité du colonel Trauers et du préfet Pastoureau, à la tête de onze compagnies du 50ᵉ régiment de ligne, et de quarante cavaliers.

Page 313

1. Dans la réalité, Aups, où le rassemblement fut anéanti par la troupe le 10 décembre. De nombreux insurgés furent tués pendant le combat. Plusieurs dizaines, faits prisonniers, furent fusillés sur-le-champ. Cette atrocité dans les représailles gouvernementales contre les révoltes populaires est une constante dans l'histoire de la France au XIXᵉ siècle, quel que soit le régime (1832, juin 1848, décembre 1851, mai 1871…).

Page 323

1. Ce chapitre est issu de la fusion des chapitres VII et VIII des plans.

Page 332

1. Le chapitre VII des plans racontait le bref triomphe d'Antoine Macquart, son arrestation par les gendarmes après le départ des insurgés, puis sa délivrance par Pierre et son emprisonnement. La reconquête de l'hôtel de ville par le groupe du salon jaune est une innovation de dernière heure. De même, plus loin, le traquenard tendu par Rougon aux républicains du vieux quartier, avec la complicité d'Antoine, pour porter à son comble la terreur des partisans de l'ordre (voir pp. 366 et suiv. et 393 et suiv.).

À Aix-en-Provence, il y avait eu un moment de panique le 9 décembre, parce qu'on signalait le passage d'une bande d'insurgés dans les environs. La garde nationale se rassemble sur le cours Mirabeau. Zola était alors à Aix ; il avait onze ans. Dix-huit ans plus tard il pensait se souvenir de ces manœuvres et contre-manœuvres, et les arranger pour son récit. D'autre part, le maire d'Aix, Rigaud, légitimiste, s'était immédiatement rallié à Louis-Napoléon Bonaparte, et avait fait arrêter un républicain, nommé Astier, qui protestait contre le coup d'État. En 1868-1869, Zola rencontrait des amis aixois (Roux, Valabrègue, Alexis), qui ont pu ajouter aux siens, sinon leurs souvenirs, au moins les récits qu'ils avaient entendus sur les événements de décembre 1851. (Voir Roger Ripoll, texte cité, *Europe*, avril-mai 1968, p. 168.)

Page 416

1. La vision du sang domine les trois derniers chapitres du roman, et singulièrement ses dernières pages : sang de Miette et des insurgés massacrés à Sainte-Roure, sang des victimes du guet-apens machiné par les Rougon, sang de Silvère abattu sous les yeux d'Aristide, silencieux et complice. C'est sur le meurtre et le sang que se fondent, à Plassans, la fortune des Rougon, et à Paris, celle de l'Empire.

BIBLIOGRAPHIE

Ouvrages et articles ayant servi de sources à Zola .

NOËL BLACHE. *Histoire de l'insurrection du Var en décembre 1851*, Paris, Le Chevalier, 1869.

TAXILE DELORD. *Histoire du Second Empire*, Paris, Germer-Baillière, 1869.

DR CHARLES LETOURNEAU. *Physiologie des passions*, Paris, Germer-Baillière, 1868.

DR PROSPER LUCAS. *Traité philosophique et physiologique de l'hérédité naturelle*, Paris, J.-B. Baillière, 1847-1850, 2 vol.

HIPPOLYTE MAQUAN. *Insurrection de décembre 1851 dans le Var. Trois jours au pouvoir des insurgés. Pensées d'un prisonnier*, Draguignan, 1853.

DR MOREAU (de Tours). *De l'identité de l'état de rêve et de la folie*, Paris, 1855.

DR BENEDICT-AUGUSTE MOREL. *Traité des dégénérescences physiques, intellectuelles et morales de l'espèce humaine*, Paris, 1857.

EUGÈNE TENOT. *La Province en décembre 1851, étude historique*, 2ᵉ éd., Paris, Le Chevalier, 1868.

Études à consulter :

PAUL RAPHAËL. « *La Fortune des Rougon* et la réalité historique », *Mercure de France*, 1ᵉʳ octobre 1923, p. 104-118.

ROBERT RICATTE. « Les romans des Goncourt et la médecine », *Revue des Sciences humaines*, 1953.

Henri Mitterand. « La publication en feuilleton de *La Fortune des Rougon* », *Mercure de France*, novembre 1959, p. 531-536.

F. W. J. Hemmings. « Émile Zola et Louise Solari », *Revue d'histoire littéraire de la France*, janvier-mars 1960, p. 60-61.

Armand Lunel. « Le Puits mitoyen. Un souvenir d'enfance de Zola », *L'Arc*, automne 1960.

Rodolph Walter. « Zola et ses amis à Bennecourt », *Les Cahiers naturalistes*, n° 17, 1961, p. 19-35.

Robert Ricatte. « À propos de *La Fortune des Rougon* », *Les Cahiers naturalistes*, n° 19, 1961, p. 97-106.

Martin Kanes. « Zola, Balzac and *La Fortune des Rougon* », *French Studies*, juillet 1964, p. 203-212.

Elliott M. Grant. « L'emploi de l'expédition à Rome dans *La Fortune des Rougon* », *Les Cahiers naturalistes*, n° 33, 1967, p. 53-56.

Maurice Agulhon. « Aux sources de *La Fortune des Rougon* », *Europe*, avril-mai 1968, p. 161-166 (suivi d'un commentaire de Roger Ripoll).

Gilbert Chaitin. « The Voices of the Dead : Love, Death and Politics in Zola's *Fortune des Rougon* », *Literature and Psychology* (Fairleigh Dickinson University), XXVI, n° 3-4, 1976, p. 131-144, 148-158.

Naomi Schor. « Mythe des origines, origine des mythes : *La Fortune des Rougon* », *Les Cahiers naturalistes*, n° 52 1978, p. 124-134.

Henri Mitterand. *Le Discours du roman*, P.U.F 1980.

DU MÊME AUTEUR

dans la même collection

COLLECTION FOLIO

Dernières parutions

Impression CPI Bussière
à Saint-Amand (Cher), le 10 juillet 2011.
Dépôt légal : juillet 2011.
1ᵉʳ dépôt légal dans la collection : janvier 1981.
Numéro d'imprimeur : 112257/1.
ISBN 978-2-07-034142-9./Imprimé en France.